Franz Herre

MOLTKE

Generalfeldmarschall
Helmuth Graf von Moltke
(Fotografie von
J. C. Schaarwächter)

FRANZ HERRE

MOLTKE

Der Mann
und sein Jahrhundert

Deutsche Verlags-Anstalt
Stuttgart

CIP-Kurztitelaufnahme der Deutschen Bibliothek

HERRE, FRANZ:
Moltke: d. Mann u. sein Jh. / Franz Herre. –
Stuttgart: Deutsche Verlags-Anstalt, 1984.
ISBN 3–421–06213–7

Typographische Gestaltung: Brigitte Müller
Gesamtherstellung: Friedrich Pustet, Regensburg
Printed in Germany

INHALT

»Was kann uns nach solchen Erfolgen
noch zu einer Lebensfreude gereichen?«
fragte Bismarck nach dem
gewonnenen Siebzigerkrieg und der
geglückten Reichsgründung den
preußischen Generalstabschef Moltke.
Der antwortete:
»Einen Baum wachsen zu sehen.«

EIN REPRÄSENTANT DES 19. JAHRHUNDERTS

EINE BILANZ des 19. Jahrhunderts zog 1899 die populäre »Berliner Illustrirte Zeitung« in einer Leserumfrage: Die wohltätigste Erfindung? Die Eisenbahn. Das bedeutendste Ereignis? Die Einigung und Wiederaufrichtung des Deutschen Reiches. Der größte Staatsmann? Reichskanzler Bismarck. Der größte Denker? Generalfeldmarschall Moltke – vor dem englischen Biologen Darwin und den deutschen Philosophen Kant, Schopenhauer und Nietzsche.

Diese Antwort verblüffte. Bei der Frage nach dem größten Feldherrn war der Sieger von Königgrätz und Sedan nur als zweitgrößter genannt worden. »Bei allen Beantwortern der Enquete lag die Nennung allein zwischen Moltke und Napoleon I. Schließlich ging doch Napoleon I. mit 3600 gegen 3300 Stimmen, die für Moltke abgegeben wurden, als jener hervor, dem die Volksstimme den Platz eines größten Feldherrn des Jahrhunderts eingeräumt wissen will.«

Zunächst war Moltke durch seine Mitwirkung bei der Errichtung des Deutschen Reiches berühmt geworden, als einer der drei Reichsgründer, wie sie Wilhelm I. in seinem Trinkspruch nach der Schlacht bei Sedan herausgestellt hatte: »Sie, Kriegsminister von Roon, haben unser Schwert geschärft; Sie, General von Moltke, es geleitet, und Sie, Graf von Bismarck, haben seit Jahren durch die Leitung der Politik Preußen auf seinen jetzigen Höhepunkt gebracht.«

Dieses Bild hatten Deutsche im Kaiserreich vor sich: Bismarck, Moltke und Roon, wie sie vor Wilhelm I., den sie als Deutschen Kaiser auf den Schild gehoben hatten, am 16. Juni 1871 durch das Brandenburger Tor in Berlin einritten, in die Haupt- und Residenzstadt Preußens, die von ihnen zur Reichshauptstadt gemacht worden war.

Der populärste des »Dreigestirns« war Feldmarschall Helmuth Graf von Moltke. Reichskanzler Otto von Bismarck stand zu sehr im Lichte der Öffentlichkeit, hatte zu viele Facetten, die nicht nur funkelten, sondern auch gleißten und blendeten, bot zu viele Angriffsflächen, als daß ihn alle Deutschen jedweder politischer Couleur gleich zu schätzen oder gar zu lieben vermocht hätten. Und der preußische Kriegsminister Albrecht von Roon war bereits Anfang der sechziger Jahre, im Verfassungskonflikt, vor die Rampe getreten und 1873, krankheitshalber, wieder abgetreten, zu früh in jedem Falle: Er hatte die Liberalen zu einer Zeit gegen sich aufgebracht, als diesen die Freiheit noch wichtiger als die Einheit gewesen war, und dann nicht die Zeit gehabt, die National-liberalen davon zu überzeugen, daß ihm das Deutsche wichtiger als das Preußische geworden war.

Moltke jedoch stand so da, wie sich Zeitgenossen einen echten Deutschen vorstellten: als »Vollmensch«, wie der zeitgenössische Historiker Max Jähns meinte, und schon als ein Denkmal des Erreichten und ein Vorbild dessen, was es zu bewahren galt.

Vielleicht verehrten sie ihn deshalb so sehr, weil sie ihn so wenig kannten. Moltke zog sich auf sein Gut in Kreisau in Schlesien zurück oder schloß sich im Generalstabsgebäude in Berlin ein, wo er arbeitete und wohnte. Wenn er, was selten genug der Fall war, aus dem roten Backsteinbau herauskam, sich in Gesellschaft begab, redete er so wenig, daß selbst sein König und Kaiser, Wilhelm I., jeden Gesprächsbrocken aufzulesen versuchte. »Was hat er denn gesagt?« pflegte er diejenigen zu fragen, bei denen er den »großen Schweiger« hatte stehen sehen.

In respektvoller Entfernung hielten sich gewöhnliche Sterbliche, wenn sie die markante Figur in langem Generalsmantel und mit einfacher Feldmütze durch den Tiergarten spazierengehen sahen, einem Peripatetiker, einem antiken Philosophen gleich, der im Aufundabgehen dachte und plante. Wenn er – in einem seiner beiden Zivilanzüge – in einem Eisenbahnabteil zweiter Klasse fuhr, rückten die Mitreisenden beiseite, nicht ohne Genugtuung zu empfinden, einem »Menschen wie du und ich« nahe zu sein.

Für einen Militär war seine Gestalt etwas zu gebeugt, beinahe gelehrtenhaft, sein bartloses Gesicht fast zu fein und seine Stirn zu

Das Berliner Moltke-Denkmal von Joseph Uphues,
1905 auf dem Königsplatz enthüllt, heute am »Großen Stern«

zerfurcht. Sein Mund war nicht der eines Philosophen: Die zusammengekniffenen Lippen glichen dem Bilanzstrich unter einem Mobilmachungsplan.

Moltkes Profil wurde klassisch genannt, mochte an Büsten griechischer Denker oder römischer Imperatoren erinnern. Der kahle Schädel war freilich mit einer Perücke getarnt, die selbst die ästhetisch nicht verwöhnte Queen Victoria abscheulich fand.

Klassisch, das heißt ausgewogen und harmonisch, vollendet und mustergültig, erschien humanistisch gebildeten Menschen sein Wesen. Preußen wie preußisch geprägten Deutschen galt er als Verkörperung des preußischen Idealtypus, wie ihn Theodor Fontane gekennzeichnet hatte: mit griechischer Seele, altfritzischem Geist und märkischem Charakter – dem Schönen, Guten und Wahren aufgeschlossen, vernünftig denkend und überlegt handelnd, anspruchslos und selbstlos, tüchtig und diszipliniert, ein Paladin des Monarchen und ein Diener des Staates.

Dabei war er nicht in Preußen, sondern in Mecklenburg geboren, in Kopenhagen erzogen worden und hatte in dänischen Diensten gestanden – ein Wahlpreuße wie Scharnhorst, Gneisenau und Stein. Preußen betrachteten ihn als Konvertiten, als einen Deutschen, der sich dem alleinseligmachenden Preußentum zugewandt hatte. Und Deutsche als Missionar, der Borussen im Namen der Nation getauft, Preußen zu Deutschen bekehrt hatte.

Dennoch war er ein Weltbürger geblieben, der französisch und englisch, dänisch, italienisch und türkisch sprach, ein Weltkundiger, der auf weiten Reisen Erfahrungen gesammelt, ein Weltmann, der sich auf höfischem Parkett zu bewegen gelernt hatte, ein Kosmopolit, der in Rom lieber weilte als in Berlin, ein Nordländer, der sein Arkadien im Süden suchte.

Moltke war kein Junker, der durch Geburt ein Anrecht auf eine militärische Karriere gehabt hätte; erst dem Dreiundvierzigjährigen wurde 1843 gestattet, das Freiherrn-Prädikat fortzuführen, und in den Grafenstand wurde er mit Siebzig im Jahre 1870 erhoben. Aus einer verarmten Adelsfamilie stammend, mußte er sich alles erarbeiten, ja erhungern – ein Selfmademan, wie er gegen den Adel emporgekommenen Bürgern imponierte. Er versuchte liberal und konservativ zugleich zu sein, was dem Geiste der Reichsgründungskoalition aus Adel und Bürgertum entsprach und den Nationalliberalen, die den Reichston angaben, gefiel.

Auch Arbeiter hielten das Zustandekommen eines deutschen Nationalstaates für einen Fortschritt – und Moltke für einen Reichsschrittmacher. Sozialisten hätten sich allerdings weniger Krieg und mehr Demokratie gewünscht. Doch selbst Friedrich Engels, der den konservativen Reichstagsabgeordneten Moltke verspottete, respektierte den Generalstabschef Moltke, in erster Linie dessen Fähigkeit, schwierige Situationen auf dem Schlachtfeld zu erkennen und zu meistern.

Ein Feldherr, der nicht mehr als Oberkommandierender Soldaten unmittelbar in Tod und Verderben schickte, der Generalstabschef, der wie auf einem Schachbrett Truppen hin- und herbewegte, der strategische Berater des Obersten Kriegsherrn, des Königs, der im Glied blieb – dieser alles andere als martialisch auftretende Moltke, ein Gelehrter eher als ein Militär, konnte in Vergessenheit geraten lassen, daß er für die Schlachtopfer mitverantwortlich war, und die Meinung aufkommen lassen, daß ihm der Schlachtenruhm allein gebühre.

War er nicht ein preußischer General, der mit seinem Jahrhundert ging, ein mathematischer Kopf, der alles exakt berechnete, ein Planer, der sämtliche Zeitgegebenheiten und modernen Errungenschaften in seine Planungen einbezog: die Eisenbahn, den Telegraphen, die neue Waffentechnik? War er nicht ein Macher, der fast wie eine Maschine in diesem Maschinenzeitalter funktionierte?

Mehr noch: Moltke, der Militär, der Denker und der Mensch, erschien als Generalrepräsentant des deutschen 19. Jahrhunderts.

Als er gegen Ende seines Lebens gefragt wurde, welche Bücher den größten Einfluß auf ihn gehabt hätten, nannte er fünf: die Bibel, Homers Ilias, »Die Wunder des Himmels« – eine populäre Astronomie des Österreichers Joseph Johann von Littrow –, »Die Chemie in ihrer Anwendung auf Agrikultur und Physiologie« von Justus von Liebig und das Buch »Vom Kriege« des Preußen Carl von Clausewitz.

Erst an letzter Stelle also nannte der Feldmarschall ein militärisches Fachbuch, das Standardwerk des Scharnhorst-Schülers Clausewitz, mit dem er in einem Atemzug als Kriegstheoretiker genannt wurde. Moltke teilte dessen Meinung, daß nicht vorgefaßte Regeln, sondern nur den jeweiligen Gegebenheiten angemessene Entschlüsse schlachtentscheidend seien, Kriegführung keine Wissenschaft, vielmehr eine Kunst sei. Konsequenter als Clausewitz, der noch der systematisierenden ersten Hälfte des 19. Jahrhunderts angehörte, wollte der in dessen zweiter, empirischer und pragmatischer Hälfte wirkende Moltke kein Lehrbuch der Strategie verfassen; er bevorzugte die Einzelabhandlung, den historisch-politischen Abriß und die Darstellung von Kriegen und Schlachten. Moltke teilte nicht die Auffassung von Clausewitz, daß auch im Kriege, der die Fortsetzung der Politik mit anderen Mitteln sei, der Politik der Primat zukomme. Doch dieser schwerwiegende und folgenschwere Unterschied wurde im Wilhelminischen Reich, in dem das Militärische über allem stand, als Pluspunkt für Moltke gewertet.

An erster Stelle der Bücher, die ihn geprägt hätten, nannte der Feldmarschall die Bibel. Das war mehr als eine Bekräftigung der königlich-preußischen Devise »Mit Gott für König und Vaterland«, mehr als eine Bestätigung des preußisch-deutschen Bundes von Thron, Altar und Militär. »Es werden nicht alle, die zu mir sagen: Herr, Herr! in das Himmelreich kommen, sondern die den Willen tun meines Vaters im Himmel« – diesen Bibelspruch aus dem Matthäus-Evangelium, Kapitel 7, Vers 21, hatte er auf das in sein Bibelexemplar eingeheftete Blatt geschrieben. Alpha und Omega seines Glaubens war das in der Heiligen Schrift geoffenbarte Wort Gottes, das er indessen – im Sinne seines fortgeschrittenen Jahrhunderts – vernünftig auszulegen und zweckmäßig anzuwenden bestrebt blieb.

Er war in eine Zeit hineingewachsen, die vom Rationalismus und vom Systematisieren ausgegangen war, doch zunehmend von Erfahrungen bestimmt wurde, wie sie von der Naturwissenschaft gemacht, von der Geschichtswissenschaft gesammelt, durch die Technik angewandt und von der Industrie verbreitet wurden.

Deshalb verwundert es kaum, daß Moltke unter den fünf wichtigsten Büchern seines Lebens zwei naturwissenschaftliche nannte: Littrows gemeinverständliche Astronomie, in der neue wissenschaftliche Einsichten vermittelt wurden, ohne daß man abrupt auf alte romantische Stimmungen hätte verzichten müssen. Und Liebigs Agrikulturchemie – erste Auflage 1840, neunte Auflage 1875 –, die dem Wissensbeflissenen Erkenntnisse und dem Gutsherrn von Kreisau Nutzen brachte.

An zweiter Stelle hatte er Homers Ilias genannt, das Epos der griechischen Götter und Helden, die Geschichte des Krieges um Troja. Der Knabe hatte beim Lesen glühende Ohren, im nebligen Norden Sehnsucht nach dem sonnigen Süden bekommen, von großen Taten zu träumen begonnen, Grundlagen für jene humanistische Bildung gelegt, die ein Fundament seines Lebens und seines Jahrhunderts blieb.

Die deutsche Klassik, Schiller wie Goethe, schätzte auch er; er konnte ganze Szenen des »Faust« aus dem Kopf aufsagen. Die Romantik genoß er lieber in ihrer leicht unterkühlten, gezügelten britischen Form; als Leutnant trug er die Gesänge Lord Byrons in der Satteltasche, er übersetzte Gedichte von Thomas Moore und las noch im hohen Alter die historischen Romane von Walter Scott. Romantische Gefühle verschloß er bald in seiner Brust: »Zuletzt wird man so vernünftig, daß man alle Begeisterung als eitel Mondschein über Bord wirft«, meinte der Zweiundvierzigjährige. Als er jedoch – kurz vor seinem Tode – ein paar Worte auf die Walze des von Thomas Edison erfundenen Phonographen sprechen sollte, wählte er zur Überlieferung seiner Stimme und seines Wesens den Vers:

»Doch ist es jedem eingeboren,
daß sein Gefühl hinauf und vorwärts dringt,
wenn über ihm, im blauen Raum verloren,
ihr schmetternd Lied die Lerche singt.«

Im allgemeinen ging er nur schriftlich aus sich heraus, in Gedichten und in Novellen, vor allem in seinen Briefen, in denen er alles auszudrücken vermochte, Eindrücke und Empfindungen, Beobachtungen und Bemerkungen, Erlebnisse und Erkenntnisse, stets bestrebt, Subjektives zu objektivieren.

Wenn ihm die Worte nicht ausreichten, griff er zum Zeichenstift, mit dem er festhalten konnte, was er sah, mit seinem klaren, geschulten, unbestechlichen Auge ganz genau sah. Gänzlich trat das Ichbezogene hinter dem Sachbezogenen am Meßtisch zurück: Als Topograph und Kartograph leistete er für ihn Typisches.

Das Reisen – in einer Zeit, die von der Kutsche in die Eisenbahn umstieg – war für ihn das bevorzugte Mittel der Welterfahrung. Was er dadurch sozusagen in der Breite gewann, versuchte er durch Geschichtsstudium zu vertiefen, wie es in seinem historisierenden Jahrhundert gang und gäbe war.

Bei seinen Lieblingshistorikern fand er, was er wie seine Zeitgenossen suchte, was ihm wie Preußen und Deutschland zustatten kam: Bei Thomas Carlyle die Meinung, daß Geschichte nur von wenigen Großen gemacht werde, daß Macht Recht sei und die Schwachen sich den Starken zu beugen hätten. Bei Heinrich von Treitschke die Ansicht, daß das hohe Ziel eines preußisch-deutschen Nationalstaates auch Krieg und Blutvergießen rechtfertige: »Ist die Einheit Deutschlands unter Kaiser Wilhelm I. eine Idee, die nicht ein paarmal hunderttausend Leben aufwiegt?« Und bei Leopold von Ranke fand er die Auffassung: »Das Maß der Unabhängigkeit gibt einem Staate seine Stellung in der Welt; es legt ihm zugleich die Notwendigkeit auf, alle inneren Verhältnisse zu dem Zweck einzurichten, sich zu behaupten« – mit den Mitteln des Macht- und Militärstaates.

Helmuth von Moltke, der am 26. Oktober 1800 geboren wurde und am 24. April 1891 starb, dessen Leben fast das ganze 19. Jahrhundert umfaßte, war ein Prototyp seines Säkulums, sein Produkt und ein Beispiel. Als Mensch harmonierte er mit dem Innenleben und als Denker mit dem Geistesleben seiner Zeit. Als Politiker stand er im Einklang mit dem Streben der Nation nach einem Nationalstaat. Und als Militär half er die preußisch-deutsche Einheit zu erringen – mit den Waffen, deren Erfolg das Mittel sanktionierte und den Erfolgreichen kanonisierte.

So kam es, daß er nicht nur berühmt, sondern auch beliebt wurde, die Reichsgenossen den Reichsfeldherrn verehrten, ja vergötterten.

Kernsprüche Moltkes gingen in den patriotischen Zitatenschatz ein, wie: »Erst wägen, dann wagen«; »Getrennt marschieren, vereint schlagen«; »Glück hat auf die Dauer nur der Tüchtige«.

Fast in jeder Stadt wurden Straßen nach ihm benannt, vornehmlich in den neuen Vierteln, die in den Gründerjahren demonstrierten, wie man im Reiche reich geworden war. Moltkes Name führten seit 1873 das Fort Nr. 2 in Straßburg, seit 1887 eine Kriegskorvette, seit 1889 das schlesische Füsilierregiment Nr. 38.

Noch zu Lebzeiten wurden ihm Denkmäler gesetzt, das erste im Jahre 1876 in seiner Geburtsstadt Parchim in Mecklenburg. Der Feldmarschall hielt sich der Enthüllung fern, was den sagenhaften Ruf seiner Zurückhaltung und Bescheidenheit noch verstärkte.

In deutschen Wohnzimmern, an der Stelle, wo früher der

Herrgottswinkel gewesen war, hing sein Bild neben dem Wilhelms I. und Bismarcks. Man sah Reproduktionen von Gemälden des Gesellschaftsporträtisten Franz von Lenbach und des »Stiefelmalers« Anton von Werner, vornehmlich der »Kaiserproklamation in Versailles« mit Moltke im Vordergrund. Und man gewahrte Öldrucke, die sich auch Arme leisten konnten, welche damit oft – wie Heinrich Zille erzählte – die vielen Flecke von den an den Wänden zerquetschten Wanzen zudeckten.

An einem Glanzpunkt Berlins, vor dem Neuen Königlichen Opern-Theater, zwischen Generalstabsgebäude und Reichstag, war Moltke als Repräsentant des Reiches zu bewundern – auf einem sechs Meter hohen Sockel das fünfeinhalb Meter hohe Marmorstandbild des »rechten Mannes im rechten Streit«, der nun, nach getaner Arbeit, mit verschränkten Händen, an eine Brustwehr gelehnt, auf das Geleistete zurückblickte und das zu Bewahrende im Auge behielt.

So stand er da, monumental, groß und einfach zugleich, als Vorbild des Zweiten Reiches und als Sinnbild des 19. Jahrhunderts. Das eine ist untergegangen, und das andere beginnt die Nachfahren mehr und mehr zu faszinieren – als »klassisches« Jahrhundert, in dem der Grund gelegt worden ist zu dem, was im 20. Jahrhundert gedacht, gefühlt und gehandelt wird, das den Enkeln geistreicher und farbenprächtiger erscheint, als es die Söhne, die gegen die Väter rebellierten, wahrhaben wollten und konnten.

Auch ein Mann wie Moltke, der dieses 19. Jahrhundert verkörperte, erscheint in neuem Licht. Er war nicht die Marmorgestalt, die seine Zeitgenossen vor Augen hatten. Die Größe und die Glätte waren nicht vorgegeben; auch er war nicht von Anbeginn fertig und vollendet. Sie waren das Ergebnis eines Lebensprozesses, in dem sich Widersprüche im Menschlichen und Gegensätze im Zeitlichen in einer schier klassischen Einheit zusammenfügten, zu einem eindrucksvollen Zeugnis eines denkwürdigen Säkulums.

Erstes Kapitel

VON KOPENHAGEN NACH BERLIN

DAS JAHR 1800, den »Antritt des neuen Jahrhunderts«, mit dem Helmuth von Moltke seinen Lebensweg begann, begrüßte Friedrich Schiller wenig hoffnungsvoll:

> »Edler Freund! Wo öffnet sich dem Frieden,
> Wo der Freiheit sich ein Zufluchtsort?
> Das Jahrhundert ist im Sturm geschieden,
> Und das neue öffnet sich mit Mord.«

Freiheit war von der Französischen Revolution nicht nur den Franzosen, sondern allen Menschen verheißen worden. Doch die Freiheit schien unter der Guillotine der Jakobiner und unter den Stiefeln der Revolutionsarmeen gestorben zu sein, von Napoleon Bonaparte begraben zu werden, der 1799 Erster Konsul geworden war und Europa mit Krieg zu überziehen begann.

> »Und die Grenzen aller Länder wanken,
> Und die alten Formen stürzen ein;
> Nicht das Weltmeer setzt der Kriegswut Schranken,
> Nicht der Nilgott und der alte Rhein.«

Napoleon war über das Mittelmeer nach Ägypten gezogen. Nun stand er am linken Ufer des Rheins und streckte die Hand nach dem rechten Ufer aus. Im Jahre 1800 schlugen die Franzosen die Österreicher in Oberitalien und in Bayern. Im Jahre 1801 mußte der Habsburger Kaiser die neuen Satellitenstaaten Frankreichs anerkennen, die Batavische, Zisalpinische, Ligurische und Helvetische Republik, verlor er 1150 Quadratmeilen und dreieinhalb Millionen Einwohner. Das Heilige Römische Reich Deutscher Nation siechte noch einige Jahre dahin, bis ihm 1806 der Kaiser der Franzosen den Todesstoß versetzte.

>Zwo gewalt'ge Nationen ringen
Um der Welt alleinigen Besitz,
Aller Länder Freiheit zu verschlingen,
Schwingen sie den Dreizack und den Blitz.«

England und Frankreich waren von Schiller gemeint. Napoleon hatte den Rivalen im Orient treffen wollen, ohne nachhaltigen Erfolg. Doch 1802 mußten die Briten eroberte Kolonien an Frankreich und seine Verbündeten zurückgeben, behielten jedoch Trinidad und Ceylon, setzten sich auf Malta fest.

>Endlos liegt die Welt vor deinen Blicken,
Und die Schiffahrt selbst ermißt sie kaum;
Doch auf ihrem unermeßnen Rücken
Ist für zehen Glückliche nicht Raum.«

Auch die Moltkes konnten sich nicht glücklich schätzen. Die Familie hatte keine Fortune im Doppelsinn des französischen Wortes: weder Vermögen noch die Chance, eines zu bekommen.

Das betraf nicht den dänischen und den jüngeren Zweig des mit Heinrich dem Löwen nach Mecklenburg gekommenen Rittergeschlechts, sondern die ältere deutsche Linie, die zu Helmuth von Moltke führte. Nach dem Tode seines Großvaters Friedrich Kasimir im Jahre 1785 ging das Familiengut Samow verloren. »Ohne Zweifel entscheidet Landeigentum über die Hingehörigkeit einer Familie«, klagte der Enkel. »In diesem Sinne ist gerade der älteste Stamm des Geschlechts seit nun fast 100 Jahren heimatlos.« Der preußische Generalstabschef konnte ihm schließlich eine neue Heimat verschaffen: Mit der Dotation für den Sieg bei Königgrätz erwarb er 1867 das Gut Kreisau in Schlesien.

Seinen Vorfahren hatte der Kriegsdienst wenig eingebracht. Der Großvater war zwar mit Fünfundzwanzig schon kaiserlich österreichischer Hauptmann geworden, konnte aber nicht weiterkommen, weil er nicht katholisch werden wollte. Er zog sich auf sein Gut Samow zurück und heiratete Sophie Charlotte d'Olivet, eine Hugenottin, deren Familie wegen ihres Festhaltens am calvinischen Protestantismus aus Frankreich vertrieben worden war.

Ihr Reichtum bestand in Kindern: zehn Söhnen und drei Töchtern. Um sie zu versorgen, wurde das Familiengut Samow verkauft. Doch der Erlös, der unter so viele aufgeteilt werden mußte,

Stammbaum

zur Uebersicht der nächsten Verwandtschaft des
General=Feldmarschalls Grafen v. Moltke.

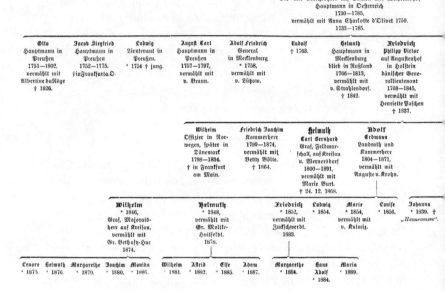

reiche für keinen aus. Friedrich Philipp von Moltke, der Vater des
späteren Feldmarschalls, hatte – wie er in seinen Erinnerungen
schrieb – »das kleine, von den Eltern ererbte Vermögen bald
verzehrt«.

Friedrich Philipp von Moltke war, wie seine Brüder, Offizier
geworden, ein preußischer Leutnant, der sich selber »unter die
schönen jungen Männer« rechnete und damit nicht falsch kalku-
lierte: Henriette, Tochter des Lübecker Kaufmanns, Gutsbesitzers
und Finanzrates Paschen, verliebte sich Hals über Kopf in ihn. Ihr
Vater, der ihn für einen Mitgiftjäger hielt, verweigerte ihm ihre

Wilhelm Hauptmann in Preußen 1770–1824, bei Jena verwundet.	Philipp Carl † jung.	Marianne * 1771, vermählt mit Eduard Ballhorn	Caroline * 1767, vermählt mit v. Knebel.	Louise * 1756, vermählt mit v. Knebel.

Ludwig Geheimerath und Kammerherr 1805–1889, vermählt mit Marie v. Krogh. „Mie".	Magdalene „Helene, Lene". * 1807, vermählt mit Propst Bröter. † 1890.	Auguste „Guste". 1809–1883, vermählt mit John Heitiger Burt*) auf St. Johns in Westindien.	Victor 1812–1853. „Vips".

Friederike * 1841. † vermählt mit Eckermann.	Helmuth * 1842, † 1842.	Rose Stiftsdame in Roeskilb. * 1844.	Friedrich * 1815, † 1845.	Auguste Hofdame. * 1846.	Betty * 1848, vermählt mit Poel.	Helene * 1840, vermählt mit Lund.	Elisabeth * 1842, vermählt mit Dohr.	Adolf † 1844 †.	Maria * 1846.	Ernst * 1852.	Henry v. Burt. * 1841 Major.	Ernstline * 1839, vermählt mit Knudsen.

Der Generalfeldmarschall starb kinderlos.
Sein Nachfolger als Majoratsherr auf Kreisau wurde der älteste Sohn
seines Bruders Adolf, Wilhelm von Moltke – der Großvater
von Helmuth James von Moltke, der 1945 als Widerstandskämpfer
(»Kreisauer Kreis«) hingerichtet wurde

Hand. Die Tochter legte sich zu Bett und stand erst wieder auf, als
er zugestimmt hatte, unter der Bedingung, daß der Herr Schwiegersohn seinen Abschied von der Armee nähme.

Im Mai 1797 heiratete das ungleiche Paar. Friedrich Philipp war
und blieb das, was wohlwollende Biographen mit »ein unsteter
Charakter« umschrieben. Güter, die er mit Hilfe des Schwiegervaters erworben hatte, bewirtschaftete er ohne Erfolg, stieß sie bald
wieder ab. Schließlich zog er erneut die Uniform an, diesmal die
dänische, weil er durch Umsiedlung nach Holstein Untertan des
Königs in Kopenhagen geworden war.

Henriette von Moltke, geb. Paschen,
die Mutter Helmuth von Moltkes

Die militärische Karriere war zwar etwas glänzender, doch nicht einträglicher als die des gescheiterten Gutsherrn: 1806 Major, 1813 Oberstleutnant, 1823 Oberst; 1839 wurde er als Generalleutnant verabschiedet. Materielle Güter hatte er nicht gewonnen und sein Familienglück verspielt – durch sein Landsknechtsleben, das er in der Napoleonischen Zeit begonnen hatte und in der Biedermeierzeit, in die es nicht mehr paßte, fortzusetzen bestrebt blieb. Seine acht Kinder wuchsen ohne ihn auf, seine Frau trennte sich endlich von ihm, lebte in bescheidenen Verhältnissen, zunächst in Preetz, dann in Schleswig.

»Das Schlimmste ist nur, daß das Unglück nicht sowohl in Vaters Verhältnissen, sondern in ihm selbst liegt«, schrieb Sohn Helmuth der Mutter, der er zugetan blieb, der er glücklicherweise in Geist und Wesen nachschlug.

Friedrich Philipp von Moltke,
der Vater Helmuth von Moltkes

Henriette von Moltke, geborene Paschen, sah man bald ihr Mißgeschick an. Von Hause aus nicht das, was man eine Schönheit nannte, verhärteten sich ihre Züge, verdüsterten sich ihre Augen und verschloß sich ihr Mund. Die Sitte, sich das Haar weiß zu pudern, verdeckte ihre grau gewordenen Strähnen, ohne den Eindruck verwischen zu können, daß sie viel zu früh eine Matrone geworden war.

Sie wirkte streng und abweisend, öffnete sich jedoch ihren Kindern, die sie zeitlebens schätzten und verehrten – nicht nur, weil sie der einzige Elternteil war, der sich kontinuierlich um ihre Erziehung und ihr Fortkommen kümmerte, sondern auch, weil sie dabei ein inneres Wesen offenbarte, das ihre Zuneigung und Liebe gewann und über alle Stürme hinweg fortdauern ließ.

Die Mutter war gemütvoll, ohne sentimental, fromm, ohne

bigott zu sein, hatte eine Ausbildung erhalten, wie sie in ihrer Zeit nur wenigen Mädchen zuteil geworden war, liebte Musik, beherrschte einige Sprachen und vermochte das, was sie empfand und dachte, schriftlich auszudrücken.

Acht Kinder gebar sie und zog sie auf, begleitete ihren Lebensweg mit liebender Sorge und mütterlichem Rat – sechs Söhne und zwei Töchter. Ihr drittes Kind, Helmuth, war ihr besonders ans Herz gewachsen, vielleicht weil es ihr am meisten glich, das vielversprechendste war und ihr Briefe schrieb, in denen ihre innere Übereinstimmung in vollen Akkorden erklang.

»Wie oft ist es mir vor die Seele getreten, daß von allen Wohltaten der erste mütterliche Unterricht die größte und die bedeutendste ist. Auf dieser Grundlage baut sich der ganze Charakter und alles Gute in demselben«, äußerte sich der bereits erwachsene Helmuth. Wo er auch weilte, blickte er zum Polarstern am nächtlichen Himmel empor, zu »ihrem« Stern, dessen Funkeln und Leuchten ihn überall an sie erinnerten.

AM 26. OKTOBER 1800, unter dem Sternzeichen des Skorpions also, war Helmuth Karl Bernhard von Moltke geboren worden. Sein Geburtsort, Parchim in Mecklenburg-Schwerin, war nicht besonders bemerkenswert. Da waren die Marienkirche aus dem 13. und die Georgenkirche aus dem 14. Jahrhundert, die mit ihren Türmen, der eine 76, der andere 70 Meter hoch, wetteiferten. Als Sehenswürdigkeiten wurden sie später ausgestochen: durch das Denkmal des berühmtesten Sohnes der Stadt und durch sein Geburtshaus, dessen Ausmaße in umgekehrtem Verhältnis zu der seinem Bewohner später beigemessenen Größe standen.

Sein Geburtsland, das herbe und spröde Mecklenburg, hoher deutscher Norden und bereits weiter deutscher Osten, konnte schon eher in Verbindung mit seinem Wesen gebracht werden. Die knorrigen Mecklenburger waren aus jenem Holz, aus dem zwei der typischsten preußischen Soldaten geschnitzt wurden: Feldmarschall Blücher, 1742 in Rostock geboren, und Feldmarschall Moltke. Der erste hatte ein ungestümes Temperament mitbekommen, das dem zweiten, nicht zu seinem Nachteil, abging.

Das Haus in Parchim, in dem er an einem Herbstsonntag im ersten Jahr des neuen Jahrhunderts zur Welt kam, gehörte nicht seinem Vater, der soeben das Erbzinsgut Liebenthal, wo ihm die beiden Söhne Wilhelm und Fritz geboren worden waren, veräußert hatte. Die Familie hatte bei seinem Bruder Helmuth Aufnahme gefunden, der Kommandant in Parchim war und Taufpate des dritten Sohnes seines Bruders wurde.

Geburtshaus
Helmuth von Moltkes in Parchim,
Mecklenburg-Schwerin

Als Stadt seiner Kindheit konnte Parchim nicht bezeichnet werden. Dem Vater war es bald zu klein. Nach einem Zwischenspiel als Gutsherr in Gnewitz, das wiederum mit einem Mißklang endete, zog er im Jahre 1803 nach Lübeck. »An seine alten Tore und Türme«, notierte Helmuth von Moltke, »knüpfen sich meine frühesten Erinnerungen, und ich habe unser Haus am ›Schragen‹, trotz der veränderten Umgebung, nach langen Jahren sofort wiedererkannt.«

Auch eine betrübliche Erinnerung an die alte Hansestadt trug er mit sich herum: an die Plünderung Lübecks im Jahre 1806. Nach dem Sieg der Franzosen über die Preußen bei Jena und Auerstedt war das Korps Blüchers nach Norden gedrängt worden, in das neutrale Lübeck, das er zur preußischen Festung machte. Die Franzosen nahmen die Stadt im Sturm und plünderten sie drei Tage lang. Auch das Haus der Moltkes blieb nicht verschont.

In diesen Schreckenstagen weilte die Familie nicht in Lübeck, sondern auf Gut Augustenhof, das ihr seit 1805 gehörte. Das Unglück verfolgte sie auf das Land: Eine Seuche raffte die Pferde hinweg, ein Brand zerstörte den Hof, die Felder blieben unbestellt, weil nach Aufhebung der Leibeigenschaft zunächst keiner mehr für den Gutsherrn arbeiten wollte.

Dies war dem fortschrittlichen Regenten in Kopenhagen zuzuschreiben, der über Holstein und damit auch über Augustenhof gebot. Das Herzogtum war zwar altes Reichsland, aber mit der dänischen Krone in Personalunion verbunden. Mit ihrer Ansiedlung auf Augustenhof waren die Moltkes dänische Staatsangehörige geworden. Der Vater trat in den dänischen Militärdienst, nachdem er als Gutsherr gescheitert war und sich die Hoffnung auf die Erbschaft seiner Frau zerschlagen hatte: Das Vermögen des Schwiegervaters war in den Kriegswirren zerstoben.

Ein unglücklicher Stern stand über der Familie. Dennoch sollten es fast alle Kinder zu etwas bringen, wenn auch keines auch nur annähernd so weit wie der dritte Sohn. Vier der Söhne kamen in dänischen Diensten voran: Wilhelm, geboren 1798, als Offizier; Fritz, geboren 1799, zunächst als Soldat, dann als Postmeister; Adolf, geboren 1804, und Ludwig, geboren 1805, als höhere Verwaltungsbeamte; nur die Spur Victors, geboren 1812, verlor sich auf dem Lande. Die beiden Töchter heirateten gutbürgerlich: Lene, geboren 1807, den Propst Bröcker in Uetersen, Auguste, geboren 1809, John Heyliger Burt, einen Witwer, der Plantagen in Westindien besaß und in Holstein lebte.

Die Mutter harrte zunächst auf Augustenhof aus, die drei ältesten Söhne, Wilhelm, Fritz und Helmuth, wurden 1809 dem Pastor Knickebein in Hohenfelde zur Erziehung übergeben. Er war ein milder Pädagoge, der den Buben die Lutherbibel sowie Homer, in deutscher Übersetzung, in die Hand drückte und ihnen Auslauf gestattete, über die Streiche der Brüder hinwegsah und es nicht ohne Wohlgefallen bemerkte, daß sich Helmuth schon früh in jenem Metier übte, in dem er Meister werden sollte: Er baute sich im Garten eine Festung und bestückte sie mit zwei kleinen Kanonen, die ihm der Vater geschenkt hatte.

Aus dem Spiel wurde Ernst, als der Elfjährige 1811 vom Vater in die königlich dänische Landkadetten-Akademie nach Kopenhagen gebracht wurde. Dabei konnte er noch von Glück sagen, daß der um ein Jahr ältere Bruder Fritz mit ihm kam, daß sie nicht, wie der dreizehnjährige Wilhelm, bis nach Christiania in Norwegen, dem heutigen Oslo, gehen mußten.

Eine harte Zeit begann. Zunächst waren die Buben bei einem pensionierten General untergebracht, in einem winzigen Gelaß über der Toreinfahrt, in dem sie froren und hungerten. Der Alte war barsch und geizig, die Haushälterin zänkisch und verschroben. Ihre alte Ziege, die sie wie ein Schoßtier hätschelte, zerbrach einen Spiegel im Zimmer des Generals, der sie daraufhin schlachten ließ; von ihrem zähen, widerlich fetten Fleisch mußten die Buben lange essen, und sie durften sich noch dafür bedanken, daß sie überhaupt Fleisch bekamen.

Als sie Freistellen in der Kadettenkaserne erhielten, kamen sie vom Regen in die Traufe. Nun waren sie Tag und Nacht ihren Ausbildern ausgeliefert, die hartes Anfassen für die beste Erziehungsmethode hielten. Einmal streckte Helmuth beim Stillstehen im Glied den Kopf etwas vor; ein Offizier versetzte ihm mit dem Ellenbogen einen Stoß ins Gesicht, daß ihm das Blut aus der Nase floß. Der Knabe fing an zu weinen, der Ausbilder raunzte ihn an: »Warum hältst du die Schnauze vor!« Als er an Typhus erkrankte und ins Lazarett kam, fühlte er sich dort beinahe wie im Paradies.

»Es war eine wahrhaft spartanische Erziehung, die den Kadetten durch strenge, ja ich glaube, viel zu strenge Behandlung zuteil wurde«, stellte Moltke später fest; »der Ton war sehr hart, von Liebe und Teilnahme merkte man keine Spur, eine sorgsame Erziehung in moralischer Richtung gewährte diese Institution nicht; ein oft zu Tage tretendes Mißtrauen wirkte außerordentlich schädlich.«

So schädlich, daß der Neunundzwanzigjährige einmal in seelischer Niedergeschlagenheit äußerte: »Da ich keine Erziehung, sondern nur Prügel erhalten, so habe ich bei mir keinen Charakter ausbilden können. Das fühle ich oft schmerzlich ... Man hat sich ja beeilt, jeden hervorstechenden Charakterzug zu verwischen, jede Eigentümlichkeit wie die Schößlinge einer Taxuswand fein beizeiten abzukappen.«

Im Rückblick sah er freilich auch Positives:»Die Zöglinge, die ohne Schaden zu nehmen diese Schule durchmachten, sind in einer harten, aber auch abhärtenden Schule gewesen; eines aber muß betont werden, daß tüchtige und in jeder Richtung militärisch denkende Soldaten aus dieser spartanischen Schule hervorgingen.«

Nicht nur in der Erinnerung, auch in der Wirklichkeit war ihm Kopenhagen die Stadt im Norden, in der man Sehnsucht nach Arkadien und Verlangen nach der Antike bekam und Gelegenheit fand, beides wenigstens durch humanistische Studien und den Anblick klassizistischer Kunst zu stillen.

Auch der Kadett Moltke wurde davon berührt. Durch Kameraden, die drei Söhne des dänischen Generals Johan Hendrik von Hegermann-Lindencrone, wurde er in dessen Haus eingeführt. Hier verkehrten der Dichter Adam Oehlenschläger, ein nordischgedämpfter Romantiker, und der Theologe Jacob Peter Mynster, der Glaube und Wissen, christliche Offenbarung und klassischen Humanismus zu verbinden suchte.

Von diesem Geist bekam auch der junge Moltke, zunächst indirekt, etwas mit: in der Atmosphäre dieses klassizistisch-romantischen Salons, durch das Beispiel der Generalin Louise von Hegermann, die Oehlenschläger als »vielleicht das poetischste weibliche Gemüt, das Dänemark besessen hat«, bezeichnete und die von dem fern von Heimat und Familie weilenden Kadetten als Mutter idealisiert wurde.

Helmuth war in diesem Haus, in das er zu passen schien, gern gesehen, der blonde Junge mit den blauen Augen und den etwas verhärmten Zügen, den schon in frühen Jahren die harte Schule des Lebens das gelehrt hatte, was damalige Pädagogen als Ziel ständigen Strebens hinstellten: innere Erregungen und Bewegungen hinter strenger, ja kühler Fassade zu verbergen – wie den Springbrunnen im Atrium hinter den Außenwänden des römischen Hauses.

Auf dem Landsitz der Hegermanns genoß er den Auslauf, der ihm in der Kaserne verwehrt war. Er ritt über Stock und Stein, warf Bälle und hölzerne Disken, wußte das jungenhafte Spiel mit professionellem Ernst zu verbinden. Mit Fritz von Hegermann erfand er ein Kriegsspiel, das sie »den Weg zum Tempel der Ehre« nannten: Auf einer Erhebung stand ein kleiner Tempel, von einer Mauer umgeben wie eine Festung; ein schmaler Pfad führte zu ihm hinauf. Diesen Weg mußte der Angreifer einschlagen; ob er vorwärts durfte oder zurück mußte, entschieden die Würfel.

Glück gehörte zum Kriegspielen wie zum Kriegführen, das zeigten die Weltläufte: 1812 mußte Napoleon den Rückzug aus Rußland antreten, 1813/14 wie 1815 stießen Preußen und Österreicher, Russen und Briten nach Frankreich hinein, stürzten Bonaparte vom Thron. Helmuth von Moltke und Fritz von Hegermann verfaßten kriegsgeschichtliche Überblicke unter dem Titel »Tidens Ström« – »Zeitenstrom«.

Dieser hatte Dänemark an den Rand der Geschichte gespült. Zuerst neutral, dann an der Seite Frankreichs im Krieg mit England, gehörte das Königreich zu den Verlierern, mußte es Helgoland an Großbritannien, Norwegen an Schweden abtreten. Der Handel stockte, die Kasse war leer, die Flotte vernichtet, und die Armee mußte verkleinert werden. Die Dänen zogen sich auf sich selbst zurück, begannen sich auch von den deutschen Untertanen ihres Königs abzukapseln.

Ein dänischer Offizier, zumal deutscher Herkunft, hatte nun wenig Aussicht auf eine Karriere. Was Vater Moltke erfahren mußte, stand auch Sohn Helmuth bevor: langes Warten auf Beförderung bei kargem Sold, und das für Angehörige einer Familie, die kaum etwas zum Herzeigen und wenig zum Leben hatte. Bevor der Kadett zur Truppe kam, mußte er 1818 für die Wohltat, sieben Jahre lang in seiner Anstalt erzogen worden zu sein, dem König ein Jahr lang als Page dienen – nicht ohne geprüft worden zu sein, auch in Philosophie, Chemie, Militärgeographie und Kriegskunst.

Seine Zeugnisse konnte er herzeigen. Das Pagenexamen bestand er als Erster, das Offiziersexamen als Vierter. Besonders gute Noten bekam er in Mathematik, Festungswesen, Kriegsgeschichte, in Dänisch und Französisch, wenige schlechte bei Felddienst und Gymnastik.

Am 1. Januar 1819 wurde der eben erst Achtzehn gewordene Helmuth von Moltke »Seconde-Lieutenant« im königlich dänischen Infanterieregiment Oldenburg in Rendsburg. Ein fescher Leutnant, wie sein Vater einer gewesen, wurde er nicht. Ein

Kamerad schilderte ihn als sympathischen Menschen mit gutmütigen Augen und offenem Gesicht, »über dessen ernste Mienen in unbewachten Augenblicken zuweilen ein Zug verhaltener Wehmut flog«, als fleißigen, gewissenhaften, pflichteifrigen Offizier. »Bei seinen Kameraden stand er in einem gewissen Respekte; er wußte dies auch; niemals aber machte er von seinem Übergewichte und Ansehen den geringsten Gebrauch.« Von Frauen ist nichts zu hören; Eros schien er nur als Diensteifer gekannt zu haben.

Seine Vorgesetzten waren mit ihm zufrieden. 1820 wurde er zur Jägerkompanie des Regiments versetzt, was als Auszeichnung galt. »Seine Aufführung war untadelhaft, seine Lust und Applikation zum Dienst ganz einem jungen Offizier von Ehrgeiz angemessen«, befand sein Regimentskommandeur, Herzog Wilhelm zu Holstein-Beck, am 7. Dezember 1821 in einem Schreiben, das er diesem hoffnungsvollen jungen Mann auf den Weg gab.

Helmuth von Moltke hatte sich entschlossen, den dänischen Dienst zu quittieren, in dem er seit 1811 als Kadett, seit 1819 als Leutnant gestanden hatte. Das war nichts Außergewöhnliches in einer Zeit, in der die Nationalität noch nicht bestimmend war, ein Offizier deutscher Herkunft dem dänischen König den Treueid leisten, sich von dem Eid entbinden lassen und ihn einem anderen Kriegsherrn schwören konnte.

Der dänische Seconde-Lieutenant entschied sich für den König von Preußen, nicht weil ein Deutscher einem deutschen Herrn oder gar der deutschen Sache dienen wollte, sondern weil ein Soldat als Angehöriger einer Großmacht und als Mitglied einer starken Armee sich ein besseres Wirken und ein schnelleres Fortkommen in seinem Beruf versprach, Fortune zu finden hoffte.

»Und so will ich mich denn mit neuem Mute auf die dornige Rennbahn wagen, auf der ich entfernt von Euch allen und einsam das Glück zu erjagen strebe«, schrieb er 1825 seiner Mutter. Und dies 1828 seinem Bruder Ludwig: »Überhaupt scheint mir, daß man in meinem lieben Lande, für das ich nun schon einmal sehr eingenommen bin, weit weniger abstrakte Gelehrsamkeit als praktische Tüchtigkeit, Gewandtheit und Lebensklugheit fordert.« Zwar wisse er, »daß es schöner in Ithaka«, in Dänemark, ist, »als irgend sonst wo, ehrlich gesagt aber möchte ich um keinen Preis in mein altes Verhältnis zurücktreten, und noch habe ich nie bereut, daß ich mich hier anstellen ließ.«

Im Jahre 1821 war er, als dänischer Offizier auf Urlaub, mit dem Vater in Berlin gewesen, der berichtete, Helmuth habe damals zum ersten Mal preußische Soldaten gesehen: »Er wurde davon so durchdrungen, daß er keinen eifrigeren Wunsch hatte, als zu dieser Armee überzutreten.«

So vertauschte er den roten Spenzer des dänischen Offiziers mit dem dunkelblauen preußischen Offiziersfrack. Am 5. Januar 1822 erhielt der Seconde-Lieutenant seine Entlassung aus der dänischen Armee, am 12. März 1822 sein Patent als 32. Seconde-Lieutenant im 8. (Leib-)Infanterieregiment – nachdem er das vorgeschriebene Examen abgelegt und »das völlig unbedingte Zeugnis der Reife zum Offizier« erlangt hatte.

Der Einundzwanzigjährige habe »eine nicht gewöhnliche Bildung und eine auffallende Reife des Verstandes« bewiesen, befand der Vorsitzende der Ober-Militär-Examinations-Kommission und empfahl ihn zu besonderer Berücksichtigung.

Aus Dänemark brachte er jene humanistische Bildung mit, die auch und gerade im damaligen Berlin gefragt war. Und die richtige Grundausbildung für einen preußischen Soldaten: die Bereitschaft und Fähigkeit, im Glied zu dienen.

Selbstbildnis
Moltkes als Leutnant

SEINE ERSTE GARNISON war Frankfurt an der Oder. Hier lag das Füsilierbataillon des 8. (Leib-)Infanterieregiments, dem der frischgebackene preußische Offizier zugeteilt worden war. In dieser urbrandenburgischen Stadt lernte er Kernpreußisches kennen: »Wir exerzieren täglich wenigstens einmal.«

In der Reformzeit, die erst ein Jahrzehnt zurücklag, doch schon wie graue Vorzeit erschien, sollte der preußische Soldat in erster Linie im Felddienst geübt und zur Eigenverantwortung erzogen werden. Das hatte sich im Befreiungskrieg bewährt. Aber kaum war das Napoleonische Imperium beseitigt und die alte Staatenordnung wiederhergestellt, mußte der preußische Soldat von neuem auf dem Exerzierplatz in Reih und Glied stehen.

Das war friderizianische Tradition. »Erst exerzieren, dann kommandieren, heißt es da seit Friedrich I.«, erklärte ein preußischer Historiker. »Denn durch das Exerzieren lernt der Soldat auf das Kommandowort merken und es strikte befolgen, lernt im Gehorsam Herr seiner Glieder und Waffen werden.«

Friedrich Wilhelm I., der Soldatenkönig, hatte den Gleichschritt eingeführt, den Drill perfektioniert. Die militärische Disziplin bringe die Truppe zu blindem Gehorsam, erläuterte sein Sohn, Friedrich II., dem es der Vater eingebleut hatte: »Diese Disziplin ist die Seele der Armeen. Solange sie in Kraft ist, erhält sie die Staaten.« Und weil er das erste befolgt hatte und ihm deshalb das zweite – im Siebenjährigen Krieg – gelungen war, wurde er »der Große« genannt, blieb er das Vorbild des seit 1797 als Friedrich Wilhelm III. regierenden Neffen sowie aller Preußen, die Friderizianer geblieben waren.

Einen solchen Altpreußen lernte der Neupreuße Moltke bei seinem Einstand kennen: den General Friedrich August Ludwig von der Marwitz, der in zweiter Ehe mit einer Gräfin Moltke, einer entfernten Verwandten, verheiratet war und in Frankfurt an der Oder die 5. Kavalleriebrigade kommandierte. Er hatte noch den »Alten Fritz« durch Berlin reiten sehen und dann gegen die preußischen Reformer, die sich von seinem Erbe abwandten, opponiert – gegen Stein, der die Bauern von der Gutsherrschaft befreien, gegen Hardenberg, der Bürger mit Adligen gleichstellen wollte, gegen Scharnhorst und Gneisenau, welche die alte Disziplin durch Anpassung an den neuen Geist der Selbständigkeit und Selbstbestimmung untergruben.

Marwitz duldete nicht die geringste Ordnungswidrigkeit und Zuchtlosigkeit, wie der an die lockeren dänischen Verhältnisse gewöhnte Moltke erfahren mußte. Nachdem der Leutnant zum General ins Zimmer getreten und aufgefordert worden war, abzulegen, »wollte ich den Degen ohne Weiteres in die Ecke stellen, als ein ›im Vorzimmer, wenn ich bitten darf‹ mich rektifizierte«.

Auch einen anderen, noch jungen Altpreußen lernte er kennen: Prinz Wilhelm, den zweiten Sohn König Friedrich Wilhelms III., den späteren König und Kaiser Wilhelm I., der ein Friderizianer war und blieb. Als er, mit Zweiundzwanzig bereits General

Prinz Wilhelm von Preußen,
der spätere Wilhelm I.

geworden, das Füsilierbataillon des 8. (Leib-)Infanterieregiments in Frankfurt an der Oder besichtigte, fiel ihm ein Leutnant unangenehm auf, um dessen dürre Gestalt die Uniform schlotterte. Das sei der aus dänischen Diensten übernommene Herr von Moltke, erklärte der Kommandeur, und Prinz Wilhelm meinte: »Keine gute Akquisition!«

Viel später, als diese in altpreußischen Augen unmilitärische Erscheinung die Schlachten bei Königgrätz und Sedan für Preußen und seinen König Wilhelm I. gewonnen hatte, behauptete dieser, er und kein anderer habe dieses strategische Genie entdeckt. Unter Festungsplänen, die ihm vorgelegt wurden, sei ihm derjenige Moltkes aufgefallen, erzählte er der Gräfin Maxe Oriola, einer Tochter Bettina von Arnims. »Ich sagte zu meinen Generalen: Ich bitte auf diesen jungen Offizier, der so dünn ist wie ein Bleistift, ein Auge zu haben, denn seine Arbeit ist vorzüglich; aus diesem Menschen kann gewiß etwas werden.«

Es gab Preußen, die schon damals mehr auf den Kopf als auf die Figur Moltkes schauten, auch wenn sie dabei, wie gewohnt, vom Äußeren auf das Innere schlossen. Generalstabschef Karl von Müffling legte Wert darauf, daß den Kandidaten für die Kriegsschule die Schädel gemessen wurden. Er hing der damals schon etwas veralteten Lehre des vom Bodensee stammenden und in Paris berühmt gewordenen Franz Anton Mesmer an, der zufolge der Umfang eines Kopfes dessen Fassungskraft ermessen lasse.

Hier hinterließ Moltke den besten Eindruck. Als der Mesmerist, ein Zivilist, den Kopf des Leutnants maß, die Ausdehnung des Schädels und die Höhe der Stirne, murmelte er: »Très bien!« Und beim Betasten dieses Prachtexemplars entfuhr ihm ein »Oh!« nach dem anderen.

Durch Kopfarbeit, nicht durch Strammheit sollte Moltke denn auch Karriere machen, durch Studieren und Dozieren, nicht durch Exerzieren, das er nicht ausstehen konnte, weder als Befehlsempfänger noch als Befehlsgeber. »Hier werden Elegants mit Regenschirmen und Strohhüten und Bauernbengel in blaue Jacken gesteckt und binnen vier Wochen so zugestutzt, daß sie aussehen wie Soldaten«, mokierte er sich, als er Landwehrersatz »auszuexerzieren« hatte. »Die Wut dieses Exerzierparoxismus ist so groß, daß der entlassene Wehrmann sich dreimal vierundzwanzig Stunden auf seiner Ofenbank in die möglichst krumme Stellung legt, um nur einigermaßen die auf die Rektifikationsfolter gespannten Glieder in die alten Fugen und Scharniere zu bringen. Was mich betrifft, so wußte ich vier Wochen lang nicht, daß das Leben noch in etwas anderem besteht als Einkleiden, Exerzieren, Brotempfang, Gewehrputzen, Nachexerzieren, Visitieren und Kommandieren.«

Der Kommiß lag ihm nicht, das »Richt euch!« und der Paradermarsch, der noch langsam, 75 Schritt in der Minute, zelebriert wurde. Und nicht die Feldübung, die im damaligen Preußen, das seine Soldaten nicht mehr ausschwärmen lassen wollte, ohnehin vernachlässigt wurde. Und nicht einmal der gesellige Verkehr, in den viele Offiziere aus der Eingleisigkeit des Dienstbetriebs auswichen.

Der Sproß einer verarmten Familie war nicht in der glücklichen Lage seiner Kameraden von Stand und Vermögen, die wußten, daß sie über kurz oder lang die Uniform mit dem Frack des

Gutsherrn vertauschen würden, und bis dahin die Zeit mit Gelassenheit im Dienst und mit Ausgelassenheit beim Jagen, Spielen und Trinken verbrachten. Er mußte von seinem Leutnantsgehalt – 16 Taler, 22 Silbergroschen und 6 Pfennig im Monat – leben und hatte zeitlebens nichts weiteres als seine Dienstbezüge zu erwarten.

Er mußte und wollte in dem Beruf, den er sich nicht ausgesucht hatte, nolens volens vorankommen. Zu einem Troupier hatte er weder Lust noch das Zeug. Über die Ausbildung des Landwehrersatzes für das 8. Landwehrbataillon in Frankfurt an der Oder kam er nicht hinaus; einen größeren Truppenteil sollte er niemals kommandieren. Er zählte zu den wenigen Offizieren, die ein Kamerad Einzelgänger nannte, »die sich in Theoretisches einwühlen und dann zuweilen ohne Helm und Degen auf der Straße erscheinen und deren Wunsch der Generalstab ist«.

Dessen Vestibül war die Kriegsschule. Dorthin wollte Moltke so schnell wie möglich. Er wußte, daß dies in der Regel erst nach dreijähriger Dienstzeit bei der Truppe denkbar war, doch mit ihm wurde eine Ausnahme gemacht. Bereits im Mai 1823 durfte er seine Probearbeiten einreichen, darunter »eine übersichtliche Darstellung des physischen Charakters der skandinavischen Halbinsel«, in der auch historische, politische und wirtschaftliche Aspekte berücksichtigt waren.

»Ob ich im Herbst auf die Kriegsschule komme, ist noch immer nicht entschieden«, schrieb er im Juni 1823 der Mutter, »es kommt darauf an, ob meine Arbeiten unter 68 zu den 50 besten gezählt werden.« Sie schnitten sehr gut ab; seine Hauptarbeit über Skandinavien wurde sogar im Generalstab archiviert, der Seconde-Lieutenant zum Oktober 1823 nach erst eineinhalbjähriger Dienstzeit in Preußen zur Allgemeinen Kriegsschule einberufen.

Mit Dreiundzwanzig stand er auf der ersten Sprosse der Leiter, die in die Höhen des Generalstabes führte – in Berlin, der Hauptstadt Preußens, die ein deutsches Sparta und Athen zugleich war.

Durch das Brandenburger Tor, erbaut aus märkischem Sandstein und versehen mit dorischen Säulen, betrat man am sinnvollsten das königlich preußische Berlin, eine Soldaten- und Musenstadt. Ihr Doppelcharakter war Unter den Linden zu erfassen. Die

Prachtstraße führte zum Königlichen Schloß, einem kolossalen Rechteck, in dem seit der brandenburgischen Zeit die Stile zusammengefügt und die Teile zusammengehalten wurden – wie im preußischen Staat die zwischen der Memel und der Mosel gelegenen Gebiete und die sie bewohnenden Völkerschaften, von Ostpreußen und Polen bis zu Rheinländern und Westfalen.

Der gegenwärtig regierende Monarch aus dem Herrschergeschlecht der Hohenzollern, die von der Schwäbischen Alb gekommen waren und aus dem märkischen Sand ein Staatswesen gestampft hatten, Friedrich Wilhelm III., residierte nicht im Schloß, sondern war im Kronprinzenpalais Unter den Linden wohnen geblieben. Dessen Schlichtheit war diesem König angemessen, der sparsam wie ein Schwabe und nüchtern wie ein Märker war.

In einem ziemlich schäbigen, nur von zwei Pferden gezogenen

Der erste König von Preußen,
dem Helmuth von Moltke diente: Friedrich Wilhelm III.
Porträtskizze von Franz Krüger

offenen Wagen fuhr er täglich durch die Stadt, legte ständig den Finger an die Feldmütze. Er grüßte seine Untertanen, wollte wiedergegrüßt werden, vom Volk, das sich von seinem Einsatz in den Freiheitskriegen die in der Reformzeit verheißenen Freiheiten versprochen hatte, aber nur von der Herrschaft Napoleons, nicht vom Absolutismus der Hohenzollern und vom Feudalismus des preußischen Adels befreit worden war. Ohne sie konnte sich Friedrich Wilhelm III. den preußischen Staat nicht vorstellen; um ihn zu erhalten, bremste er die Reformer und förderte er die Reaktionäre.

Die Mittel, mit denen dieser preußische Staat geschaffen worden war und zusammengehalten wurde, Waffen und Kriegsgerät, waren Unter den Linden im Zeughaus aufbewahrt, an dessen Straßenseite Trophäen prangten und in dessen Hof die von Andreas Schlüter geschaffenen Masken sterbender Krieger die Kehrseite der Medaille zeigten.

Neben dem Zeughaus hatte Karl Friedrich Schinkel im Jahre 1818 die Neue Wache errichtet, in dorischer Strenge, mit attischem Schmuck, zu preußischem Zweck: Hier fand Tag für Tag die Wachparade statt, eine Demonstration preußischer Militärmacht im Marschtritt der Kolonne, mit dem Zauber der Montur und zu den Klängen eines Marsches von Gasparo Spontini, der in der Königlichen Oper vis-à-vis mit einem Taktstock dirigierte, welcher einem Marschallstab glich.

Vor dem Opernhaus standen die Denkmäler von Blücher und Scharnhorst – des »Marschalls Vorwärts« der Befreiungskriege und des nicht ganz zum Zuge gekommenen Militärreformers. Sie waren von Christian Daniel Rauch, einem Klassizisten, geschaffen, nicht ohne Reverenz an die Romantik, die im Gesicht Scharnhorsts und in den Gebärden Blüchers zum Ausdruck kam.

Im etwas abseits der Linden, am Gendarmenmarkt gelegenen Schauspielhaus, das Schinkel in griechischen Formen erbaut hatte, war 1821 »Der Freischütz« von Carl Maria von Weber uraufgeführt worden – die erste deutsche Nationaloper, mit Eichenrauschen und Waldhörnerklang, dem zum Volkslied gewordenen »Jungfernkranz« und der Wolfsschlucht, in der das Dämonische der deutschen Naturmystik braute.

Schon erklangen Töne, die nicht mit der friderizianischen Rationalität und dem preußischen Klassizismus harmonierten.

Doch in der Universität, die 1810 von Wilhelm von Humboldt
gegründet und im Palast des Prinzen Heinrich, eines Bruders
Friedrichs des Großen, untergebracht worden war, hatte alles
unter einem Dache Platz: der an antiken Vorbildern ausgerichtete
Humanismus und die nach neuen Erkenntnissen suchenden Er-
fahrungswissenschaften, die Altphilologie von August Böckh, der
nicht nur die Sprache, sondern das ganze Leben der Alten zu
erfassen suchte, die Theologie Friedrich Schleiermachers, die sich
vom Rationalismus ab- und der Romantik zugewandt hatte, die
philosophische Rechtslehre von Eduard Gans und die historische
Rechtsschule von Friedrich Karl von Savigny. Und die Philosophie
Hegels, die alles in einem System zusammenzufassen suchte, das
Allgemeine und das Besondere, und die den Satz enthielt: »Was
vernünftig ist, das ist wirklich, und was wirklich ist, das ist
vernünftig.«

Unter den Linden
in Berlin.
Gemälde von
Wilhelm Brücke

Wirklich war der preußische Staat; ob er vernünftig sei, wurde indessen bezweifelt, von Geistern wie Heinrich Heine, der von 1821 bis 1823 an der Berliner Universität studierte und das wirkliche Berlin hinreißend fand: »Wirklich, ich kenne keinen imposanteren Anblick, als, vor der Hundebrücke stehend, nach den Linden hinaufzusehen.« Und erst die Linden entlangzuwandeln! »Die geputzte Menge treibt sich die Linden auf und ab. Sehen Sie dort den Elegant mit zwölf bunten Westen?... Schauen Sie die schönen Damen! Welche Gestalten!... Nein, diese dort ist ein wandelndes Paradies, ein wandelnder Himmel, eine wandelnde Seligkeit. Und diesen Schöps mit dem Schnauzbarte sieht sie so zärtlich an! Der Kerl gehört nicht zu den Leuten, die das Pulver erfunden haben, sondern zu denen, die es gebrauchen, d. h. er ist Militär.«

Der Militär Moltke, der noch kein Pulver gebraucht hatte, las

»mit großem Vergnügen« Heines Reisebilder. »Sie sind wirklich ganz vortrefflich und voller Geist und Witz. Recht schade, daß die Persönlichkeit des Verfassers nicht etwas hübscher durchbricht, denn ein gänzlicher Atheismus und eine ebenso große Eitelkeit wie Unzufriedenheit sind unverkennbar.«

Auch der Seconde-Lieutenant von Moltke ging die Linden auf und ab, unter denen am 19. September 1826 die ersten Gaslaternen aufflammten. Die Hauptstraße erschien ihm weniger als Promenade à la mode denn als Paradeweg, auf dem nicht die Angehörigen des Staates, sondern der Staat selber Staat machte: »Was seit Entstehung des Königreichs Preußen diese Monarchie charakterisiert, ist vor allem ein unaufhaltsames, aber ruhiges Fortschreiten, eine stetige Entwicklung und eine Ausbildung seiner inneren Verhältnisse ohne Sprünge und ohne Revolutionen.«

Das von Zeitgenossen idealisierte Berlin schätzte er mehr als die Realität der Stadt. »Gegen Berlin habe ich großen Widerwillen«, erklärte er noch 1828, nachdem er sich bereits widerstrebend eingewöhnt hatte.

Im Alten Museum, in dessen von Schinkel nachempfundenem griechischen Bau hellenische Götter einen nordischen Tempel gefunden hatten, gewahrte er ein Mißverhältnis zwischen der Vorstellung von Antikem und der Wirklichkeit der Gegenwart. Denn hinter Marmormauern wurden sie bewundert und verehrt, doch frei herumlaufen hätten sie in Preußen – wie Moltke mutmaßte – nicht dürfen: »In unserem polizierten Staat würde Pan als Vagabund nach Strausberg gebracht oder als unsicherer Kantonist zur Landwehr eingezogen werden, und Diana sähe sich in jedem Forst als Jagddefraudantin verarretiert.«

Ins Theater ging Moltke nicht deshalb, weil es – wie der Zeitkritiker Friedrich Arnold Steinmann meinte – »der einzige Mittelpunkt des Berliner öffentlichen Lebens« gewesen sei, »der einzige Gegenstand, worüber das ganze Volk Berlins ohne Repräsentativverfassung und freie Presse frei denkt, spricht und schreibt«, sondern er ging ins Theater, wenn er sich unterhalten oder erbauen wollte, vor allem, um Musik zu hören, zumal die von Mozart, den er zeitlebens am meisten schätzte.

»Don Juan« erlebte er im »herrlichen Opernhaus«, die Ouvertüre, die wuchtig losbrauste, »bald ein breiter Strom, der ernst und ruhig hingeht, dann schwellend und steigend in einer Abstufung, wie sie nur ein solches Orchester geben kann, dann donnernd wie ein Wasserfall, der Alles mit sich hinreißt«.

Die Feder war das Instrument, mit dem er seine Empfindungen wiederzugeben vermochte, in Briefen an die Mutter und an die Brüder, in der Novelle »Die beiden Freunde«, die 1827 in der Berliner Zeitschrift »Der Freimütige. Unterhaltungsblatt für gebildete, unbefangene Leser« erschien. Felix Dahn, ein Barde der Wilhelminischen Zeit, lobte den poetischen Erstling des späteren Militärschriftstellers, »das sehende Auge, die gestaltende Hand, die überzeugende Darstellung, den bezeichnenden Ausdruck« – kurzum, »die Begabung des echten Dichters«.

Sein Stil wurde ebenso hochstilisiert wie seine Gestalt. Jedenfalls: Was in der Novelle noch ungeübt und unsicher angestimmt wurde, erklang bald in vollem Klang und vollendeter Harmonie: Worte, die mit dem Eindruck, dem Empfinden, dem Gedanken übereinstimmten. Sätze mit wenig Beiwörtern und ohne Beiwerk. Eine Darstellung, die mehr Wert auf präzise Wiedergabe als auf Farbeffekte legte, einer Zeichnung mehr als einem Gemälde glich – ein klassischer Stil eben, wie er einem Berliner Neuhumanisten und einem preußischen Offizier der alten Schule angemessen war.

Der Leutnant wählte einen Stoff aus dem Siebenjährigen Krieg, der junge Mann verarbeitete Autobiographisches: die unglückliche Liebe zu einer Gräfin Reichenbach, die in der Novelle als Gräfin Eichenbach erscheint, die Freundschaft zum Grafen Gustav Wartensleben, einem Offizierskameraden, der als Graf Gustav Warten auftritt und sich von seinem Freund Ernst von Holm alias Helmuth von Moltke im Wesen unterscheidet: Wartens Mienen gaben »wie ein Spiegel treu und augenblicklich alle Eindrücke zurück, welche sie von außen empfingen«, während die Züge Holms »nur durch das bewegt wurden, was in ihm selbst vorging«.

Die Freundschaft beider sei durch diese Verschiedenheit gefördert, ja begründet worden: »Ernste, verschlossene Gemüter geben sich der rücksichtslos fröhlichen Offenheit Anderer gern hin, und diese ahnen wiederum nichts Böses in dem Schweigen jener. Je weniger sie geneigt sind, sich anzuschließen, je fester halten sie die Verbindungen, welche sie einmal als geprüft anerkennen.«

Wohl war ihm nicht in seiner Haut, aus der er nicht herauskonnte. »Wie beneide ich fast alle anderen Menschen um ihre

Fehler manchmal, um ihre Derbheit, Unbekümmertheit und Geradheit«, schrieb er seinem Bruder Ludwig, dem er auch ein gereimtes Selbstporträt übermittelte:

>	»Ihr tadelt mich, daß ich oft so störrisch schweige,
	Der glatten Welt die düst're Stirne zeige,
	Daß ich nicht so, nicht tief genug, mich neige.
	Den dürft'gen Scherz, Ihr wollt's, soll ich belachen,
	Soll, welche Qual, wohl selber Späße machen,
	Wenn mir der Sinn so voll von ander'n Sachen!
	Und Ihr habt recht! Man wird es bitter tadeln,
	Daß ich das Flache, Niedrige nicht adeln,
	Daß ich wie And're oft nicht denken kann ...«

»So bleibt mir fast nur meine eigene angenehme Gesellschaft, von der ich, unter uns, wünschte, daß sie angenehmer wäre.« Von Natur aus gehemmt, durch Erfahrung in sich gekehrt, war er bereits in jungen Jahren ein Eigenbrötler geworden, entwickelte er sich zum Hagestolz.

Selbst wenn er hätte mehr aus sich herausgehen wollen – mit seinen bessergestellten Kameraden hätte er nicht mithalten, schon gar nicht sich der auf großem Fuß lebenden Berliner Gesellschaft anschließen können. Er trug einen niederen Adelstitel und war ein armer Schlucker, der selten wirklich satt wurde und immer wenig anzuziehen hatte. Die Schulden, aus denen er nicht herauskam, verdankte er nicht, wie die meisten Leutnants, Exzessen des Lebenswandels, sondern den Erfordernissen eines auch nur annähernd standesgemäßen Auftretens.

»Ich habe mich in meiner Jugend so an den Hunger gewöhnt, daß ich ihn jetzt nicht bemerke«, sagte der General Moltke. Der Leutnant, der sich mittags im Kasino einigermaßen satt essen konnte, frühstückte nie und aß oft auch abends nichts. Miete, Heizung und Licht auch der einfachsten Berliner Wohnung verschlangen einen beträchtlichen Teil seiner Bezüge. »Mit meinen Hemden sieht es sehr traurig aus.« Die unbezahlten Schneiderrechnungen häuften sich. Die Pferde fraßen ihm zuviel, »und da das Futter sehr teuer, so geht es mir fast wie Diomedes, der von seinen Pferden gefressen wurde.« Und das Porto für die Briefe überwog die Erleichterung, sich die materiellen Belastungen von der Seele schreiben zu können.

Geld, für seine Verhältnisse viel Geld, mußte er für die Bekämpfung seiner Krankheiten, für die Aufrechterhaltung seiner
Dienstfähigkeit aufwenden. Mit Fünfundzwanzig ging er zum
erstenmal nach Bad Salzbrunn in Schlesien, wo man gegen Katar-
rhe, Rheumatismus und Unterleibsblutstockungen kurte. Er
schöpfte hier »frische Lebenskraft«, suchte mit der Gesundheit
»die innere Ruhe« wiederzugewinnen, den Lebensmut zu stärken,
den »vereitelte Wünsche, Kränkungen und Feindschaft« niedergedrückt hatten.

Drei Jahre später war er wieder in Salzbrunn, nachdem er
festgestellt hatte: »Mit meiner Gesundheit geht's sonderbar. Oft
liege ich acht bis zehn Stunden bewußtlos, d. h. des Nachts, nicht
den mindesten Appetit nach Tisch, gegen Abend solche krampf-
hafte Bewegungen und Dehnen, den ganzen Tag vollkommene
Schlaflosigkeit, Reißen in allen Gliedern.« Was er – in einem Brief
an Schwester Lenchen – auf diese Weise ironisierte, machte ihm
genug zu schaffen, vor allem das ständige Herzklopfen. In den
sechs Tagen Kur, die er sich leisten konnte, trank er neunzig
Becher Brunnen.

Es half nicht viel. Der Arzt, schrieb er ein paar Jahre später der
besorgten Mutter, habe ihm »eine sehr nachdrückliche Vorstellung gemacht, dieses Jahr noch ein Seebad zu brauchen, weil ein
Übel, welches er den Nerven des Unterleibes zuschreibt, sonst
einwurzeln könnte. Ich bin auch vier Wochen miserabel bettläge-
rig gewesen.« Erst im Jahre 1834 konnte er vermelden: »Ich bin
über Jahr und Tag vollkommen gesund. Von meiner alten, so tief
eingewurzelten und so schrecklichen Herzkrankheit scheint keine
Spur mehr vorhanden.«

Sorgen wie Kosten hatte sie ihm genug gemacht. Die Mutter
hatte sich manchen Bissen vom Mund abgespart, um ihm etwas
zukommen zu lassen. Der in Berlin lebende Geheime Rat Carl
Ballhorn, der mit einer Schwester von Helmuths Vater verheiratet
war, hätte schon in die Tasche greifen können. Doch er hatte
bereits Helmuths jüngeren Bruder Ludwig bei sich aufgenommen
und suchte aus ihm einen Juristen, einen Zivilisten zu machen.
Vom Soldatenstand hielt er nicht allzu viel; Gravierendes zum
Unterhalt eines Leutnants gedachte er nicht beizutragen.

Die Tante war bereits 1822 gestorben, und zu Onkel Ballhorn
und dessen beiden Söhnen fand er kein rechtes Verhältnis. »Die

kalte Verwandtschaft« habe ihm stets mißfallen; es sei ihm in diesem Hause nie gelungen, fröhlich zu sein. Da blieb er abends lieber in seinen gemieteten vier Wänden, zog den himmelblauen Schlafrock an, kaute an einer Brotrinde und versuchte dabei, »hin und wieder so poetische Gedanken herbeizuzaubern, wie ein Seconde-Lieutenant ohne Wein sie nur finden kann«.

»So kommt es mir denn jetzt mitten im Gewühl der Hauptstadt ziemlich einsam vor. Denn 200 000 Menschen können uns nicht zwei Personen ersetzen, für die wir uns interessieren.« Vor allem »mit den Abenden hapert's gewaltig«, schrieb er der Mutter, der einzigen Frau, mit der er sich, wenn auch nur brieflich, austauschen konnte. »Da fehlt's mir gar zu sehr, daß ich nicht, in bequemer Gemütlichkeit in Deinem Sofa sitzend, mir von Lene etwas vorerzählen, von Guste etwas vormusizieren lassen und mit Dir plaudern kann.«

Mitunter fühlte er sich so einsam, daß er nach Degen und Mütze griff und spornstreichs in das nächste Café lief, »wo ich denn zwar ebenso allein wie vorher bin, wenn auch die Säle mit Menschen erfüllt sein mögen«. Da ging er lieber wieder heim, wo er wenigstens studieren konnte, um nach der Devise »Die Arbeit ist das Leben« sein jetziges hinter sich zu bringen und es vielleicht im künftigen besser zu haben.

ZWEITES KAPITEL

DER WAHLPREUSSE

DER MILITÄRISCHEN LAUFBAHN kam es zustatten, daß er so oft in Klausur war. Bereits auf der Kriegsschule zeigte er Kenntnisse und erbrachte er Leistungen, die ihn zum Favoriten auf jener Rennbahn machten, auf der er das Glück zu erjagen gedachte.

Die Königliche Allgemeine Kriegsschule in Berlin war 1810, im selben Jahre wie die Universität, gegründet worden. Was Wilhelm von Humboldt sich mit dieser zum Ziel gesetzt hatte: allen Wissenschaften eine für jeden Wissenschaftler zugängliche und der Gesamtheit dienende Stätte der Lehre und Forschung zu schaffen, erstrebte Scharnhorst auf militärischer Ebene: Offizieren sollte nicht nur Fachwissen, sondern auch Allgemeinbildung vermittelt werden.

Auch dieses Konzept der Reformzeit wurde in der Reaktionszeit konterkariert. Stramme Haltung sei für einen preußischen Offizier wichtiger als ein vollgestopfter Schädel, sagten alte Kommißköpfe, während ein Neuerer wie General Grolman meinte, Voraussetzung für das Denken sei eine aufgeknöpfte Uniform.

Generalmajor Carl von Clausewitz, ein Schüler Scharnhorsts, suchte beide Anschauungen zu vereinen. Im Jahre 1818 war er Direktor der Kriegsschule geworden, aber nur Verwaltungsdirektor, ohne Zuständigkeit für den Unterricht, lediglich für die »Aufführung« der Kriegsschüler verantwortlich. Das ließ ihm freilich genügend Zeit, um sein grundlegendes Werk »Vom Kriege« schreiben zu können, das erst 1832, nach seinem Tode, veröffentlicht wurde.

Mit dem Autor, dem Schöpfer einer neuen Kriegstheorie, trat der Kriegsschüler Moltke nicht in nähere Beziehung. Seine Ausbildung wurde von anderen bestimmt: von Major Karl Ernst

Wilhelm von Canitz und Dallwitz, der Kriegsgeschichte dozierte, später General und Außenminister wurde; von Paul Erman, dem Physiker, und – vor allem – von Carl Ritter, dem Geographen, der das Statische der Erdkunde mit dem Organischen der Natur und der Entwicklung der Menschheit, dem Dynamischen der Geschichte verband.

Von Carl Ritter wurde auch Albrecht von Roon beeinflußt, der spätere Kriegsminister, der mit dem späteren Generalstabschef Moltke auf der Kriegsschule gewesen war. Roons Vetter Eduard von Blanckenburg, ein Stockpreuße, hatte dem angehenden »Federfuchser« geschrieben: »Bis jetzt hat noch kein junger Mann die Kriegsschule gesund verlassen, sondern entweder als Schwärmer oder wenigstens als Generalfeldmarschall. Oder er ist auf andere Weise verrückt geworden.«

Der Kriegsschulkamerad Hans August von Glisczinski, der es immerhin bis zum Generalleutnant brachte, errinnerte sich an Roon und vornehmlich an Moltke: »Er sah damals ganz so aus wie später und war auch ungefähr derselbe. Nie habe ich einen Mann wieder getroffen, der zeitlebens sich so wenig geändert hat wie Moltke. Mit ihm gemeinschaftlich habe ich die schwierigen mathematischen Aufgaben bearbeitet und oft guten Rat von ihm empfangen. Sonst ist er mir nicht überlegen erschienen, wie er sich auch vor andern Kameraden nicht weiter hervortat.«

Er versuchte nie, mit seinem Talent zu brillieren. Im Schlußzeugnis, das ihm die Militär- und Studien-Direktion der Kriegsschule am 1. Juli 1827 ausstellte, wurde ihm nicht nur tadellose Führung, sondern auch ein sehr gutes Resultat »seiner wissenschaftlichen Bestrebungen« bescheinigt – unter anderem in »Analysis des Endlichen und Unendlichen«, französischer Sprache und deutscher Literatur, Naturlehre, Kriegs- und Staatengeschichte, sphärischer Trigonometrie, Militär-Geographie, Theorie und Praxis des topographischen Aufnehmens, Pferdekenntnis und Generalstabsgeschäft, Taktik und Strategie.

Nun hatte er es schwarz auf weiß, daß er ein Generalstabskandidat war. Vorerst mußte der examinierte Offizier Anwärter zum Fähnrichs- und Offiziersexamen vorbereiten, an der Schule der 5. Division in Frankfurt an der Oder. Er traf sie »etwas verwildert« an, stutzte sie sogleich zurecht, erteilte wöchentlich 14 Lehr- und 8 Inspektionsstunden und verfaßte ein »Kom-

Clausewitz.
Nach einem Gemälde von Wilhelm Wach

pendium über militärisches Aufnehmen«, das 1828 gedruckt
wurde.

»Ein vielseitig gebildeter junger Mann, der sich für Adjutantur,
zum Generalstab oder auch für das Auswärtige Departement als
brauchbar beweisen würde und ganz besondere Empfehlung verdient«, urteilte sein Regimentskommandeur. In das Auswärtige
Amt – was Bismarck kaum begrüßt hätte – kam er nie, in
Adjutanturen später, doch schon im Frühjahr 1828 zum Stab,
zunächst in das Topographische Bureau, das Vorzimmer der
heiligen Halle des Generalstabes.

Zum Kriegführen brauchte man zuverlässige Landkarten. Solche mußten damals erst erstellt werden, durch topographische
Aufnahme, die – wie formuliert wurde – »Anfertigung des Bildes
eines Teiles der Erdoberfläche in bezug auf ihre Gestaltung und

alle mit ihr in Verbindung stehenden Natur- und Kulturgegenstände zum Zwecke der Kartierung«. Das preußische Staatsgebiet wurde im Maßstab 1:25 000 aufgenommen, woraus dann die Generalstabskarte im Maßstab 1:100 000 erstellt wurde.

Hierfür zog man angehende Generalstäbler heran. Das kostete den Staat nicht viel und brachte der Heeresleitung Gewinn. Der Offizier wurde im Sinne der modernen Erfahrungswissenschaft gebildet und in die Lage versetzt, anhand seiner Geländekenntnisse die Truppe zweckmäßig einzusetzen.

Der Blick für Realitäten wurde geschärft, die subjektive Beobachtung wie die objektive Beurteilung. Bei der topographischen Aufnahme mußte wiedergegeben werden, was gegeben war. Die Kenntnis der Wirklichkeit galt als Voraussetzung ihrer Beherrschung. Der Realitätssinn, den Moltke mitbrachte, wurde durch die Tätigkeit als Topograph gestärkt, seine Welterfahrung wie auch seine Menschenkenntnis vermehrt. Dem Umstand, daß die topographische Aufnahme auf dem Papier und mit Hilfe des Meßtisches an Ort und Stelle zu erfolgen hatte, verdankte er ein freieres und besseres Leben in östlichen Gebieten Preußens, die er aufzunehmen hatte.

Von sich könne er nur Erfreuliches berichten, schrieb er der Mutter am 6. Juli 1828 aus Grüttenberg bei Oels in Schlesien, wo er auf dem Gut eines Herrn von Kleist einquartiert war. Nach einem Frühstück, wie er es bisher nur vom Hörensagen gekannt hatte, zog er hinaus, »angetan mit ungebleichten Hosen, grauem Staubmantel und weißer Mütze, Handschuhen ohne Fingerspitzen und gewaffnet mit einem Etui und einem schönen Ramsden-Fernrohr«. Sein Bursche trug ihm den Meßtisch nach, und die Dorfschulzen mußten ihm in allem zu Diensten sein. »Sowie ich nach Hause komme, geht's zu Tische, wo meine einzige Sorge ist, wie ich es möglich mache, bei so viel Speisen von jeder etwas zu essen.«

Das alles war noch gar nichts, verglichen mit dem, was er in Schön-Briese beim Grafen Kospoth erlebte: ein Schloß mit französischem Park und Orangerie, eine Zimmerflucht als sein Quartier, kostbare Gemälde, die er kopierte, ein Hausherr, der den Gast von gleich zu gleich behandelte, eine Hausherrin, »gegen mich so gütig und freundlich, wie eine strenge Etikette es nur zu sein erlaubt«, und die Töchter des Hauses, »gar sehr eisig« zuerst, doch schnell auftauend angesichts eines jungen Mannes, der so gut zeichnen und dichten konnte und nicht unflott aussah, wobei ihm »ein eleganter Zivilanzug, den mein Geschäft schon abgeworfen«, zustatten kam.

»Ach, es ist eine schöne Sache für so einen armen Teufel, der sich zwischen Geldmangel, Vorgesetzten, Dienstpflicht, Gehorsam und wie die Übel alle heißen, die je der Büchse Pandorens entflohen, herumdrängen muß, so in eine Lage zu kommen, wo alle die kleinen Verdrießlichkeiten des Lebens, die zusammen das Unglück des Lebens ausmachen können, aufhören, wo Alles schön, gefällig, reich und edel ist und das Vergnügen Zweck sein darf, weil selbst die Arbeit ein Vergnügen ist, wo die Kunst nicht die spärliche Würze des Lebens, wo sie das Leben selbst ist, und wo man selbst gefallend sich gefällt.«

Es gefiel ihm, »so die schönsten Apfelsinen vom Baum in den Mund zu stecken«. Der kleine Leutnant fühlte sich wie im Schlaraffenland – auch in Rusko, wo die polnische Adelsfamilie der Obwiezerska die deutschen Magnaten an Gastfreundschaft zu überbieten suchte. Sie behandelte den königlich preußischen Seconde-Lieutenant wie ihresgleichen, nahm ihn mit auf Jagden und Landpartien, spielte mit ihm Whist, das er sich fürs Leben angewöhnte. Er revanchierte sich mit dem Plan eines Badehauses, den sein Bursche, ein gelernter Maurer, ausführte, mit Konterfeis der Familie und der Kammermädchen in Nationaltracht, mit viel Verständnis für die Polen.

Der alte Obwiezerska hatte an der Seite von Tadeusz Kościuszko die ersten beiden Teilungen Polens vergeblich zu revidieren versucht und die dritte 1795 und die vierte 1815 nicht zu verhindern vermocht. Der Pole verachtete den König von Preußen, unter dem er leben mußte, und verwöhnte dessen Leutnant, der ihm ins Haus geschneit war.

Ein Pole war nun einmal anders als ein Deutscher, und die Art der Obwiezerskas »fast das Gegenteil« von der des Wahlpreußen Moltke. »Allein man muß zur Beurteilung dieser Leute einen eigenen, ich möchte sagen nationalen, Maßstab anlegen, sonst wird man sie immer sehr falsch beurteilen, und wenn sie uns leichtsinnig und prahlerisch erscheinen, so können wir ihnen nicht anders als höchst pedantisch und selbst etwas heuchlerisch vorkommen.«

Das lustige Topographenleben dauerte nicht lange. In Berlin konnte er sich nicht mehr in einen Fauteuil setzen »wie der Dotter ins Ei«, kam er sich vor »wie einer, der sich auf ein unbequemes Sofa legt und seine Stellung noch alle Augenblicke ändert«. Er mußte sich wieder einschränken und auf die Arbeit im Bureau konzentrieren, die zwar auch nicht besonders anstrengend, aber viel langweiliger als der Außendienst war: Von 8 Uhr bis 2 Uhr nachmittags Kartenzeichnen und dergleichen, »auch wohl nebenher die Zeitungen lesen«, von »oben her nicht im mindesten geniert«.

Der Nachmittag und der Abend gehörten der Weiterbildung. Er hörte Vorlesungen über Goethe und französische Literatur, vervollständigte sein Englisch und begann mit Russisch; denn »Rußland ist jetzt das merkwürdigste Land für Preußen, und seine Sprache nur höchst Wenigen bekannt, ich treibe es mit großem Eifer«.

Er wollte weiterkommen in der Laufbahn, die er nun einmal eingeschlagen hatte, obwohl er lieber Historiker oder Archäologe geworden wäre. Aus dem Topographischen Bureau strebte er in den Großen Generalstab, in dem wenigstens Kriegswissenschaft betrieben wurde.

Das Jahr 1830, in dem es Revolution in Frankreich, Belgien und Polen gab, Europa nach Pulver roch, hätte den Dreißigjährigen beinahe vorzeitig sein Ziel erreichen lassen.

Als Offizier des Königs von Preußen, welcher der »Heiligen Allianz« angehörte, hatte er die alte Ordnung zu verteidigen, hätte er gerne, wie Prinz Wilhelm von Preußen, die zweite französische Revolution, die wie die erste auf Europa überzugreifen drohte, durch einen Krieg rückgängig gemacht und dadurch sein Avancement beschleunigt.

Krieg oder Friede? Die Beantwortung dieser Frage »ist von der allerunmittelbarsten Wichtigkeit für mich, weil ich mir für den Fall eines Krieges wohl schmeicheln darf, sogleich in den Generalstab kommandiert zu werden«. Doch er befürchtete, »daß wir Frieden behalten trotz aller Seufzer der Seconde-Lieutenants« – wenn diese französische Revolution vom Bürgerkönig gebremst werden könnte und nicht wie die von 1789 zu Terror und Krieg fortschreiten würde.

Eine solche Eskalation erwartete Moltke auch von dieser Revolution. »Dies dürfte um so mehr der Fall sein, als heut zu Tage es nicht mehr allein die Kabinette sind, welche über Krieg und Frieden entscheiden und die Angelegenheiten der Völker leiten, sondern es an vielen Orten die Völker sind, welche die Kabinette leiten, und so ein Element in die Politik hineingebracht ist, welches freilich außer aller Berechnung liegt.«

Auch der Bürgerkönig Louis Philippe könnte von seinem Volk zum Krieg gedrängt werden, den die königlich preußische Armee »rechtschaffen« zu führen vermöchte, für eine gerechte Sache, »mit dem ganzen Material bis ins geringste Detail versehen«. Wenn Preußen angegriffen würde, könnte es »wohl auf die Billigung aller, wenigstens in Deutschland, rechnen« – und die öffentliche Stimmung sei heutzutage fast so wichtig wie eine Armee.

Auf solche Gedanken mochte man selbst in Berlin kommen, wo zwar die Reaktion das Geschehen im Griff behielt, aber doch einiges in Bewegung gekommen war. »Hier ist ein neues Leben in die Menschen gefahren, die Cafés sind überfüllt mit Neugierigen und kaum daß man die Zeitungen erhaschen kann – besonders die französischen. Politik wird in allen Salons, in den Theatern wie in den Bierstuben verhandelt.«

Moltke verkehrte in der Konditorei »Stehely«. Kameraden gingen lieber ins »Kranzler«, wo es russisches Eis gab, von Pferden und Ballettänzerinnen gesprochen und ins »Militärblatt« geschaut wurde. Das »Stehely«, das nicht Unter den Linden, sondern am Gendarmenmarkt beim Schauspielhaus lag, wurde von Literaten und Liberalen bevorzugt, der Baisers und vor allem der Zeitungen wegen, die in der »Roten Stube« auslagen: alle möglichen Berliner Blätter, auch die »Allgemeine Preußische Staatszeitung«, von der gesagt wurde, die Wörter »All«, »Preußische« und »Staats« im Titel seien überflüssig, weil sie »Gemeine Zeitung« genannt werden müßte. Und es standen französische und englische Blätter zur Verfügung, auf die sich die »Zeitungstiger« stürzten, begierig auf freie Meinungsäußerungen und unersättlich in unzensierten Informationen.

Moltke ging zu »Stehely«, weil er nicht nur Zeitungen lesen, sondern auch sehen wollte, wie andere seine Zeitschriftenaufsätze lasen. Es mache ihm Spaß, schrieb er seinem Bruder Ludwig am

7. März 1831, »die Gesichter der Lesenden bei Stehely zu belauern, die den würdigen Autor schwerlich in Deinem gehorsamen Diener vermuten, denn diese Kinder meiner Laune oder vielmehr meiner Geldnot laufen sämtlich ungetauft in der Welt herum«.

Seine »kleinen Aufsätze«, die nicht mehr auszumachen sind, wie seine Erzählungen erschienen anonym. »Pflicht und Opfer«, veröffentlicht im Jahre 1830, vom 4. bis 16. Juni, in den Nummern 90 bis 97 des Journals »Der Gesellschafter oder Blätter für Geist und Herz«, erzählte von einem »jungen Nordländer«, der im Freiheitskampf der Griechen gegen die Türken fiel. Im selben Journal, in den Nummern 94 bis 97, vom 14. bis 19. Juni 1833, erschien unter dem Titel »Ein Kriegsabenteuer« eine Erzählung aus dem Feldzug 1814, in der nichts von der nationalen Begeisterung zu spüren war, die damalige Leser und spätere Historiker erwarteten. Die Novelle »Die beiden Freunde«, in der die Gegner im Siebenjährigen Krieg, Preußen und Österreicher, nicht wie Feinde behandelt wurden, war bereits in den Nummern 48 bis 61, vom 8. bis 26. März 1827, in der Berliner Unterhaltungszeitschrift »Der Freimütige« gedruckt worden.

Diese Versuche hatten vielleicht die literarische Laune des Autors befriedigt, aber nicht seine Geldnot gelindert. Der Verleger prellte ihn um das Honorar für »Die beiden Freunde«. »Ein halbes Pferd habe ich erst zusammengeschrieben«, berichtete er im März 1831, obwohl eine Broschüre zum Preis von sechs Groschen leidlich Absatz finde.

Es war die erste Schrift, die unter seinem Namen erschien, 1831 bei E. S. Mittler in Berlin, eine historische Studie, die durch politische Ereignisse angeregt worden war und einem künftigen Generalstäbler besser anstand als eine Novelle: »Holland und Belgien in gegenseitiger Beziehung seit ihrer Trennung unter Philipp II. bis zu ihrer Wieder-Vereinigung unter Wilhelm I.«

Von der französischen Revolution im Juli 1830 ermutigt, hatten sich einen Monat später Belgier gegen Holländer erhoben, von denen sie 1559 geschieden und mit denen sie 1815, durch den Wiener Kongreß, verbunden worden waren.

Warum wollten »zwei Völker wie Belgier und Holländer, die eines Ursprungs und eines Landes« seien, nicht zusammenbleiben? »Ich habe die Erklärung in der Geschichte beider Länder gesucht.« Politische Erkenntnisse aus historischen Erfahrungen zu schöpfen, das lag im Zuge der Zeit. Wie mühsam das jedoch für den Historiker war und wie problematisch das Verhältnis zwischen Aufwand und Wirkung, mußte auch er erleben: »Ich habe über tausend Pagina in Quart und an viertausend in Oktav durchgelesen. Um einen allgemeinen Satz aufzustellen, mußte ich oft ganze Bände durchblättern, und am Ende nimmt der Leser einen Satz über den Satz und liest ihn nicht.«

Immerhin zog er selber daraus Nutzen: der Militär, der sich mit einem Land beschäftigt hatte, »in welches leicht die Begebenheiten ein preußisches Heer führen können«, und der Staatsbürger, dessen Interesse an Politik durch das Revolutionsjahr 1830 gesteigert worden war. Die Ergebnisse seiner historisch-politischen Bemühungen waren allerdings von dem, was er auf der Königlichen Kriegsschule gelernt hatte, nicht allzuweit entfernt.

Ruhe und Ordnung in Europa – so lautete die Sprachregelung in der »Heiligen Allianz« – seien durch den Zusammenhalt der Monarchen und das Gleichgewicht der Staaten gewährleistet und würden durch Erhebung der Völker und den Egoismus der Staaten in Frage gestellt. »Denn die Revolutionen« – so Moltke –, »welche in ihrer Dauer selbst die schlechteste Herrschaft zurückwünschen lassen, haben ebenso oft zum Despotismus als zur Freiheit geführt.« Der Frieden sei, wie es sich auch in der Kriegsgefahr von 1830 gezeigt habe, besser bei den Monarchen aufgehoben, die sich mehr als die Völker mäßigen könnten.

Indes: Ohne Reformen seien Revolutionen kaum zu vermeiden: »Wenn das Fortschreiten notwendige Bedingnis für die Menschheit ist, damit sie nicht zurückschreite, so dürfen die Institutionen, die für die Gegenwart bestehen, nicht für die Ewigkeit geschaffen sein. Wie die Natur sich aus sich selbst verjüngt, müssen sie sich mit den Geschlechtern erneuern, aber diese Regeneration muß von oben ausgehen, nicht von unten. Die Regierung muß es sein, welche die Revolution auf einem gesetzmäßigen Wege durchführt, nicht die Menge, dieser Spielball der Parteien, das blinde, aber schneidende Werkzeug in der Hand der Leidenschaft.«

Das klang nach aufgeklärtem Absolutismus, Friedrich dem Großen und Joseph II., aber auch und vor allem nach dem preußischen Reformismus eines Stein und Hardenberg. Deren Geist ist auch in einer zweiten historischen Studie Moltkes zu spüren, die ebenfalls durch ein Ereignis des Jahres 1830 angeregt worden war: den Aufstand der Polen gegen die Herrschaft der Russen. Die Schrift erschien 1832 bei G. Fincke in Berlin unter seinem Namen und dem Titel: »Darstellung der inneren Verhältnisse und des gesellschaftlichen Zustandes in Polen«.

Sympathien für die Polen hatte er seit seinen guten persönlichen Erfahrungen gehegt, für den polnischen Adel, die polnischen Katholiken und die polnischen Juden. Aber er bemerkte auch, daß Polen sowohl Rußland als auch Preußen »hindernd im Wege stand« und daß seine Teilung nicht nur eine Folge der Eingriffe von außen, sondern auch seiner inneren Spaltung war:

»Die auffallendsten Widersprüche bezeichneten von jeher das Dasein dieses Volkes, bei welchem die Republik in Verbindung mit dem Königtum, der Glanz des Thrones mit der Ohnmacht des Regenten trat ... Der wildeste Mut und der lärmendste Widerstand lösen sich, durch die Notwendigkeit an Nachgeben gewöhnt, in geschmeidige Unterwürfigkeit und plötzliche Aussöhnung auf ... Das Übermaß der Freiheit und das der Sklaverei haben das selbständige Polen vernichtet, aber in seinen Trümmern selbst bewahrt es die Mischung des Widerstrebenden.«

Gegen den russischen Zaren, nicht gegen den König von Preußen hatten sich 1830 Polen erhoben. Lag dies daran, daß im russischen Kongreß-Polen mehr Sklaverei und in den polnischen Gebieten Preußens mehr Freiheit herrschte? Moltke meinte, die unter die Hohenzollern gekommenen Polen könnten von Glück sagen, denn Preußen sei ein fortschrittlicher Staat, der sich an die Spitze der Reformation und der Aufklärung wie »der liberalen Institutionen und einer vernünftigen Freiheit – mindestens in Deutschland – gestellt« habe. Das sei auch den preußisch gewordenen Polen zugute gekommen: »Die Gleichheit aller Stände vor dem Gesetz und der Schutz des Gesetzes auch für den letzten Stand folgte bei der Einverleibung mit Preußen von selbst.«

Hinter der preußischen Anmaßung steckte die Achtung vor der preußischen Reformzeit. »In Preußen war die Periode der tiefsten äußeren Erniedrigung die der höchsten inneren Entwicklung, und gerade unter dem härtesten Druck der französischen Nachbarschaft gingen die nationalsten und freisinnigsten Institutionen hervor« – beispielsweise das Edikt vom 14. September 1811, die Regulierung der gutsherrlichen und bäuerlichen Verhältnisse betreffend, das den aus der Erbuntertänigkeit befreiten Bauern freies Eigentum verlieh.

Das diente dem Fortschritt der Menschheit wie dem fortschrittlichen Staat, der »eine neue zahlreiche und schätzbare Klasse von Eigentum besitzenden Untertanen« gewann, »die eben dadurch und weil sie durch ihr Interesse an die Regierung geknüpft, auch zuverlässige und treue Untertanen waren«.

Ähnlich zu denken wie die Reformer Stein und Hardenberg und das auch noch schriftlich zu äußern – dies war im reaktionären Preußen, das nach den Revolutionen von 1830 wieder treu und fest auf dem Rückmarsch war, dem Avancement eines königlich preußischen Offiziers nicht unbedingt förderlich.

Immerhin äußerte der Zensor einem Dritten gegenüber, er könne nicht glauben, daß dieser Herr von Moltke ein Seconde-Lieutenant sei; er habe sich ihn als einen Mann vorgestellt, der sich schon so seine fünfzig Jahre in der Welt umgesehen hätte. Mit seinen Verlegern hatte er mehr Ärger: Mittler gab ihm für den Bogen »3 Dukaten für dreihundert Jahre aus der Geschichte«. Fincke brachte den Autor dazu, Kosten wie Ertrag mit ihm, dem Verleger, zu teilen. »Die ersten betrugen achtzig bis hundert Taler, der letztere, wenn es gut geht, nach Abzug aller Kosten für jeden hundert bis hundertfünfzig Taler.«

Mit Fincke machte er bald eine noch schlechtere Erfahrung. Der Verleger versprach ihm 500 Taler – den Gegenwert von zwei Pferden – nach Drucklegung und weitere 250 Taler nach dem Verkauf von 500 Exemplaren einer Übersetzung der »History of the Decline and Fall of the Roman Empire« des Engländers Edward Gibbon, eines Werkes, das zuerst 1776 bis 1788 in London in sechs Bänden, in deutscher Übersetzung letztmalig 1805 bis 1807, in 19 Bänden, erschienen war.

Um von seinem Schuldenberg herunterzukommen, nahm der Leutnant diese Herkulesarbeit an, arbeitete daran jede freie Viertelstunde, bemühte auch seinen Bruder Ludwig, schrieb sich über Jahr und Tag die Finger wund. Das Werk wurde nicht gedruckt, und erst nach einem Prozeß, der sich bis 1835 hinzog, bekam er 166 Taler, abzüglich 12 Taler Prozeßkosten, für die Übersetzung, die er nahezu vollendet hatte. »Ich habe mit dem ganzen Honorar nur wenig mehr als die Hälfte meines Schimmels bezahlen können.«

»Meine Ansicht«, hatte ihm der Verleger geschrieben, »basiert sich darauf, daß es Ihnen mehr darauf ankommt, ein der Wissenschaft förderliches Werk zu gründen, als ein ansehnliches Honorar zu gewinnen.« Jedenfalls wuchs mit jedem Kapitel der Übersetzung des Werkes über den Niedergang und Untergang des römischen Imperiums Moltkes Sehnsucht nach Rom, »who after her ›decline and fall‹ still is the queen of the world«.

Und er konnte sich jetzt täglich einen Schoppen Moselwein leisten, stand überhaupt in gutem Futter, wie er am 20. Juni 1835 der Mutter schrieb. Am 30. März 1832 zum Großen Generalstab kommandiert, war er in diesen am 30. März 1833 unter Beförderung zum Premier-Lieutenant einrangiert worden. Und zwei Jahre später, am 30. März 1835, war er Kapitän, also Hauptmann, im Generalstab geworden.

DER GROSSE GENERALSTAB war ein kleines Offizierskorps in der großen preußischen Armee, dessen elitärer Charakter nicht nur in allgemeiner Bildung und besonderer Ausbildung zum Ausdruck kam, sondern auch durch eine Uniform, die der neu eingekleidete Generalstäbler für »eine der hübschesten und kostbarsten, die wir hier haben«, hielt: »blau, mit karmesinrotem Kragen und Aufschlägen mit Silber gestickt, Hut mit weißer Feder, Degen, silberner Schärpe und Epauletts«.

Die Kosten dieser Equipierung verschlangen einen Teil der »ziemlich beträchtlichen Gehaltserhöhung«. Aber man konnte sich in ihr sehen lassen, überall, wo man hinkam, galt man etwas, zumal ein Generalstäbler von Anfang Dreißig, der nicht allein durch die Uniform Eindruck zu machen verstand.

Nun hatte er zwei Pferde, ritt zum Generalstabsgebäude in der Behrenstraße durch den Tiergarten, produzierte sein Pferd auf der Promenade, »welche während der schönen Tage, die wir jetzt haben, wirklich glänzend ist. Die schönsten Pferde, die Menge von Uniformen und Equipagen und das dichte Gedränge der geputzten und vornehmsten Damenwelt.« Mittags speiste er im Café, »abends stellt sich der Friseur ein, der mir das Haar in die geschmackvollsten Formen bringt, und um 8 Uhr ist Ball bei diesem Prinzen oder jenem Minister.«

Sogar zum König wurde er geladen, zu einem Déjeuner dansant, wobei Friedrich Wilhelm III. nichts dabei fand, daß schon vor

Das Rathaus von Görlitz,
gezeichnet von Helmuth von Moltke
am 19. Juli 1835

dem Mittagessen getanzt wurde, Walzer, den seine Frau, die verstorbene Königin Luise, am Berliner Hof eingeführt hatte. Die Paare, die sich dabei nahe gekommen waren, wurden bald wieder getrennt: Die Herren führte man in den einen, die Damen in den anderen Saal, wo jeder und jede eine künstliche Blume bekam, durch die bestimmt wurde, wer mit wem zusammensitzen sollte: der Herr mit der Dame, welche die gleiche Blume erhalten hatte.

»Das sogenannte Frühstück ist aber ein Mittagessen mit allen Schikanen, mit Schildkrötensuppe, Austern, Kaviar, Trüffelpasteten und anderen glücklichen Mischungen der Kochkunst und den angemessenen Flüssigkeiten.« Anschließend wurde erst richtig getanzt, bis 8 Uhr abends, der Zeit, da der König ins Theater zu fahren pflegte, um sich bei bürgerlichen Possen von den Hoffestivitäten zu erholen.

»Fast ohne es zu wollen, bin ich in den Strudel der großen Gesellschaft hineingeraten, der einen so leicht nicht wieder losläßt.« Moltke wurde immer wieder losgerissen und ließ sich gerne losreißen – zur Generalstabsarbeit, die ihm cum grano salis doch besser schmeckte.

Im Großen Generalstab der preußischen Armee wurden – zwecks Vorbereitung auf allfällige Kriege – kriegsgeschichtliche Erfahrungen, Informationen über die gegnerischen Heere, Erkundigungen über die möglichen Kriegsschauplätze gesammelt und ausgewertet sowie Mobilmachungs- und Aufmarschpläne ausgearbeitet. Generalstabschef war seit 1829 Generalleutnant Wilhelm Krauseneck, ein Bürgerlicher aus Bayreuth, gelernter Ingenieurgeograph und bewährter Topograph. Dem Kriegsministerium als »nebengeordnete Dienststelle« angegliedert, war der Generalstab in drei »Kriegstheater« unterteilt: Das »Westliche« war für Westdeutschland und Frankreich zuständig, das »Mittlere« für Mittel- und Süddeutschland sowie Österreich, das »Östliche« für Rußland und Skandinavien.

Moltke arbeitete zunächst im »Mittleren Kriegstheater« an einer militärisch-topographischen Beschreibung von Thüringen, danach im »Östlichen Kriegstheater« unter dem Abteilungschef Leopold von Gerlach, späterem Generaladjutanten Friedrich Wilhelms IV., der sich als Anhänger der »Heiligen Allianz« kaum vorzustellen vermochte, daß das konservative Preußen gegen das konservative Rußland jemals Krieg führen könnte.

Die russische Armee mußte jedoch im Auge behalten werden; bei ihrer Gesamtbeschreibung übernahm Moltke die Abschnitte über Artillerie, Kavallerie und Marine. Auch zu einer Denkschrift »Über die militärischen Verhältnisse von Rußland und England« trug er bei, nämlich zum Abschnitt über Dänemark und die Ostsee-Einfahrt. Der ehemalige königlich dänische Leutnant wurde mit einem Bericht über dänische Militär- und Marineeinrichtungen beauftragt. Zu diesem Zweck erhielt er einen dreimonatigen Urlaub. In Kopenhagen traf er seinen lungenkranken Bruder Wilhelm kurz vor dessen Tod, in Kiel sah er den Vater, in Schleswig die Mutter und Schwester Auguste, die den verwitweten Plantagenbesitzer John Heyliger Burt geheiratet hatte.

Ein Generalstäbler mußte nicht nur am Schreibtisch sitzen, über militärkundlichen Arbeiten, darunter eine »Skizze der Großbritannischen Militär-Verfassung«, und über kriegsgeschichtlichen Darstellungen, so über Details des Siebenjährigen Krieges und der Befreiungskriege. Er durfte auch in die Welt hinaus, konnte mit dem offiziellen Wissensdurst seine private Reiselust stillen.

Im Jahre 1833 war Moltke in Italien gewesen, nicht in Rom und Florenz, wohin es ihn so mächtig zog, immerhin im österreichischen Oberitalien, zu dem Mailand und Venedig gehörten. Dort kommandierte der alte Radetzky, der schon in der Völkerschlacht bei Leipzig eine Rolle gespielt hatte und nun in Habsburgs Lombardo-Venezianischem Königreich eine Musterarmee formierte.

Übungsreisen des Generalstabes führten Moltke nach Thüringen, in die Provinz Sachsen und die Lausitz, nach Schlesien. Sie waren nicht mehr so lustig wie die Ausflüge des Topographen. Doch er genoß es, durch die freie Natur zu reiten, Lord Byrons »Childe Harold's Pilgrimage« griffbereit, um die Eindrücke des Generalstäblers mit den Empfindungen des Dichters anzureichern. Und den Zeichenblock zur Hand, um das, was er sah, festzuhalten, nach Hause tragen zu können.

Was er an dienstlichen Ergebnissen mitbrachte, gefiel den Vorgesetzten. König Friedrich Wilhelm III. ließ dem Hauptmann von Moltke wohlwollende Anerkennung übermitteln. Prinz Heinrich von Preußen, Herrenmeister des 1812 gestifteten Königlich Preußischen Johanniterordens, verlieh ihm das Johanniterkreuz. Generalstabschef Krauseneck lobte seinen Generalstabsoffizier: »Er hat in den verflossenen Jahren Gelegenheit gehabt, in seinen Berichten über gemachte militärische Reisen in Österreich, Italien und Dänemark als geschickter Referent seine Brauchbarkeit an den Tag zu legen, und hat sie völlig bewährt.« Und: »Er ist zu Aufträgen besonders geeignet, deren Erledigung Geist, Umsicht und eine leichte Auffassung besonderer Verhältnisse erfordert.«

Der dienstliche Ehrgeiz war vorerst befriedigt, seine Reiselust aber noch lange nicht gestillt. Er erbat und erhielt am 23. September 1835 – unter Bewilligung des halben Gehalts – sechs Monate Urlaub für eine Fahrt in die Türkei.

Noch vor einiger Zeit hatten sich Europäer kaum darum gekümmert, wenn »hinten, weit in der Türkei, die Völker aufeinanderschlugen«. Nun war das Land durch den Unabhängigkeitskampf der Griechen, den Russisch-Türkischen Krieg 1828/29 und das Engagement Englands im östlichen Mittelmeer ins Blickfeld gerückt – als Kriegstheater, Weltbühne und Schauplatz von Geschichten aus Tausendundeiner Nacht.

Moltke war fasziniert: der Generalstabshauptmann, der Erkenntnisse gewinnen, der fünfunddreißigjährige Mann, der Fremdes sehen und Neues erleben wollte.

Drittes Kapitel

AM BOSPORUS UND EUPHRAT

Reisen unternahm Moltke weniger, um an ein Ziel zu gelangen, als um unterwegs zu sein. Den Nordländer trieb es wie einen Wikinger in die Ferne, der Offizier konnte die Uniform ablegen, ein von Hause aus verschlossener Mensch aus sich herausgehen, leichter zu anderen und zu sich selber finden.

»Willst du ins Unendliche schreiten, geh nur im Endlichen nach allen Seiten. / Willst du dich am Ganzen erquicken, mußt du das Ganze im Kleinsten erblicken.« Dieses Goethe-Wort befolgte Moltke, der Idealist und Realist zugleich war, im Denken geübt und auf Erfahrung bedacht.

»Was ist das Schwerste von Allem? Was dir das Leichteste dünkt: / Mit den Augen zu sehen, was vor den Augen dir liegt«, hatte Goethe gesagt. Moltke fiel dies nicht besonders schwer. Was er scharf und deutlich sah, konnte er klar und verständlich in Worte fassen. Und wollte es auch: »Mit der Reise wacht bei mir die Schreiblust auf.« Ebenso die Zeichenlust. Denn er setzte den Stift ein, wo ihm die Feder nicht genügte.

Die Welt sei ein Buch, von dem man nur die erste Seite gelesen habe, wenn man nur sein eigenes Land kenne, hieß es bei Byron. Weiterzublättern hatte Moltke schon lange im Sinn. Der Generalstäbler hatte am liebsten Reisen geplant. Nun wollte er die Seite Türkei und, auf dem Hinweg, die Seiten Österreich und Ungarn, auf dem Rückweg die Seiten Athen und Rom aufschlagen. Für diese Privatreise hatte der Hauptmann ein halbes Jahr Urlaub bekommen, auch einen Reisegefährten gefunden: den Seconde-Lieutenant von Bergh vom 1. Garderegiment.

Am 7. Oktober 1835 brachen sie von Breslau auf, am 10. Oktober waren sie in Wien, der Haupt- und Residenzstadt des Kaisers von Österreich. Eben war Ferdinand I. auf Franz I. gefolgt, der als Franz II. der letzte Kaiser des Heiligen Römischen Reiches Deutscher Nation gewesen war. Nach wie vor hielt Fürst Metternich die Zügel in der Hand, als Staatskanzler Österreichs, als Fuhrmann des Deutschen Bundes, als Kutscher Europas, dem immer noch, indessen mit wachsendem Widerstreben, auch das preußische Pferd gehorchte.

Die Kaiserstadt Wien gefiel dem preußischen Offizier besser als die Königstadt Berlin. Was war schon der Berliner Dom, »dies garstige Gebäude«, das »man eher für ein Kasino als für eine Kirche ansieht«, gegen die Stephanskirche, die selbst das Straßburger Münster in den Schatten stellte! Wien sei schon deshalb schöner als Berlin, weil es krumme Straßen habe. Die von geraden Straßen durchschnittenen Städte »sind von dem Willen eines Mächtigen hervorgerufen, nach seiner Laune uniformiert. In den Städten, welche eine geschichtliche Vorzeit haben, zeichnete das Bedürfnis den Grundriß.« Die Straßen Wiens »mögen eng, finster, unbequem sein, aber sie reden zum Gemüt«. Andererseits: »Die Straßen Berlins mögen bequem, gesund, zweckmäßig sein, aber schön sind sie nicht, weil gerade.«

Mit einem Blick hatte er den Unterschied zwischen einer gewachsenen und einer geplanten Stadt erkannt. Zog er Rückschlüsse auf die Staaten – hier das in Jahrhunderten gewordene Österreich, dort das von seinen Königen gemachte Preußen?

Jedenfalls würdigte er die historische Rolle der Habsburger. Als er den Stephansturm bestieg, dachte er an Ernst Rüdiger von Starhemberg, der im Sommer 1683 von dort oben die Wien belagernden Türken beobachtete. »Derselbe Wall, wie er jetzt noch steht, nur nach einer Seite mit ein paar kleinen Außenwerken versehen, war das Bollwerk des Christentums. Hunger und Krankheit hatten die unglückliche Stadt aufs Äußerste gebracht, es handelte sich um Tage und Stunden, so glänzte der Halbmond auf dem Stephan, der Islam triumphierte in der Hauptstadt der christlichen Welt. Wie ganz anders möchte es dann in Europa geworden sein.«

Wien wurde befreit, durch Österreicher, Polen, Bayern, Franken, Schwaben und Sachsen. Brandenburger waren nicht dabei, denn der Hohenzoller Friedrich Wilhelm, welcher der Große Kurfürst genannt wurde, hatte sich mit König Ludwig XIV. von

Frankreich liiert und dieser mit dem Sultan des Osmanischen Reiches verbündet. Das Reich sei »von Uneinigkeit, wie immer, zersplittert« gewesen, bemerkte der im Dienste des Hohenzollern Friedrich Wilhelm III. stehende Moltke.

Die Habsburger hatten die Türken aus Ungarn verdrängt, in den Balkan zurückgeworfen. Österreich war zur Großmacht aufgestiegen, das Osmanische Reich immer tiefer gesunken. Um in seine Hauptstadt Konstantinopel zu gelangen, fuhr Moltke die Donau hinab, die weithin ein österreichischer Strom geworden war.

Gleich hinter Wien begann Ungarn, dessen Schicksal es stets gewesen sei, »die Scheide zwischen Zivilisation und Barbarei zu sein«. Als Grenzstadt erschien ihm Budapest: noch Mitteleuropäisches, die Matthiaskirche, die königliche Burg, Kasino und Theater, und schon Östliches, die Moschee mit dem Grab eines mohammedanischen Heiligen, türkische Bäder und Lotosblüten auf einem Teich.

Und das Mittelalter war mit der Neuzeit konfrontiert: eine reine Adelsherrschaft, ein Feudalsystem, »welches aus dem Zeitalter des Untergangs des Römischen Reiches in das Zeitalter der Dampfschiffe, Kreditvereine, der Landwehrpflicht, der Spinnmaschinen und Schnellpresse, der Konstitutionen und Reformen hineinragt«.

Der Unabhängigkeitsdrang hatte den magyarischen Adel aus dem Regen der habsburgischen Herrschaft in die Traufe der osmanischen Macht getrieben. Die Kaiserlichen warfen die Türken aus Ungarn hinaus, und »halb widerstrebend ergab es sich an Österreich, aber die Ehe war von Anfang an nicht glücklich«, bemerkte Moltke 1835, dreizehn Jahre vor dem ungarischen Aufstand von 1848. »Höchst ungern« steuere »die mißvergnügte Hungaria zu den Ausgaben des gemeinsamen Hausstandes bei, sie dringt auf gänzliche Vermögenstrennung und will sich auf keine Weise bequemen, die Sprache ihres Gemahls zu reden.«

»Franz I.«, wie der Kaiser von Österreich und König von Ungarn, hieß das Dampfschiff, das Moltke von Budapest weiter die Donau hinabbrachte – nach Peterwardein, dem »ungarischen Gibraltar«, und Semlin, der k. k. Garnisonsstadt, die Belgrad gegenüberlag, der Hauptstadt des den Türken, die immer noch in der Festung lagen, tributpflichtigen Fürstentums Serbien.

In Alt-Orsova, an der Banater Militärgrenze, war die österreichische und ungarische Welt zu Ende. Durch die Quarantäne-Station, Kontumaz genannt, sollte sie gegen die Pest, von der die Türkei heimgesucht wurde, abgeschirmt werden. Da und dort stand eine Csardake, ein gemauertes Wachhaus. Auf einer Insel in der Donau, welche die Grenze bildete, besaßen die Türken noch die 1738 den Österreichern abgenommene Festung Neu-Orsova, obwohl »seitdem ihre Grenzen von den Karpaten bis zum Balkan zurückgedrängt wurden«. Hier, bei einem Besuch des Kommandanten Osman Suleiman, wurde Moltke zum ersten Mal mit türkischen Zuständen konfrontiert.

Der Generalstäbler merkte es sofort, daß diese Festung nichts mehr taugte. »Eine Menge kleiner baufälliger Häuser mit hölzernen Gittern statt der Fenster bedeckten die Plattform eines kasemattierten Bastions. Sie sind von außen durch hölzerne Pfeiler und Balken unterstützt und machen die Verteidigung der Plattform ganz unmöglich. Von den zwölf Kasematten waren drei mit Geschütz (und zwar geladenem) besetzt, die übrigen dienten zu Kuhställen.«

Osman Suleiman war ein Pascha mit zwei Roßschweifen, »aber so unbeschreiblich schlecht logiert wie bei uns kein Dorfschulze«. Sein Palast glich einem Bretterschuppen. »In der Stadt überraschte uns die Unreinlichkeit der engen Straßen. Die Anzüge der Männer waren rot, gelb, blau, kurz von den schreiendsten Farben, aber alle zerlumpt. Die Frauen schlichen tief verhüllt wie Gespenster umher.«

Ein Stück weiter in den Orient hinein geriet der Preuße auf der Wagenfahrt von Orsova nach Bukarest, durch das Donaufürstentum Walachei, das Kernland des späteren Rumäniens. Damals war es immer noch von den Türken und zunehmend von den Russen abhängig, wurde es vom walachischen Adel, den Bojaren, mehr schlecht als recht verwaltet.

»Es gibt doch Augenblicke auf Reisen, wo das Vergnügen zweifelhaft wird«, notierte Moltke in sein Tagebuch. Kurz nach dem Grenzübertritt blieb der Leiterwagen stecken, die Fahrgäste mußten absteigen, versanken bis an die Knie im Schmutz. »In den Dörfern fand man nichts, weder Essen, noch Trinken, noch Nachtquartier.« Krajowa, die drittgrößte Stadt, war ein Nest, und Bukarest, die Hauptstadt, verdiente diesen Namen kaum.

Die Straßen waren zwar gepflastert, aber man hatte versäumt, ihnen »einen Abfluß zu geben, und sie sind denn auch von einem Meere von Kot bedeckt«. Bukarest war voller Kontraste: »Ein schlechtes Lokal und glänzende Toiletten« bei einem Bojaren-Ball, »die elendesten Hütten neben Palästen im neuesten Stil und alten Kirchen von byzantinischer Bauart; die bitterste Armut zeigt sich neben dem üppigsten Luxus, und Asien und Europa scheinen sich in dieser Stadt zu berühren.«

Mit dem Schlitten – Anfang November war der Winter hereingebrochen – gelangte Moltke nach Giurgewo, wo über die hier fast eineinhalb Kilometer breite Donau nach Rustschuk übergesetzt wurde, dem ersten Ort des Osmanischen Reiches.

»Alles in dieser Stadt erschien uns neu und außerordentlich. Wir sahen mit eben so viel Erstaunen um uns, als wir von den Einwohnern mit Erstaunen angesehen wurden.« Da war der baufällige Palast des Paschas, der Basar mit Früchten und Stoffen, Pfeifen und Pferdegeschirr, Stiefeln und Pantoffeln, ein türkischer Gasthof, Han genannt, der keine Fensterscheiben hatte und in dem es weder Essen noch Betten gab.

Zu Pferd ging es weiter, in einem Tatarensattel, durch Bulgarien. Vorreiter der kleinen Karawane war ein Araber, der in der Winterlandschaft fehl am Platze wirkte. In Schumla machte der Reisende Bekanntschaft mit einer Annehmlichkeit des Orients: »Man möchte sagen, daß man noch nie gewaschen gewesen ist, bevor man nicht ein türkisches Bad genommen.« Was hätten wohl die Vorgesetzten daheim gesagt, wenn sie des Hauptmanns von Moltke und des Leutnants von Bergh ansichtig geworden wären: nach dem Bad mit Tüchern umwickelt, »einen Turban auf dem Kopf«, wie Türken hingelagert, Kaffee schlürfend und Wasserpfeife rauchend?

Die schlimmste Strapaze stand noch bevor: der Ritt durch die Schluchten und über die Berge des Balkan. Auf der rumelischen Seite blühten Krokusse auf grünen Wiesen, tauchten die ersten Olivenhaine auf. Doch es regnete unaufhörlich, die Wasserläufe waren über die Ufer getreten, die Wege kaum passierbar.

Endlich, am 23. November 1835, »am zehnten Morgen, seit wir aus Rustschuk ausgeritten, sahen wir die Sonne hinter einem fernen Gebirge emporsteigen, an dessen Fuß ein Silberstreif hinzog: es war Asien, die Wiege der Völker, es war der schneebedeckte Olymp und der klare Propontis, auf dessen tiefem Blau einzelne Segel wie Schwäne schimmerten. Bald leuchtete aus dem Meer ein Wald von Minarets, von Masten und Zypressen hervor – es war Konstantinopel.«

KONSTANTINOPEL, nach Kaiser Konstantin dem Großen benannt, war als Roma nova Hauptstadt des Römischen Reiches, als Byzanz die Hauptstadt des Byzantinischen Reiches gewesen, als Stambul die Hauptstadt des Osmanischen Reiches geworden – und stets eine Metropole geblieben, von der aus Völker beherrscht, in der Kulturen zusammengefaßt wurden, unter der Kuppel der christlichen Hagia Sophia wie unter den Kuppeln der mohammedanischen Moscheen.

Die Lage am Berührungspunkt zwischen Europa und Asien hatte diese Gründung griechischer Kolonisten zu einer Weltstadt vorherbestimmt, einem Umschlagplatz von Handelswaren, einer Austauschstelle von Kulturgütern, einem Schauplatz der Weltgeschichte. Wegen ihrer Schlüsselstellung zwischen Schwarzem

Konstantinopel am Goldenen Horn, Hauptstadt des
Osmanischen Reiches, Märchenstadt für Europäer

Meer und Mittelmeer war die immer noch blühende Hauptstadt des dahinwelkenden Osmanischen Reiches zu einem Streitobjekt der Großmächte geworden: Rußlands, das in Zarigrad, wie Slawen die Sultansstadt nannten, das Kreuz auf die Hagia Sophia zurückbringen und einen Zugang zum Mittelmeer gewinnen wollte. Und Großbritanniens, das die Mediterranean Sea als Mare nostrum betrachtete und deshalb in Konstantinopel den schwachen Sultan einem starken Zaren vorzog.

Die strategische Wasserstraße war für die Stadt ein ästhetisches Element. Zwischen Marmarameer, Bosporus und dem Goldenen Horn, einer schmal und tief in das europäische Ufer gekerbten Bucht, stieg sie amphitheatralisch empor. Wegen ihrer unvergleichlich schönen Lage nannten sie die Türken Deri Seadet, Pforte der Glückseligkeit. Wie ein Tor zu den Wundern von Tausendundeiner Nacht erschien sie dem fünfunddreißigjährigen Moltke:

»Zur Rechten hatten wir Konstantinopel mit seiner bunten Häusermasse, über welche zahllose Kuppeln, die kühnen Bogen einer Wasserleitung, große steinerne Hans mit Bleidächern, vor allem aber die himmelhohen Minarets emporsteigen, welche die sieben riesengroßen Moscheen Selims, Mehemeds, Suleimans, Beyazits, Valide, Achmeds und Sofia umstehen. Das alte Serai streckt sich weit hinaus ins Meer mit seinen phantastischen Kiosken und Kuppeln, mit schwarzen Zypressen und mächtigen Platanen.«

Der alte Sultanspalast, »eine Stadt für sich mit 7000 Einwohnern«, lag an der Landspitze zwischen Bosporus und Goldenem Horn, das eine Fülle von Leben über die Stadt ausgoß. »Vorüber nun am Turm der Haremsrosen / Und durch des Tores weiten Bogengang / Sah er die Wohnung des allmächt'gen Großen« – was Moltke bei Byron gelesen hatte, der Orient, von dem er geträumt hatte, war zum Greifen nahe.

Am schönsten war Konstantinopel aus einer gewissen Distanz. Wenn er sich im Kaik, dem typischen Nachen, der Stadt näherte, erschien sie ihm wie eine dem Meer entstiegene, schaumgeborene Göttin, »und nur ein dünner Nebel umhüllte durchsichtig den feenhaften Anblick«. Dem Galata-Turm lag die Stadt wie ein Orientteppich zu Füßen: »So weit das Auge reicht, nichts als flache Dächer, rote Häuser und hohe Kuppeln.«

Es reizte ihn, die Schleier zu lüften, das Ufer zu betreten, wo die Wellen »sich mit Macht an den steinernen Kais brechen und schäumend weit über die vergoldeten Gitter bis an den Kiosk des Großherrn spritzen«. Er stieg vom Turm, um in den Strom der Stadt einzutauchen, beispielsweise in den Basar: »Da gibt es Datteln, Feigen, Pistazien, Kokosnüsse, Manna, Orangen, Rosinen, Nüsse, Granatäpfel, Limonen und viele andere gute Sachen, von denen ich die Namen nicht einmal weiß.«

Im Vorhof einer Moschee wuschen Gläubige Gesicht, Hände und Füße, »denn sonst wird das Gebet nicht akzeptiert«. Unter einem Bogen saß ein Briefschreiber, ein Stück Pergament auf dem Knie und eine Rohrfeder in der Hand. »Frauen in weiten Mänteln und gelben Pantoffeln, das Gesicht bis auf die Augen verhüllt, erzählen mit lebhaften Gebärden ihr Anliegen, und mit regungslosen Zügen schreibt der Türke das Geheimnis des Harems, eine Prozeßangelegenheit, eine Bittschrift an den Sultan, oder eine Trauerpost.«

Auf einer Kaffeehausterrasse am Bosporus hockten Männer mit roten Fesen, nippten an den Täßchen, um den süßen Kaffee zu genießen und den bitteren Satz zu vermeiden, und rauchten die Wasserpfeife. »Ein solches Nargileh, ein schattiger Baum, eine plätschernde Fontäne und eine Tasse Kaffee sind alles, was der Türke bedarf, um sich 10 bis 12 Stunden des Tages köstlich zu unterhalten.« Deutsche kannten solchen Müßiggang nur theoretisch, hatten ein Wort dafür: »Saumseligkeit – treffliche Verbindung, in welche unsere Sprache die Faulheit mit der Seligkeit bringt.«

Beliebt war der »öffentliche Erzähler, welcher Geschichten, wie die in Tausendundeiner Nacht, von dummen Herren, verschmitzten Dienern und wunderbaren Ereignissen erzählt, oft aber auch die politischen Verhältnisse des Augenblicks mit in sein Märchen hineinzieht und manchmal großen Einfluß auf die Menge übt. Obwohl ich keine Silbe verstand, so hörte und sah ich dem Mann doch mit Vergnügen eine Weile zu. Bald sprach er wie ein vornehmer Efendi, bald als Badewärter; dann ahmte er die keifende Stimme einer Matrone, den Dialekt eines Armeniers, eines Franken, eines Juden nach.«

Soviel verstand der Franke aus Preußen: Es war nicht alles Gold, was in Stambul glänzte. Er sah auch die Schattenseiten der

Märchenstadt. Die Kontraste waren augenfällig: die Tausende von Tauben, die in der Beyazit-Moschee gehegt wurden, und die Rudel streunender Hunde, die an der Uferpromenade über ein gefallenes Pferd herfielen. Die Marmorpracht der Moscheen und die Bretterbuden gleichenden Holzhäuser, die bei Feuersbrünsten wie Schwefelhölzer brannten.

Mitunter begegnete er einem Leichenzug, der ein Pestopfer zu einer Begräbnisstätte brachte. »Die Türken fühlen, daß sie in Europa nicht zu Hause sind, ihre Prophezeiungen und Ahnungen sagen ihnen, daß das römische Reich ihnen nicht immer gehören werde«, und wer die Mittel dazu habe, lasse seine Asche auf der asiatischen Seite des Bosporus bestatten, näher dem Grab des Propheten in Medina und den Steppen, aus denen die türkischen Nomaden kamen.

Noch stand, wenn auch von der Zeit angenagt, die byzantinische Stadtmauer, die lange dem Ansturm der Türken standgehalten hatte, bis sie am 29. Mai 1453 überwunden war und Konstantinopel zur Haupt- und Residenzstadt des von Osman I. um die Wende vom 13. zum 14. Jahrhundert gegründeten und seither Eroberungszug um Eroberungszug vergrößerten Osmanischen Reiches wurde.

Noch war es, in den dreißiger Jahren des 19. Jahrhunderts, auf drei Erdteilen präsent: in Asien, Europa und Afrika, umfaßte es nicht nur Kleinasien, Rumelien und Makedonien, reichte es vom Unterlauf der Donau bis zum Euphrat und Tigris, von Tripolis über Kairo und Jerusalem bis Bagdad, von Bosnien zum Jemen.

Doch schon ein Blick von den Mauern oder Türmen der Hauptstadt ließ den gegenwärtigen Zustand des Reiches erahnen: »So weit das Auge reicht, nichts als unbebaute Flächen und baumlose Hügel, und kaum entdeckst Du einen sandigen Saumpfad durch das hohe Heidekraut und Gestrüpp; dies ist die Campagna des neuen Roms.« In Stambul – so Moltke – erscheine das Osmanische Reich immer noch als ein »mächtiger politischer Staatskörper«. Vor seinen Toren jedoch beginne die Einöde, breite sich der Verfall aus.

Vor nicht allzulanger Zeit hätten die Türken beinahe den Halbmond auf die Stephanskirche in Wien gesetzt, wie vordem auf die Hagia Sophia und ungezählte christliche Gotteshäuser im Orient. »Und kaum zweihundert Jahre später stellt dasselbe mächtige Reich uns ein Gemälde der Auflösung vor Augen, welches ein nahes Ende zu verkünden scheint.«

Österreich hatte seinen letzten Türkenkrieg beinahe ein Menschenalter hinter sich. Metternich meinte den Sultan in seiner monarchischen Ordnung und das Osmanische Reich in seinem Gleichgewichtssystem nicht entbehren zu können. Dieses hielt er für von Rußland gefährdet, das sich nicht gut gegen seine Heilige-Allianz-Partner Österreich und Preußen, wohl aber gegen die Türkei, auf dem Balkan ausbreiten konnte. In dieser Richtung war der Imperialismus ideologisch zu rechtfertigen: Orthodoxe Christen sollten durch die russische Macht befreit werden.

Auch Großbritannien verstand es, Befreiungsbewegungen für seine Weltmachtpolitik einzuspannen. Es besitze, so Außenminister George Canning, den Zauberschlauch des Äolos, mit dem es Revolutionsstürme wie dieser die Winde entfachen und seine Interessen vorantreiben könne. So hatte es den 1821 begonnenen Aufstand der Griechen gegen die Türken unterstützt, sich aber mit Rivalen zusammentun müssen: mit Frankreich, das im Mittelmeer mitreden wollte, und mit Rußland, das am liebsten allein investiert und kassiert hätte.

Englische, französische und russische Kriegsschiffe vernichteten 1827 die türkische Flotte in der Bai von Navarino. Griechenland – ohne Epirus, Thessalien, Samos, Chios und Kreta – wurde unabhängig. Im russisch-türkischen Krieg von 1828/29 besetzten die Russen die Donaufürstentümer, drangen über den Balkan und südlich des Kaukasus vor. Im Frieden von Adrianopel – den der preußische General Karl von Müffling vermittelte – erhielt Rußland fast das ganze Donaudelta und einen Teil Armeniens. Serbien, Moldau und Walachei wurde das Recht bestätigt, eigene Statthalter unter türkischer Oberhoheit zu wählen.

Die »Orientalische Frage« – das Wort entstand damals – war aufgeworfen, europäische Mächte versuchten sie gemäß ihren Interessen zu lösen. Und der »Kranke Mann am Bosporus« suchte, um ein Zusammenspiel seiner Feinde zu verhindern, den einen gegen den anderen auszuspielen. Zuerst wandte er sich an den Gefährlichsten, den Russen. 1833, im Vertrag von Hunkiar-Iskelessi, verpflichtete sich der Zar, auf Verlangen militärische Hilfe und Unterstützung zu gewähren, und der Sultan, allen Feinden Rußlands die Dardanellen und den Bosporus zu verschließen, jedoch – so interpretierten es jedenfalls die Russen – für russische Kriegsschiffe offen zu halten.

Den Türken blieb in diesem Augenblick gar nichts anderes übrig, als den Bock zum Gärtner zu machen. Denn in einer Existenzkrise des Osmanischen Reiches hatten sie nicht die Hilfe der Briten, die sie vorgezogen hätten, erhalten: im Krieg zwischen dem Padischah in Stambul und dem Pascha in Kairo.

Die zunehmende Schwäche des Ganzen nach außen suchten erstarkende Teile im Innern auszunützen, vor allem Mehmed Ali, der Statthalter von Ägypten. Nachdem er dem Sultan bereits einige Zugeständnisse abgehandelt hatte, suchte er weitere durch Krieg zu gewinnen. 1831 schlug sein Adoptivsohn Ibrahim Pascha das Heer des Sultans in Syrien, drang 1833 bis Kjutahia in Kleinasien vor. Hier mußte er Frieden – der ihm Syrien und Kreta einbrachte – schließen, denn Rußland, von der Türkei gerufen, war auf den Plan getreten: 15 000 russische Soldaten lagerten vorübergehend am asiatischen Ufer des Bosporus.

Ohne nachhaltigen Erfolg suchte der Sultan die Zentralgewalt zu stärken. Drei Jahre später stellte Moltke in Konstantinopel fest: »So ist die osmanische Monarchie heute in der Tat ein Aggregat von Königreichen, Fürstentümern und Republiken geworden, die nichts zusammenhält als lange Gewohnheit und die Gemeinschaft des Koran.«

Aber gerade im Islam, der nicht nur ein Glaubensbekenntnis, sondern auch ein Gesellschaftsgesetz und eine Staatsordnung war, sah er eine Hauptursache des Verfalls: »Die Trägheit, welche ein glücklicher Himmel und ein reicher Boden nährt, aber ganz besonders die Religion machte den Orient stationär.« Vier Jahrhunderte nach dem Sieg der mohammedanischen Türken über die christlichen Byzantiner »sehen wir das christliche Europa groß und mächtig, mit unermeßlichen Reichtümern, gewaltigen Flotten und furchtbaren Heeren in stetem Fortschreiten begriffen; das Morgenland hingegen, das reiche Morgenland, welches einst die Wiege der Gesittung war, durch seine Religion in enge Grenzen gebannt, ist stehengeblieben in Barbarei«.

War es nicht rückständig, wie die Frauen eingeschätzt und behandelt wurden, wie der Türke »die materielle Gewalt über das schwächere Geschlecht« übte? »Die Weiber sind streng bewacht und von allem Umgang, außer mit Frauen, geschieden«, in den

71

Harem gesperrt, in sackartigen Gewändern verhüllt. War es nicht grausam, daß der Bedarf an Sklaven immer noch durch Menschenjagden und Menschenhandel gedeckt wurde, und noch grausam genug, wenn der Koran bestimmte, »daß Sklaven und Sklavinnen mit nicht mehr als sechs Geißelhieben gezüchtigt werden sollen«? War es nicht barbarisch, daß Missetäter immer noch die Bastonade bekamen, wie jene fünf Griechen, von denen jeder zu 500 Stockschlägen auf die Fußsohlen verurteilt worden war, und noch barbarisch genug, wenn der Pascha sich auf die Fürbitte Moltkes herabließ, jedem nur noch 50 Hiebe zuzuteilen?

Was war das für ein Staat, der keine richtige Armee und keine ordentliche Beamtenschaft besaß, immer weniger Steuern einnahm, Ämter verkaufen mußte, um wenigstens etwas hereinzubekommen, wofür sich die Amtsinhaber an den ihnen Ausgelieferten schadlos hielten! Was war das für ein Land, in dem Handel und Wandel stockten, weil jedem, der etwas zu unternehmen wagte, mit dem Verdienst die Lust am Verdienen genommen wurde! Und ein Mann, welcher einigermaßen lesen und schreiben sowie den ersten und den letzten Vers des Korans auswendig konnte, als »Gelehrter« bezeichnet wurde.

Nach den ersten Türkei-Erfahrungen stellte der Orient-Reisende fest: »Die äußeren Glieder des einst so mächtigen Staatskörpers sind abgestorben, das ganze Leben hat sich auf das Herz zurückgezogen, und ein Aufruhr in den Straßen der Hauptstadt kann das Leichengefolge der osmanischen Monarchie werden. Die Zukunft wird zeigen, ob ein Staat mitten in seinem Sturze einhalten und sich organisch erneuern kann, oder ob dem mohammedanisch-byzantinischen Reiche, wie dem christlich-byzantinischen, das Schicksal bestimmt ist, an einer fiskalischen Verwaltung zu Grunde zu gehen.«

Immerhin regierte ein Sultan, der durch Reformen nach westlichen Vorbildern dem Verfall des Osmanischen Reiches Einhalt gebieten wollte: Mahmud II., den Türken den »christlichen Sultan« und den »Sohn der Französin« nannten und damit andeuteten, daß ihnen der Mann wie die Richtung nicht paßte.

SULTAN MAHMUD II., »das Höchste Majestätische Wesen, der König der Könige«, empfing »Baron von Moltke, Generalstabsoffizier Seiner Majestät des Königs von Preußen«, nicht im alten

Sultan Mahmud II. (1808–1839), genannt
»der Reformer«, versuchte das Osmanische Reich zu modernisieren,
ohne auf orientalischen Pomp zu verzichten

Serai. Dieser Komplex von Kiosken, Harems, Moscheen und
Kerkern war Schauplatz alttürkischen Lebens und osmanischer
Machtkämpfe gewesen, die er überwinden wollte. »Der Refor-
mer«, wie er sich nennen ließ, gab Audienz im Dolmabaghtsche-
Palast am Ufer des Bosporus, der damals noch kein pompöses
Schloß, sondern ein Ensemble von Holzhäusern war.

Im alten Serai mußten früher selbst die Gesandten der europäischen Großen stundenlang im Vorhof warten, sich in Demut
üben, bis sie vor dem Angesicht des Großherrn erscheinen durften, von zwei Würdenträgern an den Armen genommen und zu
tiefen Verbeugungen gezwungen.

Im Empfangssalon dieses Sultans ging es beinahe wie in der
Antichambre eines europäischen Monarchen zu, wie in alten
Zeiten freilich. »Ein ältlicher Gentleman sagte mir besonders viel
Verbindliches«, berichtete der in Zivil erschienene Hauptmann.
»Ich erfuhr nachher, daß dies Se. Excellenz der Hofnarr des
Großherrn sei.« Das Mobiliar unterschied sich nicht von dem
eines Bürgerhauses in Berlin. Nach kurzem Warten, einer An-
standsfrist, ließ der Sultan bitten.

Die Majestät saß in einem Lehnstuhl, trug den roten Fes und einen violetten Mantel, rauchte eine lange Pfeife aus Jasminrohr mit einer juwelenbesetzten Bernsteinspitze. Mahmud II. machte Komplimente, dem preußischen Militär und dem preußischen Offizier. »Der lebhafteste Eindruck, welcher mir an dieser ganzen Szene geblieben, ist der Ausdruck von Wohlwollen und Güte, welcher alle Worte des Großherrn bezeichnete.«

Vielleicht hatte er dies von seiner Mutter geerbt, der Französin Aimée Dubuc de Rivery aus Martinique, die auf der Heimreise von der Klosterschule in Frankreich von algerischen Seeräubern gefangen und Sultan Abd-ül Hamid I. geschenkt worden war. Nach der Geburt des Sohnes ließ der sechzigjährige Vater im Serai einen Kiosk aus Zucker errichten und fünfhundert Schafe schlachten.

Mit Zweiundzwanzig wäre der »Sohn der Französin« beinahe im Serai ermordet worden, auf Betreiben seines älteren Bruders, der als Mustafa IV. an die Macht gekommen war. Schon im Jahr darauf verlor dieser, durch eine Erhebung der Reformpartei, seinen Thron und, auf Befehl des jüngeren Bruders, des neuen Sultans Mahmud II., sein Leben. Vorsorglich wurden auch die Mutter und der Sohn des Vorgängers umgebracht.

Auch mit den Janitscharen machte er kurzen Prozeß. Die einstigen Elitesoldaten waren Schmarotzer geworden, die nur noch Reformen bekämpften, weil sie von jeder Veränderung eine Verminderung ihrer Privilegien befürchteten. Im Juni 1826 ließ Mahmud II. Tausende von Janitscharen über die Klinge springen. Sogar die Grabmäler der längst Verstorbenen köpfte er. Sie waren mit Turbanen aus Stein versehen gewesen; ohne das Abzeichen der Rechtgläubigen und das Kennzeichen der Orthodoxen sollten sie stehen bleiben.

Nun hatte jeder Türke, der auf sich hielt und von dem etwas gehalten werden sollte, den roten Fes, einen langen schwarzen Rock und enge schwarze Hosen zu tragen. Mahmud II. ließ das Volk der Hauptstadt zählen, was 630 000 Einwohner ergab, und bereiste Provinzen, was schon lange kein Sultan mehr getan hatte. Er gab sich als erster Diener eines Staates, den es indessen erst zu schaffen galt, wozu er seine Diener anspornte und anpeitschte. Die Hebung der Wirtschaft begann er mit Bereicherungen seiner Person, die er mit dem Staat in eins setzte: Er bemächtigte sich des

Alleinhandels mit asiatischen Waren, erhöhte die Zölle und erklärte den Kaffeeausschank für sein Monopol.

Dieser halbaufgeklärte Despot baute die erste Brücke über das Goldene Horn und hätte am liebsten auch eine Brücke über den Bosporus geschlagen, um Asien dem von ihm dosierten und kontrollierten Fortschritt zu öffnen. Er schickte Studenten gruppenweise nach Paris, London und Wien, ließ in Konstantinopel Mediziner durch französische Ärzte heranbilden und Erstrebtes und Erreichtes durch einen französischen Redakteur in französischer Sprache im »Moniteur Ottoman« verkünden.

In erster Linie auf Preußen setzte er bei seinem wichtigsten Vorhaben: der Aufstellung eines modernen Heeres nach europäischem Muster. »Die jetzige türkische Armee ist ein neuer Bau auf einer alten gänzlich erschütterten Grundfeste«, bemerkte Moltke. 70 000 Mann reguläre Truppen gebe es bereits, viel zuwenig, um das riesige Reich zu schützen, und viel zuviel, um sie einigermaßen zu verköstigen und ordentlich auszustatten.

So sah er es im April 1836, als die Privatreise des Militärs zu einer amtlichen Mission geworden war. Kaum war er in Konstantinopel angekommen, interessierte sich bereits der Seraskier Mehmed Chosrew Pascha, der Oberkommandierende und Kriegsminister, für den preußischen Generalstäbler. »Er richtete auch einige Fragen an mich über das preußische Landwehrsystem, welche zeigten, daß er sich wohl mit diesem Gegenstande beschäftigt hatte, und rühmte sehr die Vortrefflichkeit unserer Militär-Einrichtungen.«

Die Antworten, die der junge Hauptmann gab, beeindruckten den zweitmächtigsten Osmanen. Als Moltke am 22. Dezember 1835 mit seinem Gefährten Bergh ein Schiff nach Smyrna besteigen wollte, um die Reise fortzusetzen, die sie schließlich über Neapel und Rom nach Berlin zurückbringen sollte, erreichte ihn die fast wie ein Befehl vorgetragene Bitte des türkischen Kriegsministers: Er möge als sein Berater dableiben.

»Ungern, betrübt und halb zerfallen mit mir selbst ließ ich Bergh allein ziehen.« Wiederum gab weniger der Ehrgeiz als die Finanzmisere den Ausschlag. »Ökonomische Rücksichten waren die Hauptgründe.« Er kam auf seine Kosten. Allein die brillantenbesetzte Tabaksdose, die ihm der Kriegsminister schenkte, deckte seine Reisekosten.

Vier lange Jahre sollte er in der Türkei bleiben. Der Osmane schätzte preußische Instrukteure mehr als russische oder britische. Preußen war nicht unmittelbar mit der Orientalischen Frage konfrontiert. Und es galt nicht zuletzt deshalb als vorbildlich, weil es ein Maximum an Kriegsmacht mit einem Minimum an Kosten bestritt.

Das schmeichelte König Friedrich Wilhelm III., vermochte jedoch nicht seine Bedenken zu zerstreuen, daß der Einsatz auch nur eines einzigen Preußen in der Türkei ihm Schwierigkeiten mit England und Frankreich wie mit Rußland und Österreich bereiten könnte. So verlängerte er nur den Urlaub seines Generalstabshauptmanns um drei Monate, bei vollem Gehalt. Erst am 8. Juni 1836 ließ er sich zu einer Kommandierung Moltkes »zur Instruktion und Organisation der dortigen Truppen« herbei.

Sein Geschäft sei es, »den alten, etwas eingerosteten Krummsäbel, so gut es gehen will, alla franca anzuschleifen, für den Fall, daß er gebraucht würde«, erklärte er. Aber schon bald wurde ihm klar, daß trotz aller Mühe die Scharten nicht auszuwetzen waren.

Zunächst sollte er sich mit der Einrichtung einer türkischen Miliz nach dem Vorbild der preußischen Landwehr beschäftigen. »Indes setzt dieses natürlich voraus, daß die Interessen der Regierung und der Regierten nicht im Widerspruche stehen.« Selbst in Preußen machte sich solcher bemerkbar; in der Türkei schien die Kluft, trotz aller Reformversuche, unüberbrückbar zu sein.

Und wie sollte eine Linienarmee nach königlich preußischem Muster in einem Lande aufgestellt werden, dem das Marschieren als Untugend und der Müßiggang als Tugend galt? Er konnte sich diese »Nation in Pantoffeln« nicht in Stiefeln vorstellen. Und wenn, dann durften es nur Stiefel sein, die zum Marschieren nicht viel taugten, weil sie so beschaffen sein müßten, daß sie von den Streitern des Islam für die fünf vorgeschriebenen Waschungen am Tag ohne Schwierigkeiten ausgezogen werden könnten.

Die Instrukteure aus Preußen wie aus anderen Staaten waren für eine Aufgabe eingesetzt, die nicht zu lösen war. Was herauskam, war – wie Moltke resümierte – ein Heer nach europäischen Mustern, mit russischen Jacken, französischem Reglement, belgischen Gewehren, türkischen Mützen, ungarischen Sätteln, englischen Säbeln – und ohne preußische Disziplin. Ein Heer, in dem »die Führer Rekruten, die Rekruten kaum besiegte Feinde waren«, alle weniger dem Kommando als dem Kismet gehorchten und der Kompaß in erster Linie zum Anzeigen der Gebetsrichtung nach Mekka mitgeführt wurde.

Trotzdem glaubte der Preuße, sich nützlich machen zu können, beispielsweise im Festungswesen. »Bei der Schwäche des Heeres und seiner unvollkommenen taktischen Ausbildung wird der Widerstand der Festungen ein Hauptelement in der Verteidigung des Landes«, hatte er erkannt und bemühte sich deshalb, zur Verbesserung der Befestigungsanlagen am Bosporus und den Dardanellen, auf dem Balkan und an der Donau beizutragen. Und auch dazu, daß sich die Türken hinter ihren Fortifikationen so sicher zu fühlen begannen wie einst die Chinesen hinter ihrer Großen Mauer.

Pflicht und Neigung hielten sich die Waage. Die Befestigungsanlagen mußten besichtigt werden, und dazu durfte er reisen, was er am liebsten tat. So dorthin, wo man Troja vermutete, den Schauplatz von Homers Ilias, des Traumbuches seiner Jugend. Seine Phantasie reichte noch hin, die kümmerlichen Reste mit den Gestalten von Achill und Ajax zu beleben, aber die Konfrontation von Vorstellung und Wirklichkeit enttäuschte ihn doch. Seine historische Bildung wie seine konfessionelle Toleranz bestätigten sich im alten Nicäa, wo im Jahre 325 auf dem ersten Ökumenischen Konzil das Glaubensbekenntnis von der Wesenseinheit Christi mit dem Vater beschlossen worden war. »In der Kathedrale von Nicäa, wo das berühmte Concilium gehalten wurde, schimmert an der Stelle des Hochaltars noch heute durch den weißen Anstrich die stolze Verheißung I. H. S. (in hoc signo), aber quer darüber steht die Grundlehre des Islam geschrieben: ›Es ist kein Gott als Gott.‹ Es liegt eine Lehre der Duldung in diesen verwischten Zügen, und es scheint, als wenn der Himmel das Credo so gut als das Allah il Allah anhören wollte.«

Türkischer
Infanterist,
von Moltke
gezeichnet

An den römischen Dichter Ovid, der in der Verbannung über die kalten und kargen Ufer der unteren Donau geklagt hatte, dachte Moltke bei seinen Reisen an die Nordgrenze des Osmanischen Reiches. 1837 begleitete er Mahmud II. nach Rumelien und Bulgarien, mit Fes und türkischem Anzug, »um nicht als Franke in der Umgebung des Sultans anstößig aufzufallen«.

In Warna am Schwarzen Meer war sein Rat gefragt. Der Großherr, mit Fes und scharlachroter Husarenuniform, besichtigte mit ihm die Festung. Sie sollte einem Ansturm der Russen standhalten, hatte ihnen jedoch im letzten Krieg, im Jahre 1828, durch Kapitulation den Weg freigegeben. Eigentlich war es keine Festung, nur ein verschanztes Lager, was Moltke nicht grundsätzlich, doch an dieser Stelle für unzweckmäßig hielt.

Das verschanzte Lager in Schumla am Balkan hielt er für richtig, auch provisorische, feldmäßige Befestigungen im Gebirge, jedoch nicht eine permanente Paßbefestigung. Hingegen wären in dem am weitesten nach Norden vorgeschobenen türkischen Gebiet, in der zwischen Donaudelta und Schwarzem Meer gelegenen Dobrudscha, überhaupt keine Fortifikationen angebracht.

»Schon die Römer«, notierte Moltke, »betrachteten die Dobrudscha als ein Land, welches man den nördlichen Barbaren preisgeben müsse.« Immerhin hatte Kaiser Trajan einen Wall gezogen, der noch zu sehen war. Aber auch dieser Limes hatte nicht standgehalten. Dem Übersetzer von Gibbons »History of the Decline and Fall of the Roman Empire« drängte sich der Gedanke auf, daß dem Osmanischen Reich ein ähnliches Schicksal bevorstand – mit oder ohne Befestigungen.

Die Dardanellen, jene 65 Kilometer lange und zwei bis drei Kilometer breite Meerenge zwischen Marmarameer und Ägäis, war nach Ansicht Moltkes zu verteidigen, wenn seine Ratschläge befolgt würden: Aufstellung moderner Geschütze an den günstigsten Punkten.

Die Türken verließen sich immer noch auf die mit riesigen Steinen schießenden Kanonen aus der Zeit der Eroberung Konstantinopels, sahen sich darin durch Zufallstreffer bestärkt. Bei einem Schießversuch zerschmetterte eine Steinkugel einen Nachen, auf den nicht gezielt worden war und den man gar nicht hatte treffen wollen. Doch die türkischen Kanoniere waren überzeugt, »daß nicht das kleinste Fahrzeug selbst am entgegengesetz-

Helmuth von Moltke in seinem Zimmer in Bujukdere

ten Ufer durch die Meerenge schleichen könne, ohne von einer Kugel ereilt zu werden«.

Diese Meinung teilte Moltke hinsichtlich des Bosporus, der schmalen Wasserstraße zwischen Schwarzem Meer und Marmarameer. Der stete Nordwind und die starke Strömung könnten zwar eine Flotte von Segelschiffen hindurchtreiben, aber sie würde, wenn überhaupt, vor Konstantinopel nur in zerzaustem Zustand ankommen. Die Ufer waren auf beiden Seiten mit Batterien bestückt, »deren Schüsse von einem Ufer auf das andere reichen und jedes Schiff zugleich der Länge nach und von der Seite fassen«.

Hier kannte er sich besonders gut aus: Er wohnte in Bujukdere, ging am Ufer spazieren und nahm den Bosporus – wie auch

Konstantinopel – topographisch auf. Er erklomm Leuchttürme und die Kuppel der Hagia Sophia, stellte den Meßtisch auf einen Bogen des Aquädukts des römischen Kaisers Valens und in die Gassen von Stambul. Im Jahre 1842 erschien in Berlin, im Verlag von Simon Schropp, die »Karte von Konstantinopel, den Vorstädten, der Umgebung und dem Bosporus, im Auftrage Sr. Hoheit Sultan Mahmuds II. mit dem Meßtisch 1:25 000 aufgenommen in den Jahren 1836 bis 1837 durch Freiherrn von Moltke, Hauptmann im Königlich Preußischen Generalstabe«.

Das war ein bleibendes Ergebnis seiner Mission in der Türkei. Ansonsten war in diesem Lande und mit diesen Menschen nicht viel zu bewirken. Ein entscheidender Erfolg sei von der Entsendung preußischer Offiziere nicht zu erwarten, schrieb er nach Berlin. Indessen kamen im Herbst 1837 drei Hauptleute in Konstantinopel an: Karl von Vincke, Friedrich Leopold Fischer und Heinrich von Mühlbach. Die Freude Moltkes, Kameraden in der Nähe zu haben, wurde bald durch Reibereien mit den Dienstälteren getrübt.

Auch mit dem preußischen Gesandten kam er auf die Dauer nicht zurecht. Graf Königsmarck hoffte, auch für sein Renommee, daß die Ratschläge der Preußen von den Türken nicht nur erbeten, sondern auch befolgt würden. Die gegenteilige Meinung Moltkes, die überdies von den Tatsachen gedeckt wurde, mißfiel ihm ebenso wie die Hartnäckigkeit, mit der er auf Erstattung seiner Reisekosten bestand.

Der Sultan verlieh dem Hauptmann einen hohen Orden, den Nischan mit Brillanten, und einen kostbaren Ehrensäbel. Doch seine Denkschriften wurden nicht bedacht, seine Pläne nicht ausgeführt. Und selbst »Baron Bey«, wie er hochachtungsvoll genannt wurde, bekam die allgemeine Verachtung für Fremde, für »Ungläubige« zu spüren. Zwar honorierte ihn der Großherr, offerierten ihm Paschas ihre Pfeifen, ließen ihm Obristen den Vortritt. »Die Offiziere waren noch leidlich höflich, der gemeine Mann aber machte keine Honneurs mehr, und Frauen und Kinder schimpften gelegentlich hinter uns her.«

Die Osmanen wollten den morgenländischen Pelz gewaschen haben, ohne sich dabei mit abendländischem Wasser naß zu machen. Sie wollten europäische Errungenschaften übernehmen, ohne die islamische Überlieferung aufzugeben. Je länger sich

Moltke in der Türkei umsah, desto klarer wurde es ihm, daß die Reform in einer Sackgasse enden müßte.

Ein Signal war der Sturz des Seraskiers, des Kriegsministers Chosrew Pascha. Die Pest, die im Sommer 1836 in Stambul wütete, wurde von Traditionalisten als Strafe Allahs für die Neuerungssucht des Sultans angesehen. Der Padischah Mahmud II. opferte Chosrew Pascha, den wichtigsten Reformer nach ihm. Aber auch dessen Reformeifer wurde von Moltke angezweifelt. Er werde den Verdacht nicht los, daß der Seraskier »die Reform in seinem geheimsten Innern mit der tiefsten Ironie behandle«, sie ihm nur das Mittel zur Macht gewesen sei, und er »vielleicht weniger als alle übrigen Großwürdenträger des Reiches wirklich geneigt war, Mißbräuche abzustellen, durch welche er mächtig geworden«.

»Fünf Jahrhunderte haben fast nichts verwischt von diesen Fußtapfen, die der Islam bei seinem ersten Herüberschreiten von Asien dem europäischen Boden eingedrückt hat.« Auch die halbherzigen und unzulänglichen Reformversuche würden diese Spuren kaum tilgen, meinte Moltke. Ob umgekehrt Europäisches nach Asien gebracht werden könnte, mochte beim Anblick des Leanderturms bezweifelt werden, der an der Einfahrt zum Bosporus, vor Skutari, nahe der kleinasiatischen Küste stand. Hier war angeblich Leander ertrunken, als er von Europa nach Asien zu Hero schwimmen wollte.

DAS OSMANISCHE REICH verfiel in Europa wie in Asien. Mahmud II. wandte sich mit Reform, Repression und Krieg dagegen. Unbotmäßig waren seit jeher die Kurden, gefährlich neuerdings die Ägypter. Seit dem Frieden von Kjutahia standen sie in Syrien und Adana, beherrschten die Tauruspässe. Sie konnten ihnen als Pforten für Kleinasien, den Türken jedoch nicht als Ausfalltore nach Syrien dienen.

Wenn der Sultan den Statthalter von Ägypten, Mehmed Ali, und dessen Adoptivsohn Ibrahim, den Pascha von Adana, zurückwerfen wollte, mußte er ihnen in die Flanke fallen – vom oberen Mesopotamien, von Kurdistan aus. Auf dem Hinweg wollte er die Kurden unterwerfen, sich eine gesicherte Ausgangsbasis gegen Syrien schaffen, wo sich bereits die Drusen gegen die Ägypter erhoben hatten.

Schon stand am oberen Euphrat eine türkische Armee. Ihrem Oberbefehlshaber Hafiz Pascha sollten preußische Offiziere als Generalstäbler beigegeben werden. Am 28. Februar 1838 wurden Moltke und Mühlbach abkommandiert, vom Großherrn persönlich, der jedem einen Paschasäbel mit blitzender Damaszenerklinge mitgab.

Mit dem Lloyddampfer »Fürst Metternich« ging es nach Samsun am Schwarzen Meer und von dort mit einer Karawane von dreißig Pferden über die Gebirge und Hochebenen Kleinasiens. Nach zwölf Tagen war Karput erreicht, das Hauptquartier von Hafiz Pascha. Er saß mit untergeschlagenen Beinen auf einem Tigerfell, begrüßte seine preußischen Müsteschare (oberste Ratgeber) mit der Andeutung eines Kopfnickens, ließ sie neben sich im Türkensitz Platz nehmen, schwieg eine Weile und sagte endlich, daß sie willkommen seien.

»Anders als die mehrsten seiner Kollegen, ist der Pascha blaß und mager; der Fes, den er zuweilen zurückschiebt, bedeckt eine hohe, tief gefurchte Stirn.« Auch sein Name verwies auf eine für türkische Generäle untypische Beschäftigung: »Hafiz« bedeutete soviel wie »Gelehrter«. Jedenfalls konnte er lesen und schreiben, war in Rußland gewesen. Für »den aufgeklärtesten von allen« hielt ihn Moltke, aber auch er war »ein eifriger Anhänger von Wahrsagungen und Traumdeutereien«.

Die Zeichen standen auf Krieg. »Baron Bey« sollte als eine Art Generalstabschef die europäische Kriegskunst auf türkische Verhältnisse in Anwendung bringen. Zunächst galt es, die günstigsten Wege für einen Vorstoß nach Syrien auszumachen und einschlägiges Kartenmaterial zu liefern. Das hatte der Topograph bei der Landaufnahme und der Generalstäbler auf Erkundungsreisen gelernt, aber es war etwas anderes, durch Schlesien als durch das wilde Kurdistan zu reiten.

Doch ein unternehmungslustiger Mann konnte seinen Erlebnishunger wie seinen Wissensdurst stillen. Wie ein Assyrer fuhr er auf aufgeblasenen Hammelhäuten die Stromschnellen des Euphrat hinab. In Rumkaleh glaubte er auf den Ruinen eines römischen Kastells zu stehen, ließ – angeregt durch eine Flasche Wein – die Geschichte Revue passieren, »Cyrus und Alexander, Xenophon, Cäsar und Julian«. In einer Höhle fand er die syrische Handschrift eines Nestorianischen Neuen Testaments.

Auf dem Tigris gelangte er nach Diarbekir, das die Perser mehrfach erobert hatten, das von Timur geplündert worden war. Mossul war zu klein für seine weiten Mauern geworden. Gegenüber lagen die Trümmer von Ninive, der Hauptstadt des assyrischen Reiches. In einer Moschee war der Sarg des Propheten Jonas zu besichtigen. Aus der Wüste kamen Araber, stießen ihre Bambuslanzen mit der Spitze in die Erde und kauerten nieder, um Mossul wenigstens anzustarren, wenn sie es schon nicht erobern konnten.

Die Araber. Sie streiften schon in dieser Gegend, als Ninive noch eine Weltstadt war. Dann schwangen sie sich, unter der grünen Fahne ihres Propheten Mohammed, zu einer Weltmacht auf, »machten sich auf lange Zeit zu Beherrschern des schönsten Teils der alten Welt und zu Trägern der damaligen Gesittung und Wissenschaft«. Von den Christen wurden sie aus Europa vertrieben, und »die rohe Gewalt der Türken verdrängte ihre Herrschaft im Orient, und die Kinder Ismaels sahen sich zum zweitenmal hinausgewiesen in die Wüste«.

Moltke ritt durch die Wüste, die kein Sandmeer war, wie er es sich vorgestellt hatte, sondern eine in dieser Jahreszeit noch leidlich grüne, von Terrainwellen belebte Fläche. Er zog mit einer Karawane von 600 Kamelen und 400 Maultieren, eskortiert von 40 Reitern; denn mit Überfällen von Beduinen mußte stets gerechnet werden.

Er bekam nur friedfertige Araber zu Gesicht, ein paar kleine, aber kräftige Gestalten mit pechschwarzen Bärten, in weißen Wollmänteln, das lebhafte Wesen nur dürftig von einer zur Schau getragenen Würde verhüllt. Der Wüstensohn, ein Scheich, dem er Pfeife und Kaffee anbot, lud ihn in das Zeltlager ein, wo ihm, wie er versprach, alles gehören werde, was er besitze. »Dessenungeachtet möchte ich meinem kaffeebraunen Freund mit seinen Gefährten nicht in einem einsamen Hohlweg begegnen, ohne daß ich deshalb schlechter von ihm denke als von den Raubrittern unserer glorreichen Vorväter.«

Man mußte vor den Arabern auf der Hut sein. Sie waren nicht nur in ständige Fehden mit ihresgleichen, sondern auch in immerwährende Kämpfe mit den anderen verwickelt. Ihre Raubzüge beantworteten die Türken mit Strafexpeditionen und Geiselnahmen. Moltke sah in einem Verlies in Orfa neun alte Beduinen,

»die nun schon drittehalb Jahre schmachteten; eine schwere Kette mit Ringen um den Hals fesselte sie einen an den andern, und zweimal des Tages wurden sie zur Tränke getrieben wie das Vieh«. In Ketten hätten die Türken gerne nicht nur alle Araber, sondern auch alle Kurden gelegt. Diese waren ebenso freiheitsliebend und kampflustig wie jene, hatten anstelle der Wüste ihr Gebirge, in dem sie sich Zugriffen entzogen. Wie Füchse erschienen Moltke die Araber, wie Falken die Kurden, zwischen denen sich die Türken wie Elefanten bewegten.

Kurdistan, zwischen dem Tigris und der persischen Grenze, war – bevor das Hügelland in Hochgebirge überging – ein von Natur aus fruchtbares Land, das der Reisende indessen zu drei Viertel brachliegen sah. Die Kurden hatten ihr Land in Stammesfehden selber verheert, und was übriggeblieben war, wollten die Türken nehmen. Vor ihren Steuereintreibern und Rekrutierungskommandos hatten sich viele Kurden in die Berge abgesetzt, wo sie den eigenen Fürsten, nicht dem Großherrn in Stambul untertan waren.

Mahmud II. hatte ihre vollständige Unterwerfung befohlen, weil er das Reich zusammenzufassen und zusammenzuhalten suchte und weil er für den bevorstehenden Feldzug gegen Syrien keine kurdischen Feinde im Rücken, wohl aber in seinen Reihen kurdische Soldaten haben wollte.

Die Expedition gegen die Kurden wollte sich Moltke nicht entgehen lassen, der Offizier, der bisher über den Krieg nur theoretisiert hatte. Er schloß sich den dreitausend Mann an, die den Kurdenfürsten Sayd Bey, der den Türken besonders lästig geworden war, in seiner Bergfeste ausräuchern sollten. Der Preuße wurde als Kundschafter vorausgeschickt, sein Belagerungsplan ausgeführt, das Geschütz nach seinen Angaben in Stellung gebracht. Sayd Bey gab auf, nachdem eine Bombe die Zisterne zerstört und eine Kugel den Spiegel (»gewiß den einzigen seiner Spezies fünfzig Stunden in der Runde«) über seiner Lagerstatt zerstört hatte.

Andere Kurden kämpften weiter, im Karsann-Gebirge, das eine natürliche Festung war. Die Türken griffen sie an, Moltke immer dabei, sogar beim Sturm auf das Bergdorf Papur, auf einem Maulesel reitend, weil er, vom Fieber geschüttelt, nicht mehr laufen konnte. Die Genugtuung über die nach seinem Angriffsplan erfolgte Einnahme des Dorfes wurde durch den Anblick der Greuel getrübt, welche die Türken verübten. Für abgeschnittene Kurden-Köpfe und -Ohren gab es Prämien von 50 bis 100 Piaster. Auch Frauen wurden niedergemacht, und Moltke sah Kinder mit Schußwunden und Bajonettstichen.

Aber: »Wie soll man einen Volkskrieg im Gebirg ohne jene Scheußlichkeiten führen?« Auch die Sieger hatten schreckliche Verluste. Und die Kurden waren zwar momentan niedergeworfen, doch bei nächster Gelegenheit würden sie sich wieder erheben und blutige Rache nehmen. Ein positives Ergebnis erblickte Moltke: »Seitdem ich mit den türkischen Truppen diese, freilich unbedeutende, Kampagne mitgemacht, habe ich einiges Vertrauen gewonnen« – daß der Feldzug gegen Syrien, der unmittelbar bevorstand, mit Aussicht auf Erfolg geführt werden könnte.

Zweifel kamen schon im nächsten Augenblick. Die Feldlager waren von Posten umstellt, »welche das Antlitz nicht gegen den Feind, sondern gegen die eigenen Truppen kehren«. Dennoch gelang es vielen der zum türkischen Militärdienst gepreßten Kurden, durch die Kette durchzuschlüpfen. Die Verbliebenen starben hin wie die Fliegen; einzelne Truppenteile verloren zwischen dreißig und fünfzig Prozent ihres Bestandes. Es gab weder Sanitäter noch Feldschere. Die Tradition verbot moderne Heilmethoden. Selbst Hafiz Pascha scheute davor zurück, einer Hämorrhoidalkolik mit dem als sündhaft angesehenen Klistier zu Leibe zu rücken.

Die Schützengilde einer deutschen Kleinstadt sei strammer als die kaiserliche Garde, hatte der Preuße in Konstantinopel festgestellt. Dies waren noch Paradesoldaten im Vergleich zu den Gestalten, die er in Kleinasien einexerzieren sollte. Nun wurde zwar am Euphrat mit demselben Signal wie an der Spree zum Gefecht gerufen, aber ein gleiches oder auch nur ähnliches Verhalten wie bei den preußischen erwartete er bei den türkischen Infanteristen nicht. Warum er mit abgewandtem Gesicht in die Luft schieße, hatte er im Kampf gegen Kurden einen Feldwebel gefragt. Der entgegnete: »Inschallah, will's Gott, so hat's getroffen.«

Immerhin hörte der Befehlshaber noch auf Ratschläge der Preußen. Die günstigste Stelle für einen Angriff der Türken auf Syrien oder zur Abwehr eines Angriffs der Ägypter auf Mesopo-

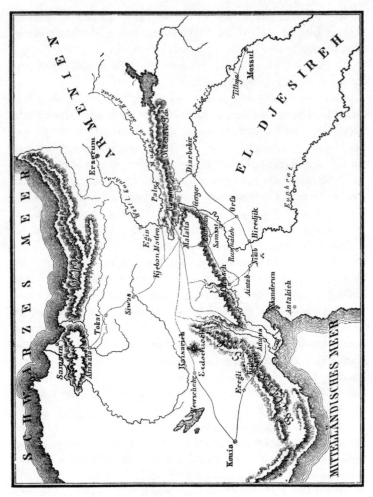

Zeitgenössische Karte zu Moltkes Reisen
und Feldzügen in Kleinasien

tamien sei die Gegend um Orfa, hatte Moltke erkannt und Hafiz Pascha vorgeschlagen, seine Truppen dort zu versammeln. Der Hinmarsch kostete 6000 Soldaten, 30 000 mit 110 Geschützen blieben übrig, die Mitte Mai 1839 in der Stellung von Biradschik am Euphrat angekommen waren.

Als einer der ihren bei einem Grenzscharmützel getötet wurde, glaubten die Türken einen Grund zum Krieg zu haben. Moltke und Mühlbach war es noch zu früh; sie rieten von einer Offensive ab, beschworen Hafiz Pascha, vorerst im befestigten Lager von Biradschik zu bleiben, doch der brannte darauf, gegen Ibrahim Pascha vorzugehen, der mit 40 000 Mann und 160 Geschützen im Anmarsch war.

Am 4. Juni 1839 ließ Hafiz Pascha seine Truppen bis Nisib, dicht an der Grenze, vorrücken und Verschanzungen anlegen. Wenn sie schon das feste Lager von Biradschik aufgegeben hatten, sollten sie wenigstens hier verbleiben, rieten die Preußen. In der Tat scheute Ibrahim Pascha vor einem Frontalangriff auf die türkische Stellung zurück, versuchte jedoch eine Umgehung.

Das wäre die Gelegenheit, ihm selber in die Flanke zu stoßen, meinte Moltke. Aber jetzt, im richtigen Augenblick für einen Angriff, war Hafiz Pascha nicht dazu zu bewegen. Nun bliebe, um der Gefahr, aufgerollt zu werden, zu entgehen, nur der Rückzug auf das drei Marschstunden entfernte Lager von Biradschik, erklärte Moltke.

Aller Rückzug sei schimpflich, erwiderte der Pascha. Es sei ein strategischer Rückzug, antwortete Moltke. Als Hafiz auf seinem Standpunkt beharrte, erklärte der Preuße, er müsse in der Position, die ihm der Sultan anvertraut habe, darauf drängen und jede Verantwortung ablehnen, wenn man nicht auf ihn höre.

Hafiz Pascha hörte auf die Mollas und Hodschas, die ihm einredeten, die Sache des Sultans sei gerecht, Allah werde ihm zum Sieg verhelfen. Er werde morgen ohne Heer sein, sagte Moltke und bat um seine Entlassung, die ihm nicht gewährt wurde. Ihm blieb nichts anderes übrig, als zu versuchen, zu retten, was vielleicht noch zu retten war. Er bemühte sich, für die nun unvermeidlich gewordene Schlacht bei Nisib den Türken eine einigermaßen günstige Ausgangsposition zu verschaffen.

Am 24. Juni 1839 feuerte die ägyptische Artillerie in beide Flanken des türkischen Heeres, das schon nach den ersten Salven aufgab. »Fast alle Bataillone standen mit erhobenen Händen und beteten, wozu freilich der Kommandierende den Befehl erteilt haben soll.« Der feindliche Infanterieangriff stieß auf keine Front mehr; sie hatte sich bereits aufgelöst.

»Rette sich, wer kann« – auch die preußischen Offiziere, Moltke, Mühlbach und Laue, hielten sich daran. »Uns kam es besonders darauf an, einen Vorsprung vor den Flüchtlingen zu gewinnen, denn sobald der Rückzug angefangen, waren alle Bande der Disziplin gelöst.« Die Kurden, die mehr als die Hälfte des Heeres ausmachten, wollten es den Türken heimzahlen, daß sie in osmanische Uniform gesteckt und in den ägyptischen Kugelhagel geführt worden waren. »Sie schossen auf ihre eigenen Offiziere und Kameraden, sperrten die Gebirgswege und machten mehrere Angriffe auf Hafiz Pascha persönlich.«

Die drei Preußen retirierten »ohne Lebensmittel für uns und ohne Gerste für die Tiere«; Moltke, den der Verdruß und die Strapazen krank gemacht hatten, der sich kaum im Sattel halten konnte, beklagte den Verlust eines Teiles der von ihm gezeichneten Karten. In Malatia traf er Hafiz Pascha wieder, der kurz darauf als Oberbefehlshaber abgesetzt wurde. Mahmud II. sollte er nicht wiedersehen: Der Sultan starb am 1. Juli 1839 in Konstantinopel, ehe er die Nachricht von der Vernichtung seines Heeres bei Nisib erhalten hatte.

»Die Wiedergeburt seines Volkes war die große Aufgabe seines Daseins und das Mißlingen dieses Planes sein Tod«, resümierte Moltke. Mit Mehmed Ali und Ibrahim war er nicht fertiggeworden. Die Westmächte, die immer mehr die Geschicke des Reiches mitbestimmten, sorgten dafür, daß die ägyptischen Bäume nicht in den Himmel wuchsen und der »Kranke Mann am Bosporus« dahinvegetieren konnte.

Der einunddreißigste Sultan der Osmanen, Abd-ül Medschid, der Sohn Mahmuds II., war erst sechzehn; die Mutter führte für ihn die Geschäfte. Sie ließ Tausende von Flaschen mit Burgunder, Bordeaux, Champagner und Cognac, die ihr Gemahl nicht mehr hatte austrinken können, an der Stadtmauer von Stambul zerschlagen. Damit signalisierte sie, daß ihr nicht nur der französische Wein, sondern auch der westliche Geist zuwider war.

Die preußischen Offiziere wurden zurückbeordert; ihr zweijähriges Kommando war abgelaufen und wurde nicht erneuert. Hafiz

Pascha, als Muschir nach Siwas versetzt, gab Moltke ein Zeugnis mit: »Baron Bey, ein talentvoller Mann«, habe im Krieg gegen Kurden und Ägypter »seine Pflicht als ein treuer und tapferer Mann von Anfang seines Auftrags an bis zu diesem Augenblick getan und sich seiner Aufträge in vollkommenster Weise entledigt«.

Den neununddreißigjährigen Hauptmann von Moltke hielt nichts mehr im Osmanischen Reich. Die Armee, die er reorganisieren wollte, war vernichtet. Das Staatswesen, das reformiert werden sollte, war nach seinen Erfahrungen schwerlich zu erneuern. Er verglich sich mit »einem Künstler, dem man aufgibt, ein Gewölbe zu bauen, und dem man statt harten Steins nur weichen Ton bietet. Wie richtig er auch seine Werkstücke fügt, der Bau muß bei der ersten Erschütterung doch in sich zusammenstürzen.«

Vier Jahre solcher Sisyphusarbeit reichten ihm. So schnell wie möglich wollte er heim, zunächst nach Konstantinopel, das ihm aus kleinasiatischer Sicht wie ein Vorort von Paris oder Berlin erschien: »Wie wird es uns vorkommen, wenn wir wieder einmal ein Gericht Kartoffeln, einen gewichsten Stiefel mit blankgeputztem Sporn oder eine ähnliche europäische Erscheinung zu sehen bekommen!«

Als er bei Samsun das Schwarze Meer erreichte, das blau und flimmernd vor ihm lag, rief er »Thalatta! Thalatta!« – »Das Meer! Das Meer!« wie die griechischen Söldner des Cyrus, die Xenophon aus Mesopotamien über das Hochland von Armenien an diese Küste geführt hatte.

Der Kapitän des österreichischen Lloyddampfers ließ Moltke, Laue und Vincke in ihren türkischen Lumpen erst in die Kabine, nachdem sie ihn französisch angeredet und sich als preußische Offiziere ausgewiesen hatten. Als erstes bestellten sie Kartoffeln, »die wir anderthalb Jahre am schmerzlichsten entbehrt hatten«, und eine Flasche Champagner, um auf den Geburtstag des Königs von Preußen anzustoßen. Und um sich zu beglückwünschen, daß ihre Mission, die fast eine Passion geworden wäre, beendet war.

VIERTES KAPITEL

IM VORMÄRZ

DIE RÜCKREISE NACH PREUSSEN führte donauaufwärts, mit Unterbrechungen in Budapest und Wien, die das aus dem Orient mitgebrachte »gallichte Wechselfieber mit bedeutender Störung der Tätigkeit der Gedärme, des Magens und der Gallenabsonderung« erforderte. Krank und elend wie er war, plagten ihn die Passiva seiner Türkei-Bilanz.

Vier Jahre seines Lebens hatte er einer Aufgabe gewidmet, die nicht zu lösen war, was nicht nur sein Renommee als osmanischer Müsteschar, sondern auch seine Karriere als preußischer Offizier zu beeinträchtigen drohte. In Budapest las er in der Augsburger »Allgemeinen Zeitung« seinen Bericht über die Schlacht bei Nisib, dem eine »Anmerkung« des Fürsten Pückler-Muskau angefügt war. Der Allerweltsreisende wollte in Konstantinopel gehört haben, daß der Hauptmann von Moltke nicht die Rolle gespielt habe, die er sich zugeschrieben hatte.

Dahinter konnte nur Mühlbach stecken, dieser seltsame Kamerad, der zu denen gehörte, die »après coup« klug sprechen: Moltke habe es bei Nisib versäumt, Hafiz Pascha in der Nacht vom 23. zum 24. Juni 1839 zu einem massiven Überraschungsangriff zu veranlassen, der das Blatt hätte wenden können. Moltke wußte, warum dies nicht möglich gewesen war: »Zu einem allgemeinen Überfall hätte gehört, in getrennten Kolonnen einen Nachtmarsch, und auf demselben eine Rechtsschwenkung auszuführen mit Leuten, von denen die größere Hälfte eben nur auf einen Nachtmarsch wartete, um sich zu entfernen.«

Nicht die Erklärung Moltkes, sondern die Behauptung Mühlbachs, eines Ingenieuroffiziers, keines Generalstäblers, fand beim preußischen Gesandten Königsmarck Gehör. Er hatte Moltke immer weniger gemocht. Türken, die sich eine würdevolle Gelassenheit auferlegten, beeindruckte die vornehme Zurückhaltung des »Baron Bey«, zumal sie hinter ihr eine Bildung und einen Charakter ahnten, die ihnen oft abgingen. Ein Diplomat wie Königsmarck vermutete hinter der Reserviertheit Unsicherheit, vielleicht sogar Unvermögen, aus der Reserve herauszugehen, weil das Reservoir nicht genügend gefüllt war.

Jedenfalls übernahm Königsmarck die Auslegung Mühlbachs, schlug nur diesen für den Pour le mérite vor. Moltke rechtfertigte sich in einem Schreiben an den Chef des Generalstabes, der, durch die Darlegung seines Untergebenen beeindruckt, über die Einmischung des Ingenieuroffiziers wie des Diplomaten verstimmt war. Krauseneck schrieb Lob und Anerkennung in Moltkes Führungsliste, und auch er bekam den Pour le mérite.

Ende Dezember 1839 war er wieder in Berlin, wo er Aufsehen erregte: bei seinen Kameraden als einer der wenigen preußischen Offiziere seiner Generation, die Krieg nicht nur geübt, sondern auch geführt hatten, und im Hause Ballhorn, wo er mit dem Fes auf dem Kopf erschien und an seine Verwandten Mitbringsel aus dem Morgenland verteilte. Er mietete sich eine Wohnung am Leipziger Platz Nr. 15, in der Fürstenbergschen Reitbahn, wo es auch arabische Hengste gab, mit denen man im Tiergarten reiten konnte, der nicht so weit wie die Wüste, doch grün und einladend war.

Zusammen mit Vincke und Fischer verfaßte er den dienstlichen Bericht: »Die militärische Sendung der drei königlich preußischen Generalstabsoffiziere nach der Türkei in den Jahren 1837–1839«, und allein eine »Darstellung des türkisch-ägyptischen Feldzuges im Sommer 1839« für den Generalstab. Ohne seinen Namen erschienen im Frühjahr 1841 bei E. S. Mittler in Berlin »Briefe über Zustände und Begebenheiten in der Türkei aus den Jahren 1835 bis 1839«. Es war eine Buchfassung seiner privaten Korrespondenz, die er mit Blick auf eine spätere Veröffentlichung geführt hatte, abgerundet mit Auszügen aus dienstlichen Berichten sowie Abhandlungen über Geschichte und Gegenwart des Osmanischen Reiches.

Kein Geringerer als Carl Ritter, der große Geograph, schrieb das Vorwort: Da die Länder der Türken, Turkmenen, Araber und Kurden »nicht bloß zu den weniger bekannten, sondern zum Teil zu den noch gänzlich unbekannt gebliebenen gehören, und die Reisen durch dieselben mit eigentlichen Rekognoszierungen und teilweisen Aufnahmen derselben, zu Entwerfung von Plänen und Karten, verbunden waren, so geht daraus ein um so reicherer Gewinn auch für die geographische Wissenschaft hervor.«

Auch die Kriegswissenschaft suchte Moltke zu bereichern: mit der durch seinen Türkei-Aufenthalt angeregten »Geschichte des russisch-türkischen Feldzuges in der europäischen Türkei in den Jahren 1828 und 1829«, die 1845 bei Reimer in Berlin erschien. Darin waren auch außenpolitische Erkenntnisse verwertet: Es sei nachteilig für den Deutschen Bund, wenn Rußland sich noch mehr ausbreite, die untere Donau, diese Lebensader Deutschlands, beherrsche – und von Vorteil, wenn Österreich die Hauptrolle bei der unvermeidlichen Neuordnung der Balkanhalbinsel übernehme, das Vielvölkerreich, das für die Lösung internationaler Aufgaben mit übernationaler Zielsetzung prädestiniert sei.

In einem seiner in diesen Jahren erschienenen Aufsätze in der Augsburger »Allgemeinen Zeitung«, dem nicht nur in Deutschland gelesenen Blatt, schrieb der Orientexperte unter der Überschrift »Die Donaumündung«: Es sei zu hoffen, »daß Österreich die Rechte und die Zukunft der Donauländer wahren und Deutschland endlich dahin gelangen werde, die Mündungen seiner großen Ströme zu befreien« – der Donau wie des Rheins.

An der Rheinkontroverse, die 1840 zwischen Franzosen und Deutschen ausgebrochen war, beteiligte sich Moltke indessen nicht. Der Aufsatz »Die westliche Grenzfrage« in Cottas »Deutscher Vierteljahrsschrift«, die als früher Beweis für die antifranzösische Gesinnung des Siegers von Sedan zitiert worden ist, stammt – wie Eberhard Kessel feststellte – nicht von ihm, sondern von dem Schriftsteller Wolfgang Menzel.

»Baron Bey« blieb dem Orient zugewandt. 1841 veröffentlichte er in der Beilage der Augsburger »Allgemeinen Zeitung« den Aufsatz »Deutschland und Palästina«. Anlaß dafür war das Einschreiten der Briten und Österreicher gegen die von den Franzosen unterstützten Ägypter, das den Türken endlich Syrien zurückbrachte. »Aber ist die orientalische Frage nun hierdurch geschlichtet? Schwerlich wird jemand diese Frage bejahen, der die türkischen Länder durchreist hat und die Wahrheit zu erkennen die Fähigkeit und den Willen hatte.«

Wenn überhaupt, dann könne sich die Türkei nur in Fortentwicklung der eigenen Tradition regenerieren. »Alle Bekehrungs- und Europäisierungsversuche, alle feindlichen Angriffe so gut wie freundschaftliche Dazwischenkünfte führen nur zum völligen Zerfall.« Sollte man das Osmanische Reich nicht gleich aufteilen, um der Gefahr zu entgehen, daß unter seinen Trümmern der Weltfriede begraben würde? Sollte man nicht wenigstens Palästina, das den Christen heilige Land, unter westlichen Schutz und Schirm stellen?

Die Zeit der Kreuzzüge sei vorbei, meinte Moltke, und einer Teilung widerstrebten die Erfahrungen, die man mit den polnischen Teilungen gemacht habe, »widersteht das moralische Recht, mit welchem die Politik zwar keineswegs schon zusammenfällt, dem sie sich jedoch mehr und mehr zu nähern strebt«. Der aufgeklärte Mensch setzte auf den Fortschritt, der deutsche Orientkenner und preußische Generalstäbler erwog das Für und Wider.

Wenn schon, dann müßte ein christliches Fürstentum Palästina so geschnitten und so ausgestattet sein, daß es bestehen könnte. Und seine Leitung sollte »einem unumschränkten Fürsten deutscher Nation und echt toleranten Sinnes übertragen werden« – unumschränkt, weil nur der Absolutismus »für halbbarbarische Zustände paßt«, und deutsch, weil auch der Deutsche Bund, zumal dessen Präsidialmacht Österreich, einen Platz im Orient zu beanspruchen habe.

Aufgeklärter Absolutismus hallte nach, ein Kolonialismus klang an, der auf Beherrschen wie Beglücken gestimmt war, und ein Imperialismus, dessen Tenor die Bewahrung des Friedens war. »Wir bekennen uns offen zu der vielfach verspotteten Idee eines allgemeinen europäischen Friedens. Nicht als ob von jetzt an blutige und lange Kämpfe nicht mehr stattfinden könnten, als ob man die Armeen verabschieden, die Kanonen zu Eisenbahnschienen umgießen sollte, nein! Aber ist nicht der ganze Gang der Weltgeschichte eine Annäherung zu jenem Frieden?«

Der Soldat dachte an Frieden. »Die Kriege werden immer seltener werden, weil sie bereits über die Maßen teuer geworden sind, positiv durch das, was sie kosten, negativ durch das, was sie versäumen lassen.« Preußen zum Beispiel habe in fünfundzwanzig Friedensjahren mindestens so viel gewonnen, wie ihm ein siegreicher Feldzug eingebracht hätte – indes mit dem Unterschied, daß Gewinne »nicht auf Unkosten eines anderen und ohne die unermeßlichen Opfer eines Krieges erreicht wurden«.

Der Militär dachte an Abrüstung. »Der Gedanke liegt so nahe, die Milliarde, welche Europa jährlich seine Militärbudgets kosten, die Millionen Männer im rüstigen Mannesalter, welche es ihren Geschäften entreißen muß, um sie für einen eventuellen Kriegsfall zu erziehen, alle diese unermeßlichen Kräfte mehr und mehr produktiv zu nutzen« – für die Entwicklung des eigenen Landes wie der ganzen Welt.

Der Glaube an den Fortschritt und die Hoffnung auf den Aufstieg, der Optimismus seines Jahrhunderts sprach aus ihm. Doch Idealismus und Realismus hielten sich die Waage. Das entsprach der Bildung, die er genossen, wie den Erfahrungen, die er gesammelt hatte. Jahrelang war er mit der Aufarbeitung seiner türkischen Erlebnisse und Erkenntnisse beschäftigt, den Ertrag in die Scheuer zu bringen, um sein Leben lang davon zu zehren.

Das »moldauische Fieber«, das er mitgebracht hatte, machte ihm eine Zeitlang zu schaffen. So mußte er seinen Dienst im Generalstab des IV. Armeekorps in Berlin, den er am 18. April 1840 angetreten hatte, schon bald unterbrechen. Im Herbst fuhr er zur Kur nach Ilmenau, anschließend nach Süditalien, das er vor fünf Jahren von seinem Reiseplan hatte streichen müssen.

Auf der Hinfahrt traf er im Postwagen einen Armenier, der vom Euphrat stammte und auf der Rückreise von der Leipziger Messe nach Konstantinopel war, wo er sein Geschäft hatte. Sie waren voneinander angetan: der Armenier vom Preußen, der sein Dorf kannte, in das er bald zurückkehren wollte, um mit seinen Mitteln dessen Entwicklung zu fördern, und der Preuße vom Armenier, der ein wahrer Wohltäter seiner Heimat werden könnte; denn nicht europäische Instrukteure und türkische Reformverordnungen nach westlicher Vorschrift »sind dem Lande not, sondern der Schubkarren und die Kartoffel«.

Moltke, der Entwicklungshelfer außer Dienst, fuhr in das Land, wo die Zitronen blühen. Der Weg führte ihn durch die Heimat der Staufer, die es gleich ihm in den Süden gezogen hatte, obwohl es in Schwaben, wie er bemerkte, auszuhalten gewesen wäre – »ein köstliches Land, mit Waldgruppen und Wiesen, Dörfern und Mühlen, alten Ritterburgen und freundlichen Städtchen«, fleißigen Menschen und geplagten Postpferden; denn die Chausseen »schienen die Höhen absichtlich aufzusuchen«.

Die württembergische zog er der bayerischen Hauptstadt vor: In München habe der König alles, in Stuttgart der Bürger mehr getan, und das Neue Schloß sei im Verhältnis zur Größe des Landes so proportioniert, daß die Kräfte des Staates ausreichten, die Zimmer zu heizen. In den königlichen Ställen fand er außer ein paar arabischen Schimmeln »zweihundert Landbeschäler« und begegnete dem König von Württemberg, der freundlich grüßte. Am Neckar gab es Wein sowie das Marquardt-Hotel, »den besten Gasthof, den ich irgend gefunden«.

Über Schaffhausen, wo natürlich der Rheinfall besichtigt werden mußte, Zürich und Brunnen gelangte er an die Alpenmauer. Die Fahrt über den Gotthard bestätigte den Spruch, daß die Götter vor den Preis den Schweiß, in diesem Falle Regen und Sturm vor Sonne und Südwind gesetzt hatten. Die Belohnung blieb zunächst aus: Auch auf der Südseite goß es in Strömen, »die Borromeischen Inseln im Lago Maggiore sahen nicht besser aus als die Möveninsel in der Schlei, und selbst Genova la superba war lange nicht so superb wie sonst.«

»Was ist alle Landschaft ohne blauen Himmel!« In Neapel, das er mit dem Schiff, nicht ohne seekrank geworden zu sein, am 10. November 1840 erreichte, hatte er alles im Überfluß: blauen Himmel und blaues Meer, den Vesuv, »aus dessen Krater dichte, weiße Wolken emporwirbeln«, das Brodeln der volkreichen Stadt und Lärm bis zum Überdruß. Alles war hier laut: die Brandung, die Fischverkäufer und Eseltreiber, die Bettler, »und selbst die Faulenzer, die sonst nichts tun, schreien wenigstens«.

Anziehend war die Umgebung: Capri, Sorrent, Amalfi, wo er am 2. Dezember noch baden konnte. Und Pompeji, das »durch ein plötzliches Naturereignis an einem Tage mitten im dermaligen Leben seiner Bewohner en flagrant délit – auf frischer Tat – überrascht und für fast zwei Jahrtausende eingesargt« wurde und nun den Betrachter aus dem neunzehnten in das erste Jahrhundert nach Christi Geburt zurückversetzte.

Nur vierzehn Tage blieben auf der Rückreise für Rom, was ausreichte, um es schöner und interessanter als Konstantinopel, seine Kopie im Osten, zu finden. Das Pantheon gefiel ihm besser als die Peterskirche, da er klassische Einfachheit mehr schätzte als

Marie von Moltke, geborene Burt, als Braut.
Kreidezeichnung von unbekannter Hand

pompösen Barock. Vielleicht warf er eine Münze in die Fontana di
Trevi, um sich eine baldige Rückkehr zu erkaufen. Jedenfalls
nahm er sich vor, bei der ersten Gelegenheit wieder nach Rom zu
kommen, um die kaum begonnene Wanderung durch die Stadt,
die eine Welt war, fortzusetzen.

Die dienstliche Pflicht entriß ihn der privaten Neigung. Aber
auch im Erholungsurlaub hatte er an seinen Beruf gedacht: Der
Generalstabshauptmann sammelte Material für einen Bericht
über das Heer des Königreiches Neapel und Informationen über
die österreichischen Befestigungsanlagen von Verona und der
Franzensfeste bei Brixen.

Am 23. Januar 1841 war er wieder in Berlin. Unterwegs hatte er
seinen 40. Geburtstag gefeiert. Das war ein Anlaß gewesen, Bilanz zu ziehen und über seine dienstliche wie private Zukunft

nachzudenken. Er war erst Hauptmann und immer noch Jungge-selle. Für den Generalstab brachte er Berichte mit, die vielleicht seine Karriere fördern könnten. In Neapel hatte er Schmuck gekauft, für seine künftige Frau, ohne zu wissen, wer das sein würde. So sagte er, aber er hatte bereits eine bestimmte im Sinn.

Mary Burt war die Tochter des Esquire John Heyliger Burt, der in Westindien eine Plantage besaß, es jedoch vorzog, in Itzehoe zu leben. Der Witwer hatte in zweiter Ehe Auguste von Moltke geheiratet, die Schwester Helmuth von Moltkes. Sie wurde die Stiefmutter der Stiefnichte ihres Bruders, und Marys Vater war sein Schwager und sollte sein Schwiegervater werden.

Das war etwas kompliziert, doch für den Hagestolz weniger beschwerlich, als sich auf völlig unbekanntes Terrain zu wagen. »Die Ehe ist eine Lotterie, keiner weiß, welches Los er zieht«, hatte er seiner Schwester Auguste gesagt. »Soll ich einmal heiraten, so möchte ich ein Mädchen wählen, das Du erzogen hast.«

Dies traf auf Mary Burt zu. Sie war acht Jahre alt, als sie in die Obhut der Stiefmutter kam, und diese war als Fünfundzwanzig-jährige noch jung genug, um weniger als Erzieherin denn als Freundin zu erkennen, daß hier ein Mädchen heranwuchs, das zu ihrem Lieblingsbruder passen könnte.

Indem sie diese Verbindung ansteuerte, glaubte Auguste auch im Sinne der 1837 entschlafenen Mutter Moltke zu handeln, die sterben mußte, ohne ihren Helmuth versorgt, und das hieß für sie verheiratet, zu wissen. Noch in der Neujahrsnacht ihres Todesjah-res hatte sie ihrem Sohn in die Türkei geschrieben: »Was wird das neue Jahr uns bringen? Reichen Segen und Gesundheit für Dich, mein teurer Helmuth, darum bitte ich Gott in dieser Stunde, und bald eine liebende Gefährtin an Deiner Seite, die Dir eine frohe Häuslichkeit verschafft. Du bist in dem Alter, wo man nicht mehr mit blinder Leidenschaft wählt, dafür ist mir für Dich nicht mehr bange, aber nachgerade mußt Du auch darauf bedacht sein, Dir eine liebende Gefährtin zu suchen, in späteren Jahren wird man zu diffizil, und der vereinzelte Mann ist im späteren Alter ein hilfloses Geschöpf.«

Bisher konnte er ohne Frauen durchaus leben, und sich eine Frau zu nehmen, hatte er in der Türkei keine Gelegenheit und vorher kein Geld. Von einer Liebesheirat hatte er schon nicht viel gehalten, als 1832 seine Lieblingsschwester angefragt hatte, ob sie den Antrag des Witwers Burt annehmen solle, für den sie nicht das empfinde, was als Liebe bezeichnet werde. Jede Heirat sei ein Wagnis, meinte der unverheiratete Bruder, »in welches wir uns blindlings hineinstürzen« – denn »den kennen und beurteilen zu wollen, an den wir unser Los knüpfen, ist zu viel verlangt, wenn wir uns ja selbst nicht einmal kennen und beurteilen.« Immerhin seien Vernunftehen oft glücklicher als Liebesheiraten, »denn wo die Empfindungen aufs Höchste gespannt sind, da muß jeder doch notwendig anklebende Mangel und jede Unvollkommenheit ein Mißklang in der rein gestimmten Harmonie werden, und je höher die Erwartung, desto größer muß die Täuschung sein.«

Sich binden oder ledig bleiben? Selber vor diese Frage gestellt, gab er sich die Antwort, die er der Schwester erteilt hatte: Warum nicht eine Ehe eingehen, »die auf Vernunft und ruhiger Neigung« basiere? Die Ehelosigkeit sei ein »negatives Glück«, und »die Ruhe seines Lebens um den Preis aller Freuden des Lebens zu erkaufen, kommt mir vor, wie wenn jemand sich die Augen aussticht, um nie etwas Unangenehmes zu sehen.«

Den Altersunterschied zwischen Mary und ihm hätte er allerdings bedenken müssen. Als er sie 1834 zum erstenmal in Schleswig sah, war er vierunddreißig und sie acht. Außer ihren dunkelbraunen Augen, denen sie ihren Spitznamen »Kaffeeböhnchen« verdankte, war ihm nichts an ihr aufgefallen. Anfang 1840, als er sie zum zweitenmal traf, war sie vierzehn und er fast vierzig, und es ist wenig wahrscheinlich, daß er sie genauer angeschaut hätte, wenn sie von seiner Schwester nicht so beharrlich ins Blickfeld gerückt worden wäre.

Im Frühjahr 1841, nach seiner Italienfahrt, ging er auf Brautschau nach Itzehoe. In seiner Novelle »Die beiden Freunde« hatte er ein hübsches Mädchen »ein Operationsobjekt für einen Mann« genannt. Er fand eine eben konfirmierte Fünfzehnjährige, die zwar nett und lebhaft war, aber von einer Kindlichkeit, die einen Angriffsplan als unangebracht erscheinen ließ.

Die Stiefmutter Marys, die Schwiegermutter ihres Bruders Helmuth werden wollte, focht dies nicht an. Sie jedenfalls stellte an ihre Stieftochter die Frage, ob sie – nicht gleich, doch bald – die Frau des Hauptmanns werden wolle. Den Onkel, einen um ein Vierteljahrhundert älteren Mann heiraten? Mary konnte und mochte sich dies nicht vorstellen. Und ihr Vater, der selber keinen Anstand daran genommen hatte, sich in zweiter Ehe mit einer viel jüngeren Frau zu verbinden, war willens, seinen »Peter«, wie er sein jungenhaftes Mädchen nannte, vor ähnlichem zu bewahren.

Das Operationsobjekt mußte nach allen Regeln der Kunst belagert werden. Die Stiefmutter ließ nicht locker, der Vater hatte ohnehin nicht viel zu melden, und der Brautwerber, durch den Widerstand angespornt, führte nicht nur seine überlegenen Verstandeskräfte ins Feld, sondern entfaltete auch eine Liebenswürdigkeit, die er sich selber nicht zugetraut hätte. Für ihn war ein Mädchen, dessen Vater Esquire, also von niederem Adel, und dessen Mutter eine geborene von Staffeldt war, eine standesgemäße Partie. Daß sie eine halbe Engländerin war, hielt er für keinen Nachteil. Und selbst ein beträchtlicher Altersunterschied wurde damals, jedenfalls von den Männern, nicht als schwerwiegend angesehen.

Das Mädchen wurde gewonnen. Am 9. Mai 1841, in der Jasminlaube, nahm sie den Antrag des Onkels an, akzeptierte ihn als Bräutigam. Ihr Vater bestand auf einer einjährigen Verlobungszeit, in der sie sich nur zweimal sahen: im Sommer auf Helgoland und zu Weihnachten in Itzehoe.

In ihren Briefen kamen sie einander näher, als es ein ständiges Beisammensein vermocht hätte. Der Bräutigam, der sich am liebsten schriftlich ausdrückte und es mit der Feder auch am besten konnte, nahm sie mit vernünftigem Zureden und mit verhaltenen Gefühlsäußerungen für sich ein. Und die Braut wurde ihm in ihrer naiven Selbstdarstellung von Brief zu Brief liebenswerter.

»Ich habe Sorge, ob ich Dir als Frau auch alles sein kann, weil ich noch so jung und unerfahren bin. Darum will ich mich nun bestreben, nicht widerspenstig oder strong headed zu sein, damit ich Dir immer nachgebe, wenn ich Unrecht habe. Ich habe noch gar keine tournure, und mir fehlen noch so ganz alle geselligen Gaben. Darum will ich mich so gern überall von Dir leiten lassen. Dazu gehört freilich viel Geduld von Deiner Seite, mir alle Verstöße nachzusehen, die ich noch machen werde.«

Sie war willens, sich von ihm führen zu lassen, aber würde er dies können, auch wenn er es wollte? »Sage mir, warum Du Hypochonder bist und wie Du es nur sein darfst?« Sie redete sich und ihm gut zu: »Ich weiß wohl, daß es im Moltkeschen Charakter liegt, sich wenig zu äußern und mitzuteilen. Du hast auch oft etwas in Deinem Wesen, was zurückhaltend scheint und manche hautain – Hochmut – nennen.«

Er wolle sehen, daß er sich bessere, antwortete der Bräutigam, und versuchte zu erklären, warum er so geworden sei. Seine Eigentümlichkeit, die Verschlossenheit, sei das Ergebnis einer unter feindseligen Verhältnissen verlebten Jugend. »Die langjährige Unterdrückung, in welcher ich aufgewachsen, hat meinem Charakter unheilbare Wunden geschlagen, mein Gemüt niedergedrückt und den guten, edlen Stolz geknickt. Spät erst habe ich angefangen, aus mir selbst wieder aufzubauen, was umgerissen war, hilf Du mir fortan, mich zu bessern.«

Gerade eine junge Frau vermochte ihm dabei zu helfen, indem sie ihn an einer Jugend teilhaben ließ, die ihm versagt geblieben war. Der Altersunterschied war für ihn ein Vorteil. Aber für sie? »Die aus der Verschiedenheit unseres Alters hervorgehende Art, zu empfinden, macht, daß ich, ohne unwahr zu werden, Dir nicht dasselbe lebhafte Gefühl bieten kann, wie sich's in Deinen schönen Augen ausspricht und wie Du es wohl als Erwiderung fordern darfst.«

Dafür hatte er Vorzüge, die in seinem in vielen Jahren gefestigten Charakter lagen, eine lange Erfahrung und viel Nachdenken mit sich brachten. Er konnte helfen, die Reife eines jungen Menschen, welche die Natur ohnehin von Tag zu Tag vorantrieb, durch Erziehung zu beschleunigen. Das weckte den pädagogischen Eros, der ihm eigen war, und den schulmeisterlichen Eifer, zu dem er neigte.

»Es wird mir ein Genuß sein, künftig Deine Lektüre zu leiten, und gerne wollen wir immer mit der Bibel anfangen, auch wollen wir gute Predigten hier besuchen, und ich verspreche dann auch, nicht beim Klingelbeutel davonzugehen.« Aus seinem »Knigge« unterrichtete er sie schon jetzt: »Laß Dir's gesagt sein, gute Marie, daß Freundlichkeit gegen jedermann die erste Lebensregel ist, die uns manchen Kummer sparen kann, und daß Du selbst gegen die, welche Dir nicht gefallen, verbindlich sein kannst, ohne falsch und unwahr zu werden.«

Und bescheiden zu bleiben. »Wenn wir nicht anders scheinen wollen, als wir sind, keine höhere Stellung usurpieren wollen, als die uns zusteht, so kann weder Rang noch Geburt, noch Menge und Glanz uns wesentlich außer Fassung bringen. Wer aber in sich selbst nicht das Gefühl seiner Würde findet, sondern sie in der Meinung anderer suchen muß, der liest stets in den Augen anderer Menschen, wie jemand, der falsche Haare trägt, in jeden Spiegel sieht, ob sich auch nicht etwas verschoben hat.«

Das wünschte er sich von seiner Zukünftigen: »Freundliches und gleichmäßiges, womöglich heiteres temper. Nachgiebigkeit in Kleinigkeiten, Ordnung in der Haushaltung, Sauberkeit im Anzuge und vor allen Dingen, daß Du mich lieb behaltest.« Bei einer solchen Frau würde er sogar ganz gerne unter dem »kleinen Pantoffel« stehen, »und es wird Deine Aufgabe sein, mich durch Sanftmut, Nachgiebigkeit und Güte auch dahin zu bringen.«

Inzwischen solle sie ihre Brautzeit nützen, um so zu bleiben beziehungsweise zu werden, wie er es sich vorstellte, nicht ohne sich ihres Lebens auch in seiner Abwesenheit zu erfreuen. Sie dürfe ihr weißes Kleid mit dem Atlasbesatz anziehen und sich pink roses ins Haar stecken, auch wenn er sie nicht sehe, auf Bälle gehen und mit jungen Männern (die nicht gerade enge Stiefel trügen) tanzen, die das sicherlich lieber taten und besser konnten als ihr »alter Bär«. Der saß in der Berliner Stube in seinem lila Schlafrock und schaute in den Vollmond. »Wäre er doch ein Hohlspiegel, und ich erblickte Deine lieben, süßen Züge darin, Deine nußbraunen Augen und sanftlächelnden Mundwinkel.«

Ihr im fernen Itzehoe erschien er im fernen Berlin immer liebenswürdiger: »Mag die Welt Dir denn auch öfters eine Äußerung des Gemütes geraubt haben, so trägst Du ja doch einen Schatz von Reichtum, Weichheit und Adel des Herzens in Dir, wie man es gewiß bei Männern nicht wiederfindet ... Was mich bei Dir so rühren kann, ist die übergroße Bescheidenheit Deines Charakters und vor allem die Gutmütigkeit, die Du bei jeder Sache an den Tag legst.«

Der Briefträger brauche vierteljährlich ein Paar Sohlen mehr, bemerkte der Briefschreiber, dessen Geduld strapaziert wurde. Seit dem 9. Mai 1841 waren sie verlobt. Schon hatte er eine Wohnung in Berlin gemietet, »ein allerliebstes kleines Kabinett mit Aussicht auf den schönen Platz am Potsdamer Tor«, ein Schwalbennest. Am liebsten hätte er noch in diesem Jahre Hochzeit gemacht, aber Vater Burt wollte wenigstens den sechzehnten Geburtstag der Tochter am 5. April 1842 abwarten.

Am 20. April 1842 wurden sie in der Laurentiuskirche in Itzehoe getraut, der einundvierzigjährige Helmuth von Moltke, der sechs Tage vorher zum Major befördert worden war, und Marie Burt, die sich nicht nur das Englischschreiben abgewöhnt, sondern auch ihren Vornamen eingedeutscht hatte. Pastor Jess konnte es nicht lassen, in seiner Predigt den Bräutigam auf die besonderen Verpflichtungen, die sich aus dem Altersunterschied ergäben, vor der Gemeinde hinzuweisen.

Der Ehemann wußte, worauf er sich eingelassen hatte. »Wenn meine Erwartungen weniger lebhaft sind, so ist es vor allem die Besorgnis, daß die Deinigen getäuscht werden möchten, und weil, je weiter man in diesem Leben vorschreitet, je weniger man von demselben erwarten lernt.«

»Marie ist eine einzige kleine Frau«, schrieb er acht Monate nach der Hochzeit seinem Bruder Ludwig. »Es ist unmöglich, nicht mit ihr einig zu sein, sie ist perfectly tempered, und dabei findet sie sich in ihr neues Verhältnis sehr gut.« Er gewann mehr, als er angenommen hatte: eine Lebensgefährtin, die mit ihm wuchs und ihn dabei mitformte. Leider bekamen sie keine Kinder, in denen ihre unterschiedlichen Temperamente und verschiedenen Eigenschaften vielleicht vollkommen harmoniert hätten.

IN BERLIN verbrachten sie ihre ersten Ehejahre, in der Hauptstadt Preußens und der Residenzstadt seines neuen Königs. Friedrich Wilhelm IV. hatte das Zepter von dem am 7. Juni 1840 verstorbenen Friedrich Wilhelm III. übernommen, der nach fast dreiundvierzigjähriger Regierungszeit müde und unbeweglich geworden war. Von seinem Sohn erwarteten die Preußen eine neue Fahrt, und zwar im buchstäblichen Sinne des Wortes.

»Dieser Karren wird durch die Welt rollen, und kein Menschenarm wird ihn aufhalten«, hatte er als Kronprinz ausgerufen, als er 1838 in zweiundvierzig Minuten mit dem »Dampfwagen« von Berlin nach Potsdam gelangt war. 1841 lieferte die Firma Borsig in Berlin die erste selbstgebaute Lokomotive. 1843 fuhr der erste Zug nach Stettin. 1844 gab es im Königreich bereits 861 Kilometer Schienenweg.

Wie vordem in England, so machte nun in Preußen die Eisenbahn der Industrialisierung Dampf – an Rhein und Ruhr, in Schlesien, in Berlin. Die Borsigsche Fabrik zählte im Jahre 1844

Das Zeitalter der Dampflokomotive beginnt:
der »Adler« auf der Strecke Nürnberg–Fürth (1835)

über 1100 Beschäftigte, hatte 90 Lokomotiven geliefert und 30 in
Arbeit. In diesem Jahr zeigten 3000 Firmen auf der Allgemeinen
Deutschen Gewerbeausstellung in Berlin, wie weit es Technik und
Industrie bereits gebracht hatten.

»Charakteristisch für unsere Zeit«, hieß es im Ausstellungsbe-
richt der »Vossischen Zeitung«, »ist die große Anzahl der Druck-
pressen. Der Geist stützt sich hier auf die ausgebeutete Kraft
mechanischer Werkzeuge. Nächst ihnen macht der Dampf, gewissermaßen ein Mittelgeschöpf zwischen Geist und Körper, seine
Herrschaft geltend; als Symbol einer unberechenbar wichtigen
Richtung der Industrie stellt sich die mächtige Lokomotive vor uns
hin.«

König Friedrich Wilhelm IV., dem man die Ausstellung verdankte, war in Gestalt einer Büste anwesend, »in einer rosig
durchschimmernden Halbrotunde«, wodurch angedeutet wurde,
daß er Preußen rosaroten Zeiten entgegenführte. 1842 schenkte er
seinen Soldaten neue Uniformen: Der Frack wurde durch den
Rock ersetzt, der Tschako durch die Pickelhaube, die in der Tat ein

Symbol des preußischen Vormarschs wurde. Der Fortschritt sollte mithalten: Der König hatte der Gewerbeausstellung das Zeughaus eingeräumt.

Major Moltke vom königlich preußischen Generalstabe erkannte, daß mit der Eisenbahn nicht nur Personen und Güter, sondern auch Soldaten und Kanonen befördert werden konnten – schneller in den Krieg und rascher an den Feind.

Sein Interesse an dem Vehikel des Fortschritts war zunächst privater Natur gewesen: Er wollte die 10 000 Taler, die ihm seit seiner Türkei-Mission zur Verfügung standen, möglichst gewinnbringend anlegen, in Eisenbahnaktien. Um ganz sicherzugehen, trat er im Juni 1841 als Vorstandsmitglied in den Verwaltungsrat der Berlin–Hamburger Eisenbahn ein.

Friedrich Wilhelm IV. als Kronprinz.
Porträtskizze von Franz Krüger

Er hatte dabei an die Zukunft und an seine Zukünftige gedacht. Das Nützliche wolle er mit dem Angenehmen verbinden, schrieb er der Braut: Nun könne er öfter und schneller von Berlin via Hamburg nach Itzehoe kommen.»Mein ganzer Tisch liegt jetzt voll von Abhandlungen über Eisenbahnen. Die Sache interessiert mich sehr, und ich würde sehr gern tätigen Anteil an diesem großen und gemeinnützigen Unternehmen nehmen.«

Vor der Tat standen bei ihm, wie immer, die gedankliche Vorarbeit und die schriftliche Ausarbeitung. 1843 erschien in Cottas »Vierteljahrsschrift« sein Aufsatz: »Welche Rücksichten kommen bei der Wahl der Richtung von Eisenbahnen in Betracht?« Er erwies sich darin als ein technisch versierter Autor, der das Geheimnis des »dampfschnaubenden, feuersprühenden, schwarzen Zauberrosses, Lokomotive genannt«, weniger bewanderten Zeitgenossen zu erklären verstand. Bezüglich ihres Einsatzes empfahl er den Regierungen, bei aller Heranziehung von Privatkapital und aller Ausnützung der Privatinitiative nicht nur die Interessen eines, sondern sämtlicher Staaten zu verfolgen. Denn der moderne Verkehr kenne keine Grenzen, solle Menschen und Völker einander näherbringen, könne ganz Deutschland und darüber hinaus Europa verbinden.

Als Honorar für diesen Aufsatz schickte ihm Cotta »einen Beitrag für Ihre Bibliothek«: Schillers und Goethes Werke mit Stahlstichen und Holzschnitten sowie Schillers, Goethes und Freiligraths Gedichte in handlichen Ausgaben. Letzterer war ein zeitgenössischer Dichter, der zwar mit der Eisenbahn und dem Dampfschiff fuhr, aber den Blick zurück nicht missen, mit alter Romantik den neuen Realismus beflügeln, die moderne Entwicklung vorantreiben wollte.

War das nicht die zwiespältige Stimmung der vierziger Jahre, vornehmlich König Friedrich Wilhelms IV., aber auch, allerdings gedämpfter, Helmuth von Moltkes?

Das IV. Armeekorps kommandierte Prinz Karl, ein Bruder des Königs. »Monseigneur«, wie ihn Moltke nannte, verwendete den Generalstabsmajor auch als Adjutanten, setzte ihn im Hofdienst ein. So konnte er Friedrich Wilhelm IV. aus der Nähe betrachten. Verglichen mit seinem stockkonservativen Bruder Karl und seinem erzmilitärischen Bruder Wilhelm, dem Thronfolger, wirkte er fast wie ein Liberaler und ein Zivilist.

Erst mit Fünfundvierzig an die Macht gekommen, hatte er in der langen Kronprinzenzeit so viel Gefallen an schönen Dingen, Kunst und Wissenschaft, gefunden, daß er nun die Macht gar nicht ausüben wollte. Friedrich Wilhelm IV. wohnte zwar in Sanssouci, dem Schloß Friedrichs des Großen, aber er teilte nur dessen Ehrgeiz, durch Bonmots zu glänzen. Ansonsten war er das Gegenteil von Fridericus Rex: Er wollte keinen Krieg führen, schon gar nicht gegen den Habsburger, den er am liebsten wieder als Kaiser eines erneuerten römisch-deutschen Reiches gesehen hätte. Er schätzte das Mittelalter mehr als die Antike, war kein Rationalist, sondern ein Romantiker, fand weder Geschmack am aufgeklärten Absolutismus noch an einem aufgeklärten Konstitutionalismus, hätte den preußischen Staat gerne wieder altständisch gegliedert und patriarchalisch regiert.

Der »Romantiker auf dem preußischen Thron« schaute nicht nur zurück, sondern auch nach vorn – doch Fortschritte waren für ihn nur in alten Formen und gelenkt von den alten Gewalten vorstellbar. Er war derart zwischen Idealen und Realitäten hin- und hergerissen, daß er kaum zu klarem Denken, geschweige denn zu Taten kam. Das kritisierten Konservative, die von ihm obrigkeitsstaatliche Entscheidungen erwarteten, wie Progressive, die gehofft hatten, daß er nicht nur selber mit der Eisenbahn fahren, sondern auch seine Untertanen in Richtung einer bürgerlichen Gesellschaft und eines liberalen Verfassungsstaates mitreisen lassen werde.

Dieser König trug keinen Bart und doch Uniform – das eine machte ihn den Militärs, das andere den Zivilisten suspekt. Dabei hätte er die Gestalt eines Bürgerkönigs gehabt, behäbige Korpulenz, gutmütiges Gesicht, joviale Gesten. Seine Gesellschaft war angenehm, auch für Major Moltke, der sie als Adjutant des Prinzen Karl ein paarmal genießen durfte.

Er war in Sanssouci dabei, als Giuditta Pasta, die gefeierte Italienerin, sang und »auf der Terrasse unter gewaltigen Orangenbäumen bei Mondschein soupiert« wurde. In der Pause eines Hofkonzerts stand er neben Friedrich Wilhelm IV. vor der Eingangstür des Saales, in dem das Büfett aufgebaut war. Eine junge Dame zögerte, an der Majestät vorbei einzutreten, diese machte eine galante Handbewegung und sagte: »Passez, beauté.« Eine ältere Dame nützte die Gelegenheit, um ebenso vorbeizuschlüpfen. Der König blinzelte Moltke zu und flüsterte: »Beauté passée.«

Beim hundertjährigen Jubiläum des Berliner Opernhauses im Dezember 1841 saß Moltke – unter insgesamt fünfzig Persönlichkeiten – in der königlichen Loge und genoß das Festprogramm. Es begann mit einer Komposition Friedrichs des Großen, »die wirklich, wenn er sie selbst gemacht hat, weit hübscher war als manches, welches nachher kam« – eben nicht nur Gluck, Mozart und Beethoven, sondern auch Graun, Winter und Spohr.

Im Neuen Palais zu Potsdam wurde – vor dem Hof, der »einige klassische Geschmäcke« dazu befohlen hatte – die »Antigone« des Sophokles aufgeführt. Kreon, König von Theben, besiegte und tötete einen Untertan, der gegen ihn die Waffen erhoben hatte, und befahl, den Leichnam unbestattet zu lassen, was nach damaligen Vorstellungen auch seiner Seele den Übertritt in die Gefilde der Ruhe verwehrte. Antigone, die Schwester des Getöteten – fuhr Moltke in seiner Zusammenfassung der Handlung fort –, trotzte dem Gebot, bestattete den Toten, lud den Zorn des Königs auf sich, der sie verurteilte, in einem Felsengrab zu verschmachten.

»Das Hübsche dabei ist«, meinte der Major, »daß Kreon von seinem Standpunkte aus ganz recht hat, denn ohne Gehorsam kann keine menschliche Gesellschaft Bestand haben. Aber indem er mit starrer Konsequenz diesen Gedanken durchführt, greift er über in das Gefühl der Pietät, welches noch höheren Ursprungs als alle menschlichen Satzungen.«

Moltkes Fazit: »Es wäre leicht, ein ganz christliches und modernes Stück von derselben Tendenz wie ›Antigone‹ zu schreiben; denn noch heute tritt das geschriebene Gesetz oftmals mit ›dem Rechte, das mit uns geboren‹, in Widerspruch.«

Meinte er damit den zeitgenössischen Widerstreit zwischen Staatsgesetz und Naturrecht, den Konservative zugunsten des ersten und Liberale zugunsten des zweiten entschieden wissen wollten? Hätte er ihn gerne à la Sophokles gelöst gesehen? In der »Antigone« verkündete ein Seher dem König den Zorn der Götter, und der Chor eröffnete ihm: »Was hilft dir nun, daß Macht, Reichtum und Gewalt in deinem Hause, wenn nicht auch die Freude darin wohnt?«

Es war nicht mehr als eine Andeutung seiner Auffassung. Der

Major hielt sich mit politischen Kommentaren zurück, beurteilte nicht das Verhalten Friedrich Wilhelms IV., der eine ständische Volksvertretung, die bereits Friedrich Wilhelm III. versprochen hatte, endlich in Aussicht stellte – und es bis auf weiteres dabei beließ.

Der Offizier wußte, was er dem König schuldig war. Doch der Mann, der auf die Mitte Vierzig zu ging, konnte sich Besseres vorstellen, als sein Leben bis zur Pensionierung mit Hofdienst, Adjutantengeschäft, Generalstabsübungen und Truppenmanövern zu verbringen. Er werde nicht zufrieden sein, bis er eine Scholle Land sein eigen nennen könne, erklärte er 1844, als ihm Neinstedt am Harz zu günstigen Bedingungen angeboten wurde. »Hier würde ich mich ansiedeln, wenn ich so glücklich wäre, fünfzehn- bis zwanzigtausend Taler disponibel zu haben. Ich würde darum den Abschied nicht nehmen, sondern noch einige Jahre fortdienen, da ich mit der Eisenbahn in einem Tage nach Berlin hinkommen kann.«

Der Soldat hatte nicht die Mittel, sein »eigener Herr« zu werden. Das blieb für ihn einer der »Träume, die man hinausschiebt, bis plötzlich das Ende da ist. Der Strom der Verhältnisse schiebt uns mit sich fort, man glaubt zu schieben und wird geschoben.«

Er wurde dorthin geschoben, wohin er noch lieber ging als aufs Land: in den Süden, nach Rom. Am 18. Oktober 1845 wurde der Generalstabsmajor zum persönlichen Adjutanten des Prinzen Heinrich von Preußen ernannt, der die »Ewige Stadt« nicht mehr verließ. Der Bruder Friedrich Wilhelms III. hatte erreicht, was dessen Sohn und seinem Neffen Friedrich Wilhelm IV. nicht geglückt war, der als Kronprinz zu seinem Vater gesagt hatte: Wenn er ihn nach Rom lasse, käme er bestimmt nicht wieder.

Rom galt noch im fortgeschrittenen 19. Jahrhundert als Caput mundi. Die Hauptstadt des Römischen Reiches war das Zentrum der antiken Welt gewesen, die, eben neu entdeckt, in Deutschland besonders geschätzt wurde. Ein neuhumanistisch gebildeter und klassizistisch gestimmter Protestant konnte im Papst als Pontifex Maximus den Fortführer der römischen Tradition sehen. Und ein Preuße mochte im Kirchenstaat zwar die Rückständigkeit kritisieren, aber das Verbliebene einer wenn vielleicht auch nicht guten, so doch angenehmen Zeit genießen.

Überdies schien die Sonne. Ein Nordländer wie Moltke, der graue Nebel, dunkle Abende und tropfende Dachrinnen verabscheute, dem »alle Kälte antipathisch« war, der Deutschland eigentlich nur südlich von Heidelberg für bewohnbar hielt, schätzte dies nicht zuletzt. Auch gab es Apfelsinen, nicht das unreife Zeug, das man in Berlin unter dieser Bezeichnung bekam.

Mit der Eisenbahn, expreß also, konnte man noch nicht in »Hesperiens Orangengärten« gelangen. Immerhin gab es einen Schienenweg bis Leipzig, auf dem er am 14. November 1845 die Reise antrat – mit seiner Frau, die dem fernen Süden mit gemischten Gefühlen entgegenfuhr, und seinem Bruder Ludwig, der froh war, seiner dänischen Amtsstube entkommen zu sein.

In Leipzig stieg man in den Pferdewagen um, in die eigene Kutsche mit den eigenen Pferden, was sich der Eisenbahnaktionär leisten konnte. Über Nürnberg, Augsburg, München und Innsbruck ging es dem Gelobten Land entgegen. Auf dem Brenner lag noch Schnee; vor Bozen standen die ersten Zypressen, durch Olivengärten ging es nach Verona. Hier wurden die Pferde verkauft und die Extrapost genommen, die über Mantua, Modena, Bologna, Florenz, Perugia und Spoleto in die Campagna fuhr.

Das war nun eine Gegend, die kaum nordischen Erwartungen vom üppigen Süden entsprach: ohne blauen Himmel »nicht viel schöner als das Torfmoor bei Uetersen«, keine immergrünen Bäume, kahle Kastanienbäume; »weite Strecken unbebauten Landes verkünden den Mangel an Wasser, an Menschenkräften und an Sicherheit«.

Auch Rom, das am 18. Dezember erreicht wurde, bot sich nicht von seiner besten Seite dar. »Der erste Eindruck, den Rom auf uns machte, war ein trauriger. Mit dem Tage des Eintreffens fing es an zu regnen. Der Schmutz in den engen Straßen ist unbeschreiblich, und das gierige, bettelhafte Volk preßte besonders Marie das Herz zusammen. Mancher sehnsüchtige Rückblick mochte da im stillen nach Berlin gerichtet sein . . .«

Auch er hatte anfangs Schwierigkeiten, die Vorstellung mit der Wirklichkeit in Einklang zu bringen. Die Wohnung behagte ihm wenig: das palastartige Haus im »Kasernenstil«, Türen, die nicht schlossen, enge Fenster, »obwohl am Corso so viel auf der Straße zu sehen ist«. Man mußte eben hinaus ins Freie, in den Sommer im Winter, in den Garten hinter dem Haus, zu den blühenden Rosen und Orangenbäumen, die gleichzeitig Früchte und Blüten trugen. Oder auf den Monte Pincio, »der schönsten Promenade vielleicht der Welt«, wo man die Sonne hinter der Peterskuppel versinken sah, in dem beruhigenden Bewußtsein, daß es am nächsten Abend ein da capo geben würde.

Am schönsten war Rom auf seinen Hügeln. Auf dem Quirinal rauschte ein Brunnen zu Füßen der marmornen Rossebändiger. Auf dem Palatin lagen die Trümmer der Kaiserpaläste hinter einem immergrünen Paravent. Man blickte auf das Kapitol hinüber, in das Forum Romanum hinab, in die aufgerissene Flanke des Kolosseums hinein. Nun hatte er das gefunden, was er erhofft hatte. »Vom Aventin winkt eine Palme mit schwanken Blättern herüber, die Mücken tanzen im Sonnenschein, und nichts verrät den Winter als die fernen Gipfel des Sabinergebirges, welche im silbernen Schnee erglänzen.«

Aber er war nicht als Tourist, sondern als Adjutant des Prinzen Heinrich von Preußen nach Rom gekommen. Was hatte man ihm nicht alles über den nun 64jährigen Sohn Friedrich Wilhelms II. erzählt, der 1806 als General dabeigewesen war, sich dann als Herrenmeister des Johanniterordens aus dem Norden abgesetzt und von Preußen abgesondert hatte! Seit 1819 lebte der Sonderling in Rom, widmete sich der Kunst und der Literatur, wäre beinahe katholisch geworden. Die letzten zwanzig Jahre hatte er sein Zimmer und die letzten dreizehn Jahre sein Bett nicht mehr verlassen, weil es ihm genügte, die Welt, die laut Ovid in dieser Stadt zugegen war, vor seinen Fenstern zu wissen.

Moltke fand das Gehörte übertrieben, doch das, was er sah, noch sonderbar genug: »Wahr ist es, daß sein Zimmer mich lebhaft an die Zelle des Doktor Faust erinnert. Karten, Bücher, Zeitungen, Gemälde, Kalender, Ferngläser, Papiere, Flaschen, kurz, ›der Väter Hausrat‹ liegen vom Gesims bis auf die Bettdecke des Prinzen.« Dies alles könne nicht täglich abgestaubt werden, aber unreinlich sei es nicht. Vornehmlich der alte Herr selber habe ihn angenehm überrascht: »Er trägt über seinem schottischen Schlafrock ein braunes, großes Tuch, in welchem der schöne Kopf mit weißem (übrigens sorgfältig gepflegtem) Bart und Haupthaar wie der eines Einsiedlers auf einem Gemälde von Domenichino aussieht.«

Ein Menschenfeind war er nicht geworden. Wenn er nicht gerade einen Gichtanfall hatte, war er bester Laune. Seinen neuen Adjutanten empfing er wie einen alten Bekannten, nannte ihn Dritten gegenüber »einen wohlerzogenen, artigen und unterrichteten jungen Mann« und nahm ihn kaum in Anspruch. Lediglich ein bis zwei Stunden am Tag, und das zu beliebiger Zeit, mußte er sich an das Bett setzen und dem Prinzen Neuigkeiten erzählen.

Ein regelmäßiger Verkehr mit der deutschen Kolonie, dem diplomatischen Korps, dem römischen Adel und prominenten Besuchern hätte eigentlich zu seinem Dienst gehört. Aber er konnte Gesellschaften nicht ausstehen, schon gar nicht Soireen und Bälle, die erst um 10 Uhr abends anfingen. Es kam ihm nicht ungelegen, daß sein großes Gepäck monatelang auf sich warten ließ. Er fand es nicht unschicklich, sich mit mangelnder Garderobe zu entschuldigen, und nicht unpassend, der Gemahlin sagen zu können, daß es seine Mittel nicht erlaubten, im sündteuren Rom neue Kleider zu kaufen.

»Seltsam, daß man immer die wenigste Zeit hat, wenn man gar nichts zu tun hat.« Er nützte die reichlich bemessene Freizeit bis auf die letzte Minute, wanderte durch Rom und seine Umgebung, las die »Römische Geschichte« von Barthold Georg Niebuhr, der auch ein Preuße aus Dänemark und ein deutscher Römer war. Und ein Mensch, der das Sein hinter dem Schein suchte, »welcher mit dem scharfen Messer der Kritik das Fleisch der Sagen und Dichtungen sorgsam ablöst und das Skelett der Wahrheit zu Tage bringt«.

Der Historiograph hatte wiederzugeben, was gewesen war, der Topograph aufzuzeichnen, was von der Natur gegeben und von der Geschichte geblieben war. Konnte man nicht beides verbinden? Von der Peterskuppel aus sah er Rom und Umgebung wie eine Reliefkarte ausgebreitet, die Urbs und die Campagna, ein aufgeschlagenes Buch der Geschichte und der Erdkunde. »Geschichtliche Begebenheiten gewinnen einen eigentümlichen Reiz, wenn wir die Örtlichkeit kennen, wo sie sich zutrugen«, erklärte der gelernte Topograph und angehende Historiker. »Geschichte und Ortskunde ergänzen sich wie die Begriffe von Zeit und Raum.«

Zunächst nahm er die Umgebung von Rom topographisch auf, um eine genaue Karte zu gewinnen, die es noch nicht gab. Es war

Ein Beispiel für Moltkes topographische Arbeiten:
aus der »Carta Topografica di Roma e dei suoi contorni«.
Aufgenommen im Jahre 1846, im Druck erschienen 1852

Pionierarbeit. Am frühen Morgen zog er los, in hohen Stiefeln,
zum Schutz gegen Dornen und Schlangen. Ein Hut schützte vor
der höher steigenden Sonne. Gegen aufgescheuchte Büffelherden
und wütende Hirten half nur die Flucht über die Lattenzäune. Der
Diener, der den Meßtisch trug, war nach acht oder neun Stunden
völlig erschöpft. Der Topograph kehrte »mit zerrissenen Kleidern
und wunden Füßen, ermattet von Hunger und Anstrengung«
zurück, aber auch mit der Genugtuung, »vielleicht ein Grabmal,
eine Inschrift, einen Säulenschaft oder ein Stück Lavapflaster,

welche noch kein Plan und kein guide voyageur angibt«, entdeckt zu haben.

Die »Carta Topografica di Roma e dei suoi contorni«, im Maßstab 1:25 000, erschien erst 1852 bei Simon Schropp in Berlin, von Friedrich Wilhelm IV. mitfinanziert. Moltke hatte sie 1849 – der Artilleriehauptmann Weber war mit dem Auszeichnen nicht früher fertig geworden – Alexander von Humboldt vorgelegt, mit der Bitte, den König für eine Veröffentlichung zu interessieren. Die Koryphäe wie die Majestät waren von dem Produkt der Nebenbeschäftigung des Generalstäblers angetan. Der Naturforscher lobte den schönen Beweis wissenschaftlicher Tätigkeit, Friedrich Wilhelm IV. ließ sich ein Exemplar vom Autor persönlich überreichen.

Die Vollendung eines »Wegweisers durch die Campagna« als Ergänzung des Kartenwerks und zur Vervollständigung seines Rom-Ertrags vertagte Moltke »ad calendas graecas«, auf den Nimmermehrstag. Es war kein gutes Omen, daß Alexander von Humboldt Teile des Manuskriptes, die er ihm zur Begutachtung geschickt hatte, monatelang nicht mehr finden konnte. Und daß sein Bruder Ludwig, den er gerne zur Mitarbeit herangezogen hätte, das Vorhaben für zuwenig wissenschaftlich hielt.

»Was hast Du gegen die Form meines Wegweisers?« entgegnete er. »Ein solcher kann doch auch gut, gründlich und geistreich abgefaßt werden. Wie oft kam mir beim Anblick einer Trümmerstätte der Gedanke, was mag hier geschehen sein, und welche Begebenheiten knüpfen sich an diese Reste. Die Form des Wegweisers hat gerade das Gute vor einer wissenschaftlichen Untersuchung voraus, daß letztere den Leser durch die dürre Steppe der gründlichen Erörterung ohne Erbarmen hindurchführt, während die erstere wie auf einem Spaziergang nur vor dem Schönen, Ansprechenden und Interessanten stehenbleibt.«

Was Ferdinand Gregorovius später in seinen »Wanderjahren in Italien« meisterhaft gelang, gedachte Helmuth von Moltke schon damals in seinem »Wegweiser durch die Campagna« zu präsentieren: historische Aphorismen, »eine Schnur bunter Steine, aufgereiht an dem Faden eines Spazierganges durch eine in allen ihren Teilen anziehende Örtlichkeit«.

Die Einzelstücke, die er verfaßte, waren vielversprechend, eine geistvolle Einleitung, Studien über Bodenverhältnisse und Klima,

Bilder historischer Stätten und Hinweise auf die Zukunft: Damit neues Leben in der Campagna erblühe, sollten kleine Grundbesitzer angesiedelt und ein Bewässerungssystem eingerichtet werden. Der Realismus überwog die Romantik: »Welcher Zauber auch in dem tiefen Schweigen dieser Natur liegt, welche Erinnerungen sich an die Welt der Vergangenheit knüpfen, so glauben wir doch, daß das, was die öde Campagna an Reizen verlöre, die angebaute reichlich wieder gewinnen würde.«

War aber zu einer solchen Rekultivierung der Campagna der Kirchenstaat überhaupt fähig? In Rom schien die Weltgeschichte nicht ein stetes Fortschreiten zu höheren Zielen zu sein, sondern ein ständiger Abstieg vom Höhepunkt des Römischen Reiches über die Zeit »des mehr vernichtenden als schaffenden Mittelalters« bis zum 19. Jahrhundert, in dem das päpstliche Rom »in dem Glauben und von den Spenden des katholischen Auslands, nicht durch sich selbst« dahinlebe.

So sah es der Aufgeklärte, der Protestant und der Preuße Moltke: »Seine Felder liegen vielleicht für immer verwüstet, die Betriebsamkeit erlahmt an einer fiskalischen Verwaltung, dem Handel fehlen die gewaltigen Mittel der Schiffahrt, der Eisenbahnen und der Kapitalien, die Wissenschaft schmachtet in konfessionellen Banden, die Freiheit regt sich vergebens gegen die Bevormundung des Klerus, dem Ehrgeiz ist jede Laufbahn verschlossen als die Kirche. Die Wissenschaft ist dem Glauben gewichen, das Schaffen dem Gebet. Der Einzelne wie der Staat zehrt von dem Erworbenen, ohne zu erwerben. Roms politische Bedeutung ist dahin, nur die konfessionelle ist geblieben.«

Könnte dieses Rom fortbestehen – eine Stadt von Kirchen, eine Verwaltung von Priestern, ein Adel von Prälaten, eine Bevölkerung von Bettlern? Moltke las »Die römischen Päpste, ihre Kirche und ihr Staat im 16. und 17. Jahrhundert« von Leopold von Ranke. Er hegte Sympathien für die römisch-katholische Kirche, äußerte Abneigung gegen den Kirchenstaat, der zeitwidrig in einem Jahrhundert war, das die Trennung von Kirche und Staat durchsetzte und die Herrschaft des Staates über die Kirche verlangte.

Auch in Italien wurde der nationale Einheitsstaat gefordert. Diesem Ziel standen die italienischen Staaten entgegen, das österreichische Lombardo-Venetien, die Herzogtümer Parma, Modena und Lucca, das Großherzogtum Toskana, das Königreich Neapel und das Königreich Sardinien-Piemont. Dessen Herrscher war dabei, sich an die Spitze der Nationalstaatsbewegung zu setzen, während die anderen Potentaten sich an ihre monarchische Herrschaft und staatliche Souveränität klammerten.

Und erst recht der Papst in Rom, der den nationalen Liberalen als potenzierter Reaktionär erschien: das Oberhaupt der römisch-katholischen Kirche, das geistliche Macht, und der Souverän des Kirchenstaates, der weltliche Macht beanspruchte und mit beidem dem Zug der Zeit zuwiderlief.

Der Adjutant des Prinzen Heinrich von Preußen wurde Seiner Heiligkeit Gregor XVI. vorgestellt, einem Greis von achtzig Jahren, der in einer Enzyklika jegliche Auflehnung gegen die Autorität verurteilt und Aufstände im Kirchenstaat mit Hilfe österreichischer Truppen niedergeschlagen hatte. Pius IX., der ihm am 16. Juni 1846 nachfolgte, galt als Liberaler, wurde – was Moltke in Rom erlebte – mit großer Begeisterung, weil großen Erwartungen begrüßt. Was daraus wurde, ein progressiver Anlauf und ein reaktionärer Rückfall, bekam der preußische Major nicht mehr an Ort und Stelle mit.

In der Nacht vom 11. auf den 12. Juli 1846 wurde Moltke von Girardo, dem Faktotum des Prinzen, aus seinen Träumen gerissen: »E morte il principe!« Heinrich von Preußen war hinübergegangen. Sein Adjutant sorgte für die Einbalsamierung, eilte in sieben Tagen und sieben Stunden nach Potsdam, um dem König Meldung zu machen. Er erhielt Befehl, nach Rom zurückzureisen und auf S. M. Kriegskorvette »Amazone« den Leichnam heimzuführen.

Das bedeutete eine längere Trennung von seiner Frau, die bei ihrer Kusine, einer Gräfin Brockdorff, in Capodimonte bei Neapel untergebracht wurde, bis er sie abholen kommen konnte. Die »Amazone« brauchte bei heftigen Stürmen sechzehn Tage von Civitavecchia bis Gibraltar. Der keineswegs seefeste Heeresoffizier fühlte sich »so herabgekommen, als hätte ich eine große Krankheit gehabt«.

Der Kapitän, Jan Schröder, hatte Gibraltar, »einen in der Segelordnung gar nicht vorgeschriebenen Hafen«, angelaufen. Wenn Moltke länger den Unbilden des Meeres ausgesetzt gewesen wäre, hätte er zwei Leichen nach Cuxhaven gebracht. Er ließ den Adjutanten aussteigen und segelte mit dessen totem Herrn weiter.

Moltke nahm den Weg durch Spanien und Frankreich. »Wie ein dem Gefängnis Entsprungener« bewegte er sich in seinem Element, dem Reisen über Land, und die Feder floß über bei der Beschreibung des Geschauten: Gibraltar, »ein wunderbares Gemisch von spanisch und englisch«. Sevilla, »noch heute, nach dreihundert Jahren seit Vertreibung der Sarazenen, eine vollkommen maurische Stadt«. Córdoba und seine Mezquita, »ein wahrer Wald von vierhundert Säulen«. Madrid, wo er einen Stierkampf sah, ein Schauspiel, das er nicht ein zweites Mal erleben wollte. Die Schneegipfel der Pyrenäen. Und dann Frankreich, wo er sich im Département Landes beinahe schon in die Mark Brandenburg versetzt fühlte, »dieselbe Mischung von Kiefernheide und Sand«.

Ab Tours fuhr die Eisenbahn. »Am Abend des 21. Oktober verließ ich Paris und war am folgenden Abend in Köln. Wir waren durch Brüssel, Lüttich, Aachen gefahren und hatten in wenig mehr als 24 Stunden 100 deutsche Meilen und zwar in der ersten Wagenklasse für drei Louisdor zurückgelegt. So reist man jetzt.«

An seinem 46. Geburtstag, am 26. Oktober 1846, traf er in Hamburg ein. In Wandsbek besuchte er das Grab seines Vaters, der im Jahr zuvor gestorben war. Am 4. November kam die »Amazone« mit dem Sarg des Prinzen Heinrich an, den er auf dem Dampfer »Prinz Karl« die Elbe und Havel aufwärts bis Berlin begleitete. Während der Beisetzungsfeierlichkeit im Dom stand Major Moltke neben dem Sarg, eingezwängt in den hochkragigen Uniformrock, den er nicht mehr gewöhnt war. Ihm wurde so flau, daß er fürchtete, ohnmächtig zu werden. Endlich wurde der Sarg in die Gruft hinabgelassen. Nach altem Brauch mußte der Adjutant mit hinabsteigen. Er atmete auf, als er wieder ans Tageslicht gelangte, alles überstanden war.

Wenigstens fast alles. Höhern Orts wurde ihm übelgenommen, daß er die sterblichen Überreste seines Herrn nicht auf der ganzen Heimreise begleitet, in Gibraltar seinen eigenen Weg eingeschlagen hatte. Kapitän Schröder, zum Bericht aufgefordert, erklärte: »Wenn ich damals Moltke nicht ans Land gesetzt hätte, so würden Sie ihn jetzt nicht haben. Wäre er länger an Bord geblieben, er wäre gestorben.«

Eine Zeitlang ließen sie ihn im ungewissen. »Ich könnte hier so ein Jährchen wegprivatisieren, ohne daß sich jemand um mich bekümmert, denn als aggregiert gehöre ich nicht dem Generalstab und als verwitweter persönlicher nicht der Adjutantur an. Ich weiß selbst nicht, ob ich Fisch oder Vogel bin.« Das Warten in Meinhardts Hotel dauerte ihm zu lang, die Novembertage in Berlin waren ihm zu kurz und zu düster.

Im Dezember fuhr er nach Italien, um seine Frau in Neapel abzuholen. Ihre Briefe hatten angedeutet, was er ohne sie versäumte, und durch ihre Schilderungen der neapolitanischen Landschaft war seine Südsehnsucht gesteigert worden. Als er dann endlich unten war, hatte er kaum Zeit, Bekanntes zu begrüßen, geschweige denn Neues, etwa Sizilien, kennenzulernen. Die Erinnerungen an die schönste Zeit seines Lebens nahm er mit nach Norden. Und den Wunsch, nach Rom, wo er nicht einmal ein ganzes Jahr verweilen durfte, bald zurückzukehren, vielleicht zur preußischen Vertretung in der Hauptstadt des Kirchenstaates.

So war die Weihnachtsbescherung vom 24. Dezember 1846 für ihn nicht unbedingt ein Geschenk. Mit diesem Tage wurde Major Moltke von seinem Adjutanten-Verhältnis entbunden und dem Generalstab des VIII. Armeekorps zugeteilt, als erster Generalstabsoffizier, nicht als Chef. Erfreulich war der Standort: Koblenz am Zusammenfluß des Rheins und der Mosel, das »Confluentes« der Römer.

AN RHEIN UND MOSEL hatte »das größte Volk der Weltgeschichte« Spuren hinterlassen, denen der aus der römischen Hauptstadt in die römische Provinz versetzte Neu-Römer folgte. Er kam »durch lauter römische Ansiedlungen, durch Colonia Agrippina, Aquisgranum, Moguntiacum, Augusta Trevirorum«, sah in Köln, Aachen, Mainz und vor allem in Trier Denkmäler aus jener Zeit, wie man sie so bedeutend und wohlerhalten nirgendwo außerhalb Italiens zu Gesicht bekäme.

In Trier restaurierte König Friedrich Wilhelm IV. die von Kaiser Konstantin dem Großen erbaute Basilika. In Köln ließ »der Romantiker auf dem preußischen Thron« am gotischen Dom als Denkmal des römisch-deutschen Reiches weiterbauen. Moltke war vom Torso dieses Doms mehr beeindruckt als vom Stephansdom in Wien oder vom Petersdom in Rom.

Die Preußen taten etwas für die Rheinlande, die ihnen vor drei

Jahrzehnten vom Wiener Kongreß zugesprochen worden waren. Friedrich Wilhelm III. machte Koblenz, die ehemalige Residenzstadt des geistlichen Kurfürstentums Trier, zum Sitz der obersten Militär- und Zivilbehörden der preußischen Rheinprovinz, baute die Festung Ehrenbreitstein aus. Friedrich Wilhelm IV. ließ die kurtrierische Burg Stolzenfels wiedererrichten, unter Verwendung der mittelalterlichen Mauerreste. Der Romantiker schätzte den Rhein als Herzschlagader der deutschen Reichsgeschichte. Der Preuße hatte Deutschlands Strom gegen die Franzosen zu bewachen, die ihn am liebsten wieder, wie in den Zeiten der Französischen Revolution und Napoleons I., als Deutschlands Grenze gehabt hätten.

»Sie sollen ihn nicht haben, den freien deutschen Rhein«, meinte der Rheinländer Nikolaus Becker, als im Jahre 1840 die Franzosen wieder einmal, wenn auch nur deklamatorisch, nach ihm griffen. Der erste von vielen, die Beckers Gedicht vertonten, war der Kapellmeister des preußischen Infanterieregiments, das in Trier in Garnison stand und Wacht an Mosel und Rhein hielt.

Das war auch die Aufgabe des Majors Moltke im Generalstab des VIII. Armeekorps in Koblenz. Noch wurde an die Abwehr eines französischen Angriffs im Vorfeld des Rheins gedacht, noch nicht an einen preußischen Angriff auf Frankreich aus der vorgeschobenen Stellung an Mosel und Saar. Moltke lieferte einen Plan für eine verschanzte Stellung bei Trier, durch die ein Aggressor so lange aufgehalten werden sollte, bis Verstärkung herangekommen wäre.

Moltkes Vorgesetzter, Oberstleutnant von Höpfner, der Chef des Generalstabes des VIII. Armeekorps, war mit diesem Plan nicht einverstanden; ihm steckte zuviel Limes-Denken darin. Er soll sogar Moltkes Abberufung »wegen Unfähigkeit« beantragt haben. Jedenfalls hielt der Kommandierende General von Thile II diesen Moltke für »keine besonders hervorragende Begabung«; überdies fiel er ihm durch »seltene Teilnahme an dem öffentlichen Gottesdienst« unangenehm auf.

Von beruflichem Ehrgeiz wurde Moltke, der die Mitte der Vierzig überschritten hatte, freilich nicht verzehrt. Der Major bezog bereits die Einkünfte eines Regimentskommandeurs, weil er noch die ihm als Adjutanten des Prinzen Heinrich gewährte Zulage bekam. Zum Chef des Generalstabes eines Armeekorps wollte er es noch bringen, aber »höher will ich nicht und werde dann den Abschied nehmen«. Seine Frau wollte schon mehr, wünschte sich und ihm als Abschluß der Laufbahn das Kommando der VIII. Armee in Koblenz.

»Am schönsten ist's doch hier in Confluentes«, meinte er, an Rhein und Mosel, wo es Geschichte und Kunst, »die schönen Weinberge und die schönen Weinschöppchen« gab – und Menschen, die anders waren als die Preußen östlich der Elbe.

Fortschrittlicher waren sie auf jeden Fall. Aus der alten deutschen Zeit waren Reste und Ansätze der Selbstverwaltung übriggeblieben. Die Franzosen hatten etwas von ihrem aufgeklärten Geist und ihren liberalen Gesetzen dagelassen. In Westelbien gab es mehr Industrie als in Ostelbien, mehr Geld und mehr selbständige und selbstbewußte Bürger, die Staatsbürger werden, endlich eine Verfassung und ein Parlament in Preußen haben wollten, wie es ihnen bereits von Friedrich Wilhelm III. versprochen worden war.

Auch Friedrich Wilhelm IV. ließ sich damit Zeit. Moltke mußte an eine Begegnung am 12. September 1843 zurückdenken. Um Viertel vor sechs hatte er Befehl erhalten, in dem um sechs abgehenden Extrazug den König nach Frankfurt an der Oder zu begleiten. Mit dem Glockenschlag stürzte er auf den Bahnsteig. »Ist's noch Zeit?« fragte er atemlos einen Adjutanten. »Ja, es ist noch Zeit«, antwortete Friedrich Wilhelm IV., den er in der Hast und Aufregung gar nicht bemerkt hatte.

Für eine Verfassung war es allerhöchste Zeit. Die Eisenbahn, in der jeder, der sein Billett bezahlte, mitfahren konnte, war ein Vehikel der Demokratisierung. Und ein Beförderungsmittel der wirtschaftlichen und staatlichen Einigung. Denn nicht nur die einzelnen Gebiete Preußens, sondern auch die verschiedenen Teile Deutschlands wurden durch die Schienenstränge miteinander verbunden.

Immerhin ließ Friedrich Wilhelm IV. die sechshundert Mitglieder der acht preußischen Provinziallandtage zum ersten »Vereinigten Landtag« nach Berlin kommen. Aber das war kein allgemein und direkt gewähltes Parlament, sondern eine Zusammenfassung von ständischen Vertretungen mit beschränkten Befugnissen. Auf den 11. April 1847 einberufen, wurden sie bereits am 26. Juni wieder nach Hause geschickt.

Die Liberalen, namentlich im Rheinland, protestierten. Und hinter dem »Dritten Stand«, dem Bürgertum, rührte sich bereits der »Vierte Stand«, die Arbeiterschaft. Im April 1847 wurden in Berlin Bäcker- und Fleischerläden geplündert. Und im Februar 1848 wurde in Paris der Bürgerkönig gestürzt. Frankreich hatte seine Revolution des »Vierten Standes«, bevor Deutschland noch eine Revolution des »Dritten Standes« gehabt hatte.

In Koblenz dachte Moltke daran, daß eine Revolution in Frankreich Krieg gegen Deutschland bedeuten könnte. So war es 1792 gewesen, so wäre es beinahe 1830 gekommen. Der Generalstäbler des VIII. Armeekorps mußte die Mobilmachung in die Wege leiten. Schon wurden Reservisten einberufen. Vorsorglich brachte er seine Frau, seine Wertsachen und Dokumente ins nahe Bad Ems, auf der rechten Seite des Rheins. Er hielt sie dort »so lange für ganz sicher, bis wir Krieg mit Frankreich kriegen, der nicht ausbleibt, dann muß sie fort«.

Doch bald mußte er feststellen: »Nicht von außen kommen unsere Feinde, wir haben sie im Innern.«

Fünftes Kapitel

REVOLUTION UND REAKTION

Im März 1848 saß der königlich preußische Major in Koblenz auf einer Pulvertonne. Jeden Augenblick konnte der Funke der Revolution den Zündstoff zur Explosion bringen, der sich im preußisch gewordenen Rheinland angehäuft hatte.

Verstehen konnte er das schon, wenn auch nicht verzeihen. »Im allgemeinen ist es natürlich, daß ein Volk, welches seine geistlichen Fürsten alle zehn Jahre ein paarmal wechselte, keine große Liebe für eine Dynastie fassen konnte. Die Religionsverschiedenheit schuf große Antipathien, republikanische Gelüste traten hinzu, und das alles beutet das Proletariat aus.«

Am 3. März 1848 zog, vom Kommunistenbund geführt, eine Volksmenge vor das Kölner Rathaus und verlangte: Gesetzgebung und Verwaltung durch das Volk, allgemeines Wahlrecht, Aufhebung des Stehenden Heeres und Einführung einer allgemeinen Volksbewaffnung mit vom Volke gewählten Führern, Schutz der Arbeit und Sicherstellung der menschlichen Lebensbedürfnisse für alle.

Die Demonstranten, vor allem Fabrikarbeiter und Handwerksgesellen, wurden von Militär auseinander getrieben, was den liberalen Bürgern, die wie die preußische Obrigkeit einen Aufstand der Straße fürchteten, nur recht sein konnte. Immerhin hatten sie seit Jahrzehnten wenn auch nicht Gleichheit für alle, so doch Freiheit für sich verlangt, gesellschaftliche Gleichstellung des Bürgertums mit dem Adel und politische Mitbestimmung im monarchischen Staat. Repräsentativverfassung, Ministerverantwortlichkeit und Preßfreiheit forderte am 4. März die Kölner Bürgerversammlung, die im Harffschen Saale stattfand und eine Staatsreform, keine Sozialrevolution im Sinn hatte.

Revolution: Barrikaden und Schwarz-Rot-Gold in Köln
25. September 1848. Zeitgenössischer Holzschnitt

Moltke dachte an Goethes »Zauberlehrling«: Die Geister, die
liberale Bürger in Übersteigerung der vernünftigen Reformbestrebungen Steins und Hardenbergs nach Preußen gerufen hatten,
wuchsen den Zauberlehrlingen über den Kopf, drängten zur
Revolution. »Die Proletarier sind der Zauberbesen, den der Liberalismus heraufbeschworen und den er nicht mehr bannen kann.
Bald wird der liberalste Deputierte ein Stockaristokrat sein, und
schwer werden sie ihr Kokettieren mit Freisinnigkeit und Volks-
beglückung büßen.«

Am 16. und 17. März 1848 zerstörten Arbeiter in den Kreisen
Solingen und Lennep Fabriken und Fabrikantenvillen. In Berlin
erinnerte sich Friedrich Wilhelm IV. an die Petition liberaler
Landtagsabgeordneter des Rheinlands vom 11. März: »In der

innigen Verschmelzung des Königtums mit der Volksfreiheit liegt die einzige Abwehr der wachsenden Gefahren, die einzige Bürgschaft, daß die Errungenschaft unserer Geschichte nicht in inneren zerrüttenden Kämpfen untergehe.« Der König hob die Zensur auf, berief den »Vereinigten Landtag« auf den 2. April ein, stellte eine Verfassung für Preußen sowie eine nationale und liberale Umgestaltung des Deutschen Bundes in Aussicht – mehr Freiheit und mehr Einheit.

In allerletzter Minute, als die Geister bereits beim Ausbrechen waren, reihte sich Friedrich Wilhelm IV. in die Schar der Zauberlehrlinge ein. Am 18. März 1848 drängte eine Volksmenge in das Berliner Schloß, um sich, wie Liberale hofften, mit dem König zu verbrüdern, oder ihn, wie Konservative befürchteten, in der Umarmung zu erdrücken. Dabei fielen, ohne jemand zu treffen, zwei Schüsse, die Startschüsse für die Revolution. Das Pflaster wurde aufgerissen, Barrikade um Barrikade errichtet, ein Straßenkampf zwischen Militär und Volk entbrannte.

Der König konnte kein Blut sehen, wollte nichts auf die Spitze treiben. »Kehrt zum Frieden zurück, räumt die Barrikaden!« rief er der Bevölkerung zu, zog seine Truppen aus Berlin zurück und genehmigte die Bildung einer Bürgerwehr. Den Preußen versprach er eine Verfassung, die eine preußische Nationalversammlung beraten solle, allen Deutschen, daß er die Einigungsbestrebungen vorantreiben, das Verfassungswerk der im ganzen Bundesgebiet zu wählenden und nach Frankfurt am Main einzuberufenden deutschen Nationalversammlung fördern wolle. Der König von Preußen werde sich, wie ein Hauptmann an die Spitze seiner Kompanie, an die Spitze Deutschlands setzen, zur Rettung des Gesamtvaterlandes vor innerer wie äußerer Gefahr.

Der königlich preußische Major in Koblenz hörte diese Botschaft, doch er glaubte nicht, daß auf diese unpreußische Art und gesamtdeutsche Weise der doppelten Gefahr begegnet werden könnte. In seiner Garnisonsstadt wurde demonstriert, wie durch den Umsturz im Innern die Abwehr des äußeren Feindes beeinträchtigt wurde. Als das 29. Infanterieregiment nach den vorgeschobenen Verteidigungsstellungen nahe der französischen Grenze ausrücken sollte, ertrotzte die mit rheinischen Reservisten aufgefüllte und von Koblenzer Bürgern unterstützte Einheit die Rücknahme des Marschbefehls.

Ein Deutschland, das sich zusammenschlösse und behauptete, hatte auch er vor Augen. Die Nationalbewegung lag im Zug der Zeit, »Europa rekonstruiert sich nach Nationalitäten«, und Deutschland konnte und wollte nicht zurückbleiben und ausgeschlossen sein. »Ich kann mich über das, was in Deutschland vorgeht, freuen, sofern ich in den jetzigen Verhältnissen die einzige Möglichkeit sehe, ein einiges Deutschland erstehen zu machen – aber es kann doch nur dann etwas aus der Sache werden, wenn Ordnung und Gesetz fortbestehen und wenn sich irgendeine zentrale Gewalt erhält. Wir sind aber auf dem besten Wege, dies alles über Bord zu werfen.«

»Alle Bande drohen sich aufzulösen.« Es handle sich nicht mehr um Monarchie oder Republik, sondern um Gesetz oder Anarchie, erklärte Moltke am 29. März 1848. »Die Vorgänge in Berlin haben dort nicht allein, sondern im ganzen Lande jede Autorität tief erschüttert. Nur große Klugheit und Mäßigung können sie langsam wiederherstellen.«

Gerade diese Tugenden vermißte er bei denen, die eine Gesamtordnung anstrebten, sich dabei jedoch in Parteien zersplitterten und sich selber aufzufressen begannen. »Welche Zukunft verscherzt Deutschland! Welche Verantwortlichkeit für die, welche diese Zustände veranlassen!«

War eine Neuordnung überhaupt notwendig? Er hatte Länder gesehen, wo diese überfällig war: die Türkei, den Kirchenstaat und auch Österreich, wo am 13. März 1848 Staatskanzler Metternich, der sich selbst überlebt hatte, gestürzt worden war. Aber Preußen? »Wo war der Druck der Verhältnisse so groß, wer war so in seinem Recht gekränkt, wer so in seiner Freiheit bedrückt, daß es gerechtfertigt schien, ein im schönsten Aufleben begriffenes Staatsleben zu zertrümmern, eine neue Bahn einzuschlagen, von der niemand weiß, wohin sie führt.«

Er erkannte Berlin kaum wieder, als er – am 16. Mai 1848 zum Abteilungsvorsteher beim Großen Generalstab berufen – Ende Juni in der Haupt- und Residenzstadt Preußens eintraf. Das Schloß und das Brandenburger Tor wurden von Bürgerwehr mit Zylinder und Kommißgewehr bewacht. Des Königs Rock war auf den Straßen kaum zu sehen. »Die meisten Offiziere gehen in Zivil, eine Errungenschaft der neuen Zeit.« Friedrich Wilhelm IV. hatte sich in Potsdam eingeigelt. Ein Bekannter, ein alter Graf,

Das Palais des Prinzen von Preußen wird »Nationaleigentum«

hatte sich erschossen, weil er beim Promenieren im Tiergarten zuviel Pöbel angetroffen hatte.

»Berlin bietet einen traurigen Anblick.« Die Revolution schritt fort. Am 29. März wurde der rheinische Bankier Camphausen preußischer Ministerpräsident. Am 2. April wurde der zweite »Vereinigte Landtag« eröffnet; der Thron war mit einer Decke verhüllt und der Weiße Saal des Berliner Schlosses voller Zivilisten. Am 22. Mai trat die gewählte preußische Nationalversammlung in der Singakademie zusammen. Am 14. Juni wurde auf der Straße nach der Republik gerufen und das königliche Zeughaus gestürmt. Am 9. August nahm die immer weiter nach links rückende preußische Nationalversammlung einen Antrag des schlesischen Oberlehrers Stein an: Die Offiziere sollten »durch Annäherung an die Bürger und Vereinigung mit ihnen zeigen, daß sie mit Aufrichtigkeit und Hingebung an der Verwirklichung eines konstitutionellen Rechtszustandes mitarbeiten wollen«.

War das nun eine preußische Nationalversammlung oder ein revolutionärer Konvent? »Das ist eine traurige Gesellschaft«, befand Moltke nach einem ersten Besuch in der Singakademie. »Es wird gepredigt, nicht gesprochen; viel Worte und wenig Inhalt. Einer kam und beschwerte sich, daß er bei der Wahl Prügel

125

bekommen, und blieb dann stecken. Eine Stunde ging darauf hin, um zu bestimmen, ob acht oder sechzehn Mitglieder zu einer Kommission gewählt werden sollten. Bei den Abstimmungen ist ein guter Teil der Abgeordneten noch vollkommen unschlüssig, ob sie Ja oder Nein votieren; sie stehen auf, sehen sich um, setzen sich nieder, kurz, es ist klar, daß die Leute gar nicht wissen, worum es sich handelt. Und das sind unsere Gesetzgeber!«

Die Lage war zu ernst, um nur zu spotten. In Frankreich wurde wiederum der bekannte Verlauf der Revolution demonstriert: von der Monarchie zur Republik, von der Republik zur Diktatur. War er in Preußen im Stadium zwischen Königsherrschaft und Volksherrschaft aufzuhalten?

Wenn überhaupt, dann vermochte das nur das preußische Militär. Sein Oberster Kriegsherr, der König, der kein Soldat war, hatte die Fahne sinken lassen. Der Thronfolger Wilhelm begann sie wieder aufzurichten. Der Prinz von Preußen, dem das von den Revolutionären zugetraut worden war, hatte sich in der Märzrevolution nach England in Sicherheit bringen müssen. Im Juni war er zurückgekehrt, und wer auf eine Wende hoffte, schaute auf ihn.

Inzwischen lasen Offiziere – auch Moltke – die Schrift des Oberstleutnants von Griesheim: »Die deutsche Zentralgewalt und die preußische Armee.« Kernsätze standen darin: Die deutsche Einheit sei eine abstrakte Idee, die preußische Armee eine deutsche Realität, die sowenig in einer Frankfurter Reichsarmee aufgehen könne wie der preußische Staat in dem in der Paulskirche konstruierten Nationalreich.

Griesheims Schrift »ist zwar etwas heftig, spricht aber die Stimmung der Armee aus«, bemerkte Moltke. Den Einigungsversuch der Frankfurter Nationalversammlung verwarf er nicht von vornherein. Ein einheitliches Deutschland wünschte auch er, aber er meinte, die Nation sei nur mit Macht zu schaffen und durch Macht zusammenzuhalten. So setzte er für einen Augenblick auf den Reichsverweser Erzherzog Johann, hinter dem er die Großmacht Österreich vermutete. »Nur erst eine Autorität, welche es immer sei, nur nicht länger die Herrschaft der Advokaten, Literaten und weggejagten Leutnants, die Deutschland einer Teilung, wie die von Polen, entgegenführen.«

Konnte jedoch Österreich die Führungsmacht Deutschlands werden und bleiben – das Vielvölkerreich, das in der Revolution auseinanderfiel und auch von der Reaktion kaum auf die Dauer zusammenzuhalten war? Sollte es zu einem Krieg mit Rußland kommen – und Moltke dachte stets und in dieser Schwächeperiode Mitteleuropas erst recht an diese Möglichkeit –, dann müßte Österreich, nach seinen Bundesverpflichtungen, 94 000 Mann stellen. Aber er fürchtete, daß »es aller Wahrscheinlichkeit nach nicht einen Mann zu stellen imstande sein wird«.

Für einen nationalen Realisten in preußischen Diensten kam nur Preußen als Einigungsmacht und Führungsmacht Deutschlands in Betracht. Seine von der Revolution angeschlagene Autorität wurde allmählich wieder gestärkt. Der König richtete sich in Sanssouci am Beispiel Friedrichs des Großen auf. Minister zeigten wieder Rückgrat. Die Armee stand Gewehr bei Fuß.

Für viele Frankfurter Parlamentarier schien das eher ein Grund zu sein, Preußen von der Spitze fernzuhalten, als es zur Führung zu berufen. Doch – so Moltke – »ohne Preußen kann man nichts zustande bringen«, weder in Deutschland noch für Deutschland, zum Beispiel gegen Dänemark.

Die schleswig-holsteinische Frage war durch den Nationalismus der Dänen wie der Deutschen aufgeworfen worden, und diese wie jene suchten sie in ihrem Sinne und zu ihren Gunsten zu beantworten.

Im 15. Jahrhundert, als weder an einen Einheitsstaat noch an einen Nationalstaat gedacht worden war, hatten sich die Herzogtümer Schleswig und Holstein in Personalunion mit der dänischen Krone verbunden und dabei die Zusicherung erhalten, daß sie selbständig und »up ewig ungedeelt« bleiben sollten. Nur Holstein hatte zum Heiligen Römischen Reich Deutscher Nation gehört und war Mitglied des Deutschen Bundes geworden, nicht das von Dänen mitbewohnte Schleswig. Nun wollten dänische Zentralisten zumindest Schleswig ihrem nationalen Königreich und deutsche Unitarier Schleswig-Holstein ihrem erst im Herzen getragenen und auf dem Papier stehenden Nationalreich einverleiben.

Für Moltke war die Sache komplizierter. Er war in Holstein aufgewachsen, war dänischer Offizier gewesen und preußischer Offizier geworden und dabei, was Sprache und Kultur betraf, ein Deutscher geblieben. Seine Brüder waren dänische Beamte, dem

König in Kopenhagen ergeben und jeder Nationaldemokratie abgeneigt, indessen auf die Erhaltung der Selbstverwaltung und die Wahrung ihres Deutschtums bedacht.

Im März 1848, als das alte Deutschland in Trümmer ging und ein neues Deutschland erst auf dem Verfassungsplan stand, wollten Dänen das Herzogtum Schleswig ihrem Einheitsstaat anschließen. Schleswiger wie Holsteiner wehrten sich, bildeten eine Provisorische Regierung, die auf die Unteilbarkeit und Selbständigkeit pochte und sich zu den »Einheits- und Freiheitsbestrebungen Deutschlands« bekannte.

Im national aufgewühlten Deutschland gab es ein einstimmiges Echo. Vom Belt bis an die Etsch, von der Maas bis an die Memel wurde das Lied gesungen: »Schleswig-Holstein, meerumschlungen . . . Schleswig-Holstein, stammverwandt«. Friedrich Wilhelm IV., der eine schwarzrotgoldene Armbinde anlegte, sprach den Schleswigern und Holsteinern Mut zu. Der Deutsche Bundestag in Frankfurt hatte in seinen letzten Tagen »das deutsche Reichspanier schwarz, rot und golden« gehißt. Unter dieser Fahne marschierte das X. Bundesarmeekorps unter dem preußischen General Wrangel in den Herzogtümern ein. Nahziel des Deutschen Bundes war, das Bundesgebiet, also Holstein, zu sichern, und nationales Fernziel, ganz Schleswig-Holstein mit Deutschland zu vereinigen.

Moltke hätte am liebsten den bestehenden Zustand beibehalten, das Miteinander von Deutschen und Dänen im bisherigen Verhältnis. Doch der Nationalismus, dem zufolge jede Nation ihren eigenen Staat haben sollte, verbunden mit der Demokratie, die den Nationalstaat auf die Volksherrschaft gründen wollte – diese Bewegung, »die wie eine moralische Cholera durch Europa zieht«, zwang auch ihn dazu, Farbe zu bekennen.

Der Konservative stellte sich zwar nicht an die Seite der Demokraten, doch der Preuße, der an den Freiherrn vom Stein dachte, auf die Seite der Selbstverwaltung. Und der Deutsche an die Seite der Deutschen, der von den Dänen bedrängten Schleswiger und Holsteiner, in denen er Landsleute, nicht Volksgenossen sah.

»Was die holsteinschen Wirren betrifft, so sehen wir sie hier freilich aus einem mehr deutschen Gesichtspunkte an«, schrieb er am 13. Januar 1848 seinem Bruder Adolf, der Rat des Holsteinschen Obergerichts und Deputierter in der Schleswig-Holstein-

Lauenburgischen Kanzlei war. »Bei der durchaus antigermanischen Politik« Dänemarks könne man es schon verstehen, daß man sich in Deutschland einen engeren Anschluß Schleswig-Holsteins als unabhängigem Land an den Deutschen Bund wünsche. Ihm wäre am liebsten eine Verständigung zwischen den Schleswig-Holsteinern und der dänischen Krone. Es sei zu hoffen, daß der jetzige König »lange genug regiere, um die jetzt so aufgeregten Gemüter so weit zu beruhigen, daß eine Einigung möglich wird«.

Doch Christian VIII. starb am 20. Januar 1848, und Friedrich VII. trat, wie Moltke befürchtet hatte, »mit weniger Einsicht und mehr Entschlossenheit« auf, ließ sich von der nationaldemokratischen Bewegung in Kopenhagen lenken, löste durch den Griff nach Schleswig die Erhebung in Schleswig-Holstein aus. »Über Euch Schleswig-Holsteiner kann ich mich nur freuen. Die Dänen werden Euch wohl nicht unterkriegen«, schrieb Moltke Ende März 1848 seiner Schwägerin Jeanette, der Schwester seiner Frau.

Im Namen des Deutschen Bundes und mit preußischen Waffen, also mit gemäßigtem Patriotismus und mit kalkulierbaren Mitteln, hatte die Unterstützung der schleswig-holsteinischen Sache begonnen, gewissermaßen als eine konservative Angelegenheit. Nun aber wollte die deutsche Revolution im Zeichen des Nationalismus und der Demokratie Bestehendes umstürzen, was Moltke nicht paßte, Preußen nichts nützte und die europäischen Großmächte nicht duldeten.

Was nützte es den Schleswigern und Holsteinern, wenn auch bei ihnen der Ungehorsam über den Befehl, der Nichtbesitz über den Besitz obsiegten? Seinen Bruder Adolf, der sich in die verfassunggebende Versammlung der Herzogtümer hatte wählen lassen, sah er in dieser »so ganz revolutionären« Gesellschaft nicht gerne. »Es wird schwer sein, die Stimmen der Vernunft durch das Geschrei der Leidenschaft hören zu lassen.«

Warum sollte Preußen, von der Revolution erschüttert, dieser mit seinen Waffen und zu seinen Lasten in Schleswig-Holstein zum Triumph verhelfen? Von der Frankfurter Nationalversammlung waren ohnehin nur Worte, nicht Taten zu erwarten. »Das einige Deutschland hat uns auch in dieser Sache so ziemlich ganz im Stich gelassen. Der preußische Handelsstand und das Militärbudget tragen die Kosten.« Kein Wunder, daß die nationalistisch und demokratisch überspitzte Sache Schleswig-Holsteins »bei dem größten Teil denkender Männer in Preußen gar keine Sympathien mehr« habe.

Der Generalstäbler verfolgte mit Interesse die militärischen Operationen. Wäre er gerne dabeigewesen? Als man bei ihm vorfühlte, ob er ein Kommando oder gar den Generalstab in der schleswig-holsteinschen Armee übernehmen wolle, war er nicht von vornherein abweisend; eine offizielle Anfrage blieb aus, was ihn der Notwendigkeit enthob, Stellung zu beziehen.

General Wrangel, der bereits in Jütland stand, wäre gerne weitermarschiert. Aber die Großmächte hielten ihn auf: Großbritannien, das keine Auflösung Dänemarks und keine Ausdehnung Preußens wollte. Und Rußland, das obendrein eine Ausbreitung der Revolution zu verhindern trachtete. Friedrich Wilhelm IV. war erleichtert, daß ihm die diplomatische Intervention der Großmächte einen Grund zum Rückzug lieferte.

Am 26. August 1848 wurde in Malmö ein Waffenstillstand geschlossen. Die Frankfurter Nationalversammlung bäumte sich dagegen auf, fügte sich aber dann in das Unvermeidliche, nicht zum ersten und nicht zum letzten Mal. »Was ist denn so Verwerfliches in dem Waffenstillstand?« gab Moltke seinem Bruder Adolf

1848: General Wrangel mit seinem Stab in Schleswig-Holstein

zu bedenken. »Wenn die Gesetze der provisorischen Regierung aufgehoben werden, so sind es die der dänischen Regierung, mithin die Einverleibung Schleswigs ja auch.«

Helmuth von Moltke hätte gerne Ruhe und Frieden gehabt. Der Zukunft des Offiziers war dies freilich nicht förderlich. »Ohne Krieg wird der Militärstand künftig ein trauriger sein.« Im Frieden hatte er, wenn es in Preußen so weiterging, nicht mehr viel zu erwarten. »Am Militäretat hat man noch nicht zu rütteln gewagt, weil die auswärtigen Verhältnisse gar zu drohend sind; es wird aber auch kommen.«

Resignation lag nahe. »Da ich mir ohnehin sagen muß, daß ich zu einer größeren Wirksamkeit als der bisherigen die nötigen Fähigkeiten nicht besitze, so reift der Gedanke, aus diesen Verhältnissen auszuscheiden, immer mehr bei mir heran.« War es nicht an der Zeit, endlich auf eigener Scholle sein eigener Herr zu werden? »Am liebsten wünsche ich das Besitztum auf dem lieben deutschen Boden. Gestalten sich aber die Verhältnisse in der Heimat immer schlechter, so habe ich nichts gegen eine andere Hemisphäre, was meine Person betrifft.«

Aber da war seine Frau, die sich, wie jede Frau, »schwer mit den Zuständen einer neuen Welt vertraut machen« würde. Und woher sollte er das Geld nehmen? Vielleicht brachte der allgemeine Schaden einen persönlichen Nutzen: »Die Rückwirkung unserer unseligen Wirren auf den bisherigen hohen Güterpreis kann nicht ausbleiben.«

Eine Beförderung enthob ihn der Spekulation. Am 22. August 1848 wurde der Major als Chef des Generalstabes zum Generalkommando des IV. Armeekorps in Magdeburg versetzt.

DIE WOGEN DES AUFRUHRS glätteten sich zuerst in der Provinz. In Magdeburg, der Hauptstadt der preußischen Provinz Sachsen, war noch einiges davon zu spüren. Sie lag zu nahe an den sächsischen Kleinstaaten, die zu schwach waren, um gegen Revolutionäre vorzugehen, und beim Gewährenlassen mitunter Genugtuung empfanden, daß sie in der deutschen Geschichte auch einmal eine Rolle spielten.

»Ich habe vollauf zu tun, denn auch bei uns rührt sich die Demokratie«, berichtete Moltke am 21. September 1848. »Unsere Altenburger, Reuß-Schleiz-Greizer, Meininger und Schwarzburger Nachbarn sorgen dafür. Wir schreiten aber mit unseren prächtigen Soldaten kräftig ein. Die aufrührerischen Städte werden durch mobile Kolonnen in Zucht gehalten, ganze bewaffnete Bürgerschaften und Schützengilden entwaffnet, die Rädelsführer verhaftet und den Wühlern kräftig gezeigt, daß das Gesetz noch waltet.«

Der königlich preußische Offizier hatte seine Sprache wiedergefunden. Wie war er froh, aus Berlin weg zu sein, unter einer gutgesinnten Bürgerschaft zu leben, mit seiner Frau ohne Belästigung ausreiten zu können, sie auf dem Schimmel und er auf dem Rappen – als wenn sie das »Preußenlied« illustrieren wollten: »Ich bin ein Preuße, kennt ihr meine Farben? / Die Fahne schwebt mir weiß und schwarz voran.«

Auch in Berlin wurde das Preußenlied wieder gesungen. Die Signale der Gegenrevolution klangen Moltke zwar zu schrill, aber auf das Dur konnte man wohl kaum in Moll antworten. Die Revolution rufe eine Reaktion hervor, »die niemand will und wünscht«. Weiter als bis zu den Märztagen, in denen die eingeleiteten Reformen von der Revolution überrannt worden waren, wollte er nicht zurückgehen.

Denn Reformen in Preußen waren überfällig gewesen, aber sie sollten im Geiste der preußischen Reformzeit, nicht nach dem Klischee der Französischen Revolution erfolgen. Ein erneuertes Preußen hielt er für berufen, die Einigung Deutschlands zu vollziehen, als Vollstrecker der gerechtfertigten Wünsche der Nation.

Erst mußte aber die Ordnung im Haus des Neuordners Deutschlands wiederhergestellt werden. Gegen die Radikalen, die immer mächtiger und frecher geworden seien, könne nur das königlich preußische Heer helfen, »welches allein fleckenlos und rein, die letzte, einzige Stütze der Ordnung, dasteht«. Schon rückte General Wrangel, der in Preußen nun dringender gebraucht wurde als in Dänemark, auf Berlin vor.

Der Generalstabschef des IV. Armeekorps hatte zur Aufstellung seiner Truppenmacht beigetragen. »Wir haben jetzt 40 000 Mann in und um Berlin; dort liegt der Schwerpunkt der ganzen deutschen Frage. Ordnung in Berlin, und wir werden Ordnung im Lande haben. Eine kräftige preußische Regierung, und Deutschlands Einigung kann durch Preußen bewirkt werden.« Das schrieb

Moltke am 21. September 1848 seinem Bruder Adolf nach Schleswig-Holstein und fügte hinzu: Wenn es schiefgehe, sei er bereit, mit ihm nach Adelaide in Australien auszuwandern.

Aber alles verlief planmäßig. »Wo unsere Truppen erscheinen, ist die Ordnung hergestellt. Die Gutgesinnten erheben sich, und die lautesten Schreier sind verschwunden.« Schlag folgte auf Schlag. Am 15. Oktober 1848 erklärte Friedrich Wilhelm IV. dem Präsidenten der preußischen Nationalversammlung, daß er den Aufruhr und die Aufrührer zerschmettern werde. Am 2. November ernannte er den General der Kavallerie Graf Brandenburg zum Ministerpräsidenten. Am 9. November beschloß er die Vertagung der preußischen Nationalversammlung auf den 27. November, die Verlegung ihres Sitzes von Berlin nach Brandenburg. Am 10. November rückte Wrangel in Berlin ein, trieb die Abgeordneten auseinander, die im Schauspielhaus weitergetagt hatten, löste die Bürgerwehr auf und verhängte den Belagerungszustand.

Schließlich tat der König das, was Moltke von ihm erwartete: Friedrich Wilhelm IV. löste die preußische Nationalversammlung auf, die auf Grund der Volkssouveränität als Konstituante eine Konstitution geben wollte. Und gewährte kraft der Monarchensouveränität eine Verfassung, die liberalen Zuschnitt hatte und demokratische Elemente enthielt: Presse- und Lehrfreiheit, Ministerverantwortlichkeit, zwei Kammern, von denen die zweite aus allgemeinen und gleichen Wahlen hervorgehen sollte.

Und Preußen ging daran, an die Spitze Deutschlands zu treten. Zunächst wies Friedrich Wilhelm IV. die ihm von der Frankfurter Nationalversammlung angetragene deutsche Kaiserwürde zurück, weil er von Revolutionären keine Krone, »aus Dreck und Letten [rotem Ton] gebacken«, annehmen wollte. Moltke pflichtete bei: Er habe es von Anfang an bedauert, daß die deutsche Angelegenheit zur Sache der Revolution geworden war, an der schwarzrotgoldenen Fahne »so viel Schmutz klebt und daß sie uns durch die Hand von Demagogen gereicht wird«.

Als die Frankfurter Nationalversammlung am Ende angelangt und die deutsche Staatenwelt wieder in Ordnung gebracht war, schlug Friedrich Wilhelm IV. im Mai 1849 eine deutsche Union vor, die vielen gefallen sollte: den Souveränen, weil sie als Fürstenbund geplant war; den Preußen, weil ihr König als Primus vorgesehen war; den Konservativen, weil diese Vereinigung nicht auf der Volkssouveränität basierte; den Liberalen, weil das Erfurter Parlament mit der Beratung einer Verfassung beauftragt wurde. Und den Nationalen, die einen »geschlossenen«, rein deutschen Nationalstaat haben wollten und ihn unter Ausschluß des habsburgischen Vielvölkerreiches bekommen sollten.

»Das Wahre in der großen Bewegung Deutschlands ist der unleugbare Drang nach Vereinigung«, meinte Moltke, »und wenn die Kabinette den einzig möglichen, ihnen jetzt gebotenen Weg zu diesem Ziel, mag man ihn das Aufgehen in Preußen nennen oder anders, nicht einschlagen, so kann allerdings in einer späteren Periode ein neuer Ausbruch erfolgen. Aber zunächst wird gewiß die Ordnung zurückkehren, und das ist nur zu wünschen, denn wie richtig bemerkt worden ist, ist aus der Ordnung zuweilen die Freiheit, noch nie aber aus der Freiheit die Ordnung hervorgegangen.«

Eine deutsche Fürstenunion hatte den richtigen Ansatzpunkt und eine nicht ungünstige Ausgangslage. Die alten Gewalten, vor allem der preußische Obrigkeitsstaat, waren neu befestigt, »die Rolle der Demokratie ist vorerst ausgespielt«, und das Erfurter Parlament, in dem die gemäßigten Liberalen, die Verfechter einer konstitutionellen Monarchie und die Parteigänger Preußens den Ton angaben, bemühte sich redlich, eine deutsche Einheit mit bürgerlicher Freiheit und staatlicher Autorität zu erzielen.

Diesem Einigungswerk standen jedoch die partikularen Gewalten, »die Oligarchie der kleinen Dynastien« entgegen, die eher gestärkt die Revolutionsstürme überdauert hatten. Den »herabgekommenen Altadeligen« erschien der Hohenzoller als Emporkömmling, zu dessen neuerlicher Rangerhöhung und Machterweiterung beizutragen sie weder Lust noch Interesse hatten. Vornehmlich nicht die Könige von Napoleons Gnaden, der Bayer, der Württemberger und der Sachse, die sich mit dem Hannoveraner zu einem Vierkönigsbund, einem Gegenverein zu Preußens Fürstenbund, zusammenfanden.

Der deutsche Partikularismus war nicht im ersten Anlauf zu überwinden. »Ich hoffe«, schrieb Moltke am 21. März 1850, einen Tag nach der Eröffnung des Erfurter Parlaments, »daß Preußen sein Wort lösen und den Versuch bis zur Darlegung der evidenten Unmöglichkeit durchführen, dann sich aber darauf beschränken wird, Preußen zu sein.« Materielle Vorteile hätte es durch den

Fürstenbund ohnehin nicht. »Für die kleinen Staaten aber dürfte die nächste Erschütterung wohl entweder den Untergang des monarchischen Prinzips überhaupt oder die vollständigste Mediatisierung bringen. Lebt dann Preußen noch, so ist es der Erbe.« Aus der Erkenntnis der Unmöglichkeit, hier und heute schon Deutschland durch Preußen zusammenzuschließen, erwuchs die Hoffnung auf Möglichkeiten von morgen – auch, was die Lösung des deutschen Dualismus zwischen Preußen und Österreich betraf. Das Habsburgerreich hatte in der Revolution bereits mit einem Bein im Grabe gestanden, hatte sich aber in der Gegenrevolution noch einmal aufgerappelt. Österreich wollte den Deutschen Bund von 1815, der 1848 untergegangen war, wieder heben, das Wrack neu auftakeln und das Steuer wieder übernehmen.

Moltke, der im alten Bund herangewachsen war, dessen erhaltende Funktion geschätzt hatte, für die Ordnung in Deutschland wie den Frieden in Europa, hätte eine Einigung zwischen Preußen und Österreich immer noch begrüßt. Aber er befürchtete, die beiden deutschen Großmächte könnten sich nur über gemeinsame Interessen gegenüber den anderen deutschen Staaten verständigen, und auch das nur so lange, »bis die Hauptfrage zwischen beiden großen Mächten zum Austrag kommt«.

Die Hauptfrage lautete: Wer sollte die Führung in Deutschland und über welches Deutschland übernehmen – beschränkt auf das »deutsche« Deutschland oder die nichtdeutschen Teile der Vielvölkermonarchie inbegriffen? Österreich, so Moltke am 17. Februar 1850, »ist so wenig eine deutsche Macht, daß man wohl gewärtigen darf, es werde einer wirklichen Einigung gegenüber seine außerdeutschen Interessen, selbst auf dem Wege der Waffenentscheidung, zur Geltung zu bringen suchen«. Dennoch: An einen Krieg zwischen Österreich und Preußen könne er nicht recht glauben, denn das wäre, »als wenn zwei Eifersüchtige sich in einem Pulverturm schießen wollten«.

Sie hätten es beinahe getan, bereits im Jahre 1850. Zündstoff hatte das Pro und Contra zur kleindeutschen Fürstenunion angehäuft, den Funken hätte eine Kleinstaatquerele in Kurhessen abgeben können. Schon mobilisierte Preußen. Thronfolger Wilhelm wurde Oberkommandierender der aus der Garde, dem II., III. und IV. Armeekorps gebildeten Streitmacht, die an der sächsischen Grenze zusammengezogen wurde.

Der Generalstabschef des IV. Armeekorps bekam zu tun. Binnen drei Wochen stand sein Korps auf Kriegsfuß. Sogar die Landwehr hielt er – im Gegensatz zu 1848/49 – für voll einsatzfähig, das preußische Volk wieder bereit, sich für König und Vaterland und nicht mehr für Demagogen und die Internationale zu schlagen.

»Es wird eine Zeit der Helden sein / nach der Zeit der Schreier und Schreiber«, zitierte Moltke den preußischen Dichter Moritz Graf Strachwitz, stolz auf das, was er mit zustande gebracht hatte: »Was für eine Truppe! Hatte Friedrich der Große je solch ein Material gehabt?« Aber er hatte den Wagemut gehabt, sich mit halb Europa anzulegen. Friedrich Wilhelm IV. wäre dies als Verwegenheit erschienen, und als Vermessenheit, gegen Monarchen, die eben wie er den Bürgerkrieg überstanden hatten, einen Staatenkrieg zu beginnen.

Das wollte er nicht, und das konnte er nicht, was auch Moltke wußte. Preußen sei »von den Demokraten aller Nationen gehaßt, weil es die stärkste Stütze der Ordnung ist, in den Augen des Petersburger und des Wiener Kabinetts aber ist es revolutionär und überhaupt in der ganzen Staatenfamilie als Parvenü, als Sohn seiner Taten, wenig beliebt«. Frankreich verabscheute die preußische Reaktion und widerstrebte einer Stärkung der preußischen Macht. England sorgte sich um das Gleichgewicht. Rußland gönnte Preußen keine Vergrößerung und duldete keinen Konflikt zwischen Monarchen der Heiligen Allianz.

Preußens deutsche Politik verletzte Interessen europäischer Mächte und widersprach Ideologien seiner Feinde wie Freunde. Preußen war isoliert, konnte nicht mit dem Kopf durch die Wand, mußte nachgeben und einlenken.

Zuerst in Schleswig-Holstein. Bereits der Waffenstillstand von Malmö war von England und Rußland erzwungen worden. Nachdem ihn Dänemark gebrochen hatte, der Kampf erneut aufgeflammt und Schleswig-Holstein wiederum, wenn auch widerwillig, von Preußen unterstützt worden war, führte eine zweite diplomatische Intervention Englands und Rußlands am 2. Juli 1850 zum Frieden von Berlin zwischen Preußen und Dänemark. Die Schleswig-Holsteiner kämpften allein weiter, wurden Mitte Juli von den Dänen geschlagen, von Preußen und Österreichern gezwungen, das bisherige Verhältnis zu Dänemark hinzunehmen, welches seinerseits versprach, daß es Schleswig nicht angliedern werde.

Moltke war hin- und hergerissen – zwischen dem Mitgefühl für seine schleswig-holsteinschen Brüder im besonderen wie im allgemeinen und der Einsicht, daß Preußen nicht die Kastanien für die deutsche Nationalbewegung aus dem Feuer holen konnte und dies für eine deutsche Nationaldemokratie auch gar nicht wollte. »Kann das unglückliche Deutschland sich irgendwie zu aufrichtig gemeinsamem Handeln einigen, so wird Preußen nicht der letzte sein.« Jedoch: Ein wirklicher Beistand für die Schleswig-Holsteiner »ist freilich nur von der Erhebung deutscher Nation zu erwarten, und dazu gehört ein allgemeiner Krieg«.

Noch funktionierte das europäische Friedenssystem des Wiener Kongresses. Auch der Krieg zwischen Preußen, das seine deutsche Fürstenunion durchsetzen, und Österreich, das zurück zum Deutschen Bund wollte, brach nicht aus. Zar Nikolaus I. trennte die Streithähne, bewog sie zur »Olmützer Punktation« vom 29. November 1850. Preußen gab seinen Unionsplan auf und reihte sich wieder in den Frankfurter Bundestag ein, in dem Österreich das Präsidium führte.

Der Soldat, der zuerst mobilisieren und dann demobilisieren mußte, gab den Diplomaten die Schuld. Sie hätten Preußen in eine Situation manövriert, in der »fast nur die Wahl zwischen Demütigung oder einem Krieg unter den schwierigsten Umständen« blieb, einem Dreifrontenkrieg »gegen Osten, Norden und Süden« oder dem Canossa-Gang nach Olmütz. Das war eine Schmach für Preußen und eine Niederlage für Deutschland. »Die Mißstimmung ist furchtbar und allgemein. Wenn der Sieg über die Demokratie solche Früchte trägt, so möchte man sie fast wieder heraufbeschwören.«

So weit ging seine Enttäuschung, über die Preußen, die eine Chance vertan hatten, über die Deutschen – »eine kläglichere Nation als die deutsche gibt es nicht auf Erden« –, die ihre Fahne einrollten und den alten Kaiser Barbarossa weiterhin im Kyffhäuser schlafen ließen.

Alle Hoffnung hatte er nicht verloren. »Die schlechteste Regierung kann dies Volk nicht zu Grunde richten, Preußen wird doch noch an die Spitze von Deutschland kommen« – durch Krieg, der nur vertagt worden sei.

Sechstes Kapitel

DAS EUROPÄISCHE SZENARIUM

Den Fünfzigjährigen, den am 26. September 1850 zum Oberstleutnant beförderten Helmuth von Moltke, porträtierte Richard Lauchert: im Waffenrock, mit allen Orden, vom preußischen Pour le mérite bis zum osmanischen Nischan mit Brillanten, die schlanken, fast zarten Hände auf den türkischen Ehrensäbel gestützt. Noch hatte er sein blondes Haar, das er bald verlor, und einen Vollbart, den er später abrasierte. Es war nicht die Barttracht des damaligen preußischen Heeres, sollte vielleicht dem feinen, fast weichen Gesicht einen martialischen Akzent verleihen, ohne von den fragenden, ja skeptischen Augen ablenken zu können.

Das Porträt, ein Hüftstück, ließ nicht erkennen, daß seine Gesundheit angegriffen war. Im Jahre 1850, in dem er seinen 50. Geburtstag feierte, mußte er einen dreimonatigen Urlaub antreten, in Rehme, wie Bad Oeynhausen damals hieß, Solbäder und anschließend im französischen Trouville Seebäder nehmen. Es war eine Kur für Leib und Seele, am buchengesäumten Ufer der Weser und am hellen Strand der Normandie. Dazwischen lagen acht Tage Paris, die Boulevards, Notre-Dame, die Oper, Ausflüge nach Versailles und Saint-Cloud, und immer in Zivil.

Der Arzt sprach von einem Kurerfolg, riet dem im Herbst 1850 Zurückgekehrten, sich nicht mehr zu ärgern. Er hatte gut reden. Der Ärger hatte bereits damit begonnen, daß er wegen des drohenden Krieges zwischen Preußen und Österreich seinen Urlaub abbrechen mußte, nicht mehr von der Normandie nach England übersetzen konnte, dessen Kreidefelsen jenseits des Kanals leuchteten und lockten.

Magdeburg hatte ihn wieder, das ungesunde Klima und die enervierende Langweiligkeit. »Von unserem Theater besagt der

Anschlagzettel jedesmal ausdrücklich, daß es geheizt sei, weil es sonst niemand glauben würde. Man friert geistig und körperlich. Wenn nicht der riesige Dom vor meinen Fenstern stände, so gäbe es hier nichts, was an eine edlere Geistesrichtung erinnert.«

Von der Elbe sehnten sie sich an den Rhein zurück, er und noch mehr seine Frau, welche die »gräßliche Aussicht« beklagte, in Magdeburg noch fünf bis sechs Jahre zu sitzen. Sie hatte keine Kinder, wenig zu tun und in der Männergesellschaft einer preußischen Garnisonsstadt nichts zu sagen. Sie holten den dreizehnjährigen Henry Burt, den Sohn von Maries Vater aus zweiter Ehe mit der Schwester Helmuth von Moltkes, zu sich nach Magdeburg. Als Henry, sein Neffe und ihr Stiefbruder, an Typhus erkrankte,

Moltke als Fünfzigjähriger.
Nach dem Gemälde von Richard Lauchert

pflegte ihn Marie mit mütterlicher Hingabe. Dies steigerte Helmuths Achtung vor ihr und vermehrte sein Bedauern, daß einer solchen Frau ein eigenes Kind versagt geblieben war.

Er war nicht Vater geworden und hatte einen Beruf ergreifen müssen, der ihn, je länger er ihn ausübte, immer weniger ausfüllte. Als Generalstabschef des IV. Armeekorps fühlte er sich wie ein besserer Stabsschreiber und Rechnungsführer. In ruhigen Zeiten langweilte er sich im Büro, und in aufgeregten – wie während der Mobilmachung im Jahre 1850 – ertrank er beinahe in der Papierflut. »Da das Generalkommando bei der Kriegsformation mit 5 Divisionen, 1 Pontontrain, 1 Reserveartillerie, 1 Intendantur und verschiedenen Zivilbehörden direkt zu korrespondieren hat, so erforderten 1000 Eingänge 15 000 Erwiderungen.«

Mit seinem Kommandierenden General, August von Hedemann, hatte er Scherereien. Der Schwiegersohn Wilhelm von Humboldts befleißigte sich zwar eines gebildeten Umgangstons, aber er war ein Umstandskrämer, was seinen Generalstabschef, der Arbeiten, ungeliebte zumal, möglichst schnell erledigen wollte, fast zur Verzweiflung brachte. Als Hedemann im Februar 1852 vom Fürsten Wilhelm Radziwill abgelöst wurde, mußte Moltke erfahren, daß auch grandseigneurale Großzügigkeit ihre Kehrseite hatte.

Der Wechsel an der Spitze des Großen Generalstabes, dem der am 2. Dezember 1851 zum Oberst beförderte Moltke weiterhin angehörte, schien für ihn nicht günstig zu sein. Wilhelm von Krauseneck hatte, weil wesensverwandt, viel Verständnis für ihn aufgebracht. Karl von Reyher, der nicht wie sein Vorgänger aus der Schule des Militärreformers Scharnhorst, sondern aus der Umgebung des Altpreußen Yorck kam, qualifizierte den zweiundfünfzigjährigen Oberst als einen »sich der Invalidität nähernden« Offizier.

Reyher revidierte bald sein erstes Urteil. Ein Jahr später hielt er ihn für zum Brigadekommandeur befähigt, wenn es ihm gelänge, »in einer angemessenen Probezeit darzutun, daß es ihm nicht an Energie mangelt, der Truppe gegenüber seine Autorität aufrechtzuerhalten«. Im Generalstabsdienst traute ihm Reyher indessen »höchste Leistungen« zu.

Der Generalstabsoberst war im Königsmanöver des IV. Armeekorps angenehm aufgefallen. Auf dem Schlachtfeld von Roßbach, wo 1757 Friedrich der Große die Franzosen und die Reichsarmee geschlagen hatte, brillierte er mit einem historischen Vortrag. Und die Landwehr ließ er vor und nicht nach den Feldübungen paradieren; so war sie Kommißaugen noch am ehesten vorzeigbar.

Im Spätsommer 1854 durfte er die Übungsreise des Großen Generalstabes in der Lausitz leiten. Das brachte Arbeit, »aber die Sache ist sehr interessant, selbst sehr aufregend. Das Zusammenleben mit den Kameraden erfrischt.« Er fühlte sich beinahe wieder so jung wie vor Jahrzehnten, als er, mit Byron in der Satteltasche, auf Generalstabsreisen gewesen war. Es war nicht mehr so schön und viel anstrengender. »Die vielen Diners hatten mich so angegriffen, daß ich gestern ganz melancholisch war.«

Im allgemeinen verliefen diese Jahre so ruhig, daß viel Zeit zum Lesen blieb. In Carl Ritters »Erdkunde« faszinierte ihn das Kapitel über Palästina, speziell Jerusalem. »Es ist ein Lieblingsgedanke für mich, einmal dorthin zu gehen und einen Plan dieser interessantesten Örtlichkeit aufzunehmen.« An Deutschland fesselte ihn die ab 1851 erschienene vierbändige »Naturgeschichte des Volkes als Grundlage einer deutschen Social-Politik« von Wilhelm Heinrich Riehl, der die Nation als »ein durch Stamm, Sprache, Sitte und Siedlung verbundenes Ganzes« bezeichnete und sie in der Vielheit ihrer Ausprägungen gerne vereinigt gesehen hätte.

Dies müßte durch Preußen erfolgen, meinte der Historiker Johann Gustav Droysen. Als Professor in Kiel und Abgeordneter in Frankfurt hatte er für die Einbeziehung der Schleswig-Holsteiner und den Ausschluß der Österreicher aus dem Nationalreich gesprochen. Nun forderte er Taten: die Einigung Deutschlands mit preußischer Macht und liberalen Zielen. In seiner »Geschichte der preußischen Politik« versuchte er die These von der deutschen Berufung Preußens historisch zu begründen. Moltke begann darin zu lesen, empfahl sie seinem Bruder Ludwig in Schleswig-Holstein: »Sie hat nicht bloß ein preußisches Interesse.«

Um Deutschland zu einigen, meinte Moltke, müßte sich Preußen im Geist der Reformzeit erneuern. Was ihm schon immer vorschwebte, fand er schwarz auf weiß in dem Werk »Das Leben des Ministers Freiherrn vom Stein«. Sein Verfasser, Georg Heinrich Pertz, leitete die »Monumenta Germaniae Historica«, die Herausgabe von Urkunden und Schriften des deutschen Mittelalters. Das gleicherweise wissenschaftliche wie nationale Unternehmen war von Stein angeregt worden. Als nach 1815 die Reformen gebremst wurden und der Reformminister kein Regierungsamt mehr bekam, wollte er das nationale Bewußtsein wenigstens in der historischen Erinnerung wachhalten. Nach dem Scheitern der Frankfurter Nationalversammlung wollte Pertz die vom Freiherrn vom Stein geschaffenen Ansätze für ein liberalisiertes Preußen und ein einiges Deutschland nicht in Vergessenheit geraten lassen.

Moltke begrüßte das, empfahl seinem Bruder Adolf die Lektüre. Ihm war klargeworden, daß Preußen seit Stein und Hardenberg keine Staatsmänner mehr gehabt, weder den Krieg gewagt noch den Frieden genützt hatte. Der geistige Schwung der Reformzeit wie der Freiheitskriege war dahin, einzig und allein »die materiellen Interessen« schienen die gegenwärtige Regierung »etwas zur Tat anzustacheln, und die Handelspolitik sie zu zwingen, überhaupt wieder eine Politik zu haben«.

Die preußische Deutschlandpolitik setzte auf die langsam, aber sicher mahlenden Mühlen des Deutschen Zollvereins, in dem ein Deutschland ohne Österreich bereits zusammengefaßt war. Die preußische Innenpolitik vertraute darauf, daß die zu politischer Enthaltsamkeit gezwungenen Bürger ihre Energien in die wirtschaftliche Entwicklung steckten. Und eines Tages zu der Überzeugung gelangten, daß das Erworbene nicht gegen die Obrigkeit, nur mit ihr zu wahren und zu mehren wäre.

Mitunter wollte auch Moltke von Politik, von der ein paar Jahre lang so laut gesprochen worden war, nichts mehr hören. Was verstand schon der Bürger davon, und was ging sie den Soldaten an? »Es ist sonderbar, daß über Politik jeder sich berufen fühlt, mitzusprechen, während in der ganzen Welt gerade darüber vielleicht nur ein paar Dutzend Menschen etwas wissen«, belehrte er die Gattin. »Vollends Frauen sollten das nicht tun, deren Politik die Wirtschaft und deren Vaterland das Haus ist.«

Doch der Mann mußte hinaus ins feindliche Leben, konnte nicht umhin, sich das garstige politische Lied anzuhören – auch in der Flaute der neuen Reaktionszeit.

»Daß wir der Reaktion entgegengehen, ist bis zu einem gewissen Punkt wohl nicht zu beklagen.« Aber der Punkt wurde bereits überschritten. Die am 2. Dezember 1848, im Revolutionsjahr, von

Friedrich Wilhelm IV. gewährte Verfassung war von den spärlichen demokratischen Elementen gesäubert worden, trat am 31. Januar 1850 in einer von der Reaktion revidierten Fassung in Kraft. Das allgemeine und gleiche Wahlrecht war durch das Dreiklassenwahlrecht ersetzt, das Stimmrecht an das Steueraufkommen gebunden. Die Allianz von Feudaladel und Großbürgertum zu Nutz und Frommen des Königstums war anvisiert.

Viel schlimmer als eine tyrannische sei eine schwache Regierung, bemerkte Moltke. In Berlin herrschte immer noch Friedrich Wilhelm IV., doch es regierte die Kamarilla, wie man nach spanischem Beispiel ein Vorzimmerregiment nannte. In Preußen war es ultra-konservativ, innenpolitisch reaktionär und außenpolitisch pro-russisch.

Das zeigte sich, als Rußland seine Orientpolitik mit kriegerischen Mitteln fortsetzte. Am 3. Juli 1853 überschritten 80 000 Russen den Grenzfluß Pruth, besetzten die Donaufürstentümer Moldau und Walachei als Ausgangsstellung für den Marsch auf Konstantinopel. Zar Nikolaus I. wollte die Stadt, die er Zarigrad nannte, endlich in Besitz nehmen.

Der Krimkrieg war eine weitere Runde im Streit um das Erbe des »Kranken Mannes am Bosporus« und eine neue Runde im Ringen der europäischen Großmächte. England, das Rußland nicht am Mittelmeer dulden, und Frankreich, das unter Napoleon III. wieder eine Hauptrolle spielen wollte, traten an die Seite der Türkei. Österreich, von einer Ausdehnung Rußlands auf dem Balkan unmittelbar betroffen, schwankte zwischen beschwichtigender und bewaffneter Neutralität, weil es nicht mit sich ins reine kam, ob es die Heilige Allianz mit dem Zaren aufrechterhalten oder der Expansion Rußlands entgegentreten sollte. Friedrich Wilhelm IV. bestätigte das Spottwort Heinrich Heines, daß er weder Fleisch noch Fisch sei: Er zeigte sich Rußland gewogen, doch einer militärischen Parteinahme abgeneigt.

Moltke war wieder einmal mit der preußischen Regierung unzufrieden. Er war lange genug im Orient gewesen, um die russische Bedrohung zu erkennen und Sympathien für die angegriffenen Türken zu empfinden.

»Die Russen haben geglaubt, ganz Europa zu imponieren, und wer weiß, wie nahe sie daran gewesen sind, das zu bewirken, wenn nicht die Türken auf eigene Faust zur Tat geschritten wären«, bemerkte er am 12. Dezember 1853, und einige Tage später: Selbst »bei der leidenschaftlichsten Friedensliebe« könne Europa es nicht gestatten, daß sich Rußland am Bosporus festsetze.

Noch war die Türkei allein auf sich gestellt, denn die Kriegserklärung Englands und Frankreichs erfolgte erst am 28. März 1854. »Ich wenigstens wünsche den ehrlichen Moslimen allen Erfolg gegen die Moskowiter«, schrieb er Friedrich Leopold Fischer, der mit ihm als Instrukteur in der Türkei gewesen war und es in Preußen bereits zum Generalmajor gebracht hatte. »Wie sie sich schlagen! Man sieht, daß jedes Volk brav wird, wenn der Krieg nur wirklich eine innere Notwendigkeit hat.«

Vielleicht würden Fischer und er noch einmal in den Orient geschickt werden. In Berlin wurde einen Augenblick daran gedacht, den Experten Moltke den Russen zur Verfügung zu stellen. Er hätte gehorchen müssen, aber gegen seinen erklärten Willen: »Ins russische Hauptquartier nach Bukarest möchte ich nicht. Es wäre eine schiefe Stellung nach der, die wir zur Pforte eingenommen haben.« Das reaktionäre Rußland, von der Kamarilla fast bis zur Anbetung verehrt, war ihm zuwider, und das expansive Rußland dünkte ihm als Gefahr für Europa, in erster Linie für Österreich, Preußen und den Deutschen Bund.

»Die deutschen Mächte spielen eine traurige Rolle«, meinte er am 25. Januar 1854. »Offenbar ist ein neuer Machtanwuchs Rußlands ihnen am allergefährlichsten, und doch überlassen sie den Westmächten, die Kastanien aus dem Feuer zu holen.« Diese schienen damit Erfolg zu haben, nachdem Franzosen und Engländer die Offensive ergriffen hatten, im September 1854 auf der Krim gelandet waren. Nun war Moltke daran gelegen, das Feuer nicht weiter um sich greifen zu lassen. »Mir scheint das einzig denkbar Mögliche eine feste Allianz zwischen Österreich, Preußen und dem Bund, dahin, die Neutralität aufrechtzuerhalten, den Frieden zu vermitteln oder, wenn dies nicht geht, gewaffnet, sei es nun gegen Ost oder West, aufzutreten.«

Der »Menschenschlächterei« auf der Krim müsse Einhalt geboten werden, erklärte Moltke am 4. Juli 1855, als die Festung Sebastopol immer noch nicht gefallen war. »Ein aufrichtiges Zusammenhalten aller deutschen Mächte«, die Aufstellung von 500 000 Mann, welche bereit seien, Front sowohl gegen Osten als auch gegen Westen zu machen, könne »vielleicht das Umschlagen in einen allgemeinen europäischen Krieg verhüten«, einen Konflikt, »dessen erster Akt die Herstellung Polens, die Revolution in Ungarn, Italien und Deutschland sein dürfte«.

Am 2. März 1855 war Zar Nikolaus I., der den Krieg gegen die Türken partout gewollt und auf Biegen oder Brechen geführt hatte, plötzlich gestorben – »eins von den Ereignissen, wo man das Walten der Vorsehung mit Augen zu sehen glaubt«. Doch es dauerte noch ein Jahr, bis ein Friedensschluß zustande kam, am 30. März 1856 in Paris.

Die Sache könne nur mit der Zurückweisung Rußlands nach Asien oder mit einer Teilung der Türkei enden, hatte Moltke zu Beginn des Krimkriegs geschrieben. Er endete mit keinem von beiden. Die Türkei wurde bis auf weiteres erhalten. Rußland büßte vorübergehend die Herrschaft über die Donaumündung und damit die Kontrolle über die Donauschiffahrt ein sowie die Seeherrschaft im Schwarzen Meer. Es hatte nur einen Krieg, nicht den Kampf um das Erbe des Osmanischen Reiches verloren. Seine Stellung in Europa war zwar angeschlagen, aber nicht zusammengebrochen, die Ausdehnung nach Westen lediglich vertagt.

Verschiebungen gab es im System der europäischen Großmächte, zuungunsten Rußlands und zugunsten Frankreichs, das auf dem Wege zur Vormacht auf dem Kontinent war, und Englands, das seine Weltmachtstellung gefestigt hatte. Österreich war in Rußland wie bei den Westmächten in Mißkredit geraten. Und Preußen trat auf der Stelle.

Das europäische Kräfteverhältnis wurde in den nächsten Jahren davon bestimmt. Moltke, der später mithalf, es zugunsten Preußens und Deutschlands zu verändern, bekam Gelegenheit, es an Ort und Stelle zu studieren – in England, Rußland und Frankreich.

Nach England kam er mit Prinz Friedrich Wilhelm von Preußen, dem späteren Kronprinzen und Kaiser Friedrich III. Seit dem 1. September 1855 war Moltke, bis dahin Chef des Generalstabes des IV. Armeekorps, erster persönlicher Adjutant des Sohnes des Thronfolgers, des späteren Königs und Kaisers Wilhelm I.

Im Jahr zuvor – auf der Übungsreise des Generalstabes – hatte er den Prinzen kennengelernt: »Friedrich Wilhelm ist ein wahrhaft liebenswürdiger Mensch; er hat eine sehr hübsche Art, die versammelten Bewohner anzusprechen.«

Prinz Friedrich Wilhelm von Preußen,
später Kronprinz und Kaiser Friedrich III.
Fotografie aus dem Jahre 1856

War das nicht ein Gebaren, das einem künftigen Herrscher im fortgeschrittenen 19. Jahrhundert wohl anstand? Sein Vater war nicht dieser Meinung, Wilhelm, der Prinz von Preußen, der ein Soldatenprinz war und ein Soldatenkönig werden sollte. Er vermutete, daß sein einziger Sohn die Uniform mehr aus Pflicht denn aus Neigung trug. Die Mutter, der er nachgeschlagen war, hatte daran nichts auszusetzen. Augusta, eine geborene Prinzessin von Sachsen-Weimar, schaute auf Goethe, nicht auf Friedrich den Großen, schätzte den europäischen Westen und das preußische Westelbien, hatte es durchgesetzt, daß ihr Sohn in Bonn studieren durfte.

Über seine Begabung machte sie sich keine Illusionen: Er habe ein gutes Herz, aber »Charakterstärke und Geistesfähigkeit, na-

146

mentlich Schärfe und Logik der Gedanken, stehen nicht auf gleicher Höhe«. Um so sorgfältiger sollte er auf den Herrscherberuf vorbereitet werden, und zwar nach den Vorstellungen der Mutter, die in der Ehe zwischen Weimar und Potsdam das Übergewicht hatte: Der Sohn müsse die neuen Ideen in sich aufnehmen, damit er in und mit seiner Zeit lebe.

So weit wollte der kinderlose König Friedrich Wilhelm IV. nicht gehen, der sich für die Heranbildung des Sohnes seines Bruders, der nach diesem den Thron besteigen würde, verantwortlich fühlte. Doch der konservative Monarch, der soeben recht und schlecht die Revolution überstanden hatte, ging weiter, als es seine ultra-konservative Kamarilla billigen mochte. Ein künftiger König, meinte er, solle nicht auf das Altpreußentum fixiert, sondern deutschem Geist und europäischem Wesen aufgeschlossen werden.

In diesem Sinne sollte ein erster persönlicher Adjutant auf ihn einwirken. Ihm war weniger eine militärische als eine pädagogische Aufgabe gestellt, wobei er jedoch den Erzieher nicht herauskehren durfte, eben als Adjutant Hilfsdienste leisten mußte – der untergeordnete Lehrer dem vorgesetzten Schüler.

Für den richtigen Mann an diesem schwierigen Platz hielt Friedrich Wilhelm IV. den Generalstabsoberst Helmuth von Moltke, einen Offizier mit Bildung und Welterfahrung, Takt und Moral. Von dieser guten Meinung ließ er sich nicht durch weniger gute Meinungen abbringen. »Moltke ist Ausländer und soll lau in religiöser und politischer Hinsicht sein«, sagte ein königlicher Flügeladjutant, und ein ehemaliger Vorgesetzter Moltkes sprach ihm die Eignung zum Prinzenadjutanten ab, »weil eine einflußgewinnende Offenheit des Charakters eine notwendige Bedingung für den Begleiter des künftigen Thronerben ist, die dem von Moltke abzugehen scheint«.

Diese als Verschlossenheit verkannte Zurückhaltung sei eine Stärke, nicht eine Schwäche seines Charakters, meinte Hauptmann von Strantz, ein Magdeburger Untergebener Moltkes, der ebenfalls befragt worden war. »Man sieht, daß er seine Meinung für sich hat, daß er aber weit davon entfernt ist, dieselbe auch nur irgendwie jemandem aufdrängen zu wollen.« Der Magdeburger Vorgesetzte, General Fürst Radziwill, lobte Moltkes »Herz für junge Leute und die Gabe, vorteilhaft auf sie einzuwirken«.

Ausschlaggebend dürfte die positive Beurteilung durch Karl von Reyher gewesen sein, den Chef des Großen Generalstabes, wo man ihn am längsten und am besten kannte.

Am 28. Mai 1855 erhielt der Generalstabschef des IV. Armeekorps in Magdeburg den Befehl, den Prinzen nach Ost- und Westpreußen zu begleiten. Man wollte sehen, ob sie sich aneinander gewöhnen könnten, der dreiundzwanzigjährige Oberst Prinz Friedrich Wilhelm und der vierundfünfzigjährige Oberst Moltke – der Thronerbe und sein vorgesehener Adjutant.

Zuvor hatte dieser sich beim König in Sanssouci zu melden. Weil ihn der Monarch sofort, auch am Sonntag, sehen wollte, geriet er in Verlegenheit; den Helm mußte er sich von einem Leutnant vom 1. Garderegiment borgen, womit er nicht ganz vorschriftsmäßig beim König erschien. Zwar hatte der Helm des Generalstabes, dem er angehörte, den gleichen weißen Beschlag wie der des 1. Garderegiments, den er ausgeliehen hatte, jener aber weiße, dieser gelbe Schuppenketten.

Friedrich Wilhelm IV. hatte keinen Blick dafür. Er empfing im Sterbezimmer Friedrichs des Großen, das ihm als Arbeitszimmer diente, ließ den Besucher neben sich am Schreibtisch Platz nehmen, redete eine halbe Stunde lang auf ihn ein, warum und wieso er ihn als Adjutanten seines Neffen haben wolle. Und verschwieg ihm nicht, daß er ihn noch nicht ernennen könne: Die Zustimmung der Eltern des Prinzen, Wilhelms und Augustas, stünde noch aus.

Kaum hatte Moltke das höfische Parkett betreten, merkte er, wie glatt es war. Er war in eine preußische Hof- und Staatsintrige hineingerutscht, zwischen zwei Fronten geraten: hier die Kamarilla in Potsdam, die es im Krimkrieg mit den stockkonservativen Russen hielt; dort, in Koblenz, wo der Prinz von Preußen als Generalgouverneur der Rheinprovinz und Westfalens amtierte, Wilhelm und Augusta, genau gesagt: Augusta und Wilhelm, die sich zu den mehr oder weniger liberalen Westeuropäern, Engländern und Franzosen, hingezogen fühlten.

Der König und sein Bruder waren, mehr von anderen geschoben als selber schiebend, heftig zusammengestoßen. Sie hatten sich zwar wieder arrangiert, aber beobachteten einander mißtrauisch, In Koblenz war man alarmiert, als Potsdam den Kandidaten Augustas und Wilhelms, Gustav von Alvensleben, als Adjutanten des Prinzen Friedrich Wilhelm ablehnte und Friedrich Wilhelm IV. daranging, seinen Kandidaten, Helmuth von Moltke, durchzusetzen. Bedeutete das nicht, daß der Sohn Augustas und Wilhelms unter die Kuratel der Kamarilla gestellt werden sollte? Daß mit ihm alle Koblenzer, die Antirussen und Prowestler, überwacht werden sollten – von einem Aufpasser des Königs in Adjutantenuniform?

Moltke erwies seine strategische Befähigung, als er sich auf das höfische Schachbrett stellen ließ; auf ihm konnte er Zug um Zug weiterkommen. Und er entwickelte taktische Fähigkeiten bei der Überwindung der Koblenzer Widerstände. Das war beim Prinzen, diesem offenherzigen jungen Mann, ziemlich leicht, beim korrekten Wilhelm nicht allzu schwer, bei Augusta, dem Kopf und Rückgrat der »Westler«, recht schwierig.

Schützenhilfe leistete Kamerad von Strantz aus Magdeburg, der ihm bescheinigte, »daß er in Rußland den Feind der Zivilisation zu erkennen glaubt, daß er Frankreich und – wie es scheint – namentlich England als günstiger und glücklicher einwirkend für europäische Zustände hält«. Moltke erklärte, daß er sowohl konservativ als auch liberal sei, kein Mann der Reaktion, aber auch kein Mann der Revolution, ein Mann der Mitte wie ein liberal-konservativer Engländer oder ein konservativ-liberaler Franzose – den Koblenzern also näher als den Potsdamern.

So nahm er auch Augusta für sich ein. Er sei kein Spion, er habe diese Adjutantenstelle nicht gesucht, sagte er ihr rundheraus, ein paar Wochen nach seiner am 1. September 1855 erfolgten Ernennung durch den König. Augusta wollte es ganz genau wissen. Er mußte – in Koblenz – mit ihr essen, zum Tee bleiben, bis nach 23 Uhr. »So viel habe ich schon bemerkt«, berichtete er seiner Frau, »daß das Terrain, auf dem ich künftig mich zu bewegen habe, ein sehr schwieriges ist. Die beste Politik wird sein, ganz gerade und offen zu verfahren, und wenn das nicht ausreicht, zurückzutreten.«

Seine Frau hätte es lieber gesehen, wenn er gar nicht erst angetreten wäre. Denn ein Adjutant hatte stets bei seinem Prinzen zu sein, war fast nie zu Haus, im neuen Heim in Berlin, zuerst in der Schöneberger Straße 9, dann in der Linkstraße 44. Für den Mittfünfziger, den die Versuchung überkam, die Pantoffeln den Stiefeln vorzuziehen, brachte das Adjutantenleben Umstände und

Unkosten. »Recht bedeutende erste Anschaffungen lagen mir ob, namentlich Pferde, dann eine schwarze, eine rote, eine graue und eine bunte Toilette für Reisen ins Ausland, Parforcejagd, Treibjagd und Hofgesellschaft.« Er trat »in manche schwierigen Verhältnisse«, mußte Beschwerlichkeiten auf sich nehmen.

Doch, wie Hauptmann von Strantz ganz richtig bemerkt hatte: »Er erträgt lieber Unannehmlichkeiten, als daß er Vorstellungen gegen Maßregeln macht.« Und er genoß die Annehmlichkeiten, das Reisen vor allem, in Länder, die ihn interessierten, an Höfe, wo noch immer Geschichte gemacht wurde.

Die erste Auslandsreise führte ihn im September 1855 nach Großbritannien. Dies war ein Land, in das er schon längst gewollt hatte, der Staat, den ein liberaler Konservativer kennen mußte, die Weltmacht, mit der Preußen, Deutschland und Europa zu rechnen hatten.

Prinz Friedrich Wilhelm hatte sich auf Brautschau nach Balmoral begeben. Die Auserwählte war Victoria, Royal Princess von Großbritannien und Irland, Tochter der Königin Victoria und des Prinzen Albert, eines Coburgers. Die noch nicht fünfzehnjährige Vicky hatte die untersetzte Statur der Mutter geerbt, war ein aufgewecktes und gescheites Mädchen, besaß vornehmlich den Vorzug, einer mächtigen, jedenfalls fortgeschrittenen Dynastie zu entstammen, was für den anglophilen Hohenzollern zählte.

Zur Staatsräson kam die Romantik. Man war in Schottland, ritt an einem herrlichen Herbsttag in die Berge. Der Prinz pflückte weißes Heidekraut, das für glückbringend galt, überreichte den Strauß der Prinzessin. »Ich habe mich wahrhaftig zu Pferde verlobt«, erläuterte Friedrich Wilhelm das Ereignis des 29. September 1855.

Nun war es an der Zeit, den ersten persönlichen Adjutanten Seiner Königlichen Hoheit herbeizubeordern. Moltke saß in Edinburgh, fühlte sich, was die »Mannigfaltigkeit von Meer und Land, Bergen und Tälern« betraf, an Neapel erinnert, vermißte jedoch den »Himmel des Südens, die klare, durchsichtige Luft, die warme Beleuchtung und mit ihr die Poesie der Landschaft«. Auf dem Wege nach Balmoral fuhr er durch das Land, das ihm aus den Romanen Walter Scotts vertraut war, traf nach elfstündiger Fahrt, »bei hellem Mondenschein, aber bitterlicher Kälte«, in Balmoral ein, wo sich Queen Victoria im Herbst am liebsten aufhielt.

Moltke kam in ein viktorianisches Schloß und in eine viktorianische Familie. »Es ist sehr überraschend, daß die königliche Gewalt von England sich in diesem menschenleeren, kahlen, kalten Gebirgsrücken befinden soll, und fast unglaublich, daß die mächtigste Monarchie allen Hofstaat so abstreifen kann. Es ist ein

Victoria, Royal Princess von Großbritannien,
Braut Friedrich Wilhelms von Preußen

reines Familienleben hier, zwei Kavaliere, zwei Damen und freilich *nur* sechs Kinder, die ältesten.« Als der preußische Oberst vorfuhr, fand er keinen Portier, keine Lakaien, nicht einmal einen Wachposten. Als er in die mit Hirschgeweihen geschmückte Halle trat, hörte er Dudelsackpfeifen; im Saale wurde schottisch getanzt.

Im Drawing-room wurde der Adjutant den königlichen Herrschaften vorgestellt. Die sechsunddreißigjährige Queen trug ein weißes Spitzenkleid und Brillanten. Der gleichaltrige Royal Husband war in schottischer Tracht, das Band des preußischen Schwarzen Adlerordens über der weißen Weste, »die Beine nicht etwa im Trikot, sondern ganz korrekt bloß«. An der Tafel wurde deutsch gesprochen, englisch gegessen und französischer Wein getrunken. Anschließend zogen sich die Damen zurück, und die Herren tranken Sherry.

Das Viktorianische Zeitalter hatte begonnen, mit seiner Vermengung von Bodenständigkeit und Weltläufigkeit, Etikette und Indolenz, Liberalität und Konservativismus, Wohlhabenheit und Bescheidenheit, verbürgerndem Adel und aristokratischen Bürgern. Und einer Monarchin, die sich in das parlamentarische System fügte, über ein Volk herrschte, das sich selbst zu regieren verstand.

Großbritannien näherte sich dem Gipfel seiner Weltgeltung. Die einzige Revolution, die es kannte und anerkannte, die industrielle, hatte es an die Spitze des technischen, wirtschaftlichen, gesellschaftlichen und politischen Fortschritts gebracht. Mit neuen Mitteln wurde die alte Weltmachtpolitik betrieben. Auf dem Dampfschiff beherrschte Britannia nun die Meere, die Kolonien lieferten Rohstoffe, der Freihandel öffnete den in England gefertigten Erzeugnissen die Märkte, füllte seine Kassen, steigerte seinen Wohlstand und seine Macht.

Die im Interesse Großbritanniens liegende Balance of powers in Europa funktionierte noch, auch wenn es soeben – im Krimkrieg – zu deren Erhaltung sein Schwert in die Waagschale geworfen, Rußland an der Verschiebung des Gleichgewichts der Mächte gehindert hatte.

Ein Monument des Viktorianischen Zeitalters hatte Moltke auf der Hinreise gesehen. »In Sydenham staunte ich im Vorbeifahren den Glaspalast an. Das übersteigt alle Begriffe.« Das Riesengebäude – das Mittelschiff 490 Meter lang, mit Türmen von 86 Meter Höhe – war 1854 aus Eisen und Glas, dem Material des Kristallpalastes, errichtet worden, der 1851 im Londoner Hydepark für die erste Weltausstellung des 19. Jahrhunderts erbaut worden war.

Auf der Rückreise besah sich Moltke einen ganzen Tag lang das neue Weltwunder: Kunstwerke der Vergangenheit, Maschinen der Gegenwart, Markierungen des Zukunftszieles, auf das – wie Prinz Albert, der Schirmherr der Fortschrittsschau, meinte – »alle

Geschichte weist – die Verwirklichung der Einheit der Menschheit«.

Eine größere, lebendigere und ständige Weltausstellung war London, die Hauptstadt Großbritanniens, die Weltstadt des Empire. In erster Linie beeindruckten ihn die Memorials der Geschichte: der Tower, »wo sämtliche englische Könige zu Pferde in ihren wirklichen Rüstungen« saßen, Puppen natürlich; die Westminsterabtei, in der er dem Denkmal Shakespeares seine Reverenz erwies. Die St.-Pauls-Kathedrale, die er als protestantische Gegenkirche zum Petersdom ansah, dessen Schmuck und Leben vermißte, den Zauber des katholischen Gottesdienstes.

Neue Gebäude waren in altem Stil errichtet und von modernem Leben erfüllt. Das Parlamentsgebäude »ist wirklich eine Pracht. Solche altgotischen Hallen und Gänge habe ich bis jetzt nur in Zeichnungen gesehen.« Er wunderte sich, daß der Sitzungssaal des Unterhauses, das Kernstück des Ganzen, gleichsam ein Gemach war. »Aber um die Redner zu verstehen, ist es eben wünschenswert, daß es nicht zu groß sei.«

Was war das für ein Leben in der bevölkertsten Stadt der Erde – »2 200 000 Menschen, weit mehr als die Königreiche Sachsen, Hannover oder Dänemark«! Man werde schwindlig im Gedränge und verwirrt vom Schauen: eine hin- und herwogende Menge, Droschken und Pferdeomnibusse, »die Pracht der Läden«, Luxus hinter Glas, die pompösen Bahnhöfe und Clubgebäude, »breite Fronten, Granitsäulen, Fenster aus einer Kristallscheibe, schöne Treppen und eine Enfilade von Zimmern«.

Die Schattenseiten übersah er nicht. »Alles war trotz des heiteren Tages in einen dichten Nebel und Kohlendunst gehüllt.« Der Marmor der St.-Pauls-Kathedrale war teilweise »kohlschwarz vom Rauch«. Die neuen Stadtviertel fand er »ohne Geschmack«: ein Haus wie das andere, derselbe Stil, dieselben Farben, Balkon an Balkon, Säule an Säule, endlose, eintönige Reihen – Soldatisches, wo es nicht hingehörte. Was die Innenräume betraf, so wunderte er sich, »wie man bei so vielem Komfort auf das Glück einer gleichmäßig warmen Temperatur verzichten kann«. Offene Kamine erwärmten nicht richtig und gefährdeten einiges: »In den mit den kostbarsten Gemälden geschmückten Galerien der Königin war heute ein dichter Nebel von Kohlendunst aus den Kaminen, der alles verderben muß.«

Auch die gepriesene englische Freiheit hatte ihre Kehrseite. Es mochte noch angehen, daß die Studenten in Oxford selbst bei akademischen Feiern murrten und pfiffen. Aber es ging ihm zu weit, wenn »der Mob« in London, beim Warten auf ein Feuerwerk, sich die Zeit damit vertrieb, mit Rasenstücken nach den Hüten von Bürgern zu werfen.

Das Volk war in Preußen anständiger und das Militär strammer. Die Wachparade der Horseguards wie der Footguards in Whitehall war ihm zu mittelalterlich, und die Truppenschau in Sandhurst, dem Sitz der Militärakademie, dünkte ihm mehr »ein Feuerwerk als ein Manöver« zu sein. »Es waren 12 000 Mann in Linie aufgestellt, 5000 Garde und Linie, der Rest Militia, der dann morgen entlassen wird. Die Riflemen in schwarzer Uniform kamen im Trabe vorbei, hatten gleich einen Toten und zwei Kranke, die auf dem Platze liegenblieben. Der Vorbeimarsch der übrigen Truppen war nach unserem Maßstabe sehr mangelhaft.«

Englands Stärke lag woanders. Auf einer Werft sah er das größte Schiff der Welt, den »mit Masten, Rädern und Schrauben ausgerüsteten Great Eastern«; er konnte 2000 Passagiere für eine längere und 10 000 Soldaten für eine kürzere Fahrt befördern. In Woolwich besichtigte er das großartige Arsenal, mit Magazinen und Werkstätten. »Alles durch Dampf besorgt, das Holz und die Metalle zerschnitten, zersägt und gebohrt, die fertigen Stücke durch Dampfkraft weiterbefördert, mit Dampfkranen in Dampfschiffe geladen.«

In einer Buchhandlung stieß er auf die 1854 erschienene englische Ausgabe seiner 1845 bei Reimer in Berlin herausgekommenen »Geschichte des russisch-türkischen Feldzuges in der europäischen Türkei in den Jahren 1828 und 1829«. Dem Vorwort entnahm er, daß der Verfasser, Major Moltke, tot sei, was seine Lust am Leben steigerte.

Es war Highlife für den Adjutanten des künftigen Schwiegersohnes der Queen. Er ritt im Hydepark mit den Prinzen Albert und Friedrich Wilhelm aus, eskortierte die Königin und die Royal Princess, die in der Kutsche saßen, gefolgt von über tausend Damen, »einige mit, andere ohne Herren, niedriger, breitkrempiger Hut mit herabhängender Feder und schwarzem Schleier, schwarze Pantalons, ohne alle Unterkleider, kurze Stiefel, alles nicht sichtbar, but a notice about it«. Beim Derby in Epsom stand der preußische Oberst neben dem Premierminister Lord Palmerston.

Im Carlton House hörte er mit »600 Personen von der höchsten Gesellschaft« Jenny Lind, die »Schwedische Nachtigall«. Er wohnte und tafelte im Buckingham Palace, in Osborne, der Sommerresidenz auf der Insel Wight, auf Schloß Windsor, dem »eigentlichen Sitz der Royalty in England«. Nirgendwo konnte er den Bällen entgehen. »Contredanse mit Lady MacDonald, gegenüber der Herzogin von Wellington«, schrieb er am 11. Juni 1856 seiner Frau. »Das Fest dauerte bis ein Uhr, dann reiches Büfett.«

All das war für den Herrn Oberst schmeichelhaft, für Helmuth Moltke strapaziös. »Ich leide infolge des Nachtlebens und der vielen Mahlzeiten, trotz aller Enthaltsamkeit, an Appetitlosigkeit, sonst geht es recht gut. Ich bin an so einfache Lebensweise gewöhnt, daß dies Treiben auf die Dauer mir nicht wohltut.« Und: »Das englische Klima trägt nicht dazu bei, verstimmte Nerven aufzuheitern, und ich zähle die Tage, die wir hier zugebracht und wohl noch hier zubringen möchten.«

Mehrmals mußte er mit Friedrich Wilhelm nach England: im Herbst 1855, von Mai bis Juni 1856, im Sommer 1857, zur Hochzeit des preußischen Prinzen mit der Royal Princess im Januar 1858 und zum Begräbnis des Prinzgemahls Albert im Dezember 1861.

Als Prinzenadjutant wurde ihm ermöglicht, was ihm als Generalstäbler nützen sollte: Großmächte und ihre Größen kennenzulernen, zuerst an den Flügeln Europas, nach Großbritannien das Russische Reich.

RUSSLAND lag Preußen näher als England. Geographisch – denn mitten in Polen und gleich hinter Ostpreußen begann das Reich, das sich weit nach Osten dehnte, zu dem sich Ostelbier hingezogen fühlten. Politisch – denn das Zarentum war das Bollwerk des Monarchismus, der, je weiter man nach Westen kam, immer mehr abbröckelte. Und familiär – denn die Gemahlin des verstorbenen Zaren Nikolaus I., Alexandra Feodorowna, Mutter des neuen Zaren Alexander II., war die Schwester Friedrich Wilhelms IV. und die Tante des Prinzen Friedrich Wilhelm.

Machtinteressen hatten schon lange die Heilige Allianz von 1815 beeinträchtigt, deren Gründer und Stützen der russische Zar, der König von Preußen und der Kaiser von Österreich gewesen waren. Der Krimkrieg, in dem Österreich und Preußen nicht an die Seite Rußlands getreten waren, hatte sie auseinandergebracht. Die Kluft zwischen dem Zaren und dem Kaiser schien unüberbrückbar, den Spalt zwischen dem Zaren und dem König zu schließen hielt man in Potsdam wie in Sankt Petersburg für wünschenswert und möglich.

Auf dem Sterbebett hatte Nikolaus I. der Zarin, der preußischen Prinzessin Charlotte, aufgetragen, sie solle ihren Bruder an das Vermächtnis ihres Vaters, Friedrich Wilhelms III., erinnern: Gemeinsam könnten Rußland und Preußen der Revolution widerstehen, zusammen ihre Macht erhalten und mehren. In diesem Sinne tauschten Alexander II. und Friedrich Wilhelm IV. Grußbotschaften aus. Zur Krönung des neuen Zaren im September 1856 wurde Prinz Friedrich Wilhelm entsandt – mit seinem Adjutanten Moltke, der aus diesem Anlaß zum Generalmajor befördert worden war.

Diese Mission entbehrte nicht einer gewissen Pikanterie. Denn der Sohn Augustas und Wilhelms galt als prowestlich, stand vor der Heirat mit einer britischen Prinzessin. War er aber auch ein Freund des Liberalismus? Die englische Presse bezweifelte dies, verwies auf den Monarchismus und Feudalismus in Preußen, denen sich ein Thronerbe, selbst wenn er es wollte, nicht entziehen könnte. Schon gar nicht der ideologischen wie machtpolitischen Ostorientierung. Auch Friedrich Wilhelm sei, wie alle Hohenzollern, ein Vasall Rußlands, kommentierte die »Times« die Rußlandreise des künftigen Schwiegersohnes der Queen Victoria.

Kein Wunder, daß die englische Heirat von der britischen Regierung so lange hinausgeschoben werde, meinte Moltke. Die Ursache liege in der »zu Rußland hinneigenden Politik Preußens«. Lag sie auch in der Person seines Prinzen? Wenn man an dem anglophilen Lack kratzte, stieß man selbst bei Friedrich Wilhelm auf Stockpreußisches.

Galt dies auch für seinen Adjutanten? Der Historiker Theodor von Bernhardi, ein Altliberaler, der ihm mehrfach begegnete, bemerkte beim erstenmal, im April 1857: »Moltke zeigt aristokratische Tendenzen; der Glanz, die Macht, die Stellung des englischen Adels gefallen ihm außerordentlich. Er vergleicht damit die Nichtigkeit unseres Adels, unseres Herrenhauses.« Über ein zweites

Gespräch, im August 1857, über die Aufhebung der Leibeigenschaft, die der neue Zar in Angriff nahm, berichtete der Rußlandkenner und Reformbefürworter Bernhardi: »Moltke meint: warum man sie denn überhaupt aufheben wolle? Er halte sie für ein dortzulande ganz passendes Verhältnis; es komme nur darauf an, die Mißbräuche zu beschränken usw.«

Inzwischen war der Adjutant mit seinem Prinzen in Rußland gewesen, wo er zu den vorsichtigen und unzureichenden Reformbestrebungen Alexanders II. bemerkte: »Ein jeder fühlt, daß die Leibeigenschaft, im Widerspruch mit der angebahnten Zivilisation, nicht mehr fortbestehen kann; die große Schwierigkeit ist, wie sie abzuschaffen? Wollte man vierundzwanzig Millionen Adelsbauern plötzlich die Freizügigkeit wiedergeben, so würde in den minder fruchtbaren Teilen des Reiches der Ackerbau ganz zugrunde gehen.« Und in den Städten sich ein Proletariat zusammenballen.

War er etwa auch ein Feudalist, ein Konservativer, der Mißstände konservieren wollte, ein Liberaler, der Freiheit nur für sich und seinesgleichen begehrte? Moltke urteilte nach persönlicher Erfahrung und historischer Erkenntnis, nicht nach vorgefaßten Meinungen oder ideologischen Programmen. Rußland – das war die Bilanz seiner Reise von August bis September 1856 – war eben anders als Deutschland und ganz anders als England.

Reformen in »allen Zweigen der bestehenden Verhältnisse« hielt auch er für unausweichlich, selbst »in einem Lande, welches die Neuerungen nicht liebt«. Und bislang auch keine dringend nötig gehabt zu haben schien. »Rußland war bisher der einzige europäische Staat, der gar kein Proletariat kannte. Infolge der höchst eigentümlichen Gemeindeeinrichtungen, in welcher Kommunismus und Sozialismus seit Jahrhunderten faktisch bestehen, wo das Privateigentum und das Erbrecht nicht gelten, konnten zwar arme Gemeinden, aber keine ganz armen Individuen vorkommen.«

Nun aber seien Mißstände eingetreten, nicht weil Rußland sich an Altes klammerte, sondern sich Neuem öffnete. Im Vorfeld der Freisetzung der Bauern bröckelte die überkommene Ordnung auf dem Lande ab. Und in den Städten wurden wegen der »immer wachsenden und schon über alle Erwartung ausgedehnten Fabriktätigkeit« soziale Probleme aufgeworfen.

Eine Reform sei geboten, doch eine Reformierung im ursprünglichen Sinne des Wortes: mehr »Wiederherstellen« als »Umgestalten«. Jedenfalls habe sie sich auf dem Felde der russischen Gegebenheiten und in den Bahnen der russischen Entwicklung zu bewegen.

Rußland war für ihn nicht auf den Einzelnen, sondern auf die Gemeinschaft hin angelegt, wobei er nicht an eine kollektive, sondern an eine patriarchalische Gesellschaft dachte. »In Rußland ist die Familie der Mikrokosmos des Staates. Alle Gewalt beruht auf der väterlichen Autorität«, erklärte Moltke. »Bei keiner Nation ist die Persönlichkeit des Monarchen von größerem Gewicht als in Rußland, weil nirgends eine uneingeschränktere Macht in seine Hände gelegt ist als hier« – wo es keinen Adel gebe, der

politisch wirken könne, kein Bürgertum, das mitbestimmen wolle. So sei die absolute Gewalt des Zaren »eine Notwendigkeit und eine Wohltat in einem Lande, wo nichts geschieht, wenn es nicht von oben befohlen wird«.

Das für die Russen Richtige, für Rußland Nützliche müßte befohlen werden. »Alle Theorien der repräsentativen Verfassung sind in Rußland barer Unsinn«, meinte Moltke, der sie in England für angebracht und praktizierbar hielt, weil sie aus dem eigenen Geist und der eigenen Geschichte heraus entwickelt worden waren. Wäre es aber nicht widersinnig und konterproduktiv, Westliches im Osten einzuführen, die Bauern wie in Preußen zu befreien, das Privateigentum wie in Frankreich zu garantieren, Selfgovernment und Parlament wie in England zu installieren, eine

Die Nikolai-Brücke in Sankt Petersburg, der von Peter dem Großen geschaffenen Residenz der Zaren

Industriegesellschaft und einen liberal-demokratischen Staat ins Auge zu fassen?

Peter der Große hatte am Beginn des 18. Jahrhunderts Westliches im Osten eingeführt. »Es entsteht die wichtige Frage, ob man auf dem von Peter I. betretenen Weg fortschreiten, die Zivilisation fremder Nationen und anderer Klimas immer weiter verbreiten, oder ob man versuchen will, dies gelehrige und folgsame Volk aus sich selbst zu kultivieren.« Moltke schwankte zwischen der Zuversicht, daß »trotz einer zweihundertjährigen Abschweifung« Rußland vielleicht doch noch auf seinen eigenen Weg zurückgeführt und zugleich vorwärtsgebracht werden könnte, und der Besorgnis, daß die von Peter und seinen Nachfahren aufgerissenen Gegensätze zwischen Altem und Neuem nicht mehr auszugleichen seien.

»In Rußland stehen die Unterschiede schroff nebeneinander: Paläste neben Hütten, prachtvolle Städte in öder Gegend, eine hundert Meilen lange Eisenbahn, die zwischen Anfang und Endpunkt keine Stadt berührt, Ananashäuser, wo kein Korn wächst, Überfeinerung neben Roheit.« Die Entwicklung Rußlands, die seine Herrscher nach westlichen Vorbildern und mit russischen Methoden betrieben, habe paradoxe Ergebnisse gezeigt: mächtige Flotten in Meeren, die sieben Monate lang zugefroren seien, Museen mit Meisterwerken aller Länder, wo das Volk hundert Meilen umher nur die schwarzen Heiligenbilder schätze. »Eine der prachtvollsten Hauptstädte erhebt sich über dem Sumpf der Newa, obwohl die Fluten derselben sie zu ertränken drohen.«

Sankt Petersburg – das Peter der Große aus dem Morast stampfte, in einem Randgebiet des Reiches, das er eben gewonnen hatte, dem Westen näher, den er nach Rußland hereinholen wollte. »Archimedes suchte einen Stützpunkt außerhalb der Erde, um die Erde aus ihrer Bahn zu heben. Peter der Große fand ihn für seine Reformen außerhalb des Reiches in den erst von ihm eroberten schwedischen Provinzen. Dort baute er seine europäische Stadt.«

Generalmajor Moltke kam mit dem Schiff, über die Ostsee, in Begleitung des Prinzen Friedrich Wilhelm, im Gefolge der Zarinmutter Alexandra, der preußischen Prinzessin, die von einem Kuraufenthalt in der Heimat nach Hause zurückkehrte. Er erlebte das »Kanonadenkonzert«, den Salut der Festung Kronstadt, betrat russischen Boden über die Freitreppe, die zum Schloß Peterhof hinaufführte, das Peter der Große im Stil von Versailles erbaut hatte.

Sein Reiterdenkmal, vom Franzosen Falconet geschaffen, stand in Sankt Petersburg auf einem mächtigen Granitblock. »Er ist eben im vollen Galopp hinaufgesprengt und pariert sein Roß, beide Vorderfüße in der Luft.« Sollte das ein Sinnbild sein – der »Westler«, der nicht mehr ganz auf russischem Boden stand, teilweise in der Luft hing?

Was Moltke in Sankt Petersburg sah, glich diesem Schwebezustand zwischen russischer Tradition und europäischer Innovation. »Plätze und Straßen sind in riesenhaften Dimensionen abgesteckt, die Stadt sollte in diese hineinwachsen«, was ihr noch nicht gelungen war. Die Häuser standen wie Kasernen da, die Straßen, doppelt so breit als in Berlin, wirkten öde, waren dürftig beleuchtet und schlecht gepflastert. »Das gibt ein unglaublich wüstes Aussehen.«

Die Newa floß langsam und bedächtig dahin, konnte aber, bei Eisgang und starkem Westwind, außer Rand und Band geraten. »Eine Stadt von geschichtlicher Entwicklung würde nie an dieser schutzlosen Stelle erwachsen sein. Aber der eiserne Zar wollte es, und so mußten alle späteren Generationen die Konsequenzen hinnehmen.«

Seine Nachfolger versuchten das Beste und Schönste daraus zu machen. Katharina die Große errichtete ein pompöses Schloß, »welchem sie den seltsamen Namen Eremitage gab«. Nikolaus I. baute nach dem Brand von 1837 den im 18. Jahrhundert nach den Plänen Rastrellis geschaffenen Winterpalast in einem Jahr wieder auf: ein Flächenraum von 800 Quadratmeter, die Mauern »ganz mit Kalk abgeputzt und mit einer garstigen braungelben Farbe übermalt«, im Innern »oft nur angetünchte Wände«. Und ein einfenstriges Zimmer mit dem Feldbett, auf dem Nikolaus I. schlief, den geflickten Pantoffeln, die er jahrzehntelang trug, dem Telegraphen, mit dem er seine Befehle in sein Reich hinaussandte, in dem »die Sonne nie unter-, an einigen Orten aber auch ein halbes Jahr nicht aufgeht«.

Die Isaakskathedrale, die unter Nikolaus I. zu bauen begonnen worden war, stand kurz vor der Vollendung. Ihre goldene Kuppel, der höchste Punkt der Stadt, erschien den Seefahrern, die von

Westen kamen, wie der Stern von Rußland. Moltke fand die Kirche zwar prachtvoll, aus solidem und kostbarem Material gebaut, aber nicht russisch genug: Die Peristyle erinnerten an das Pantheon, das gewaltige Innere an den Petersdom, und die Farben einer in München ausgeführten Glasmalerei waren »so intensiv, daß sie mit der übrigen ohnehin aus der Kuppel nur schwach beleuchteten Ausschmückung in Mißklang stehen und diese töten«.

Bei einem orthodoxen Gottesdienst hörte er vom kaiserlichen Chor eine altrussische Weise – »etwas Schöneres ist nie komponiert, aber auch nie schöner vorgetragen worden« –, sah darüber hinweg, daß die russischen Sänger, die neben der Ikonostase standen, wie Papageien gekleidet waren, »in karmesinrotem Frack und goldbedeckten Hosen, den Degen an der Seite«.

Zar Alexander II., der weder »die Statuenschönheit, noch die marmorne Strenge seines Vaters« hatte, trug die grüne Generalsuniform mit goldbesticktem roten Kragen, sprach fließend Deutsch und Französisch. Er empfing seine Gäste in der Datscha in Peterhof eher wie ein hinterpommerscher denn ein baltischer Gutsherr und schon gar nicht wie der Herrscher aller Reußen.

Als diesen erlebte ihn Moltke bei den Krönungsfeierlichkeiten. In Petroskoje, dem Bojarenschloß bei Moskau, sah er ihn bei seinen Truppen, 60 000 Mann, die ohne Gewehr ihren Herrn erwarteten. Zunächst wurden sie mit Weihwasser besprengt, dann sprengte der Zar heran, mit einem donnernden Hurra empfangen, das zwei Stunden andauerte, die Zeit, die er brauchte, um die Front entlangzureiten.

Bei der Krönung in Moskau, am 7. September 1856, wurde der Zar, nach Ablegung seines Glaubensbekenntnisses, mit dem goldschweren und hermelingefütterten Mantel bekleidet. Die Krone mit dem rubinbesetzten Kreuz setzte er sich selber aufs Haupt, ergriff das Zepter mit der Rechten, den Reichsapfel mit der Linken und setzte sich auf den Thron. Das »Domine salvum fac imperatorum« wurde gesungen, alle Kirchenglocken läuteten, und 101 Kanonenschüsse ließen die Fenster erzittern.

»In keines sterblichen Menschen Hand ist eine solche Machtfülle gelegt wie in die des unumschränkten Beherrschers des zehnten Teiles aller Erdbewohner, dessen Zepter sich über vier Weltteile erstreckt und der über Christen und Juden, Muselmänner und

Heiden gebietet.« Der Augenzeuge aus Preußen war hingerissen, vergaß für einen Augenblick, daß Alexander II. über 500 000 Krieger gebot, mit denen sein Vater den Frieden gebrochen hatte und der Sohn es jederzeit wieder tun könnte.

Dieses Moskau war in der Tat das »russische Rom«. Die Krönung fand in der Mariä-Himmelfahrts-Kathedrale im Kreml statt, der für Rußland Kapitol und Palatin zugleich war, Sitz der Herrscher im Diesseits und im Jenseits.

Hinter der Kremlmauer lag das Kraftzentrum Rußlands, wie einst vor dem Ansturm der tatarischen Barbarei, so nun vor dem Eindringen der europäischen Zivilisation geschützt. Moskau erschien Moltke als »Mittelpunkt nicht nur des europäischen Kaisertums, sondern des alten heiligen Zarenreiches«. Und als Kraftquelle des russischen Gemeingefühls, das dieses Riesenreich zusammenhalte. »Wenn man bedenkt, daß der Kern dieser Nation, die Großrussen, sechsunddreißig Millionen Menschen *einer* Abstammung, *eines* Glaubens, *einer* Sprache, die größte homogene Masse Menschen in der Welt bilden, so wird man nicht zweifeln, daß Rußland eine große Zukunft vor sich hat.«

Die Wolken, mit denen diese Aussicht nach der Niederlage im Krimkrieg verdeckt zu sein schien, würden sich bald wieder verziehen. Nicht nur die Rücksicht auf den alten Bundesgenossen, sondern auch die Voraussicht auf dessen große Zukunft legte Preußen das Einvernehmen mit Rußland nahe.

Das war die Einsicht, die der im Grunde »westmächtlich« gestimmte Moltke in Rußland gewann. Und sie auch bei seinem Besuch in Paris nicht aus den Augen verlor – in Frankreich, das unter Napoleon I. Europa beherrscht hatte und unter Napoleon III. nach der Vorherrschaft auf dem Kontinent griff.

FRANKREICH war Moltke vertrauter als Rußland. Er sprach Französisch, las französische Bücher, war auch schon in Paris gewesen. Im Dezember 1856 kam der Generalmajor in offizieller Mission, als Adjutant des Prinzen Friedrich Wilhelm von Preußen.

Dies hatte den Nachteil, daß er sich nicht so frei bewegen konnte, wie er es gerne getan hätte: allein durch die Stadt wandern, die Augen offen, den Geist gespannt, das Notizbuch zur Hand. Die Vorzüge überwogen. Er genoß die Bequemlichkeiten eines Hofgastes, erkundete Paris in der Equipage, begegnete den

Napoleon III., Kaiser der Franzosen

Großen und Mächtigen, sah Frankreich aus der Perspektive des preußischen Generalstäblers.

An der Gare du Nord war der rote Teppich ausgelegt. Im Hofwagen mit Eskorte ging es über den »neuen, schönen Boulevard de Strasbourg«, die Grands Boulevards, die Rue de Rivoli zum Tuilerien-Schloß. Davor, auf der Place du Carrousel, erinnerte der »kleine« Triumphbogen Napoleons I. an das Ende des alten Reiches und die Niederwerfung Preußens.

Napoleon III. suchte dies alles vergessen zu machen. Er empfing seine preußischen Gäste mit dem Charme des Bonvivants, der das »Laissez faire, laissez aller« des 1848 gestürzten Bürgerkönigs Louis Philippe übernommen zu haben schien. Und mit der Jovialität eines Herrschers, der freundlich herablassend zu anderen Monarchen und Prinzen sein konnte, weil er sich auf höherem Roß als diese wähnte, jedenfalls stolz darauf war, sich aus eigener Kraft in den Sattel geschwungen zu haben.

Der Kaiser hatte zur französischen Marschallsuniform das Band des preußischen Schwarzen Adlerordens angelegt. Er habe nichts »von dem finsteren Ernst seines großen Onkels, nicht die imperatorische Haltung und das berechnete Auftreten«, bemerkte Moltke. »Er ist ein ganz einfacher, ziemlich kleiner Mann, dessen stets ruhiges Gesicht entschieden den Eindruck gemütlichen Wohlwollens macht.« Ihm fiel der »ich möchte fast sagen, erloschene Blick seiner Augen« auf, »eine gewisse Unbeweglichkeit seiner Züge«. Doch diese Ruhe sei nicht Apathie, »sondern das Ergebnis eines überlegenden Geistes und eines festen Willens«, was sich in den letzten Jahren erwiesen habe.

»Louis Napoleon hat Klugheit, Rücksichtslosigkeit, Festigkeit und Selbstvertrauen, aber auch Mäßigung und Milde gezeigt«, stellte Moltke fest. Vor nicht allzulanger Zeit hatte er anders geurteilt. Nachdem der Neffe des großen Napoleon am Ende des Jahres 1848 von den revolutionsmüden Franzosen zum Präsidenten der Republik gewählt worden war und bereits im Jahr darauf mit seinem persönlichen Regiment begonnen hatte, meinte er, daß dieser Bonaparte eine Partei, nicht eine Nation hinter sich habe. Als er sich, 1851 durch Plebiszit zum Präsidenten auf zehn Jahre bestimmt, 1852 zum Kaiser der Franzosen ausrief, behauptete Moltke: »Die Franzosen werden des Abenteurers bald müde sein, der es schwieriger finden wird, Kaiser zu bleiben, als zu werden.«

Zunächst hatte Napoleon III. die europäischen Mächte mit der Parole »L'Empire c'est la paix!« beruhigt. Dann hatte er die Franzosen für sich gewonnen: mit dem Ruhm des Sieges über Rußland, durch die Einlösung des Versprechens, Frankreich neuer Größe in Europa entgegenzuführen, durch wirtschaftliche Fortschritte und soziale Errungenschaften.

Schließlich fanden sich die Monarchen mit dem Parvenü ab. Und liberale Konservative wie Moltke, denen der bonapartistische Cäsarismus lieber war als ein demokratischer Sozialismus, begrüßten es, daß der dritte wie der erste Napoleon der Revolution ein Ende gemacht hatte. »Man hat nicht bloß zu bewundern, was Louis Napoleon geschaffen, sondern auch, was er zerstört hat.« Es war und mußte wohl eine plebiszitäre Diktatur sein, mit einer autoritären Regierung, konzentriert in der Hand des Kaisers. »Bei geregelten Zuständen darf jedem eine größere Freiheit gelassen werden«, meinte Moltke 1856; »in der gegenwärtigen Lage Frankreichs kann nur eine kräftige, einheitliche Leitung bestehen, die übrigens dem französischen Charakter auch wohl am besten zusagt. Die Freiheit der Presse ist hier für jetzt ebenso unmöglich wie bei einer Armee im Felde, wenn sie die Maßregeln des kommandierenden Generals diskutieren wollte.«

Immerhin: »Er ist ein Empereur, aber kein König«, und nur zu Pferde sehe man ihm den Imperator an. Wie eine Königin, zumindest eine Schönheitskönigin, erschien ihm die Kaiserin Eugenie. »Seine Vermählung mit der Spanierin schließt ihn von dem Eintritt in die legitime Monarchenfamilie vollends aus«, hatte Moltke vor drei Jahren geschrieben, als Napoleon die Gräfin von Montijo genommen hatte, nachdem ihm Prinzessinnen aus alten Herrscherhäusern verweigert worden waren.

Nun, am Pariser Hofe, bewunderte Moltke die Kaiserin Eugenie, was bei einem Sechsundfünfzigjährigen, der für Frauen nie viel übrig hatte, doch sehr verwunderlich war. Sie sei schön und elegant, wußte er zu rühmen, wobei er gesprächiger wurde, als es seine Art war. »Hals und Arme sind von unübertrefflicher Schönheit, die Figur schlank, ihre Toilette ausgesucht, geschmackvoll und reich, ohne überladen zu sein.«

Als er sie zum ersten Mal sah, trug sie ein weißes Atlaskleid »von so beträchtlichem Umfang, daß die Damen künftig noch einige Ellen Seidenstoff mehr brauchen werden als bisher«. Mit der Kreierung der Krinoline betätigte sich die Kaiserin als Modeschöpferin und zugleich als Mannequin. Spötter behaupteten, die Straßenerweiterungen in Paris seien durch die umfänglichen Reifröcke notwendig geworden.

Durch die Salons und Säle rauschte damit die Kaiserin »mit vollendeter Sicherheit und Hoheit«. Dabei zeigte sie »mehr Lebendigkeit, als man an so hoher Stelle gewohnt ist«. Die Spanierin sprach viel und lebhaft, auch über Politik; als Französin machte sie ebenso verbindliche wie unverbindliche Konversation.

Diese setzte erst nach aufgehobener Tafel ein, während man bei Tisch kaum zum Reden kam. »Die Dienerschaft tritt mit den Schüsseln heran und nennt das Gericht. Dies ist ein bißchen unbequem; man muß das Gespräch alle Augenblicke unterbrechen, um zu sagen, ob man einen turbot will oder ein merlan nicht will.« Das störte selbst den Mann, der gerne schwieg, aber doch den Vorrang der Unterhaltung vor der Atzung aufrechterhalten wissen wollte.

Die Tuilerien, wo er wohnte, waren luxuriös eingerichtet, aber ohne den Komfort, den er in englischen Schlössern so geschätzt hatte. »Ein Zugwind ist überhaupt in den Tuilerien, von dem man keine Vorstellung hat. Die Verschiedenheit der Temperatur in diesen ungeheuren Räumen verursacht oft in den sie verbindenden Türen einen förmlichen Orkan.« Er hatte schon manchen Bewohner hinausgeweht: Ludwig XVI., Napoleon I., Karl X., Louis Philippe – und sollte schließlich auch Napoleon III. und Eugenie hinauswehen, durch den Sturm, den der Hofgast von 1856, Moltke, 1870 entfesseln würde.

Schon jetzt betrachtete er die Stadt Paris mit den Augen des Militärs. Das Hôtel de Ville und die danebenliegende Kaserne Napoleon bildeten im Zentrum eine Art Zitadelle. Die neuen Boulevards, durch niedergelegte Altstadtviertel, die geschleiften Hochburgen der Revolutionen, gezogen, böten Manövriergelände und Schußfeld für die kaiserlichen Truppen. »Welchen Einfluß dies auf eine kräftige Handhabung der öffentlichen Ordnung und Sicherheit haben muß, das läßt sich leicht begreifen.«

Was er einsetzen könnte, in Frankreich wie in Europa, führte Napoleon III. vor: 15 000 Mann, eine Elite seines Heeres, im Hof des Louvre. Die Parade imponierte dem Preußen nicht: »Das Gewehr wurde noch nach der alten Art mit dem linken Arm, aber sehr nachlässig, getragen, kaum daß alles Tritt hielt. Man gibt hier nichts darauf; bei uns wären alle zum Nachexerzieren kommandiert worden.«

Die Militärschule von Saint-Cyr war ihm nicht proper und das Übungsschießen der Offizierszöglinge nicht präzis genug. Noch hatten nur die Gardeinfanterie und die Chasseurs d'Afrique Gewehre mit gezogenen Läufen; mit dem Minié-Gewehr, einem Vorderlader mit Expansionsgeschoß, wurde erst experimentiert. »Eine so zarte Waffe wie unser Perkussionsgewehr dürfte man der französischen Infanterie gar nicht in die Hände geben; dazu gehört die unendliche Sorgfalt und Aufsicht, die bei uns auf die Mannschaft und ihr Gewehr verwendet wird.«

In Öl gemalt, patriotisch potenziert, waren vergangene Waffentaten der französischen Armee im Museum der Geschichte Frankreichs zu besichtigen. Der Bürgerkönig Louis Philippe hatte es in dem vom Sonnenkönig Ludwig XIV. erbauten Schloß von Versailles eingerichtet. Er widmete es »à toutes les gloires de la France«, eine Stiftung aus dem Umstand machend, daß sein Hof den Riesenbau nicht mehr ausfüllen konnte. Das hatte nicht einmal der Hof Napoleons I. vermocht, geschweige denn der Napoleons III.

Moltke, der ihn 1870 militärisch besiegen, und Friedrich Wilhelm von Preußen, dessen Vater 1871 in Versailles zum Deutschen Kaiser ausgerufen werden sollte, vermuteten dies bei ihrem Rundgang nicht. Doch sie erkannten das Mißverhältnis zwischen einstiger und jetziger Größe Frankreichs, die Diskrepanz von Vorstellungskraft und Kapazität, an der das Zweite Kaiserreich anderthalb Jahrzehnte später scheiterte.

Napoleon III. ahnte von alldem nichts. Er zog Generalmajor Moltke in kein militärisches Gespräch, erkundigte sich bei ihm über Sanssouci, dachte an das Verhältnis zwischen Voltaire und Frédéric le Grand. Kaiserin Eugenie war hellsichtiger. Prinz Friedrich Wilhelm, der spätere Heerführer im deutsch-französischen Krieg, erschien ihr als »Germane, wie ihn Tacitus beschreiben soll«, als blonder Krieger, der aus der Sittlichkeit Kraft schöpfte und wegen der Frustration, die sie mit sich brachte, danach dürstete, sie an weniger Sittsamen und weniger Kräftigen zu erproben. »Es ist eine imponierende Rasse, diese Deutschen«, sagte Eugenie. »Die Rasse der Zukunft«, fügte Napoleon hinzu.

»Der Begleiter des Prinzen, ein General Moltke (oder so ähnlich)«, erzählte die Kaiserin, »ist ein wortkarger Herr, aber nichts weniger als ein Träumer; immer gespannt und spannend, überrascht er durch die treffendsten Bemerkungen.« Zehn Jahre später überrascht er sie und Frankreich durch treffende Taten.

Siebtes Kapitel

CHEF DES GENERALSTABES

Als Hofgeneral hatte er die Bühne kennengelernt, auf der er agieren sollte. Bei seinen ersten Auftritten war der Generalstäbler jenen aufgefallen, die binnen kurzem über die Besetzung der Hauptrollen entschieden.

Fortune, die spät, aber noch rechtzeitig kam, hatte den Mittfünfziger als Adjutanten des Prinzen Friedrich Wilhelm in jenen Kreis eingeführt, in dem schon bald die Geschicke Preußens beschlossen lagen. Der Vater seines Prinzen wurde 1857 Stellvertreter des erkrankten Bruders, 1858 Regent, 1861, nach dem Tode Friedrich Wilhelms IV., als Wilhelm I. König von Preußen.

Der Adjutant des präsumtiven Kronprinzen beobachtete die Anfänge dieser Entwicklung von seinem vorgeschobenen Posten aus. Am 6. Oktober 1857 erlitt Friedrich Wilhelm IV. einen Schlaganfall. »Das Leben des Königs war in Gefahr, ein Aderlaß hat Besserung gebracht, hoffentlich dauernd. Beeile aber Deine Rückkehr.«

Diese Depesche des Vaters erhielt Prinz Friedrich Wilhelm in Schlesien, wo er als Kommandeur des 11. Infanterieregiments weilte, kriegsgeschichtliche Vorträge Moltkes anhörte, aber lieber die Honneurs des schlesischen Adels entgegennahm, von Jagd zu Jagd und von Fest zu Fest eilte, so daß seinem Adjutanten fast der Atem ausging. Nun fuhren sie mit der Eisenbahn nach Potsdam, wo sich herausstellte, daß der König ein Gehirnleiden hatte, nicht mehr regieren konnte.

Die Stunde der »Koblenzer« schlug. Der sechzigjährige Wilhelm wurde mit der Stellvertretung in der Leitung der Staatsgeschäfte betraut, der sechsundzwanzigjährige Friedrich Wilhelm hoffte, in nicht allzu ferner Zeit das Thronerbe anzutreten.

Den Kronprinzen in spe hatte Moltke zwei Jahre lang aus nächster Nähe beobachten können. Eine allzu gute Meinung hatte er nicht gewonnen. Friedrich Wilhelms militärische Fähigkeiten hielten sich in Grenzen. Von ernsthaften Beschäftigungen wurde er durch seine Fahrigkeit wie von den Zerstreuungen, die ihm geboten wurden, abgehalten. Und sein Liberalismus war weder Fisch noch Fleisch.

Bei seinem Vater wußte man eher, wie man mit ihm dran war. Der Altpreuße Wilhelm war mehr aus Gegensätzlichkeit als in Grundsätzlichkeit zum Gegenspieler der Kamarilla geworden. Den liberalen Mantel, den er trug, hatte ihm die Garderobiere Augusta umgehängt. Immerhin war von ihm zu erwarten, daß er einige Bewegung in die immobil gewordene Regierung brachte.

Wilhelm wurde durch den Umstand gebremst, daß er nur zum Stellvertreter auf Zeit berufen worden war, gewissermaßen als Platzhalter, der seinen Platz zu räumen hätte, wenn der König wieder regierungsfähig wäre. »Unendlich schwierig«, kommentierte Moltke, »ist die Aufgabe des Prinzen von Preußen, der mit den ihm überkommenen Organen im Sinne der bisherigen Grundsätze fortzuregieren und sonach seine eigenen Grundsätze vielleicht in manchen Richtungen hintanzusetzen hat. Die Selbstverleugnung und der Takt, welche er dabei zeigt, finden die allgemeinste Anerkennung, aber die Frische eines neuen Regierungsantritts ist dabei verlorengegangen.«

Erst am 7. Oktober 1858 – nachdem die Stellvertretung dreimal verlängert worden war – wurde Wilhelm zum Regenten anstelle des unheilbar kranken Königs bestellt. Nun konnte er, wie er wollte, beziehungsweise wie es die Gegner der ultra-konservativen Kamarilla von ihm erwarteten. Er berief ein Kabinett, das im Vergleich zum vorigen liberal genannt werden konnte. Und verkündete ein Programm, das nicht nur in Preußen, sondern in ganz Deutschland Hoffnungen auf eine Liberalisierung der Führungsmacht der Nation weckte.

Von der »Neuen Ära« wurde gesprochen. Es war ein Neubeginn auf mittlerem Kurs, zwischen Liberalismus und Konservativismus. Und mit der »Ultima ratio regum«, Kanonen, »dem letzten Mittel der Könige«, an Bord: »Preußens Heer« – so der Prinzregent – »muß mächtig und angesehen sein, um, wenn es gilt, ein schwer wiegendes politisches Gewicht in die Waagschale legen zu können.«

Männer waren gefragt, die militärisch etwas galten und die in der Mitte standen. Das traf auf Moltke zu. Seine Fähigkeit als Generalstäbler war unbestritten. Und seine politische Gesinnung war so bemessen, daß ihn gemäßigte Konservative für einen der Ihren und maßhaltende Liberale für einen ihnen Nahestehenden hielten.

Als Karl von Reyher, Chef des Generalstabes der Armee seit 1848, am 7. Oktober 1857 starb, wurde Generalmajor Moltke, der als Prinzenadjutant dem Generalstab aggregiert war, als der geeignete Nachfolger bezeichnet – von »Koblenzern« wie von »Potsdamern«.

Leopold von Gerlach, als Generaladjutant Friedrich Wilhelms IV. das Haupt der Kamarilla, notierte: »Wieder ist eine wichtige Stelle zu besetzen; der Beste ist Moltke.« General Karl von der Gröben, ein Mann vom rechten Flügel, hatte ihn das Jahr zuvor als »gediegenste Persönlichkeit« für das Amt des Generalstabchefs der von ihm zu kommandierenden Armee vorgesehen. Sie sollte gegebenenfalls das mit der preußischen Krone verbundene Neuenburg gegen die Schweizer Eidgenossen verteidigen. Doch Friedrich Wilhelm IV. verzichtete auf seine Rechte in Neuchâtel. Man brauchte diese Kriegsarmee nicht und für sie keinen Generalstabchef mehr. Nun erinnerte von der Gröben daran, daß Reyher mit Moltke Höheres im Sinn gehabt habe: die Berufung zu seinem Nachfolger als Chef des Generalstabes der Armee.

Die »Koblenzer« hatten erkannt, daß Moltke, obwohl vom König in Potsdam zum Adjutanten Friedrich Wilhelms ernannt, einer der Ihren war, jedenfalls geworden war. Als Generalstäbler hatte ihn Wilhelm schon lange geschätzt. Kaum zum Stellvertreter des Königs berufen, besetzte er die frei gewordene Stelle des Chefs des Generalstabes der Armee mit dem Generalmajor Freiherrn von Moltke.

»Im Allerhöchsten Auftrage Sr. Majestät des Königs« erließ der Prinz von Preußen am 29. Oktober 1857 die Kabinettsordre: »Ich beauftrage Sie hierdurch, unter Entbindung von dem Verhältnis als erster Adjutant des Prinzen Friedrich Wilhelm von Preußen Königliche Hoheit, mit der Führung der Geschäfte des Chefs des Generalstabes der Armee. Sie haben hierin einen besonderen

Beweis Meines in Sie gesetzten persönlichen Vertrauens zu erblicken, und erwarte Ich, daß Sie demselben vollständig entsprechen und die Ihnen übertragenen hochwichtigen Dienstfunktionen im wahren Interesse der Armee ausführen werden. Das Kriegsministerium wird Ihnen aus dem vakanten Gehalte der Stelle Ihre bisherigen Gehalts- etc. Kompetenzen nebst einer Zulage von jährlich 1200 Thlr. anweisen.«

Das waren alles in allem 800 Taler weniger, als im Etat für diese Position ausgewiesen. Es war, auch wenn sie als endgültig gedacht sein mochte, eine provisorische Ernennung. Denn Moltke stand im Range noch zu weit zurück; er war erst seit einem Jahr Generalmajor, und die Stellung des Generalstabschefs war die eines Divisionsgenerals.

Er hatte nicht einmal mit einer provisorischen Einsetzung gerechnet. »An Reyhers Stelle dürfte wohl vielleicht Reitzenstein aus Frankfurt ernannt werden; ich glaube, es wäre eine gute Wahl.« Reitzenstein, preußischer Militärbevollmächtigter beim Bundestag in Frankfurt, hatte eine Division kommandiert, galt als fähiger Generalstäbler.

War Moltke aber nicht fähiger und geeigneter? Das meinte der Stellvertreter des Königs. Als Hofgeneral hatte Moltke die Kräfteverhältnisse in Preußen wie in Europa kennengelernt. Als Schreibtischgeneral hatte er seine allgemeine Bildung wie seine kriegswissenschaftliche Gelehrsamkeit bewiesen.

Glich er nicht fast dem Idealbild, das sich der byzantinische Philosophenkaiser Leo VI. von einem Strategen gemacht hatte? »Der Strategos soll gesund, einfach, in allen Genüssen mäßig, ehrlich, vorsichtig und klug sein. Er soll mit hoher Bildung und vornehmer Denkweise vollkommene Uneigennützigkeit, menschenfreundlichen Sinn und Großmut verbinden.« War von ihm nicht das geforderte Verhalten zu erwarten? »Falls die Umstände ihn nicht drängen, fasse er seine Entschlüsse nur nach reiflichster und sorgsamster Erwägung. Hat er aber einen Entschluß gefaßt, so führe er ihn auch schnell und entschieden aus.«

Moltkes Wesenszug und Lebenswandel schienen den Anforderungen zu entsprechen, die Friedrich Wilhelm I., der Soldatenkönig, gestellt hatte: »Um folgende Eigenschaften hat der Offizier sich zu bemühen: Gottesfurcht, Klugheit, Herzhaftigkeit, Verachtung des Todes, Nüchternheit, Wachsamkeit, Geduld, innerliches Vergnügen und Zufriedenheit mit sich selber, unveränderliche Treue gegen seinen Herrn, Gehorsam und Respekt gegen die Vorgesetzten, Aufmerksamkeit.« Und: »Er darf kein Raisoneur sein, muß seinen Dienst und seine Schuldigkeit ohne Fehler verrichten, muß Wissenschaften besitzen.«

Davon besaß Moltke nach Auffassung des Soldatenprinzen Wilhelm mehr, als ein Truppenführer brauchte. Schon zum Brigadekommandeur – wozu er als Generalmajor an der Reihe gewesen wäre – fehlte ihm, wie General von der Gröben festgestellt hatte, »ein bestimmteres Hervortreten«. Für die mehr theoretischen als praktischen, in Klausur und nicht vor der Front zu lösenden Aufgaben des Generalstabschefs war er, positiv formuliert, der Richtige, und negativ ausgedrückt, gerade gut genug.

Der Taxierung des Mannes entsprach die Einschätzung des Amtes. Das Kommando einer Division oder gar eines Armeekorps wurde für standesgemäßer und karrierefördernder angesehen als die Chefstelle des Generalstabes der Armee. Er unterstand dem Kriegsminister, welcher der militärische Berater des Monarchen und Oberbefehlshabers war, sich selber vom Generalstabschef beraten lassen konnte, aber nicht mußte. Und der Kriegsminister stand im Schatten des Militärkabinetts, das unter Edwin von Manteuffel die militärische Schaltstelle geworden war.

Moltkes Vorgänger Reyher hatte die Existenz seines Amtes defensiv gesichert: durch politische, auch militärpolitische Enthaltsamkeit, in Beschränkung auf die Heranbildung von Generalstäblern und auf kriegswissenschaftliche Studien. Herangezogen wurden zunehmend Offiziere aus dem Bürgerstand. Wissen und Leistung galten mehr als der traditionelle Anspruch der preußischen Adligen, für Führungspositionen in der Armee geboren zu sein. Reyher, erst 1828 geadelt, war der Sohn eines Dorfkantors gewesen, hatte als Unteroffizier begonnen.

Ansehen und Einfluß des Generalstabes der Armee wurden dadurch nicht gefördert – im Königreich Preußen, das nach wie vor eine Kombination von Monarchismus und Feudalismus war, in der königlich preußischen Armee, in der immer noch die Verfügung Friedrichs des Großen galt, daß Offiziersstellen und erst recht Generalsstellen dem Adel zuständen.

Der neue Chef – von ausländischer Herkunft und niederem Adel – war sich bewußt, daß der Generalstab so etwas wie das fünfte Rad am Wagen der Armee geworden war. »Meine Truppe besteht nur aus 64 Mann, darunter 50 Stabsoffiziere, nämlich dem sogenannten großen, tatsächlich sehr kleinen, Generalstab und den Generalstäben der neun Armeekorps und achtzehn Divisionen.« Letztere, 45 Offiziere, waren mit der Zentrale in Berlin nur locker verbunden, so daß der Chef des Generalstabes der Armee eigentlich nur über den »Großen« Generalstab verfügte, der mit ihm aus 19 Offizieren bestand.

Sein Etat war knapp bemessen. »Meine Finanzen bestehen aus einem Dispositionsfonds von 26 000 Talern, über den ich frei verfüge, aus welchem ich aber die trigonometrische und topographische Landesvermessung zu bestreiten habe, zu welchem Zwecke ich ein Hilfskorps von dreißig Offizieren aus der Armee kommandiere, dann 10 000 Taler Reisefonds.«

Die Dienstwohnung war im Generalstabsgebäude in der Behrenstraße 66. Er arbeitete sozusagen zu Hause, in einem spartanisch eingerichteten Dienstzimmer, während seine Frau die schönsten Räume in dem vom Ende des 18. Jahrhunderts stammenden frühklassizistischen Palais bezog.

Sie übernahm mit Vergnügen die mit der Stellung ihres Mannes verbundenen gesellschaftlichen Verpflichtungen. Donnerstags war »Jour fixe«, an dem die Dame des Hauses empfing und der Hausherr seine Arbeit lediglich für das Essen unterbrach, über den Flur herüberkam, mitunter von der Gattin ermahnt: »Geradehalten, Männchen!« Er mußte mitmachen, obgleich er »das gesellige Treiben«, für welches er die steifen Berliner Empfänge hielt, lästig fand, nicht zuletzt, weil sie »mit einem sehr störenden Nachtleben verbunden« waren.

Um auszuspannen, begann er, regelmäßig Whist zu spielen, am liebsten jeden Abend. Er hatte meist dieselben Partner, mußte dabei nicht reden, konnte seinen Gedanken nachhängen, was dem Spielverlauf nicht gerade förderlich war. Doch er wollte immer gewinnen, was ihn seine Frau oft ließ. Wenn er verlor, regte er sich so auf, daß das Spiel – »es ist ein kalmierendes Mittel vor dem Schlafengehen« – seinen Zweck verfehlte.

Bewegung verschaffte sich der Schreibtischhocker durch Ausreiten. Es war in Berlin das reine Vergnügen. Die Behrenstraße verlief parallel zur Prachtstraße Unter den Linden. Von da war es nicht weit zum Tiergarten, der sich vom Brandenburger Tor bis

Berlin zwischen Biedermeier und Reichsgründung:
Sonntägliche Promenade im Tiergarten

Charlottenburg erstreckte, fast noch ein Wald, mit alten Bäumen und feinen Leuten, die Natur suchten und unter ihresgleichen promenieren wollten.

Berlin war größer geworden, jedoch erst auf halbem Wege zwischen Biedermeierresidenz und preußisch-deutscher Hauptstadt angelangt. »Die gewaltige, alles überragende Kuppel des Schlosses und zahlreiche hohe und spitze Türme neuer Kirchen haben das Ansehen der Stadt aus der Ferne ganz verändert«, bemerkte Moltke. »Dazu kommen nun die Industrie mit ihren Dampfschornsteinen, riesenhafte Kasernenbauten, Bahnhöfe und Isoliergefängnisse vor den Toren, dann Gasbeleuchtung, Wasserleitung, Trottoirs von Granitplatten, kurz, Berlin ist in der Tat eine schöne Stadt geworden.«

Die Beförderung hatte ihm nicht nur größeren Entfaltungsraum, sondern auch einen schöneren Arbeitsplatz verschafft. Und ihm die Möglichkeit nicht genommen, zumindest in Preußen herumzukommen. Es gab Generalstabsreisen und die alljährlichen Königsmanöver, bei denen man ohne den Generalstabschef nicht auskam. Im Herbst 1858 fanden sie in Schlesien statt. Moltke ritt im Gefolge des Prinzen von Preußen, der kurz darauf, am 8. Oktober, zum Prinzregenten berufen wurde. »Im Allerhöchsten Auftrag Sr. Majestät des Königs« hatte ihm Wilhelm am 18. September 1858 mitgeteilt: »Ich nehme die Gelegenheit des Schlusses der gemeinschaftlichen Übungen des V. und VI. Armeekorps gern wahr, um Ihnen einen Beweis Meiner Zufriedenheit mit Ihrer Geschäftsführung zu geben und Sie hierdurch zum Chef des Generalstabes der Armee zu ernennen.«

Die provisorische Einsetzung war zur definitiven Ernennung geworden. Den entsprechenden Dienstgrad, Generalleutnant, erlangte er ein halbes Jahr später, am 31. Mai 1859. Der Weg zum Erfolg war für den Endfünfziger endlich offen.

DEM GENERALSTAB konnte und wollte der neue Chef nicht von heute auf morgen die Form geben und die Bedeutung zuweisen, die ihm vorschwebten. So befolgte er die Lebensregel, die ohnehin seinem Temperament entsprach: zunächst alles beim alten belassen, sich auf die herkömmliche Generalstabsarbeit beschränken, sich mit der zweitrangigen Rolle des Generalstabschefs abfinden – bis auf weiteres.

Die Zeit arbeitete für ihn. In der zweiten Hälfte des 19. Jahrhunderts konnten Kriege nicht mehr wie Anno Leuthen oder Leipzig geführt werden. Und Kriege waren kaum mehr mit Genieblitzen des Feldherrn zu gewinnen, auch wenn ein neuer Friedrich der Große oder ein zweiter Napoleon I. auf dem Feldherrnhügel stehen würde.

»Genie ist Arbeit«, meinte Moltke, der Mann des fortgeschrittenen 19. Jahrhunderts. Das bürgerliche Arbeitsethos hatte auch für den Offizier, namentlich für den Generalstabsoffizier zu gelten. Dessen Bedeutung würde durch die Spezialisierung des Kriegshandwerks zunehmen. Das Kriegsgeschäft würde wie jedes andere der Fachleute bedürfen, die möglichst alles vorauskalkulierten und vorherplanten, sämtliche Faktoren in eine Rechnung, die im Ernstfall aufgehen sollte, einzubeziehen hätten.

Die Menschheit hatte sich vermehrt, und die Armeen waren

größer geworden. Die Industrie lieferte zweckmäßigere Ausrüstung und wirksamere Waffen, Gewehre, die schneller schossen, und Geschütze, die weiter reichten. Mit der Eisenbahn konnten selbst Massenheere schneller bewegt und per Telegraph besser gelenkt werden.

Das alles mußte schon bei der Kriegsvorbereitung beachtet und berechnet werden, und dies war die Pflicht des Generalstabes. Moltke wußte das und setzte darauf. Aber es war nicht leicht, Einsicht in die Notwendigkeit dieser Aufgabe und Rücksicht auf diejenigen, die sie zu erfüllen hatten, in einer Armee wie der preußischen zu finden, in der das »Immer feste druff!« weiterhin als der Kriegsweisheit letzter Schluß zu gelten schien.

Vorerst tat der neue Chef das, was er ungehindert tun konnte. Er bemühte sich um die Heranbildung von Generalstäblern, die sich an ihm ausrichteten, den geistigen Anforderungen genügten, den neuen Aufgaben gewachsen waren. Ein Elitekorps sollte herangezogen werden, das der Braintrust der preußischen Armee werden und das Management künftiger Kriege übernehmen könnte.

Die Ausbildungsmittel waren die herkömmlichen: taktische Aufgaben, topographische Arbeiten, Übungsreisen, kriegsgeschichtliche Studien. Das Ausbildungsziel wurde der Entwicklung angepaßt: Der Generalstäbler sollte weniger ein Kriegsphilosoph à la Clausewitz, mehr ein Kriegswissenschaftler à la Moltke werden. Denn in der zweiten Hälfte des 19. Jahrhunderts war die Erfahrung wichtiger als die Spekulation geworden.

Clausewitz, dessen tiefsinniges Werk »Vom Kriege« auch der neue Generalstabschef mit geistigem Gewinn studiert hatte, war gewissermaßen der Hegel der Kriegslehre. Moltke wurde so etwas wie ein Ranke seines Metiers. Er wollte wissen, wie es in früheren Feldzügen gewesen war, um aus Vorgängen von gestern Erkenntnisse für heute und morgen zu schöpfen, Einsichten in Wirklichkeit und Wesen des Krieges zu gewinnen.

Auf kriegsgeschichtliche Studien legte er großen Wert, nicht nur persönlich, sondern auch bei der Ausbildung der Generalstäbler. Er hatte immerhin einen Feldzug in der Türkei erlebt. Die jungen Herren kannten Kriege nur vom Hörensagen, konnten Kriegserfahrungen nur durch die Kriegsgeschichte gewinnen – passiv durch Studium, aktiv durch Darstellungen.

Ein erster Anlauf in dieser Richtung scheiterte. Sein Antrag vom 20. Mai 1859, eine eigene militärwissenschaftliche Abteilung im Großen Generalstab einzurichten, wurde vom Kriegsminister abgelehnt. Er sollte sie erst 1867 bekommen, auf dem Umweg über den sogenannten »Nebenetat«, der 21 wissenschaftlich tätige Offiziere vorsah. Der »Hauptetat« wies bei Moltkes Amtsübernahme 64 Planstellen aus; 1867 sollten es 88 sein. Der Große Generalstab, die Zentrale in Berlin, war in drei Abteilungen gegliedert: Armeen der östlichen Nachbarn; deutsche Armeen und Eisenbahnangelegenheiten; Armeen der westlichen Nachbarn.

Die Generalstabsoffiziere sollten ihre Erfahrungen nicht nur aus der Geschichte, sondern auch aus der Gegenwart gewinnen, in praktischer Ausbildung, durch Geländeaufnahmen, Erkundungsaufträge und Generalstabsreisen. Kenntnisse über Waffentechnik und Eisenbahnwesen wurden immer wichtiger. Man mußte über Freund wie Feind eingehend Bescheid wissen – die französische und die russische Armee, die für Moltke als Hauptgegner galten, die Armeen Österreichs und der deutschen Staaten, mit denen Preußen im Deutschen Bund vereint war.

Man mußte die möglichen »Kriegstheater« kennen, die denkbaren Kriegsbühnen, Rollen und Auftritte der Kombattanten, Akte und Szenenfolge des Kriegsdramas sich vorzustellen vermögen – bis zum Finale, das mit dem Sieg der eigenen Armee enden sollte, aber auch mit einer Niederlage enden könnte, wenn der Generalstab nicht alles und jedes richtig vorausbedacht hatte.

Die Wichtigkeit der Generalstabsarbeit, der theoretischen wie der praktischen, konnte Moltke bald an einem Beispiel demonstrieren: dem Krieg von 1859, den das Frankreich Napoleons III. und das Sardinien-Piemont Viktor Emanuels II. gegen das Österreich Franz Josephs I. begannen und durch die Schlachten von Magenta und Solferino gewannen. Das war ein kriegsgeschichtliches Exempel, aus dem vieles zu lernen war, auch und gerade weil es sich soeben abgespielt hatte, als ein erster moderner Krieg. Und vor den Augen des auf aktuelle Nutzanwendung erpichten Kriegshistorikers.

Auch das war neu, daß man, wie Moltke bemerkte, bereits unmittelbar nach einem Waffengang diesen darstellen und beurteilen konnte. Dank den »vielen Augenzeugen von Ereignissen, an denen Millionen Menschen mithandelnd beteiligt sind«, anhand zahlreicher mündlicher und schriftlicher Berichte sowie »bei vorhandener genauer Kenntnis des Kriegsschauplatzes und der handelnden Armeen« sei es möglich geworden, »unter Zuhilfenahme der amtlichen und halbamtlichen Äußerungen beider Teile, den wesentlichen Zusammenhang der Ereignisse in deutlichen Zügen zu erkennen«.

So schrieb der Chef, um selber zu lernen und ein Lehrmittel für seinen Stab zu gewinnen, Aufsätze über die Schlachten von Magenta und Solferino. Und verfaßte maßgeblich das Generalstabswerk »Der italienische Feldzug des Jahres 1859«. Es wurde auch der Öffentlichkeit zugänglich gemacht, die sich interessiert zeigte; binnen Jahresfrist wurde eine zweite Auflage erforderlich.

Wichtiger als die Darstellung war die Kommentierung des italienischen Krieges. Moltke entwickelte anhand der Ereignisse seine Ansichten über Vorbereitung wie Durchführung eines Krieges. Er formulierte taktisch-strategische Lehrsätze für seine Offiziere. Er verfaßte ein Memorandum für die Heeresleitung, die bedenken sollte, daß nur ein solchermaßen geschulter Generalstab für die operative Planung eines modernen Krieges in Frage käme. Und dessen Chef der einzige Berater des Oberbefehlshabers im Felde werden müßte.

Waren nicht die Schlachten von Magenta und Solferino in erster Linie wegen der Uneinheitlichkeit und damit Unentschiedenheit der österreichischen Heeresleitung verlorengegangen? »Man umgebe aber einen Feldherrn mit einer Anzahl von einander unabhängigen Männern – je mehr, je vornehmer, ja je gescheiter, um so schlimmer –, er höre bald den Rat des einen, bald des anderen; er führe eine an sich zweckmäßige Maßregel bis zu einem gewissen Punkt, eine noch zweckmäßigere in einer anderen Richtung aus, erkenne dann die durchaus begründeten Einwürfe eines dritten und dann die Abhilfevorschläge eines vierten an – so ist hundert gegen eins zu wetten, daß er mit vielleicht lauter wohlmotivierten Maßregeln seinen Feldzug verlieren wird.«

Nein, nicht eine »beratende Versammlung«, die »das Für und Wider mit so guten und unwiderlegbaren Gründen belegt, daß eines das andere aufhebt«, dürfe ein Hauptquartier sein. Vonnöten seien *ein* Befehlshaber und ein einziger Berater. Dem Kommandierenden dürfe nur *eine* Meinung und nur durch den *einen* dazu Befugten vorgetragen werden.

Und dies könne nach Lage der Dinge nur der Chef des Generalstabes der Armee sein. Er konnte und – dank der Ausbildung durch Moltke – sollte bald über einen Apparat verfügen, der alle für die moderne Kriegführung relevanten Fakten gesammelt und gespeichert hatte. Der Generalstabschef konnte sie abrufen, kombinieren, die entsprechenden Entschlüsse fassen und die richtige Entscheidungshilfe geben – vornehmlich, wenn er über die Befähigung Moltkes verfügte, wovon dieser, bei aller Bescheidenheit, überzeugt war.

Schon hatte er Ansätze einer neuen Taktik und Strategie entwickelt. Sie entsprachen der Auffassung des zeitgenössischen Realismus, daß die Gesetze, nach denen gehandelt werden sollte, nicht den Dingen aufgezwungen, sondern aus diesen abgeleitet werden müßten. Sie berücksichtigten die moderne Entwicklung des Verkehrswesens und der Waffentechnik. Und sie beachteten den liberalen Grundsatz, daß auf die Persönlichkeit – auch der militärischen Führer und Unterführer – gesetzt werden konnte, ja mußte.

Die Eisenbahnen hatten die Kriegführung verändert. »Sie steigern im ausgedehntesten Maße eines der wichtigsten Elemente des Krieges, das der Bewegung, ja, sie machen die Entfernungen verschwinden.« Einer der Gründe der Erfolge Napoleons I. war darin zu suchen, daß er seine Truppen schnell an den Feind brachte. Damals mußten die Soldaten noch marschieren, nun konnten sie auf Schienenwegen viel schneller hin- und hergeschoben werden. So war der Aufmarsch der Heere noch wichtiger geworden; ihn im Frieden exakt zu planen und im Kriege rasch zu vollziehen, die Streitkräfte rechtzeitig für die Schlachtentscheidung zusammenzufassen – das konnte schon den halben Sieg bedeuten.

Die Einführung von Gewehren mit gezogenen Läufen und Geschützen mit gezogenen Rohren verlangte Veränderungen in der Gefechtstaktik. Die Kavallerie könnte gegen solche Feuermauern nicht mehr attackieren. Die Infanterie müßte verlustreiche Frontalangriffe vermeiden, mehr im zerstreuten Gefecht vorgehen. Und die weiter schießende und genauer treffende Artillerie sollte sich auf das Ferngefecht konzentrieren. Mit einer im Mai 1861 unaufgefordert dem König vorgelegten Denkschrift über die Bedeutung der verbesserten Feuerwaffen für die Taktik suchte

Moltke auf die »Allerhöchsten Verordnungen über größere Truppenübungen« Einfluß zu nehmen – ohne nachweisbaren Erfolg. Noch fand der Generalstab als eine untergeordnete Dienststelle nicht das gewünschte Gehör. Noch stieß der Generalstabschef auf taube Ohren, wenn er in einer Armee, in der einer befahl und die anderen zu gehorchen hatten, mehr Entscheidungsfreiheit für die Führer auch kleinerer Einheiten zu fordern begann.

Der Planer wußte, daß nicht alles geplant werden konnte, nicht alle Kalkulationen aufgingen, mit Unberechenbarem gerechnet werden mußte. So neigte er dazu, möglichst genaue Anordnungen zu treffen, denkbar klare Direktiven zu geben, die aber im nicht vorhersehbaren und nicht vorgesehenen Einzelfall von den Verantwortlichen an Ort und Stelle nach eigenem besten Wissen und Gewissen auszulegen wären.

Bereits in seinen ersten Jahren als Generalstabschef gab er die Wege an, auf denen er die preußische Armee zu den großen Siegen von 1866 und 1870 führen sollte. Das Jahr 1859 hatte ihm wichtige Erkenntnisse gebracht, durch die Folgerungen, die er aus dem italienischen Kriege zog, und die Erfahrungen, die er bei der Mobilmachung der preußischen Armee gewann.

Anno 1859 wurde sie nicht, wie vom Generalstabschef gewünscht, an der Seite Österreichs gegen Frankreich eingesetzt. Dies brachte eine weitere Erkenntnis: Die militärische Planung war von der staatlichen Politik abhängig – ein Verhältnis, das Clausewitz bejaht hatte und das Moltke nicht behagte. Denn der Generalstabschef begann sich auch im Strategisch-Politischen für zuständig zu halten.

FRANKREICH, NICHT ÖSTERREICH galt ihm als Hauptgegner Preußens. Konservativ, wie er war, hielt er zum Habsburger in Wien, stellte er sich gegen den neuen Bonaparte in Paris, der die Vorherrschaft auf dem Kontinent erstrebte und die Revolution in Europa zu entfachen suchte. Nationalgesinnt, wie er war, empfand er den französisch-italienischen Angriff auf Österreich als eine Aggression gegen eine deutsche Macht, als eine Herausforderung des Deutschen Bundes, der – wenn auch mehr schlecht als recht – die Deutschen zusammenfaßte.

Dem deutschen Österreich beizustehen hielt er auch im Interesse Preußens für geboten. Nicht nur Österreich, sondern auch

Preußen seien heute schon von Frankreich bedroht, und beide würden morgen von Frankreich und Rußland bedroht sein. Keine der beiden deutschen Großmächte könnte allein »dem Andrängen Frankreichs und Rußlands zugleich widerstreben. Die Vernichtung der einen wird nicht der anderen Macht die Beute, Deutschland, zuführen, sondern sie wird dem Ausland zufallen.«

Frankreich eröffnete im Jahre 1859 den Kampf gegen die »germanische Mitte Europas«, an der Seite des nationalrevolutionären Italiens. Kurz vor Ausbruch des Krieges hatte Moltke in einer Denkschrift darauf hingewiesen: »In dem Zusammenhalten der beiden deutschen Großmächte liegt die größte Gewähr für den Frieden Europas, und wenn zwingende Verhältnisse dennoch den Krieg ausbrechen lassen, für dessen glücklichen Ausgang.« Andererseits: Würde Österreich gegen Frankreich allein gelassen, so müßte es unterliegen, wäre Preußen, allein auf sich gestellt, einem französischen Angriff nicht gewachsen. Man hatte das schon einmal erlebt: Napoleon I. hatte zunächst Österreich 1805 bei Austerlitz und dann Preußen 1806 bei Jena und Auerstedt besiegt.

Das Jahr 1859 war ein Jahr der Wende. In Frankreich war Napoleon III. in die Fußstapfen Napoleons I. getreten. In Rußland begann die panslawistische Ideologie eine Antriebskraft des moskowitischen Imperialismus zu werden. In Italien marschierte die Nationalrevolution. In Deutschland kam die Nationalbewegung wieder in Fahrt. In Preußen war die »Neue Ära« ausgerufen, die Eroberungen, vorerst »moralische«, in Deutschland machen wollte. In Österreich starb der alte Staatskanzler Metternich, der dies alles vorausgesehen und zu verhindern versucht hatte.

Etwas vom Geiste Metternichs lebte in Moltke fort. Er war im Jahre 1800, im Zeitalter der Napoleonischen Kriege, geboren worden, und in der Ära des Friedens großgeworden, die auf dem Wiener Kongreß beschlossen und durch ein Gleichgewicht der Mächte gesichert worden war. Ähnlich wie Metternich war Moltke der Meinung, daß die europäische Friedensordnung auch und nicht zuletzt auf dem Einvernehmen zwischen Österreich und Preußen beruhe. In Europa, gegen äußere Gegner, seien sie aufeinander angewiesen. Im Deutschen Bund müßten sie ihre unterschiedlichen Interessen ausgleichen, gütlich und schiedlich im »friedlichen Dualismus«.

Preußen, die anders dachten, meldeten sich zu Wort. Der

Gesandte in Sankt Petersburg, Otto von Bismarck, ließ von sich hören: »Die gegenwärtige Lage hat wieder einmal das große Los für Preußen im Topf, falls wir den Krieg Österreichs mit Frankreich sich scharf einfressen lassen, dann mit unserer ganzen Armee nach Süden aufbrechen, die Grenzpfähle im Tornister mitnehmen und sie entweder am Bodensee oder dort, wo das Protestantische aufhört zu überwiegen, wieder einschlagen.«

So weit wollte Wilhelm, der vom Soldatenprinzen zum Prinzregenten avanciert war, nicht gehen. Aber er wollte bei dieser Gelegenheit erreichen, was ihm seit langem vorschwebte: die politische Parität mit der bisherigen Präsidialmacht Österreich im Deutschen Bund und – was ihm besonders am Herzen lag – den militärischen Primat, den Oberbefehl über die Bundestruppen des nichtösterreichischen Deutschlands in einem gemeinsamen Krieg gegen Frankreich.

Auch sein Generalstabschef hielt das erste für erstrebenswert und das zweite für erforderlich. Preußen hatte die schlagkräftigste Armee, einen Oberbefehlshaber, der im Unterschied zu Kaiser Franz Joseph ein Militär durch und durch war, und den Generalstabschef Moltke. Doch dieser wollte aus der Frage des Oberbefehls keine Grundsatzfrage machen, über deren Erörterung man es versäumen könnte, rechtzeitig an die Seite Österreichs zu treten. Dieses Problem würde sich durch die Macht des Faktischen von selbst lösen.

Denn, wie er bereits vor Ausbruch des italienischen Krieges schrieb: »Preußens Machtstellung in Deutschland kann durch die Rivalität Österreichs in ruhigen Zeiten zurückgedrängt werden, ernste Verwicklungen müssen sie stets wieder zur vollen Geltung bringen. Antwortet Preußen auf die Bedrohung Österreichs durch die Aufstellung seines Heeres am Rhein, so können auch die kleineren Staaten ihre Mitwirkung zu dem gemeinsamen Kampfe nicht versagen, welcher dann sogleich für Frankreich bedrohliche Dimensionen annimmt.«

Moltke erwartete, daß die süddeutschen Staaten als die von Frankreich am meisten bedrohten ihre Truppen dem preußischen Oberbefehl unterstellen würden. Und Österreich, in den italienischen Krieg verwickelt, dies hinnehmen müßte. Dann könnte Prinzregent Wilhelm am Rhein kommandieren und Kaiser Franz Joseph am Po. Der Hohenzoller und der Habsburger würden einig, treu und fest Deutschland vor Frankreich schirmen, wie es nationalbewußte Deutsche im Süden und im Norden verlangten.

Der Prinzregent zögerte, weniger aus Taktik, sondern weil dies seinem Temperament entsprach. Immerhin befahl er bei Kriegsausbruch in Italien Kriegsbereitschaft für Preußen. Der Generalstabschef hatte eine Zusammenziehung preußischer Streitkräfte am Rhein empfohlen und den Abschluß eines Bündnisvertrages mit Österreich, in dem sich Preußen zur Mobilmachung verpflichtete, sobald die Franzosen in Piemont aufmarschierten, sowie zum Kriegseintritt, wenn sie in die Lombardei, in österreichisches Gebiet, einmarschierten.

Er hatte auch einen Kriegsplan parat. Preußen müsse die Offensive ergreifen, nach Frankreich vorstoßen, aber nicht bis Paris. Wie Clausewitz sprach er von einem »begrenzten Kriegszweck«, wollte sich auf die Eroberung von Metz und Straßburg beschränken. »Vor allen Dingen müssen wir eine Schlacht gewinnen – dann aber Paris und das Innere von Frankreich sich selbst überlassen, uns gar nicht darum kümmern, ob da politische Umwälzungen vorgehen und welche.« Frankreich sei ein Vulkan, den man »in sich ausbrennen« lassen sollte. Moltke gedachte keinen Krieg für oder gegen Weltanschauungen, sondern einen Krieg für die Interessen Preußens und Deutschlands zu führen.

Sie nicht nur zu verfechten, sondern auch festzulegen, meinte der Generalstabschef berufen und befugt zu sein. Nicht zur Abwehr einer unmittelbaren Bedrohung, erklärte er dem Prinzregenten, sondern um künftigen Gefahren vorzubeugen, im Interesse Deutschlands, nicht für, aber mit Österreich müsse Preußen den Kampfplatz betreten. Der Generalstabschef hatte es bereits dahin gebracht, daß er sich – unter Umgehung des Dienstweges, der nach wie vor über den Kriegsminister führte – direkt an den Regenten wenden konnte. Damit war er seinem Ziel, der alleinige Berater des Oberbefehlshabers zu werden, ein gutes Stück näher gekommen.

Kriegsminister Eduard von Bonin, liberal gesinnt und pro-österreichisch gestimmt, ließ ihn gewähren. Außenminister Alexander von Schleinitz widersetzte sich: Die außenpolitische Planung stehe dem dafür zuständigen Minister zu. Und das von ihm zu definierende Interesse des Staates erfordere Neutralität im

Konflikt zwischen Preußens Rivalen Österreich und Österreichs Feind Frankreich.

Der Prinzregent versuchte es mit einem Mittelweg. Er bot Mitte Mai 1859 dem Kaiser von Österreich eine »bewaffnete Vermittlung« an und verlangte als Gegenleistung den Oberbefehl über die nichtösterreichischen Bundestruppen. Ehe darüber noch ernsthaft verhandelt werden konnte, wurden die Österreicher besiegt: am 4. Juni bei Magenta. Nun neigte sich der Prinzregent wieder mehr dem Generalstabschef zu, mobilisierte sechs Armeekorps, kündigte seine »bewaffnete Vermittlung« an.

Franzosen und Italiener ließen sich davon nicht abhalten, die Österreicher am 24. Juni bei Solferino vernichtend zu schlagen. Noch am selben Tage befahl Wilhelm endlich die Mobilmachung des gesamten preußischen Heeres und den Vormarsch der bereits mobilisierten Korps an den Rhein. Und am 4. Juli ließ er beim Frankfurter Bundestag seine Berufung zum Oberbefehlshaber der Bundestruppen beantragen.

Frankreich mußte nun mit einem Eingreifen Preußens rechnen, und Österreich, das sich bereits geschlagen gab, wollte den von Preußen geforderten Preis nicht mehr entrichten. Am 8. Juli einigten sich Napoleon III. und Franz Joseph I. in Villafranca über einen Waffenstillstand, am 11. Juli über den Vorfrieden.

Federn mußten alle lassen: die Österreicher, welche die Lombardei verloren, die Italiener, die Venetien noch nicht erhielten und Savoyen und Nizza an Napoleon abtreten mußten; die Franzosen, die an Grenzen ihrer Expansion stießen; die Preußen, die weder den militärischen Primat im nichtösterreichischen Deutschland noch die politische Parität im Deutschen Bund errangen und Sympathien beim deutschen Publikum verloren, weil sie nicht entschieden und rechtzeitig den deutschen Brüdern zu Hilfe gekommen waren.

Der Generalstabschef, der den österreichischen Gebietsverlust wie den preußischen Prestigeverlust im Interesse Deutschlands zu vermeiden gesucht hatte, übte rundum Kritik: an Österreich, das »lieber die Lombardei drangibt, als daß es Preußen an der Spitze von Deutschland sehen will«; an Deutschland, das »der Welt das jammervolle Schauspiel gezeigt, daß die Sonderinteressen selbst das kräftig erwachte Nationalgefühl überwiegen«; und an Preußen: »Kein Verbündeter kann uns den Dienst leisten, den Österreich leistet (nicht aus Liebe zu uns).« Und diesen Verbündeten hatte man verprellt, ohne daß die Gefahr, die nach wie vor vom Hauptgegner Frankreich drohte, gebannt worden war.

»Ein großer Moment für Preußen ist versäumt«, resümierte er im Juli 1859. »Wir konnten noch vor vier Wochen an die Spitze von Deutschland treten.« Als sehr bezeichnend sei bemerkt worden, daß Preußen das, was die natürlichen Konsequenzen seines Handelns gewesen wären – die militärische und dadurch vielleicht auch die politische Führungsrolle im nichtösterreichischen Deutschland –, als Bedingung zum Handeln aufgestellt habe. »Jetzt stehen wir auf uns selbst allein angewiesen, und die Überzeugung habe ich, daß wir uns auf die kommenden Ereignisse mit aller Sorgfalt und Kraft vorbereiten werden.«

Um sich dafür zu stärken, fuhr er zur Kur – nach Bad Gastein in Österreich, wo ihn Enzian und Alpenrosen erfreuten und das Heilwasser erquickte, das bewirke, daß selbst »völlig verwelkte Blumen, die in dasselbe gestellt, noch einmal wieder ganz frisch aufblühen«.

Seine lädierte Zuneigung zu Österreich war nicht so schnell wiederzubeleben. Seine Abneigung gegen Frankreich hatte sich nicht verändert. Und seine Sorge vor einem Übergriff Napoleons III. auf Mitteleuropa war noch gewachsen. Moltke ging davon aus, daß der Neffe des großen Napoleon nicht ruhen und rasten werde, bis er das seinige zur Grandeur der Grande Nation beigetragen habe, durch ideologische Infiltration, machtpolitische Expansion, militärische Aggression – zunächst und in erster Linie gegen Preußen, das für Deutschland am Rhein stand.

Seine erste Tätigkeit nach Wiederaufnahme der Amtsgeschäfte war eine Generalstabsreise in den äußersten Westen Preußens. Sie ging von der Annahme aus, daß ein französischer Hauptangriff durch Belgien gegen den Niederrhein und ein französischer Nebenangriff von Metz gegen die Mosel geführt werde. In dieser Gegend wurde die Verteidigung geübt; die angenommenen Operationen gipfelten in einer Abwehrschlacht bei Euskirchen, in der Nähe Bonns.

Preußen, das nur an der Saar eine etwa 60 Kilometer lange Grenze mit Frankreich hatte, mußte aber auch an seiner Grenze mit Luxemburg, Belgien und Holland auf der Hut sein. Und vor allem in Süddeutschland, wo die bayerische Rheinpfalz und Baden unmittelbar an Frankreich stießen. War jedoch auf diese deutschen Bundesbrüder Verlaß? Moltke verneinte diese Frage. Am Rhein, wo allein eine wirkliche Besitzergreifung für Frankreich möglich sei, werde bei der Unzuverlässigkeit der Süddeutschen Preußen wahrscheinlich allein stehen. Entsprechend sah sein Kriegsplan die Versammlung der preußischen Hauptmacht am unteren Main vor, in einer Stellung, aus der sie nach Süden wie nach Norden operieren könnte.

Ein Angriff Frankreichs, das im Gegensatz zu Preußen über eine beachtliche Flotte verfügte, könnte auch – vor allem, wenn es sich mit Dänemark verbündete – über See erfolgen. An der Ostseeküste beherrschte Preußen das Feld, Mecklenburg ausgenommen, aber dort schien es Moltke ohnehin so, als wenn er innerhalb der schwarz-weißen Grenzpfähle reiste: »Der Kommandant in Schärpe bringt den Rapport der Garnison, ein Unteroffizier meldet sich als Ordonnanz.« Anders war dies an der Nordseeküste, wo Hannover, Oldenburg, Hamburg und Bremen sich breitmachten.

Daraus ergaben sich Probleme bei der Planung einer gemeinsamen Verteidigung der deutschen Küste, mit denen Moltke in Verhandlungen mit diesen Bundesbrüdern konfrontiert wurde. Sie wußten, daß nur Preußen einen wirksamen Küstenschutz verbürgen konnte, aber sie wollten ihm nicht die notwendigen Befugnisse übertragen. Die Angst vor einer Vorherrschaft war größer als die Sorge um die Sicherheit.

Dieser Deutsche Bund war ein altmodisches, schwerfälliges Vehikel, mit dem man nicht in der Gegenwart und schon gar nicht in die Zukunft fahren konnte. Gelenkt wurde es immer noch von Österreich, das Preußen nicht in den Führerstand lassen wollte, doch Anstalten traf, das Gefährt zu reparieren und zu modernisieren. Das lag nicht im Sinne der liberalen Nationalbewegung, die keine Reform des Deutschen Bundes, sondern einen deutschen Nationalstaat wollte. Und es lag nicht im Interesse Preußens, wo zwar noch Gleichrangigkeit im Deutschen Bund verlangt, aber bereits an die Führung eines Deutschlands ohne Österreich gedacht wurde.

Ein Zusammenstoß mit Österreich mußte einkalkuliert werden, was dem preußischen Generalstabschef nicht paßte, weil er immer noch ein Zusammengehen der beiden deutschen Führungsstaaten aus nationalpolitischen Gründen und der beiden deutschen Großmächte aus sicherheitspolitischen Erwägungen für das Richtige und Notwendige hielt.

»Der Krieg zwischen Österreich und Preußen«, hieß es in seiner Denkschrift vom Frühjahr 1860, »würde alle Mächte Europas berühren. Denn ein größerer Erfolg des einen oder des anderen würde die gegenwärtige Zerrissenheit Deutschlands beenden, die Kleinstaaten dem Sieger unterwerfen und im Zentrum Europas einen einheitlichen Staat begründen, welcher jedem seiner Nachbarn an Macht und Einfluß überlegen wäre. Frankreich am allerwenigsten kann das Ergebnis dieses Kampfes, ein Siebzig-Millionen-Reich deutscher Nation, wünschen, aber es darf aus dem Kampfe die allergrößten Vorteile für sich, die Einverleibung Belgiens, der Rheinprovinz und vielleicht Hollands, hoffen, ja fast mit Sicherheit erwarten, wenn Preußens Hauptmacht an die Elbe und Oder gefesselt ist.« Folglich: »Kommt es zum Bruch zwischen Österreich und Preußen, so kann aus dem Kampf, je nach seinem Ausfall, ein mächtiges Reich unter habsburgischer oder hohenzollernscher Herrschaft hervorgehen; Deutschland aber bezahlt dafür seine schließliche Einigung mit dem Verlust von Provinzen nach Osten und Westen.«

Als Europäer, Deutscher und Preuße wollte er einen Krieg zwischen den deutschen Großmächten und europäischen Mittelmächten vermieden wissen. Als preußischer Generalstabschef hatte er freilich alle Möglichkeiten ins Auge zu fassen, für jeden denkbaren Konflikt den entsprechenden Kriegsplan auszuarbeiten. So plante er bereits im Frühjahr 1860 den Aufmarsch der preußischen Armee in einem etwaigen Verteidigungskrieg gegen Österreich und übte ihn auf der Generalstabsreise dieses Jahres.

Für wahrscheinlicher hielt er eine Reprise von 1859, einen weiteren Krieg zwischen Frankreich und Österreich in Italien. Wenn der Vorhang wieder aufging, müßten Preußen und Österreicher Seite an Seite stehen. Vorher sollte allerdings die Kommandofrage geklärt sein. Der Prinzregent hatte zurückgesteckt: Wenn er schon nicht als Bundesfeldherr an die Spitze eines deutschen Bundesheeres treten könne, wolle er wenigstens an der Spitze eines norddeutschen Bundesheeres stehen. Er schlug vor, die beiden norddeutschen Armeekorps der preußischen Armee und die beiden süddeutschen Armeekorps der österreichischen Armee einzugliedern.

Einer solchen Zweiteilung stimmte der Kaiser von Österreich nicht zu, der militärisch wie politisch allein an der Spitze des Deutschen Bundes bleiben wollte. Er akzeptierte jedoch – beim Teplitzer Treffen Franz Josephs und Wilhelms im Juli 1860 – militärische Verhandlungen über eine gemeinsame Kriegführung in einem neuen Konflikt mit Frankreich.

Auf preußischer Seite sollte diese Verhandlungen maßgeblich Moltke führen. Das war für ihn die Chance, nicht nur seine bereits 1859 erhobenen militärischen, sondern auch seine politischen Vorstellungen zur Geltung zu bringen. Dabei stieß er weniger auf das Widerstreben der Österreicher als auf den Widerstand des preußischen Außenministers Schleinitz, der mehr die preußischen als die gesamtdeutschen Interessen betonte. Und es nicht hinnahm, daß der Generalstabschef am Außenminister vorbei mit den militärischen die damit verbundenen politischen Fragen behandelte.

»Die Trennung der Politik von strategischen Erwägungen ist ganz unmöglich«, rechtfertigte der Generalstabschef seine Verhandlungsführung. Wilhelm entschied die Auseinandersetzung zugunsten des Ministers und der Politik – und damit einer spezifisch preußischen Interessenpolitik. So konnten die preußisch-österreichischen Militärverhandlungen in Berlin zu keinem Ergebnis kommen; Anfang Januar 1861 begonnen, wurden sie Mitte Februar 1861 abgebrochen. Moltke verlangte weiterhin ein Zusammengehen mit Österreich, doch schien Schleinitz recht zu behalten: Ein Jahr später lag ein Krieg zwischen den deutschen Großmächten in der Luft.

Daran waren nun nicht die Militärs, sondern die Politiker schuld: die österreichischen, die eine Bundesreform ohne Berücksichtigung der preußischen Paritätswünsche anstrebten; die preußischen, welche eine Neuauflage der 1850 gescheiterten kleindeutschen Unionspolitik dagegensetzten und die ein nebensächliches Vorkommnis, den Verfassungsstreit in Kurhessen, zu einer Demonstration benützen wollten, daß sie zumindest im Deutschland nördlich der Mainlinie zu bestimmen und zu entscheiden hätten – im konkreten Fall gegen den reaktionären Kurfürsten und für eine fortschrittliche Verfassung.

Für eine solche hatten sich Preußen und Österreich gemeinsam im Bundestag ausgesprochen. Aber den Berlinern paßte es nicht, daß die Wiener mit von der Partie waren; die Frankfurter Mühlen mahlten ihnen zu langsam. Und der Kurfürst ließ sich von einem nach Kassel entsandten Adjutanten Wilhelms keine Vorschriften machen. Preußen gedachte in seinem norddeutschen Interessenbereich allein und rasch Ordnung zu schaffen: Am 15. Mai 1862 wurden zwei Armeekorps in Marschbereitschaft gesetzt.

Ihr Einmarsch in Kurhessen hätte Krieg bedeuten können, mit Österreich, deutschen Bundesstaaten und europäischen Mächten. Moltke, der während der Zuspitzung der Situation auf Küstenkommissionsreise in Hamburg war und ohnehin keine amtlichen außenpolitischen Informationen bekam, war konsterniert: Anstatt gegen äußere Feinde zusammenzustehen, gedachten die deutschen Mächte über einander herzufallen – zum Schaden der europäischen Stellung und zum Nutzen der Gegner Deutschlands.

Doch der Generalstabschef hatte sich pflichtgemäß auf die neue Situation einzustellen. Dem Pragmatiker fiel dies nicht allzu schwer, der Planer machte sich an seine liebste Arbeit. Bereits am 3. Juni 1862 legte er einen Kriegsplan vor, der mit einer Lagebeurteilung begann: »Wenn Preußen in Kurhessen einrückt, so können zwei Fälle eintreten: Entweder dies immer noch bezweifelte aktive Auftreten bestimmt Österreich, in Betracht seiner eigenen schwierigen Lage das Geschehene zu dulden, oder Österreich setzt den Bund in Bewegung.« Die Konsequenz: »In diesem letzteren Falle bleibt Preußen gar nichts übrig, als sich zum Herrn in Kleindeutschland zu machen. Ein Zurückweichen wäre gefährlicher für uns als verlorene Schlachten, es wäre der politische Tod. Jeder Mittelweg führt zum Verderben, nur die rücksichtsloseste Offensive zum Ziel.«

Als den Hauptgegnern rechnete er mit Österreich und Bayern, eventuell auch Frankreich, das jedoch zur Zeit nicht mit ganzer Macht gegen Preußen auftreten, »gegen uns kaum anders als durch Süddeutschland operieren« könne. Ob dies die Süddeutschen hinnehmen würden, sei fraglich. Jedenfalls würde Preußen bei Kriegsausbruch ohne Verbündete dastehen. »Es kann sich aber deren erkämpfen, und zwar in Deutschland selbst.«

Der Vorteil Preußens bestehe in der Initiative: »Wir können unsere Streitkräfte schneller aufstellen als alle unsere deutschen Gegner. Der Erfolg beruht ganz allein in dem sofortigen und rücksichtslosesten Gebrauch derselben.« Auf den Deutschen

Bund bräuchte keine Rücksicht mehr genommen zu werden: Das Bundesrecht wäre ohnehin durch den Einmarsch in Kurhessen verletzt. »Legt der Bund Bedingungen und Verpflichtungen auf, bei denen der preußische Staat nicht mit Ehren bestehen kann, so bleibt nur die Sprengung desselben, der Krieg gegen den Bund.«

Denn: »Es kommt darauf an, Deutschland durch Gewalt gegen Frankreich zu einigen.« Und Österreich aus Kleindeutschland zu verstoßen. Der Hauptschlag sei gegen Österreich zu führen: in raschem Vorrücken durch Sachsen nach Böhmen.

1862 fand der Krieg nicht statt; der Kurfürst von Hessen und der König von Preußen lenkten ein. Doch Moltke hatte bereits in diesem Jahre 1866 präludiert und an 1870 gedacht, in einer Zeit, in der das Schwert, das er zu führen gedachte, erst geschmiedet wurde – eine durch die Heeresreorganisation vermehrte und vereinheitlichte königlich preußische Armee.

Kriegsminister General Albrecht von Roon

DER VERFASSUNGSKONFLIKT, der wegen der Heeresreorganisation zwischen Krone und Parlament ausbrach, drängte das Liberale in Moltke zurück, ließ das Konservative stärker hervortreten – so wie die Gewalt der Tatsachen aus ihm, einem gesamtdeutschen Patrioten, einen preußischen Kleindeutschen gemacht hatte. Auch hier war er Zeitgenossen voraus: Die realpolitische Entscheidung, die 1866 die Nationalliberalen trafen, war bei ihm bereits einige Jahre früher gefallen.

Der Militär war von der Notwendigkeit einer Heeresreorganisation überzeugt. Die preußische Bevölkerung war seit dem Ende der Befreiungskriege von 11 auf 18 Millionen gewachsen, aber jährlich wurden nur 40000 Rekruten eingezogen, zwei Neuntel der Wehrpflichtigen. Das lag nicht im Sinne der seinerzeit eingeführten allgemeinen Wehrpflicht. Die Auswahl widersprach dem Gleichheitsgrundsatz und dem Gerechtigkeitsprinzip: Sie erfolgte durch Los. Die es traf, mußten drei Jahre in der Linie und danach – bis zum 39. Lebensjahr – in der Reserve und in der Landwehr dienen. Wurde mobil gemacht, so mußten Familienväter ins Feld, ihre Familien unterstützt werden, während junge und ledige Männer, die das Los nicht getroffen hatte, zu Hause bleiben durften.

Mit den Landwehrmännern, namentlich den älteren, war nicht viel anzufangen. In den Augen der Linienoffiziere waren sie Zwitter: halb Soldaten, halb Zivilisten. Und die Heeresleitung eines Staates, der stets abwehrbereit sein mußte und immer mehr angriffsbereit sein wollte, wies darauf hin, daß die Mischform aus Linientruppe und Landwehr der Forderung nach ständiger Kampfbereitschaft immer weniger entsprach.

Die Landwehr erschien als militärisch unzulänglich und als politisch gefährlich. Sie war dem Geist der Freiheitskriege entsprungen, dem Gedanken der Volksbewaffnung zur Erkämpfung von Volksrechten. Die preußischen Staatsautoritäten hatten ihn walten lassen, solange sie ihn in den Befreiungskriegen gegen den Napoleonischen Imperialismus benötigten, ihn aber zum Ungeist erklärt, nachdem er seine Pflicht und Schuldigkeit getan hatte. Im Revolutionsjahr 1848 war er, noch einmal ausgebrochen, mühsam genug gebändigt worden. Nun sollte er ein für allemal aus dem Königreich Preußen verbannt werden.

Das mußte auf den Widerstand des Bürgertums stoßen, das

auch in Preußen, wenn auch nur im Tempo der Echternacher Springprozession, vorangekommen war. Aus dem Rückblick auf 1813 wie 1848 bezogen preußische Liberale ihre Tröstung angesichts der vom monarchisch-feudalen Obrigkeitsstaat beherrschten Gegenwart und ihre Hoffnung auf eine von ihnen zumindest mitgestaltete Zukunft. Einen Ansatz dazu sahen sie in der bürgerlichen Landwehr, die neben der von adeligen Offizieren befehligten Linie stand. Wer diese Errungenschaft antastete oder sie gar beseitigen wollte, mußte auf ihren Widerspruch stoßen.

König Wilhelm I. und sein neuer Kriegsminister Albrecht von Roon wollten ihn zwar nicht unbedingt herausfordern, aber doch, wenn es nicht anders gehen sollte, ihm entschieden entgegentreten. Denn für sie stand nicht nur die preußische Armee auf dem Spiel, sondern mit ihr die preußische Monarchie.

Es handele sich, erklärte Roon, »um die wichtigsten und heiligsten Interessen, um des Vaterlandes Glanz und Größe, um seine politische Bedeutung, um sein Bestehen«, um seinen Machtanspruch, der nur »durch die drohende Wucht und Schärfe seines allzeit kampfbereiten Schwertes« durchzusetzen sei. In seiner Denkschrift »zur vaterländischen Heeresverfassung« forderte er die Abschaffung der Landwehr als Bestandteil der mobilen Armee, Zuweisung der jüngeren Jahrgänge der bisherigen Landwehr an die Reserve des stehenden Heers, Vermehrung der Linienregimenter, Vereinheitlichung und Verstärkung der königlich preußischen Armee.

Als Voraussetzung der Lösung des deutschen Dualismus – meinte Roon – gelte es den preußischen Dualismus zwischen bürgerlichem Landwehrmann und Berufssoldaten aufzuheben, »d. h. das bisherige Landwehr- in Linienmaterial und den bisherigen Landwehrgeist in echten Soldatengeist zu verwandeln«.

Moltke war der bisherige Kriegsminister, Eduard von Bonin, lieber gewesen, ein General, in dem der Geist der preußischen Reformzeit fortwirkte, der nicht in die neue preußische Eisenzeit paßte und deshalb gehen mußte. Albrecht von Roon war für sie wie geschaffen: ein kantiger Pommer, ein Stockpreuße, ein Konservativer, der sich nicht an Friedrich Wilhelm IV. und seinem christlich-deutschen Kreis, sondern an Hegel orientierte, Machthaben mit Rechthaben gleichsetzte und in der Machtausübung ein Sittlichkeitsgebot erblickte.

Moltke war Roon mehrmals begegnet, ohne daß er sich zu dem etwas Jüngeren und um etliches Forscheren hingezogen gefühlt hätte. Sie waren zusammen auf der Kriegsschule gewesen, hatten beim Geographen Carl Ritter gehört, ein Faible für die Erdkunde gefaßt, die Generalstabslaufbahn eingeschlagen. 1848 war Roon der Nachfolger Moltkes als erster Generalstabsoffizier beim VIII. Armeekorps in Koblenz geworden.

Und beide waren Prinzenerzieher gewesen und dadurch Hofmilitärs geworden: Roon beim Prinzen Friedrich Karl, einen Neffen Wilhelms I., der ein Heerführer der deutschen Einigungskriege werden sollte; Moltke beim Prinzen Friedrich Wilhelm, dem Sohn Wilhelms I., der nun Kronprinz war und ebenfalls ein Heerführer wurde.

Eigentlich hätte Roon auch der Erzieher Friedrich Wilhelms werden sollen. Bereits 1848 hatte ihm der damalige Thronfolger Wilhelm diese Vertrauensstellung angetragen und dessen Frau Augusta ihm das Erziehungsziel genannt: Ihr Sohn solle »die neuen Ideen in sich aufnehmen und verarbeiten«, damit der künftige König von Preußen nicht außerhalb seiner Zeit, »sondern in und mit ihr lebe«. Zu solcher Erziehungsarbeit tauge er nicht, hatte Roon geantwortet, denn er erfreue sich einer »reaktionären Gesinnung«.

Im Jahre 1855 war Moltke erster persönlicher Adjutant des Prinzen Friedrich Wilhelm geworden. Er galt dessen Vater als Vertreter eines Liberalkonservativismus, den er in den Koblenzer Jahren und auch noch in der Prinzregentenzeit für vorbildlich gehalten hatte. Aber die »Neue Ära«, in die Männer wie Moltke Hoffnungen gesetzt und in die Männer wie Roon Befürchtungen gehegt hatten, war nun zu Ende. Als Friedrich Wilhelm IV. am 2. Januar 1861 starb und der Regent als Wilhelm I. König wurde, nahm auf dem preußischen Thron ein Hohenzoller Platz, der es der preußischen Tradition schuldig zu sein glaubte, ein Soldatenkönig und kein Bürgerkönig zu werden.

Moltke erlebte ihn bei den Manövern im September 1861 in seinem Element. Mit Vierundsechzig endlich König geworden, schien er bisher Versäumtes im Galopp nachholen zu wollen, hielt er die Truppe im Trab, auch den Generalstabschef an seiner Seite. »Dem König zu folgen ist schon an und für sich nicht leicht, nun gilt es aber noch hier und da einzugreifen, Entscheidungen zu geben oder Aufträge zu überbringen auf sehr bedeutende Entfernungen, alles in der schärfsten Karriere über den hügeligen, vom Regen aufgeweichten Boden, durch Rübenfelder, Saatklee und Gräben.«

Die französischen Manöverbeobachter waren verblüfft über das Tempo des neuen Preußenkönigs und die Sattelfestigkeit seines zweiundsechzigjährigen Generalstabschefs. Er reite wie ein Achtzehnjähriger, schmeichelten sie ihm, und er versäumte nicht, dies seiner Frau zu schreiben. Auch der König zeigte sich mit ihm zufrieden: Er verlieh ihm die erste Klasse des Roten Adlerordens und beorderte ihn zur Krönung nach Königsberg.

Dort – am 18. Oktober 1861 – erlebte Moltke einen Wilhelm I., der sich als Monarch von Gottes Gnaden präsentierte. Er trug den purpurnen Krönungsmantel über der Generaluniform, setzte sich unter dem Geläut der Glocken und dem Donner der Kanonen die Krone selber aufs Haupt, hielt das Zepter hoch und schwang das Schwert. Allen wollte er zeigen, daß er an der ihm von Gott verliehenen Monarchengewalt festhalten, die ihm von einem Höheren und nicht etwa von seinen Untertanen gegebene Macht gebrauchen wollte – wenn es sein müßte, auch gegen sein eigenes Volk beziehungsweise dessen parlamentarische Vertretung.

Mit dem Abgeordnetenhaus hatte es in der Frage der Heeresreorganisation erste Auseinandersetzungen gegeben. Von ihm waren nicht nur die Kosten, sondern vor allem die militärpolitischen Ziele beanstandet worden. Die liberale Mehrheit verlangte die Beibehaltung der Landwehr und die Rückkehr zur zweijährigen Dienstzeit. Der König und sein Kriegsminister stellten das Parlament vor vollendete Tatsachen. Jährlich wurden nun 63 000 statt bisher 40 000 Rekruten eingezogen, die Landwehr aus der mobilen Armee ausgeschieden, das stehende Heer um 39 Linien-Infanterieregimenter und 10 Linien-Kavallerieregimenter vermehrt, die Friedenspräsenzstärke von 151 000 auf 212 000 Mann erhöht.

Moltke wurde zum Reorganisationswerk nicht hinzugezogen – nicht etwa, weil man ihn liberaler Neigungen verdächtigte, sondern weil man vom Generalstabschef nicht Mithilfe bei der Schärfung des Schwertes im Frieden, sondern Vorschläge für dessen Einsatz im Kriege erwartete.

Wäre er gefragt worden, so hätte er vielleicht die eine oder andere Modifizierung empfohlen. Die dreijährige Dienstzeit bei der aktiven Truppe war für ihn kein Dogma wie für den König, der glaubte, daß zwei Jahre zwar für die Abrichtung genügten, das dritte aber für Ausbildung der soldatischen Gesinnung unerläßlich sei. Moltke hätte sich eine Kürzung auf zwei Jahre vorstellen können, wenn zum Ausgleich die Zahl der freiwillig Längerdienenden – der sogenannten Kapitulanten – erhöht worden wäre. Doch damit wäre den Liberalen kaum gedient gewesen: Mehr Berufssoldaten hätte mehr Kastengeist bedeutet.

Dieser galt ihm nicht soviel wie den meisten seiner Kameraden. Er stammte nicht aus einer der alten preußischen Adelsfamilien, die sich zum Dienst für den König berufen glaubten, vornehmlich mit der Waffe, und daraus weitere Vorrechte ableiteten. Wirtschaftliche, soziale und politische Adelsprivilegien, den Feudalismus, hielt er für unzeitgemäß. Die ostelbischen Grundbesitzer sollten endlich die noch verbliebenen Vorrechte aufgeben, meinte er, und erklären, sie seien »große Bauern«, die sich mit allen übrigen Bauern solidarisch fühlten – womit die Basis der gesellschaftlichen und staatlichen Ordnung verstärkt würde.

Moltke war weit von dem immer noch zitierten Standpunkt Friedrichs des Großen entfernt, daß die Offiziersstellen, wo immer möglich, dem Adel vorbehalten werden müßten. Aber aus sachlichen Erwägungen, die bei ihm fast immer den Ausschlag gaben, zog er im Zweifelsfall den adeligen einem bürgerlichen Offizier vor. Er wußte aus Erfahrung, daß viele bürgerliche Offiziersbewerber abgewiesen werden mußten, »teils, weil es unbrauchbare junge Leute sind, die sich zum Militärdienst melden, weil sie in einer anderen Karriere nicht fortkommen können – teils, weil sie die Gesinnung nicht mitbringen, die man in der Armee bewahren muß«.

Mehr pragmatisch als prinzipiell beurteilte er auch die Landwehrfrage. Er selber war ja nicht gerade ein Musterexemplar preußischer Strammheit. Als Leutnant war er wegen seiner laxen Haltung dem damaligen Prinzen und heutigen König Wilhelm unangenehm aufgefallen, und er selber hatte sich über die Exerzierwut mokiert. Aber als General sah er doch lieber zackige Liniensoldaten als schlappe Landwehrmänner. »Ausdauer, guter Wille und Disziplin ließen nichts zu wünschen übrig«, kommentierte er 1861 die Königsmanöver. »Damit ist es jetzt anders als bei der Landwehr.«

Andererseits galt seine Wertschätzung der preußischen Reformzeit, auch deren Wehrverfassung, zu der die Landwehr wesentlich gehörte. Sie aus dem Gesamtzusammenhang der Armee herauszunehmen, zu degradieren oder aufzulösen, wäre ihm selber kaum eingefallen. Aber er erinnerte sich auch an die Revolution von 1848, in der viele Landwehrleute sich als bewaffnete Bürger gegen Monarchen und Adel gestellt, sich nicht als bürgerliche Abteilung des königlich preußischen Heeres bewährt hatten.

Vor allem deshalb wollten Wilhelm I. und Roon mit der Landwehr das bürgerliche Element beseitigen, mit der Linie das monarchische Element stärken. Moltke neigte zum Festhalten an der Wehrverfassung der Reformzeit, die eine monarchische und eine demokratische Komponente hatte. Er interpretierte sie so, wie sie von den Militärreformern konzipiert worden war: Durch die allgemeine Wehrpflicht wird das Volk mobilisiert, aber nicht für eine Volksherrschaft, sondern für das Vaterland, das ein Königreich war und bleiben sollte – mit einer preußischen Armee, die auf den König ausgerichtet war, von ihm kommandiert wurde.

An der königlichen Kommandogewalt hielt auch Moltke fest. Wie hätte auch eine Armee anders geführt werden können als durch einen, der befahl, beziehungsweise seine Befehlsgewalt an Generäle und Offiziere delegierte! Doch an dieser Grundfeste der preußischen, jeder Armee schienen nun Parlamentarier zu rütteln. Versuchten sie nicht, Methoden des Parlaments, Debatte und Abstimmung, auf das Heer, in dem Befehl und Gehorsam gelten mußten, zu übertragen?

Moltke hatte die konstitutionelle Entwicklung nicht gerade begeistert begrüßt, sie jedoch akzeptiert, weil sie im Zuge der Zeit lag und Fortschritte mit sich brachte. Aber er konnte sich nur eine konstitutionelle Monarchie vorstellen, in der zwar die Vertreter des Volkes auf umgrenzten Gebieten mitbestimmten, jedoch nicht in Bereiche übergriffen, in denen der Monarch allein zu entscheiden hatte – vornehmlich in der Armee.

Genau das versuchte nun das Abgeordnetenhaus, das dem König vorschreiben wollte, was er in Militärangelegenheiten zu tun oder zu lassen habe. Einzelfragen der Heeresreorganisation mochten im Parlament diskutiert werden, aber an der Entscheidung des Monarchen, was und wie es gemacht werden sollte, durfte nicht gedeutelt werden.

Otto von Bismarck:
1862 preußischer Ministerpräsident
und Minister des Auswärtigen,
1867 norddeutscher Bundeskanzler,
1871 deutscher Reichskanzler

Sorge bereitete Moltke der Wahlsieg der »entschiedenen Liberalen«, der neuen Fortschrittspartei, im Dezember 1861: »Unsere Wahlen sind sehr schlecht ausgefallen.« Denn »Landboten« – wie er die Volksvertreter in der preußischen Verkleinerungsform nannte – seien beschert worden, »welche nicht einsehen, daß ganz allein Preußen zur Zeit den Bestand der Ordnung in Europa gegen Frankreich hält«, und ausgerechnet in dieser Situation »auf Verminderung des Präsenzstandes der Armee« drängten.

Hier war der Generalstabschef angesprochen, der die internationale Lage im Auge behalten, alle Konstellationen bedenken, alle Eventualitäten einplanen und dafür als feste Größe ein starkes Heer einsetzen mußte – gerade in einer Zeit, in der Preußen alle seine Kraft zusammennehmen mußte, wenn es bestehen wollte.

Anstatt sich in die Front gegen den äußeren Feind einzureihen, stellte sich das Abgeordnetenhaus gegen Krone und Armee. Am 11. März 1862 wurde es vom König aufgelöst. Liberale Minister, die aus der »Neuen Ära« übriggeblieben waren, schieden aus dem Kabinett aus, darunter der Finanzminister Erasmus Robert von Patow. Moltke bedauerte den Rücktritt eines guten Bekannten, den Rückzug eines maßvollen Liberalen, kommentierte: Wahrscheinlich sei das neue Ministerium »eine Schattierung weiter rechts. Fragt sich, ob die neu zu wählende Kammer nicht eine Schattierung weiter links sein wird.«

Sie hatte eine linke Schlagseite. Die Wahlen am 6. Mai 1862 verstärkten die oppositionelle Mehrheit. Sie beschloß am 23. September 1862 die Streichung der Ausgaben für die Heeresreorganisation, die der König nicht mehr zurücknehmen wollte und konnte. Der Verfassungskonflikt war da, die Kraftprobe zwischen Krone und Parlament hob an.

Für Moltke gab es kein Wenn und Aber mehr. In diesem Kampf war sein Platz an der Seite der Krone. Der Preuße hatte zu seinem König zu stehen, der General zu seinem Oberbefehlshaber. Und der Generalstabschef zum Kriegsminister. Roon hatte das Heer so verstärkt, wie es Moltke für seine Pläne für notwendig erachtete. Eine Verminderung dieses entscheidenden Faktors durfte er nicht hinnehmen, deren Verhinderung auch um den Preis eines Verfassungsbruchs hielt er für verantwortbar.

Wilhelm I. berief auf Vorschlag Roons den Botschafter in Paris, Otto von Bismarck, zum Ministerpräsidenten. Dieser war willens und – wie sich bald zeigte – in der Lage, das Recht der Krone und die Interessen des Staates durchzusetzen, an der Heeresreorganisation auch ohne Zustimmung des Parlaments festzuhalten, den Verfassungskonflikt durchzustehen.

So hartgesotten war Moltke nicht. Er mußte Sympathien für Liberale und Verständnis für den Liberalismus unterdrücken. Er wußte, daß Verfassungsbruch das Volk spalten, den Staat schwächen könnte. Und wie sollte die deutsche Nation für den preußischen Führungsanspruch gewonnen werden, wenn Preußen das Panier des Jahrhunderts, auf dem »Nation und Verfassung« stand, sinken ließ?

Freilich, wie die Dinge in Deutschland standen, war eine deutsche Einigung nur ohne Österreich und mit Preußen, mit seinen Machtmitteln und seiner Ultima ratio, der militärischen Gewalt, denkbar. Und wie die Dinge in Europa lagen, war nur ein einiges und starkes Deutschland imstande, dem französischen Druck von heute und dem russischen Druck von morgen zu widerstehen. Diesen Erkenntnissen konnte sich der Generalstabschef nicht mehr verschließen. Ergab sich daraus nicht die Konsequenz, daß das preußische Heer mit allen Mitteln gestärkt, seine Schlagkraft durch Erhaltung der königlichen Kommandogewalt um jeden Preis gewährleistet sein mußte – um Preußens, Deutschlands, ja Europas willen?

Eine nüchterne Analyse der Lage, die Einsicht in die Sachzwänge, die sich daraus ergaben, die Realpolitik, die darum gefordert war, führten Moltke von seinen altliberalen Ansätzen hinweg, in Richtung eines neuen preußischen Konservativismus, der sich weniger an Prinzipien als an Fakten orientierte.

So distanzierte er sich vom Kronprinzen Friedrich Wilhelm, der im Verfassungskonflikt diese Rechtsschwenkung nicht vollziehen mochte, und näherte sich nun Bismarck. Nach dessen ersten innenpolitischen Erfolgen – denn das waren die Realitäten, die am meisten zählten – rühmte er den couragierten Ministerpräsidenten: Künftige Fürsten müßten ihm ein Denkmal setzen, weil er als erster dem Parlament gesagt habe, daß es die notwendige Grundlage des Staates, die Bedingung seines Bestehens nicht anrühren dürfe.

Doch dieses Lob war mit einer Einschränkung verknüpft: Allerdings sei die parlamentarische Regierungsform in dieser Zeit eine

Notwendigkeit, und wer sich dieser Notwendigkeit widersetze, »der wird zermalmt«.

Diese Äußerung – gegenüber dem Altliberalen Theodor von Bernhardi – blieb eine der seltenen über Bismarck. Als Person mochte er ihn nicht, den Krautjunker, den Stockpreußen, den Reservemajor, der sporenklirrender als ein aktiver Major auftrat, den Pietisten, der anders lebte, als er predigte. Und trug er als Politiker nicht Züge eines Hasardeurs? 1848 hatte er mit Landarbeitern dem König zu Hilfe kommen wollen. In den fünfziger Jahren hatte er als preußischer Gesandter am Frankfurter Bundestag Österreich zu sehr verprellt. Als Gesandter in Sankt Petersburg schien er sich zu weit mit den Russen und als Gesandter in Paris zu sehr mit den Franzosen eingelassen zu haben.

Moltke war nicht hinreichend informiert und etwas voreingenommen. Ihre Charaktere waren zu verschieden und ihre Ansichten nicht konform genug. Dennoch war der Generalstabschef bereit, eine Koalition, wenn auch keinen Bund, mit dem starken Mann einzugehen. Als Ministerpräsident sicherte Bismarck die Reorganisation der Armee, als Außenminister betrieb er eine Politik, die auf deren Einsatz hinauslief – wie es in Plänen Moltkes vorgesehen war.

ACHTES KAPITEL

DER WEG NACH KÖNIGGRÄTZ

AM 18. APRIL 1864, vormittags, besichtigte Wilhelm I. Truppen auf dem Tempelhofer Feld. Der Generalstabschef war mit auf den Exerzierplatz der Berliner Garnison hinausgeritten. Moltke wollte weniger die Übungen sehen, als Nachrichten vom Kriegsschauplatz in Schleswig hören.

Der Sturm der Preußen auf die von den Dänen gehaltenen Düppeler Schanzen war für diesen Morgen angesetzt gewesen. Aber vom König war noch nichts zu erfahren. Beide machten sich getrennt auf den Heimweg. Unterwegs erfuhr Moltke, daß der König noch einmal umgekehrt sei. »Ich ließ also meinen Braunen laufen und begegnete Seiner Majestät im Wagen, der die Gnade hatte, halten zu lassen, und mir die Depesche mitteilte, welche die Wegnahme der ersten Linie meldete.«

Ein Generalstabschef, der nicht im Felde war, zu Hause hinter den Informationen herjagen mußte – noch war er von der Position, die er anstrebte, ein Stück weit entfernt. Im Kriege Preußens und Österreichs gegen Dänemark war er noch keineswegs als erster Militärstratege, als wichtigster Berater des Oberbefehlshabers eingesetzt. Das Kriegsministerium hatte die Vorbereitung, das Oberkommando der Operationsarmee die Durchführung des Feldzugs übernommen. In der ersten Phase durfte er zwar Gutachten liefern, aber bei Entscheidungen wurde er nicht gefragt, über Ergebnisse spärlich informiert.

»Vielleicht hätte man dabei auch meine Stimme hören können«, klagte er Leonhard von Blumenthal. Der Generalstabschef des Kommandierenden der preußischen Hauptarmee, des Prinzen Friedrich Karl, hielt ihn brieflich wenigstens einigermaßen auf dem laufenden. An ihn wandte er sich, um seinen Amtspflichten wenigstens annähernd nachzukommen, mit der für den Chef des Generalstabes der preußischen Armee demütigenden Bitte »um gütige Äußerung, ob es der Sache förderlich sein kann, wenn ich jetzt noch nachträglich und unaufgefordert mit meiner Ansicht hervortrete«.

Über die Gründe, warum er nicht mitbestimmen und dabeisein durfte, konnte gemutmaßt werden. Wurde er zurückgehalten, weil er in der Nähe des Königs bleiben mußte, der sich nicht auf den Kriegsschauplatz begeben hatte? Behielt man ihn in Reserve für den Fall, daß sich aus dem kleinen Konflikt mit Dänemark europäische Komplikationen ergeben könnten, ein Eingreifen Frankreichs, Englands und Rußlands drohte? Hielten ihn die Männer der allerneuesten, der Eisen-und-Blut-Ära noch zu sehr der verblichenen »Neuen Ära« für verhaftet, die »moralische Eroberungen« auf die preußische Fahne geschrieben hatte?

Oder galt er gar, durch Herkunft und Familienverbindungen, als befangen in Sachen Schleswig-Holstein und Dänemark? Seine Brüder waren königlich dänische Beamte. Friedrich in Flensburg galt als dänischer Royalist, Adolf in Rantzau und Ludwig in Ratzeburg suchten in der schleswig-holsteinschen Angelegenheit, die ihnen am Herzen lag, einen vernünftigen Ausgleich mit Kopenhagen.

Und Helmuth von Moltke war dänischer Untertan und dänischer Offizier gewesen, hegte noch immer Sympathien für seine früheren Landsleute. Im November 1863, als der Krieg schon ins Haus stand, hatte bei ihm sein Jugendkamerad, der dänische General Caj von Hegermann-Lindencrone, offene Türen gefunden: »Ich fand ihn unverändert liebenswürdig, glaubte aber zu bemerken, daß etwas schwer auf ihm laste.«

Was ihn bedrückte, war der bevorstehende Krieg zwischen dem Lande seiner Wahl und dem Lande seiner Herkunft. Gegen Dänemark wollte er sowenig zu Felde ziehen wie gegen Österreich, wenn er auch als Generalstabschef pflichtgemäß diese wie alle Möglichkeiten ins Auge zu fassen hatte.

Moltke hatte aufgeatmet, als nach den für »Schleswig-Holstein, meerumschlungen« 1848 bis 1850 geführten deutsch-dänischen Waffengängen die europäischen Großmächte den Status quo bestätigt hatten: Die Herzogtümer Schleswig und Holstein sollten ihre alten Sonderrechte behalten, »ungedeelt« bleiben, Holstein weiterhin zum Deutschen Bund gehören und beide in Personalunion zum dänischen Königtum.

Damit war das Problem nicht aus der Welt geschafft. Die Dänen setzten die Dänisierung Schleswigs auf kaltem Wege fort, die Schleswig-Holsteiner wehrten sich dagegen, im Deutschen Bund wurde der verfolgten deutschen Brüder in Worten gedacht und immer lauter zu Taten für sie aufgerufen.

»Es wird schließlich doch zum Bruch kommen müssen, so ungern man darangeht«, schrieb Helmuth im Frühjahr 1862 seinem Bruder Adolf. Ihm wäre die Beibehaltung des alten Verhältnisses am liebsten gewesen. Aber die neuen Nationalisten duldeten es nicht: Die dänischen wollten zumindest Schleswig ihrem Nationalstaat einverleiben, die deutschen Schleswig-Holstein dem Deutschen Bund angliedern. Der erste Zug wurde in Kopenhagen gemacht: Schleswig wurde 1863 in die Gesamtstaatsverfassung einbezogen, Holstein in größere Abhängigkeit gebracht.

Das wollte und konnte auch Moltke nicht hinnehmen. »Die Deutschen in den Herzogtümern konnten lange und glücklich unter dem Zepter eines dänischen Königs wohnen«, resümierte er, »aber sie konnten sich auf die Dauer unmöglich den Majoritätsbeschlüssen einer dänischen Volksvertretung unterwerfen.« Das war für ihn die Ursache des Konflikts: Unter der alten Monarchie war das Zusammenleben der Nationalitäten möglich gewesen, aber nicht mehr unter der neuen Nationaldemokratie, dem »demokratischen Despotismus« der »Gesellschaft von Advokaten, Zeitungsmännern und Kammerrednern« in Kopenhagen.

In Dänemark war eine parlamentarische Demokratie an die Macht gekommen, nicht zuletzt deshalb, weil die Monarchie schwach geworden war. Das dürfte in Preußen und Deutschland nicht passieren – ein Grund mehr für ihn, sich im Verfassungskonflikt auf die Seite des Königs zu stellen. Und die Lösung des schleswig-holsteinschen Problems nicht in die Hände der deutschen Nationalbewegung geraten zu lassen. Diese griff wieder danach, scharte sich um den Herzog von Augustenburg, der sich als Friedrich VIII. zum Herzog von Schleswig-Holstein ausrief und den Beitritt der ungeteilten Herzogtümer in den Deutschen Bund ankündigte. Und schon Gefolgschaft bekam – nicht nur von

Schleswig-Holsteinern, sondern auch von preußischen Liberalen und deutschen Staaten.

Das erschien Moltke so, als sollte dem dänischen Schelmenstück mit einem deutschen Schelmenstück begegnet werden. Das schleswig-holsteinische Problem war für ihn keine nationale Frage im modernen Sinne, wie bereits 1857 Theodor von Bernhardi bemerkt hatte: »Große Sympathie für Schleswig-Holstein, aber nicht wegen der deutsch-nationalen Elemente, die sich da regen, sondern weil es aristokratische Elemente sind, die sich dort gegen das demokratische Dänemark auflehnen.«

Der Konservative wollte nicht das »Deutschtum«, sondern das »alte gute Recht« der dort lebenden Menschen, vornehmlich der Standespersonen, bewahren, das Hergebrachte vor Umsturz sichern, die überlieferte Verfassung der Schleswiger und Holsteiner gegen die dänische Nationalrevolution verteidigen, sie aber nicht einer deutschen Nationalrevolution ausliefern.

Deutsch-nationale Elemente regten sich wieder in Frankfurt, dem Schauplatz der Nationalversammlung von 1848/49, dem Sitz des Bundestags, des Gesandtenkongresses der Mitgliedstaaten des 1815 gegründeten und 1851 erneuerten Deutschen Bundes. Diese, der Revolution noch einmal entwischt, hätten ein Interesse daran haben müssen, sich nationaler Deklamationen oder gar Aktionen zu enthalten. Aber je kleiner und schwächer ein Staat war, desto lauter verlangten seine Vertreter ein Eingreifen des Bundes gegen Dänemark und für das Deutschtum der Schleswig-Holsteiner.

Moltke meinte deshalb »in ein Narrenhaus« zu kommen, als er im November 1863 in amtlichem Auftrag in Frankfurt eintraf. Am 1. Oktober hatte der Bundestag beschlossen, eine Bundesexekution gegen Dänemark in Holstein, das dem Bund angehörte, durch Sachsen und Hannover durchführen zu lassen. Preußen und Österreich wurden ersucht, Truppen zur Unterstützung bereitzustellen. Der preußische Generalstabschef sollte als Mitglied der Militärkonferenz in Frankfurt über die erforderlichen Maßnahmen mitberaten.

Der Routinier lieferte dazu seinen Beitrag, der Stratege zog den Sinn der Sache in Zweifel. Eine Bundesexekution erschien ihm als konterproduktiv, weil sie, auf Holstein beschränkt, die beiden Herzogtümer noch mehr auseinanderbrächte. Moltke – doch das durfte er in Frankfurt nicht sagen – war für einen regelrechten

Krieg gegen Dänemark, einen Krieg, dessen Operationen sich nicht auf Holstein beschränkten, sondern sich auch auf Schleswig und Jütland erstreckten.

Ein solcher Krieg müßte energisch geführt und rasch beendet werden. Einer Intervention Frankreichs, Englands, Rußlands und Schwedens, die 1852 den Status quo garantiert hatten, mußte zuvorgekommen werden – und einem Volksaufstand in den Herzogtümern, dem deutsche Freiwillige zu Hilfe kämen. »Was in meinen Kräften steht, daß das unglückliche Land nur eher besetzt wird, als die Freischaren ankommen, tue ich«, schrieb er seiner Frau aus Frankfurt. »Das Gesindel regt sich schon wieder.«

Der Deutsche Bund war zur Führung eines solchen Krieges weder willens noch in der Lage. Das konnten nur die beiden deutschen Großmächte, die über die erforderlichen Streitkräfte verfügten und die das gemeinsame Interesse verband, die europäischen Großmächte wie die deutsche Nationalbewegung aus dem Konflikt herauszuhalten. Moltke hatte noch einen triftigen Grund: Preußen und Österreich Arm in Arm, das hielt er nach wie vor für die beste Voraussetzung zur Lösung der deutschen wie europäischen Fragen.

Und zunächst des schleswig-holsteinschen Problems. Moltke wollte immer noch die Personalunion des ungeteilten Schleswig-Holsteins mit der dänischen Krone. Die Wiederherstellung des alten Zustandes setzte jedoch die Zurücknahme der Eingliederung Schleswigs in den dänischen Gesamtstaat und die Aufhebung der dänischen Schikanen gegen Holstein voraus – und da Kopenhagen das nicht zugestehen wollte, mußte es von Berlin und Wien dazu gezwungen werden.

Im Konflikt mit Dänemark war auch Bismarck, der ansonsten die Österreicher lieber vor den Kopf stieß, für ein Zusammengehen mit dem Kaiserreich – aber aus anderem Beweggrund und zu anderem Ziel. Der Ministerpräsident, der durch das Zurückdrängen des eigenen Parlaments Preußen von der deutschen Nationalbewegung entfernt hatte, suchte deren Annäherung an Österreich zu verhindern. Das gemeinsam eroberte Schleswig-Holstein wollte er allein für Preußen behalten – um durch Übervorteilung des Partners einen Vorteil gegenüber dem Rivalen zu gewinnen, vielleicht sogar, um einen Anlaß für die von ihm für unvermeidlich gehaltene Auseinandersetzung zu bekommen.

So kam es zum Krieg Preußens und Österreichs gegen Dänemark. Am 1. Februar 1864 marschierten 37 000 Preußen und 23 000 Österreicher über die Eider, die Grenze zwischen Holstein, das von den die Bundesexekution ausführenden Bundestruppen besetzt blieb, und Schleswig, in dem sich die Dänen verschanzt hatten. Oberbefehlshaber der verbündeten Truppen war der preußische Generalfeldmarschall Friedrich Graf Wrangel, der sich vor vielen Jahren im Kampfe gegen Dänen wie Demokraten ausgezeichnet hatte, was immer noch für ihn sprach, auch wenn er inzwischen Achtzig geworden war.

Eine Denkschrift Moltkes über die Operationsführung war ihm über das Kriegsministerium zugeleitet worden. Sie ging von zwei Überlegungen aus: erstens, daß Dänemarks Zentrum, die Insel Seeland mit der Hauptstadt Kopenhagen, mangels Flotte nicht einzunehmen war; zweitens, daß jedoch die auf dem Festland, in Schleswig und Jütland, sowie auf den unmittelbar davor gelegenen Inseln Alsen und Fünen konzentrierten dänischen Truppen entscheidend geschlagen werden konnten. Und so schnell geschlagen werden mußten, daß andere Mächte keine Zeit mehr fänden, in den Konflikt einzugreifen.

Moltke empfahl deshalb einen zügigen Vormarsch über die Eider, einen Angriff auf die dänische Riegelstellung bei Schleswig, das Danewerk, bei gleichzeitiger Umgehung in der rechten Flanke, um der dänischen Hauptstreitmacht den Rückzug zu verlegen und sie zu vernichten – was in ein paar Tagen erfolgen könnte.

»Nach meiner Rechnung«, erklärte er am 29. Januar 1864, drei Tage vor Operationsbeginn, »müßten heut über acht Tage schon die ersten Würfel fallen. Bekommen wir noch Frost, so wird die Sache ohne zu große Opfer abgehen, und dann ist es auch wahrscheinlich, daß eine wirkliche Erledigung der Sache Dänemark gegenüber erreicht wird.«

Aber Wrangel, der sich für einen »Marschall Vorwärts« hielt, jedoch für einen Blücher, der keinen Generalstäbler à la Gneisenau benötigte, dachte nicht daran, sich an die Denkschrift Moltkes zu halten. Die Dänen entgingen einer Umfassung, räumten das Danewerk, zogen sich auf die Festungswerke bei Düppel zurück, die nicht so ohne weiteres zu nehmen waren.

Der erste und – wie Moltke es sich gedacht hatte – entscheidende Schlag war danebengegangen. Der Feldzug geriet ins Stocken.

Wie konnte er wieder in Bewegung kommen? Der König erinnerte sich seines Generalstabschefs, schickte ihn am 11. Februar 1864 in Wrangels Hauptquartier nach Flensburg.

Er zeigte sich darüber beglückter und machte sich eifriger auf den Weg, als es seinem Ruf, alles gelassen hinzunehmen, guttat. Die bittere Kälte, die auch in das Coupé erster Klasse drang, bekämpfte er wie die Soldaten im Güterwagen mit Kaffee, der beim Aufenthalt in Hamburg, und mit Eierbier, das in Elmshorn gereicht wurde. Zwischen Rendsburg und Flensburg blieb der Zug beinahe im Schnee stecken. Nach langem Umherirren fand er endlich ein warmes Quartier beim Bäcker Callsen.

Im Hauptquartier traf er auf Unentschlossenheit. Wrangel wußte nicht, was er tun sollte, und seine beiden Generalstäbler, Vogel von Falckenstein und Podbielski, vermochten es ihm nicht zu sagen. Moltke konnte nur raten, Düppel rechts liegenzulassen, geradewegs nach Jütland vorzurücken und die dänischen Truppen, die sich in den Weg stellten, mit Übermacht niederzuwerfen.

Die Diplomatie hatte der Strategie Zügel angelegt. Berlin und Wien hatten vereinbart, die Operationen auf Schleswig, das Streitobjekt, zu beschränken, um internationale Verwicklungen zu vermeiden. Doch davon hatte man dem Generalstabschef nichts gesagt. Wrangel und sein Stab konnten sich nicht vorstellen, daß er nicht informiert worden sei, vermuteten hinter seinem Drängen auf Vorrücken nach Jütland eine inoffizielle Aufforderung und wollten ihr als Soldaten nur zu gerne nachkommen. Ein entsprechender Bericht ging an den König, der unwirsch reagierte. Entschlossen, sich an die Vereinbarung mit Österreich zu halten, untersagte er telegraphisch die Überschreitung der jütischen Grenze.

»In der Hoffnung, in Jütland einzurücken«, sei er noch einige Tage im Hauptquartier geblieben, schrieb Moltke seinem als Leutnant im Felde stehenden Neffen Henry Burt. »Die Diplomaten haben sich dazwischengelegt, und so mußte ich zurück.« Doch Frontkameraden schufen vollendete Tatsachen: Preußische Vorhuten, ohne Kenntnis des Verbots, die Grenze zu überschreiten, besetzten Kolding, die nächste jütische Stadt. Wrangel weigerte sich, sie zurückzurufen. Schließlich, am 6. März 1864, verständigten sich Berlin und Wien über den Einmarsch in Jütland.

Inzwischen war Moltke längst wieder in der preußischen

Preußen auf den eroberten Düppeler Schanzen. Die
Dänen hatten sich hinter ihnen sicher gefühlt – Prinz Friedrich Karl
ließ sie am 18. April 1864 stürmen

Hauptstadt. Ob man nun aus der Panne gelernt hatte oder nicht,
jedenfalls wurde fortan der Generalstabschef, auch auf Vorschlag
des Kriegsministers, gelegentlich zum Vortrag beim König befohlen. In der Sache brachte dies für ihn nichts, denn es wurde nicht
das beschlossen, was er für angebracht hielt. Der Vormarsch in
Jütland wurde zur Nebenoperation, die Einnahme der Düppeler
Schanzen zur Hauptoperation erklärt. Je länger sich der Krieg
hinzog, um so mehr meinten der König und Roon eines Prestige-
erfolgs zu bedürfen – eines Sturmangriffs wie aus dem historischen Bilderbuch. Er kostete die Preußen 1188 Tote und Verwundete, brachte ihnen 118 Geschütze – aber keinen entscheidenden
Sieg. Die dänische Hauptmacht konnte sich, wie es Moltke vorausgesagt hatte, auf die Insel Alsen zurückziehen.

Der Generalstabschef, der gegen den Düppeler-Schanzen-
Sturm gesprochen hatte, wurde vom König nicht zur Siegesparade
auf dem Schlachtfeld mitgenommen, nicht einmal von der Reise
benachrichtigt. Auch wie es weitergehen sollte, wurde ohne ihn
festgelegt: weitere Besetzung Jütlands, mit Schwerpunkt der

Belagerung von Fredericia. Das sei eine Wiederholung des Fehlers von Düppel, kritisierte Moltke, als er davon erfuhr.

Er zwang sich dazu, den Chef des Militärkabinetts, Edwin von Manteuffel, »um gütige Äußerung« zu bitten, »ob es der Sache förderlich sein kann, wenn ich jetzt noch nachträglich und unaufgefordert mit meiner Ansicht hervortrete«. Vorsorglich hatte er einen Operationsentwurf beigefügt: »Der gewaltsame Übergang nach Alsen führt zu dem entscheidendsten Resultat. Hat sich indessen herausgestellt, daß dies Vorgehen nicht ohne große Opfer zu bewirken ist, so wäre die vollständige Besitznahme von Jütland durchzuführen, eine Landung auf Fünen zu versuchen.«

Dies leuchtete Manteuffel ein. Er verschaffte dem Generalstabschef einen Termin beim König, der nach Rücksprache mit Wrangel diesen Operationsplan billigte. Manteuffel war es auch, der anregte, den Verfasser dieses Plans mit dessen Ausführung zu betrauen. Am 30. April 1864 wurde Moltke mit den Geschäften des Stabschefs beim Oberkommando der verbündeten Armee beauftragt.

Mit dem Gefühl eines Ingenieurs, der endlich die von ihm konstruierte Maschine auch bedienen durfte, traf er am 2. Mai im Hauptquartier in Veille ein. Oberbefehlshaber Wrangel empfing ihn beinahe kameradschaftlich, Kronprinz Friedrich Wilhelm, der im Hauptquartier weilte, fand Moltkes Anwesenheit »anregend«; er könne »momentan äußerst interessant gesprächig werden, aber lange hält es nicht an«.

Moltke genoß das Hauptquartierleben in vollen Zügen, rauchte Zigarre um Zigarre, was er daheim nicht so häufig und oft nur am offenen Fenster tun durfte. Er war den ganzen Tag im Sattel, brachte gesunden Appetit für die Diners bei Wrangel oder Friedrich Wilhelm mit, ließ sich »Austern in Fülle, selbst Forellen, Maitrank usw.« schmecken.

Nur zu seiner Hauptbeschäftigung – durch die von ihm konzipierten Operationen den Feind schachmatt zu setzen – kam er vorerst nicht. Bereits am 9. Mai 1864 wurde durch internationale Vereinbarung ein Waffenstillstand geschlossen, der drei Tage später in Kraft trat.

Er dauerte bis zum 25. Juni, brachte Langeweile ins Hauptquartier. »Jedenfalls ist es interessanter hier als die Frühjahrsparaden auf dem Tempelhofer Feld.« Prinz Friedrich Karl, der anstelle

Wrangels zum Oberbefehlshaber ernannt worden war, ging auf Urlaub und überließ Moltke die Führung der Geschäfte. »Meine 70 000 Mann lassen sich regieren.«

Und die Nachrichten aus den höheren Regionen konnten sich hören lassen. Preußen und Österreich vereinbarten für den Fall der Wiederaufnahme der Kampfhandlungen eine Landung auf Alsen. So war es auch von Moltke geplant, wenngleich er es militärisch wie politisch für zweckmäßiger gehalten hätte, zuerst nach Fünen überzusetzen. Die Politiker hatten entschieden, der Stratege hatte zu folgen. Das gab neue Nahrung für seine heranreifende Auffassung, daß es im Kriege umgekehrt sein müßte.

Inzwischen fanden in London Friedensverhandlungen statt. Eine Personalunion der Herzogtümer mit der Krone Dänemarks unter bestimmten Garantien für die Schleswig-Holsteiner lag für Moltke immer noch im Bereich der Möglichkeiten. Zunehmend dachte er an eine Trennung von Dänemark, ohne Nordschleswig, wenn die dortigen Dänen bei ihrem Mutterlande bleiben wollten.

Weder auf das eine noch das andere konnten sich die Parteien in London einigen. So begann, nach Ablauf des Waffenstillstands, der Kampf aufs neue. Die von Moltke geplante Aktion Alsen wurde auf den 29. Juni 1864, zwei Uhr morgens, angesetzt.

Ein paar Stunden vorher, »nach beendeter Partie Whist um zehn Uhr«, begab sich Moltke zur Schanze X, um an der Seite des Prinzen den Übergang der Preußen nach der Insel zu beobachten. Er genoß das Schauspiel, das nach seinem Buch und unter seiner Regie aufgeführt wurde: die spannunggeladene Stille vor dem Sturm, das Übersetzen der Kähne, die Überraschung des Gegners, der zu spät und zu aufgeregt zu feuern begann, die Antwort der eigenen Batterien, das »ungeheure Gebrüll« des dänischen Panzerschiffes »Rolf Krake«, dessen Hundertpfünder freilich nichts mehr ausrichteten. Um zehn Uhr morgens war Alsen in preußischer Hand.

Nun hätten die Dänen erkennen müssen, »daß sie auch auf ihren Inseln nicht mehr sicher sind«. Jütland war bis zur Nordspitze besetzt. Und ein österreichisch-preußischer Flottenverband begann den Dänen die Seeherrschaft streitig zu machen. Sie gaben auf, nachdem sie ein halbes Jahr lang zwei Großmächten getrotzt hatten.

Moltke bezeigte seinen ehemaligen Landsleuten Respekt für die

Begeisterung, mit der »dies kleine Volk« für seine Sache gekämpft habe, »die Ausdauer und Hingebung, mit der die Armee sich in der Düppelstellung behauptet hat«. Er wirke, wo er könne, »daß nun auch den dänisch redenden Schleswigern ihr Recht wird und daß wir nicht in dasselbe Unrecht verfallen, um dessentwillen der Krieg geführt worden ist«. Er äußerte Mitgefühl für »poor little Denmark«, das er nicht vernichtet sehen wollte, »nur seine demokratische Regierung«.

Dem »armen König« wünschte er, daß »auch in Dänemark die konservativen Elemente sich gegen den Druck der herrschenden Demokratie emanzipieren«. Denn: »Ein Dänemark, das nicht auf Kosten Deutschlands existieren will, wäre sofort der natürlichste Verbündete Deutschlands.«

Dänemark bat um Waffenstillstand, der am 20. Juli in Kraft trat, und um Frieden, der am 30. Oktober 1864 in Wien geschlossen wurde. Der König von Dänemark entsagte allen seinen Rechten auf die Herzogtümer Schleswig-Holstein und Lauenburg zugunsten des Kaisers von Österreich und des Königs von Preußen. »Die Armee hat ein schönes Land erobert«, bilanzierte Moltke. »Für wen? Wissen wir nicht.« Und niemand werde ihr außer einem Dankeschön etwas schenken.

ZWEI ORDEN erhielt der Stabschef der preußisch-deutschen Operationsarmee im glücklich beendeten Krieg gegen Dänemark: von Kaiser Franz Joseph I. das Großkreuz des Leopoldordens, von König Wilhelm I. den Kronenorden I. Klasse mit Schwertern. Und ein Handschreiben: Der Monarch habe vorausgesehen, daß er, zur Armee entsandt, seine Talente zur Kriegführung zeigen würde.

Der vierundsechzigjährige Generalstabschef neigte zu der Auffassung, daß er davon genug gezeigt habe, und dachte an Abschied. Im Hauptquartier, in dem er bis zum 16. Dezember 1864 blieb, lebte er ohnehin wie ein Pensionär: Es gab nichts zu tun, er promenierte, sah bereits wie ein halber Zivilist aus: »Hosen mit Leder auf Leder geflickt, Rose im Knopfloch, Spazierstock in der Hand«.

Er wäre ein rüstiger Pensionär geworden. Bad Gastein glaubte er dieses Jahr nicht nötig zu haben, »das Leben in der freien Luft ist mir Badekur genug gewesen«. Der Husten sei fort »und das Kreuz in Ordnung«. Durch den Feldzug »bin ich über mein alljährliches Frühjahrsunwohlsein fortgekommen und glaube, daß es mit dem Herbstleiden ebenso gutgehen wird«, schrieb er seiner Frau, die sich über das Wohlbefinden ihres Gatten freute, doch mit dem General noch gerne Karriere gemacht hätte.

Was aber hätte er in der preußischen Armee noch werden können? »Die fünfzig Jahre Dienstzeit abzuwarten, habe ich keine Veranlassung; auf Deine Pension hat es keinen Einfluß, und solange ich lebe, haben wir Einnahme genug.« Wenn er über den Generalleutnant hinauskommen wollte, hätte er voraussichtlich in den Truppendienst gemußt, wozu er keine Lust verspürte und sich nicht für befähigt hielt. »Ich kann überhaupt kein Korpskommando annehmen und werde sicherlich am besten mit diesem Feldzug abschließen.« Wenn er schon im Dienst bleiben sollte, dann wäre er noch am liebsten nach Rom gegangen: als preußischer Gesandter im Kirchenstaat.

Aber diese Trauben hingen zu hoch. So wollte er sich mit den Lorbeeren begnügen, die er, spät genug, errungen hatte. »Ich kann keinen besseren Abschluß finden als jetzt, nach einem glücklichen Krieg und mit der vollen Zufriedenheit meines Königs.« Spätestens zum Frühjahr 1865 wollte er seinen Abschied einreichen – »wenn nicht neue Verwicklungen eintreten«.

Sie traten ein – über der Frage, was mit den eroberten, dem Kaiser von Österreich und dem König von Preußen gemeinsam zugesprochenen Herzogtümern endgültig geschehen sollte. Im Frühjahr 1865, in dem er eigentlich im Ruhestand, am liebsten im warmen Süden hätte sein wollen, faßte ihn Wilhelm I. am Portepee: »Halten Sie aus, ich brauche Sie« – weiterhin als Chef des Generalstabes der preußischen Armee. Denn kaum war der eine Krieg beendet, drohte ein neuer und schwierigerer: zwischen den Bundesgenossen von gestern, Preußen und Österreich.

Sosehr er Genugtuung empfand, daß der Monarch endlich seine Arbeit und seine Person richtig einzuschätzen schien, sowenig genehm war ihm der Anlaß. Er hatte das Zusammengehen Preußens und Österreichs im schleswig-holsteinschen Konflikt befürwortet und hätte es begrüßt, wenn durch ihr Zusammenstehen alle deutschen Fragen, die deutsche Frage selber gelöst worden wäre.

»Es ist mein altes Lied: Mit Österreich, dann hat es keine Not«, bekräftigte Moltke nach Abschluß des dänischen Feldzugs. Er begrüßte es, daß sich Wilhelm I. zu Franz Joseph I. nach Wien begab, wo sie sich verständigten, gemeinsam die Herzogtümer aus der Hand des Königs von Dänemark entgegenzunehmen. Auch Moltke fuhr, im Januar 1865, mit dem Prinzen Friedrich Karl nach Wien, der Generalstabschef mit dem Oberbefehlshaber der inzwischen aufgelösten preußisch-österreichischen Armee, um sich beim Kaiser in aller Form abzumelden.

Es wurde ein Fest der Waffenbrüderschaft. In Hofkutschen ging es vom Bahnhof zur Hofburg, wo Franz Joseph I. auch den Generalleutnant Moltke wie einen Kameraden empfing. »Seine Majestät erinnerten, mich in Gastein gesehen zu haben, und sprachen sich gnädig über den Feldzug aus.« Die Kaiserin – die junge, schöne Elisabeth – war etwas schüchtern; sie sprach ziemlich leise zu den Preußen, war »nicht leicht zu verstehen, aber man fühlt, daß das, was sie sagt, etwas Verbindliches ist.«

Die Gäste wohnten in der Hofburg, Moltke in einem Zimmer, »in dem wohl sechzig Lichter brannten« und »das vortreffliche Wiener Backwerk« aufgefahren wurde. Er dinierte an der Galatafel, »alles von Anfang bis Ende in Gold«. Es sei also noch lange nicht alles Gold in Wien in Münzen umgegossen, bemerkte er; vielleicht sei die finanzielle Lage des Kaiserreichs doch nicht so schlecht, wie man in Berlin behauptete.

Dem preußischen Generalstabschef wurden weitere Beweise kaiserlicher Pracht und österreichischer Macht gezeigt: die Stallparade, mit allen kaiserlichen Reit- und Wagenpferden, gesattelt und aufgeschirrt, darunter »acht zehnzöllige Rappen mit Purpur und Gold und mit ungeheuren Straußbüschen« sowie die englischen Füchse der Kaiserin. Im Wiener Zeughaus, dieser Festungsstadt, »in welcher Arsenal, Werkstätten, Hochöfen, Gießereien, Bohrmaschinen konzentriert sind und Tausende von Menschen arbeiten«, interessierte ihn am meisten, »daß man dabei ist, das österreichische gezogene in ein Hinterladungsgewehr umzuwandeln« – 160 000 umgerüstete Gewehre lagen bereits im Waffensaal.

Der Waffentaten der österreichischen Armee wurde in der Ruhmeshalle des Arsenals gedacht. Die Insignien der kaiserlichen Macht waren in der Schatzkammer der Hofburg zu besichtigen, »Krönungsornate, Kronen, Zepter, Schwerter« der Kaiser von

Österreich, die vordem Kaiser des Heiligen Römischen Reiches Deutscher Nation gewesen waren und am Vorrang im Deutschen Bund, der ihnen 1815 eingeräumt worden war, auch 1865 noch festhielten.

Der deutsche Patriot Moltke hatte Respekt vor dem Primat der Habsburger in der Reichsgeschichte, aber der preußische Patriot kaum Verständnis für ihren Führungsanspruch in der Gegenwart. Österreich und Preußen waren für ihn Großmächte mit gleichen Rechten, aber als deutsche Großmächte mit der gemeinsamen Pflicht, die gesamtdeutschen Interessen zu wahren – wie sie es eben im Krieg getan hatten und im Frieden weiter tun sollten.

Einen »friedlichen Dualismus« wollte Moltke, jedoch nicht mehr im alten Sinne, als Lebenselement und Bestandsgarantie des Deutschen Bundes von 1815. Er tendierte zu einer »dualistischen Hegemonialpolitik« der beiden deutschen Großmächte über die deutschen Mittel- und Kleinstaaten im Deutschen Bund, zu deren Beherrschung in den jeweiligen Machtbereichen. Wie weit diese reichen sollten, war ihm noch nicht klar. Er neigte dazu, die Grenze am Main zu ziehen, Norddeutschland der preußischen, Süddeutschland der österreichischen Sphäre zuzuschlagen. Im Jahre 1862, als er einen Krieg zwischen Preußen und Österreich planen mußte, hatte er sogar daran gedacht, ganz »Kleindeutschland«, also das gesamte nichtösterreichische Deutschland, für Preußen zu beanspruchen.

Eines stand für ihn jedenfalls fest: Beide deutsche Großmächte konnten sich nicht vom Deutschen Bund, der immer mehr zur Interessenvertretung der deutschen Mittel- und Kleinstaaten und zur Brutstätte eines liberalen, teilweise schon demokratischen Nationalismus wurde, vorschreiben lassen, was sie zu tun oder zu lassen hätten. Das mußten sie selber wissen und selber machen, freilich in engem Einvernehmen.

Auch in der Frage, was mit Schleswig-Holstein geschehen sollte. Am Frankfurter Bundestag wurde gefordert, die Herzogtümer unter dem Augustenburger als selbständigen Staat in den Deutschen Bund aufzunehmen. Dieser sei im Kriege eine Gefahr und im Frieden ein Hemmnis, hatte Moltke bereits 1859 gesagt. Jetzt konnte er nur hoffen, daß Preußen und Österreich, die das Land erobert hatten, sich nicht von diesem Bund hindern ließen, mit ihm das anzufangen, was sie für richtig hielten.

Preußen und Österreich verwalteten bis auf weiteres gemeinschaftlich das gemeinsam eroberte Land. Bismarck hegte von Anfang an die Absicht, die ganze Kriegsbeute für Preußen einzuheimsen. König Wilhelm hielt dies, zunächst, für unanständig. Generalstabschef Moltke schlug Kriegsminister Roon vor, das Land sollte selber gefragt werden, »was in diesem ganz besonderen Falle doch nicht ganz ungereimt wäre«. Die erste Fragestellung wäre: »deutsch oder dänisch?«, die zweite »augustenburgisch oder preußisch?« an jene, die sich für »deutsch« entschieden hätten. »Viele der großen Grundbesitzer und höheren Verwaltungsbeamten würden sich jetzt in letzter Richtung aussprechen.«

Auch Moltke neigte zunehmend zu einer preußischen Lösung. Dazu bewog ihn nicht nur die nationale Agitation für den Augustenburger, sondern auch das ihm unverständliche Verhalten Österreichs: Statt Seite an Seite mit Preußen sich gegen den Augustenburger und Konsorten zu sperren, machte es ihm und den ihn unterstützenden Mittel- und Kleinstaaten Avancen – weil es eben die Präsidialmacht im Deutschen Bund bleiben und den Vorrang vor Preußen behalten wollte.

Militärische Gesichtspunkte kamen hinzu. Bereits im Februar 1865 äußerte Moltke gegenüber Theodor von Bernhardi, der sich wunderte, wie gesprächig der »Schweiger« ihm gegenüber war: Eine Militärkonvention zwischen Preußen und einem Bundesmitglied Schleswig-Holstein, wie vorgeschlagen, genüge dem Generalstabschef nicht: »Wir haben ja eine Militärkonvention mit Coburg – hätten wir nun können das coburgische Kontingent nach Schleswig marschieren lassen? Nein!«

Die Angliederung Schleswig-Holsteins an Preußen, so nun auch Moltke, »ist das einzige, was uns helfen kann. Und sie ist auch möglich, es kommt nur darauf an, Österreich dafür zu gewinnen und dahin zu bringen, daß es einwilligt; aber freilich, da liegt auch die Schwierigkeit.« Für Geld wollte sich Wien seinen Anspruch nicht abkaufen lassen, und die Grafschaft Glatz, die es gerne gehabt hätte, mochte ihm Berlin nicht abtreten. »Die Hohenzollernschen Lande könnten wir ihnen allenfalls geben«, meinte Moltke, der im Jahrhundert des Selbstbestimmungsrechtes zum Austausch von Ländern und Menschen bereit war – wenn es nur, wie auf dem Wiener Kongreß, dem »friedlichen Dualismus« der deutschen Großmächte gedient hätte.

Doch Bismarck wollte endlich diesen Dualismus zugunsten Preußens lösen. Ein Streit mit Österreich um Schleswig-Holstein kam ihm als Anlaß für einen Konflikt gerade recht. Wie Moltke wußte er, daß es, wenn Preußen die Herzogtümer allein für sich behalten wollte, nur zwei Möglichkeiten gab: entweder den Mitbesitzer von Schleswig-Holstein zufriedenstellend zu entschädigen – »oder ihm den Krieg zu erklären oder erklären zu machen«. Im Unterschied zu Moltke wollte er die zweite Möglichkeit nicht vermeiden, sondern herbeiführen.

Den widerstrebenden König wußte Bismarck dafür zu gewinnen. Der zaudernde Generalstabschef mußte sich auf den offiziellen Kurs begeben, das Seinige dazu tun, daß er zum Erfolge führte. Er beugte sich, wie er es nicht nur für angebracht, sondern auch für angemessen hielt, dem Faktischen. Und leistete im Fachlichen das, was man von ihm erwartete.

Den vollen Ernst der politischen Lage, über die er bisher amtlich nicht unterrichtet worden war, erfuhr er am 29. Mai 1865. Zum ersten Mal seit 1859 war er wieder zu einem Kronrat zugezogen worden. Er gab zu bedenken: Gerechtfertigte Ansprüche Österreichs seien zu befriedigen, gelinge das nicht, müsse man zum Krieg entschlossen sein. »Soviel ich weiß, geht die Meinung des Heeres auf Annexion. Ich halte eine siegreiche Durchführung des Krieges für möglich« – wenn es gelänge, Frankreich und Rußland aus dem Konflikt herauszuhalten.

Aber ein Arrangement mit Österreich hätte er weiterhin vorgezogen, wie er am 25. Juni seinem Bruder Adolf schrieb: »Ich hoffe immer noch auf eine Verständigung, die eine wirkliche Aussöhnung der beiden deutschen Mächte anbahnt. Damit ist der Weltfriede gesichert und allen gedient« – außer den Gernegroßen in den deutschen Kleinstaaten.

Er atmete auf, als man sich am 14. August 1865 im Vertrag von Gastein verständigte. Der diplomatischen Weisheit letzter Schluß war – unter dem Vorbehalt der gemeinschaftlichen Souveränität über die Herzogtümer – die Teilung des Streitobjektes: Vorläufig sollte Holstein von Österreich verwaltet werden, Schleswig von Preußen, das jetzt schon das kleine Lauenburg erhielt, gegen Zahlung von zweieinhalb Millionen dänischer Taler.

Es war ein Provisorium, das nicht dauern konnte. In Schleswig-Holstein offenbarten sich im Kleinen die großen Probleme des deutschen Dualismus, die zur Entscheidung anstanden. Hier hatte sich der deutsche Knoten geschürzt, der nicht mehr von Diplomaten am Verhandlungstisch zu lösen, nur noch – so schien es – von Soldaten mit dem Schwert zu durchhauen war.

Zu dieser Ansicht gelangte schließlich auch der preußische Generalstabschef, der so zögerlich mit dem Ziehen des Schwertes war, das er zu führen hatte. Noch am 17. April 1866 hatte er gehofft: Wahrscheinlich wolle keiner den Krieg, aber beide könnten in ihn hineintreiben – »drifting into war«. Am 20. Mai 1866 kam er um die Feststellung nicht mehr herum: »Der Krieg ist unvermeidlich. Ich glaube nicht, daß es in eines Menschen Hand liegt, ihn zu vermeiden.«

Die machtpolitischen Gegensätze zwischen Preußen und Österreich trieben die beiden deutschen Mächte in den Krieg. In Europa, nach außen, konnten sie, zum Nutzen der Sicherheit Deutschlands und des Friedens auf dem Kontinent, einträchtig zusammenwirken, »aber in Deutschland selbst waren ihre Interessen schlechterdings unvereinbar«, konstatierte Moltke. »Hier war nicht Raum für beide; das eine oder das andere mußte weichen.« Österreich hätte dies nicht allzu schwerfallen sollen, »denn es hatte eine außerdeutsche Existenz. Preußen hingegen konnte seine Stellung in Deutschland nicht aufgeben, ohne sich selbst zu vernichten.«

Kein Bruderkrieg zwischen deutschen Staaten, sondern ein Staatenkrieg zwischen zwei Großmächten war zu führen. »Der Krieg von 1866«, resümierte Moltke, »ist nicht aus Notwehr gegen die Bedrohung der eigenen Existenz entsprungen, auch nicht hervorgerufen durch die öffentliche Meinung und die Stimme des Volkes; es war ein im Kabinett als notwendig erkannter, längst beabsichtigter und ruhig vorbereiteter Kampf, nicht für Ländererwerb, Gebietserweiterung oder materiellen Gewinn, sondern für ein ideales Gut – für Machtstellung.«

Ein Krieg um die Vormachtstellung stand bevor, die Preußen in Deutschland erringen wollte. Macht galt in Preußen, nach der Staatsphilosophie Hegels, als sittlich, ihre reale Steigerung als ideale Tat.

Dennoch wurde der Krieg zwischen Preußen und Österreich, wenn auch nicht sogleich und allgemein, als Nationalkrieg empfunden. Der Hegemonialkrieg Preußens war zugleich ein deutscher Einigungskrieg. Indem es endlich, was bereits Friedrich der

Große angestrebt hatte, seine Figur korrigierte, sich zumindest auf Norddeutschland ausbreitete, würde es ein nicht nur geographisch zusammenhängender, territorial geschlossener, leichter zu verteidigender Staat. Nicht nur zu seinen, sondern zu Gunsten der deutschen Nation wären Mittel- und Kleinstaaten verschwunden, die eine deutsche Einigung im Innern und ein geschlossenes Auftreten Deutschlands nach außen immer wieder verhindert hatten.

Dies suchte Helmuth seinem Bruder Adolf klarzumachen, der eine deutsche Einigung mit Zustimmung aller Deutschen, mit friedlichen Mitteln wünschte. »Fünfzig Friedensjahre haben gezeigt, daß bei dem unpraktischen, immer nur auf die Phrase hinauslaufenden Sinn der Deutschen es zu einer Einigung auf dem Wege friedlicher Verständigung niemals kommen wird.« Preußen sei es aufgegeben, diese Aufgabe mit seinen Machtmitteln zu lösen. »Der Sonderungstrieb, welchen seit Tacitus die Deutschen bewahrt haben, führt zur Entscheidung durch das Schwert.«

Aber auch er hatte einzukalkulieren, wie sich die Nachbarn Preußens zu dessen deutschem Machtzuwachs stellen würden. In West wie Ost hatten sie sich daran gewöhnt, daß die Mitte Europas staatlich zersplittert war, hielten sie dies für eine Vorbedingung ihrer eigenen Macht und eine Voraussetzung für den europäischen Frieden.

Moltke schwankte zwischen Zagen und Zuversicht. Bei einem Krieg zwischen den deutschen Großmächten »zahlt Deutschland mit Provinzen rechts und links an seine Nachbarn«, unkte er einmal. Dann wieder setzte er darauf, daß Frankreich sich außerhalb Europas engagiert hatte, England sowieso nach Übersee blickte und Rußland mit seinen inneren Problemen vollauf beschäftigt war. Mehr und mehr vertraute er der Politik Bismarcks. Der Generalstabschef kam nun öfter mit dem Ministerpräsidenten und Außenminister in dienstlichen Kontakt, was zwar nicht seine Sympathie für dessen Person, aber seinen Respekt vor dessen Diplomatie steigerte.

Schon hatte Bismarck ein Kriegsbündnis mit Italien gegen Österreich zuwege gebracht. Wie rasch sich die Zeiten geändert hatten! Noch 1859 war von Moltke ein Kriegseintritt Preußens an der Seite Österreichs gegen Italien befürwortet worden. Nun, 1866, war er von dem Gedanken, das Habsburgerreich in die

Zange zu nehmen, so angetan, daß man einen Augenblick daran gedacht hatte, ihn nach Florenz, der provisorischen Hauptstadt des Königreichs Italien, zu entsenden.

Der italienische General Govone kam nach Berlin, sprach mit Bismarck über die politischen, mit Moltke über die militärischen Aspekte der Allianz. Der preußische Generalstabschef wußte den Wert einer zweiten Front zu schätzen, wenn er auch die militärische Schlagkraft des Partners nicht allzu hoch einschätzte. Vielleicht wollte er Govone Mut machen, wenn er zu ihm – wie dieser berichtete – starke Worte sprach, die er ansonsten scheute:

»›Wir müssen einen einzigen starken Schlag gegen Österreich führen. Ist Österreich besiegt, liegt uns Deutschland zu Füßen. Was Frankreich angeht, das wird nachher erledigt.‹ Die letzten Worte sprach General von Moltke mit halblauter Stimme, wobei er mir fest in die Augen sah.« Govone war beeindruckt: »Das erfüllte mich mit Vertrauen, denn General von Moltke gehört zu der so energischen und unternehmungslustigen, kraftvollen dänischen Rasse.«

Die unsicheren Kantonisten in Preußen beunruhigten ihn kaum. Noch immer stand das Abgeordnetenhaus in Konflikt mit der Regierung. Die wachsende Kriegsgefahr lieferte den Liberalen weitere Munition: Nun beschuldigten sie Bismarck und dessen Mitstreiter nicht nur des Verfassungsbruchs, sondern auch der Vorbereitung eines deutschen Bruderkriegs.

Auf das, was sie sagten, hörte Moltke nun sowenig wie Bismarck oder Roon. »Die Entscheidung der Volksvertreter ist reine Nebensache«, meinte er grundsätzlich. »Versammlungen sind das blinde Werkzeug einzelner Intriganten, und wo die politische Notwendigkeit entscheiden muß, ist es ein unnützes oder gefährliches Spielzeug.«

War nicht eben in Dänemark demonstriert worden, wie eine Demokratie eine Armee und einen Staat zu ruinieren vermochte? Hatte sich nicht die vom preußischen Abgeordnetenhaus bekämpfte Heeresreorganisation glänzend bewährt? Nein, in Preußen sollten die Parlamentarier keine Beachtung finden, weder im Dagegen noch im Dafür. »Mit den Leuten ist nichts anzufangen; man muß sie gehen lassen; sie müssen sich ableben.«

Ein Krieg könnte diesen Prozeß beschleunigen. Ob er geführt werden sollte, hatte der König zu entscheiden. Wie er geführt

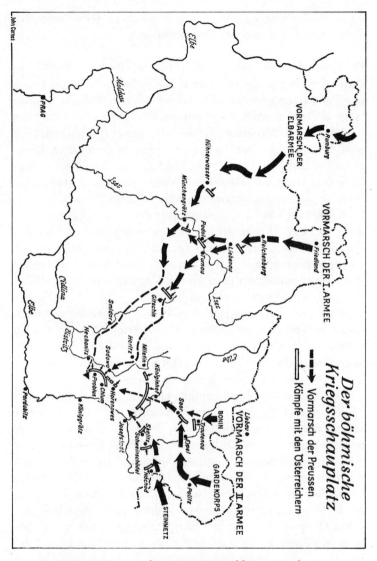

Getrennt marschieren, vereint schlagen – nach
diesem Motto konzipierte Moltke seinen Plan für den
preußisch-österreichischen Krieg von 1866. Die
Preußen, aus Schlesien, der Lausitz und Sachsen nach Böhmen
vorstoßend, sollten die Österreicher durch einen
konzentrischen Umfassungsangriff besiegen

werden sollte, war Sache des Generalstabschefs. Sein Plan lag vor – ein Plan, der zum Siege führen mußte.

EIN KRIEGSRAT fand am 25. Mai 1866 statt. Im Palais des Königs Unter den Linden, das in seiner militärischen Schlichtheit einem ständigen Hauptquartier glich, hatten sich um Wilhelm I. Ministerpräsident Bismarck, Kriegsminister Roon und die Spitzen der inzwischen mobilisierten Armee versammelt: Prinz Friedrich Karl, Oberbefehlshaber der Ersten Armee in der Lausitz, Kronprinz Friedrich Wilhelm, Oberbefehlshaber der Zweiten Armee in Schlesien, ihre Generalstabschefs Voigts-Rhetz und Blumenthal sowie ihre Oberquartiermeister Stülpnagel und Stosch.

Moltke, der Chef des Generalstabes der Armee, hatte sich für diese wichtige Sitzung gründlich vorbereitet. Sie war von ihm angeregt worden, weil es an der Zeit war, die Generalität über den von ihm entworfenen Kriegsplan zu unterrichten. Weil es auf jedes Wort ankam, hatte er seinen Vortrag aufgesetzt, an den Sätzen gefeilt, las ihn nun vom Blatt.

So sah er die Ausgangslage: Preußen war, wegen seiner geographischen Gestalt, verwundbarer als Österreich; Berlin lag der Grenze näher als Wien. Ob es sich verteidigen mußte oder angreifen wollte – Preußen hatte den Krieg jedenfalls offensiv zu führen, ihn nach Österreich hineinzutragen.

Dazu bedurfte es der Zusammenfassung fast aller Kräfte, was Moltke nach Lage der Dinge für möglich hielt. Da Frankreich stillzuhalten schien, konnten auch die westlichen Armeekorps herangezogen werden. Da Hannover, Kurhessen, Nassau und die süddeutschen Staaten, die sich voraussichtlich an die Seite Österreichs stellen würden, keine militärischen Größen waren, könnten sie mit kleineren Truppenverbänden ausgeschaltet werden. Sachsen lag ohnehin auf dem Marschweg der Preußen nach Böhmen.

Mit Hauptkraft mußte der Hauptschlag gegen Österreich geführt werden – und schnellstens. Das entsprach nicht nur der Erfahrung: Wer rasch und überraschend handele, dem »fallen meist immer Vorteile zu, welche dem Abwartenden entgehen«. Das verlangte die außenpolitische Situation: Frankreich, das sich jeden Augenblick anders besinnen, an ein Eingreifen denken könnte, müßte vor die vollendete Tatsache eines entscheidenden Sieges Preußens gestellt werden.

Das erfordere auch und vor allem das Wesen des modernen Krieges: »Der Charakter der heutigen Kriegsführung«, faßte Moltke zusammen, »ist bezeichnet durch das Streben nach großer und schneller Entscheidung. Das Aufgebot aller Wehrfähigen, die Stärke der Armee, die Schwierigkeit, sie zu ernähren, die Kostspieligkeit des bewaffneten Zustandes, die Unterbrechung von Handel und Verkehr, Gewerbe und Ackerbau, dazu die schlagfertige Organisation der Heere und die Leichtigkeit, mit der sie versammelt werden, alles drängt auf rasche Beendigung des Krieges.«

Zeit sei Sieg, meinte Moltke. Die Zeit war für ihn die eine, der Raum die andere Dimension der Strategie. Wo sollten die Truppen schnellstens aufmarschieren, wohin sollten sie unverzüglich marschieren, wo die Entscheidungsschlacht schlagen?

In früheren Kriegsplänen hatte er als Ausgangsstellung Oberschlesien, als Marschziel Wien vorgesehen gehabt. Er kam davon ab. Oberschlesien lag als Aufmarschgebiet zu weit entfernt, es gab nur eine einzige Eisenbahnlinie dorthin, die Aufmarschzeit hätte zu lange gedauert – zumal durch das Zaudern des Königs, den Krieg zu beginnen, und das Bestreben Bismarcks, den außenpolitisch günstigsten Zeitpunkt abzuwarten, immer weniger Zeit dafür blieb. Und: »Ein Fehler in der ursprünglichen Versammlung der Heere ist im ganzen Verlauf des Feldzuges kaum wiedergutzumachen.«

Überdies meinte Moltke nicht genügend Truppen für einen Marsch auf Wien zu haben. Vor allem: War es nicht wichtiger, anstatt die Hauptstadt des Gegners zu besetzen, seine Hauptarmee zu vernichten? Und diese – davon ging er aus – würde in Böhmen aufmarschieren, wo sie auf der »Inneren Linie« operieren, sich nach Schlesien oder nach der Lausitz und damit in Richtung Berlin wenden könnte. Dem galt es zu begegnen, indem der Stiel umgedreht wurde: Aus der Lausitz und aus Schlesien sollten die geteilten preußischen Streitkräfte nach Böhmen, auf die österreichische Hauptmacht vorstoßen.

Wenn Böhmen der Kriegsschauplatz sein sollte, auf den die Preußen von der »Äußeren Linie« aus konzentrisch vormarschieren sollten, mußten die preußischen Truppen in Schlesien, vor allem aber in der Lausitz aufmarschieren. Dorthin führten fünf Bahnlinien, was rasches Tempo ermöglichte. Moltke wollte es noch dadurch steigern, daß die Truppen unmittelbar von den Endstationen aus den Vormarsch antreten sollten, um möglichst schnell an den Feind zu kommen.

Das war ein neuer, kühner Gedanke, den Moltke indessen nicht a priori faßte, der ihm vielmehr durch die Umstände – die zögernde Mobilmachung und den hinausgezögerten Kriegsentschluß – aufgezwungen wurde. Bislang wurde das Kriegstheater Akt auf Akt eröffnet: Mobilmachung, Antransport, Versammlung, Aufmarsch, Operationsbeginn. Der Generalstabschef, der die von der Politik vertane Zeit aufzuholen hatte, drängte diese Szenenfolge in einem einzigen Handlungsablauf zusammen.

Als Akteure betraten die Bühne: die Erste Armee unter Prinz Friedrich Karl in der Lausitz, die Zweite Armee unter Kronprinz Friedrich Wilhelm in Schlesien. Und eine Elbarmee unter Herwarth von Bittenfeld, die durch die Besetzung Sachsens ein zusätzliches Aufmarschgebiet gegen Böhmen gewinnen sollte.

Auch den Operationsverlauf hatte der Generalstabschef vorgeplant, soweit dieser überhaupt vorauszuplanen war: einen konzentrischen Umfassungsangriff.

Bereits Scharnhorst hatte empfohlen: »Getrennt marschieren, vereint schlagen!« Moltke vertiefte die Theorie. Moderne Armeen dürften, schon um sich ernähren und bewegen zu können, nicht zusammen marschieren. »Wenn nun dennoch die Versammlung aller Streitkräfte zur Schlacht unbedingt geboten ist, so liegt in der Anordnung getrennter Märsche unter Berücksichtigung rechtzeitiger Versammlung das Wesen der Strategie.« Denn: »Für die Operation so lange wie irgend möglich in der Trennung zu beharren, für die Entscheidung rechtzeitig versammelt zu sein, ist die Aufgabe der Führung großer Massen.«

Die Vereinigung sollte erst auf dem Schlachtfeld erfolgen, zu einem konzentrischen Angriff gegen Front und Flanke des Feindes zugleich. In die Praxis des Operationsplanes von 1866 umgesetzt, bedeutete dies: Die getrennt in der Lausitz, in Sachsen und Schlesien aufmarschierten drei preußischen Armeen sollten getrennt, den Feind umfassend, nach Böhmen marschieren, rechtzeitig und am richtigen Platz sich vereinigen und mit konzentrierten Kräften die österreichische Hauptmacht in einer einzigen Schlacht entscheidend schlagen.

Wo diese stattfinden könnte, wußte Moltke natürlich noch

nicht; das hing vom Standort der feindlichen Armee ab. Und wie das im einzelnen geschehen sollte, hing von der jeweiligen Situation ab, konnte nicht von vornherein festgelegt werden.

»Kein Operationsplan reicht daher mit einiger Sicherheit über das erste Zusammentreffen mit der feindlichen Hauptmacht hinaus. Nur der Laie glaubt im Verlauf eines Feldzuges die konsequente Durchführung eines im voraus gefaßten, in allen Einzelheiten überlegten und bis ans Ende festgehaltenen, ursprünglichen Gedankens zu erblicken.« Und: »Gewiß wird der Feldherr seine großen Ziele stets im Auge behalten ..., aber die Wege, auf welchen er sie zu erreichen hofft, lassen sich auf weit hinaus nie mit Sicherheit feststellen.«

Mit dem Außerplanmäßigen rechnete der Planer: »Keine Berechnung von Raum und Zeit gewährleistet den Erfolg, wo Zufälligkeiten, Irrtümer und Täuschungen einen Teil der Faktoren ausmachen. Unsicherheit und Gefahren des Mißlingens begleiten jeden Schritt zu diesem Ziel und nur unter nicht völliger Ungunst des Geschicks wird es erreicht werden; aber im Kriege ist alles unsicher, nichts gefahrlos, und schwerlich wird man auf anderem Wege zu großen Resultaten gelangen.«

Wie dem Unberechenbaren begegnet, wie es bewältigt werden sollte, konnte der Generalstabschef nicht von vornherein festlegen, war nicht unbedingt Sache des Feldherrn, dessen Blick vom Feldherrnhügel begrenzt war. Eine vorausschauende Operationsplanung, eine straffe Oberleitung waren nötig. Doch das »Laissez faire, laissez aller« einer bürgerlichen Epoche mußte, in gewisser Hinsicht und in begrenztem Rahmen, auch beim preußischen Militär gelten. Den an Ort und Stelle Verantwortlichen, den Unterführern, mußte Handlungsspielraum belassen werden.

»Bei der Mannigfaltigkeit und dem raschen Wechsel der Situationen im Kriege ist es unmöglich, bindende Regeln zu geben; nur Grundsätze und allgemeine Gesichtspunkte können einen Anhalt gewähren«, resümierte Moltke. »Das Schema versagt, und nur treffende Beurteilung der Lage vermag dem Handeln die richtigen Bahnen zu weisen. Wo die Unterführer auf Befehle warten, wird die Gunst der Umstände niemals ausgenutzt werden. Nur die Befähigung und Gewöhnung der Führer aller Grade zu selbständigem Handeln geben die Möglichkeit, große Massen mit Leichtigkeit unter Verhältnissen zu bewegen, die bei dem Fehlen dieser Eigenschaften Zeitverlust und Friktionen aller Art herbeiführen müssen.«

»Gehorsam ist Prinzip, aber der Mann steht über dem Prinzip« – auf diese Formel brachte Moltke später seine Forderung, Entscheidungsbefugnis auf Unterführer zu delegieren. Sie harmonierte mit dem allgemeinen Zeitgeist, der die Selbstbestimmung des Individuums verlangte. Und sie widersprach nicht unbedingt preußischer Tradition: Seit der Reformzeit, in der auch auf die Eigenverantwortung des Soldaten gesetzt worden war, wurde im Prinzip am blinden Gehorsam gerüttelt.

Moltke jedenfalls hatte seine Generalstäbler, die nicht nur in der Zentrale, sondern auch bei der Truppe eingesetzt waren, zur Selbständigkeit erzogen. Und das auch für die allgemeine Offiziersausbildung verlangt: »Vielfach sind die Situationen, in welchen der Offizier nach eigener Ansicht handeln muß. Es würde sehr verkehrt sein, wollte er auf Befehle warten in Momenten, wo oftmals keine Befehle gegeben werden können.« Aber – so auch Moltke, der nicht ganz in Reih und Glied paßte –: »Am ersprießlichsten für das Ganze ist in der Regel sein Wirken da, wo er den Willen seines Vorgesetzten vollzieht.«

Was für den Offizier galt, mußte erst recht für den Unteroffizier und den gemeinen Mann gelten. Denn nur die Disziplin der Truppe verbürge die Ausführung des Willens der Führer. Die Manneszucht war durch die Militärreorganisation noch gestrafft, die Ausbildung verbessert, der Geist der Truppe gehoben worden.

So stand für den Krieg ein Heer bereit, das kampfbereiter und schlagkräftiger war als das des Gegners – und auch besser bewaffnet: Mit dem preußischen Zündnadelgewehr konnten fünf Schüsse, mit dem österreichischen Lorenzgewehr nur gut ein Schuß in der Minute abgegeben werden.

Vor allem aber hatte die preußische Armee die bessere Führung. Anfang 1865 hatte Moltke in Wien seinen Generalstabskollegen kennengelernt, den Feldmarschalleutnant Alfred von Henikstein. Er residierte zwar in einem neuen und schönen Generalstabsgebäude, füllte aber sein Amt nicht aus. Und den österreichischen Oberkommandierenden in Böhmen, Feldzeugmeister Ludwig August von Benedek, schätzte Moltke als Soldaten, als Troupier, nicht als Feldherrn. Er würde einem Generalstab ausgeliefert sein, der nicht einmal die nötigen Spezialkarten vom Kriegsschauplatz an die Truppe geliefert hatte.

Preußen jedoch hatte seinen Moltke, der alles sorgfältig vorbereitet, alles, was möglich war, rational vorbedacht und rationell vorausgeplant hatte – einen Generalstabschef, der indessen noch nicht die alleinige Planungskompetenz, geschweige denn die Befugnis zur Ausführung des Geplanten besaß. Zudem war er als Stratege keineswegs unumstritten. Schon sein Aufmarschplan stieß auf Kritik – beim Kriegsrat vom 25. Mai 1866.

Der Stabschef der Ersten Armee, Konstantin von Voigts-Rhetz, nahm gegen Moltke das Wort. »Aus einer Art Eitelkeit?« fragte sich sein Oberbefehlshaber, Prinz Friedrich Karl. Er wußte nicht, daß Voigts-Rhetz bereits als Chef des Allgemeinen Kriegsdepartements im Kriegsministerium sich mit seinem ehemaligen Vorgesetzten Moltke angelegt hatte. Das war aus Ressorteifersucht geschehen, und weil er ihn persönlich nicht leiden konnte – diesen Offizier, der »noch nie einen Degen gezogen, nie eine Truppe geführt hat«, und der es auch nicht könnte, »auch wenn er Salomons Weisheit besäße«.

Von dieser Weisheit vermeinte Voigts-Rhetz im Aufmarschplan Moltkes wenig zu spüren. Er tadelte den weit ausgedehnten Aufmarsch, von Sachsen bis Oberschlesien, die »Verzettelung« der Truppen. Man sollte sie besser bei Görlitz an der Lausitzer Neiße konzentrieren, weil hier der Offensivstoß des Gegners auf Berlin zu erwarten sei. Gustav von Alvensleben, Generaladjutant des Königs, war ähnlicher Meinung, und auch Kriegsminister Roon stellte sich gegen den Generalstabschef, der ihm zwar theoretisch noch untergeordnet, praktisch aber bereits selbständig geworden war, das Ohr des Königs gewonnen hatte – und auch diesmal recht bekam.

Mit einer Korrektur. Moltke hatte den gegnerischen Aufmarsch in Nordböhmen angenommen, doch Benedek zog, wenn auch schließlich dorthin, zunächst nach Mähren. Wollte er in Schlesien einfallen? Oder sollte man ihm von Schlesien aus in die Flanke stoßen?

Moltke ging nach wie vor davon aus, daß eher ein Angriff über die Lausitz nach Berlin zu erwarten sei, und stand zu seinem Grundgedanken, den Gegner offensiv zu umfassen. Dennoch gab er dem Drängen des Kronprinzen und dessen Generalstabschef

Blumenthal nach, verstärkte die Zweite »Schlesische« Armee, erklärte sich mit deren Ausdehnung bis Oberschlesien einverstanden – was den Aufmarschbogen noch weiter spannte.

Hatte Moltke, wenn auch nur für einen Augenblick, an seinem Plan gezweifelt? War er den Unterführern zu weit entgegengekommen, von seiner Führungsposition zu weit abgekommen? Jedenfalls sollte ihm dieses Nachgeben bald Schwierigkeiten bereiten. Denn der Gegner konzentrierte sich schließlich doch, wie ursprünglich angenommen, in Nordböhmen, in der bereits am 14. April vom preußischen Generalstabschef berechneten Gegend von Pardubitz, Königgrätz und Josefstadt. »Dies ist der Moment, wo wir die Entscheidung suchen« – aber zum entscheidenden Augenblick des konzentrischen Umfassungsangriffs wäre die zu weit in Richtung Oberschlesien ausgedehnte Zweite Armee beinahe zu spät gekommen.

Nicht nur Militärs, vor allem die Politiker erschwerten Moltkes Planung. Bismarck hatte zwar die psychologische Kriegführung gegen Österreich längst begonnen, aber für deren Fortsetzung mit den Waffen ließ er sich Zeit. Diese arbeite gegen Preußen, bedeutete ihm der Generalstabschef: Die Voraussetzung eines Waffenerfolges sei ein möglichst baldiger Angriff auf den Feind.

Das diplomatische Spiel Bismarcks, der den Gegner vor dem ersten militärischen Zug politisch schachmatt setzen wollte, nervte Moltke um so mehr, als er es nicht durchschaute. Er sei dem persönlichen Verkehr mit den fremden Gesandten nicht gewachsen, hatte Moltke im Jahre 1861 Bernhardi erklärt, als dieser ihm eröffnete, er und viele seiner liberalkonservativen Freunde würden den Generalstabschef gerne als Außenminister sehen. Der »Schweiger« redete nicht gern, schon gar nicht um die Dinge herum. Der Soldat bevorzugte das geradlinige Handeln. Und der Kavalier der alten Schule verachtete die machiavellistischen Methoden, in denen Bismarck Meister war.

Die moralischen Bedenken König Wilhelms, dem Kaiser Franz Joseph den Krieg zu erklären, wären ihm verständlich gewesen, wenn sie nicht, wie er meinte, mit der Macht Preußens auch dessen sittliche Kraft von Tag zu Tag mehr gefährdet hätten. Bereits am 14. April 1866 hatte er dem Monarchen zu überlegen gegeben: »Nur dürfen wir, wenn wir einmal mobil machen, den

Vorwurf der Aggression nicht scheuen. Jedes Zuwarten verschlimmert unsere Lage ganz entschieden.«

Man hatte in der ersten Maihälfte langsam genug mobilisiert, und noch im Kriegsrat vom 25. Mai hatte Wilhelm I. erklärt, die wesentliche Frage sei nicht: »Wie führen wir den Krieg?«, sondern: »Wie erhalten wir den Frieden?« Und selbst noch im Kriegsrat vom 4. Juni hatte der König von Preußen auf die von Frankreich, England und Rußland angebotene Vermittlung gesetzt. Moltke schwieg. Er hatte oft genug gesagt, daß der Vormarsch am 6. Juni beginnen könnte und müßte.

Doch immer noch mußte Moltke auf der Stelle treten – jetzt, da er endlich erreicht hatte, daß er das Geplante auch durchführen sollte. Am 2. Juni 1866 war ihm ein Schreiben des Königs zugegangen: »Ich übersende Ihnen anliegend Abschrift Meiner heute an den Kriegsminister erlassenen Order, wonach von jetzt ab Meine Befehle über die operativen Bewegungen der konzentrierten Armee und ihrer einzelnen Teile durch den Chef des Generalstabes der Armee den Kommandobehörden mitgeteilt werden sollen, das Kriegsministerium jedoch gleichzeitig durch Sie in Kenntnis der Vorgänge zu setzen ist.«

Die Unterordnung des Generalstabschefs unter den Kriegsminister, die Moltke so lange belastet und gehemmt hatte, war praktisch aufgehoben. Die Gleichrangigkeit wurde durch die gleichzeitige Ernennung Moltkes und Roons am 8. Juni 1866 zu Generälen der Infanterie unterstrichen.

Nun hatte der Generalstabschef nicht nur die Planungskompetenz im Frieden, sondern auch Befehlsbefugnis über die Streitkräfte im Kriege. Er war zum ersten und einzigen operativen Berater des königlichen Oberbefehlshabers avanciert, was Moltke erstrebt hatte und Wilhelm nie zu bereuen brauchte.

Es gab Kameraden, die Bedenken äußerten, wie Hermann von Boyen, ein Generaladjutant Wilhelms I.: »Der König im 70. Jahre an der Spitze; Moltke ihm zur Seite: der Abgelebte. Was soll daraus werden?« Und es gab Kameraden, die sich erst daran gewöhnen mußten, wie General Albrecht von Manstein, Kommandeur der 6. Division, der noch bei Königgrätz dem Überbringer eines Befehls des Generalstabschefs sagte: »Das ist alles sehr richtig, wer ist aber der General Moltke?«

Mit Sechsundsechzig bekam er die Chance, als Generalstabschef der eigentliche Feldherr zu werden – wie es seiner Befähigung und wie es den Anforderungen des modernen Krieges entsprach. Dessen zunehmende Mechanisierung erforderte immer mehr den Kriegsingenieur, der strategisches Genie und taktisches Geschick mit Präzision der Planung und Perfektion der Ausführung zu kombinieren verstand.

Er war so taktvoll, seinem Obersten Kriegsherrn, der sich noch wie ein Feldherr à la Fridericus Rex fühlte, den Glauben nicht zu nehmen, daß er alles befehlige. Es komme darauf an, Wilhelm I. »durch richtige und klare Darstellung der wirklichen Sachlage die eigene Beschlußfassung zu erleichtern«, hatte Moltke erkannt und war bisher so verfahren. Nun drehte er behutsam das Verhältnis um: Er selber faßte auf Grund der von ihm beurteilten Sachlage die Beschlüsse, so einleuchtend, daß es dem Monarchen nicht schwerfiel, sein »Wilhelm« darunter zu setzen.

Auch das unterschied Moltke von Bismarck. Dieser erklärte zwar, er fühle sich wie ein kurbrandenburgischer Vasall gegenüber seinem Lehnsherrn, aber Wilhelm I. wurde doch das Gefühl nicht los, daß der Ministerpräsident das Lehnsverhältnis

Eisenbahn-Verladung einer preußischen Proviant-Kolonne

umzukehren suche –, daß er ihn lenken und leiten, ja beherrschen wolle.

Der Generalstabschef, den die hinhaltende diplomatische Taktik des Außenministers auf die Folter gespannt hatte, wirkte gelöst, als ihn dieser am Abend des 14. Juni zu sich einlud und ihn fragte, ob der Marsch an den Feind bereits am 16. Juni beginnen könne. »Er bejahte die Frage«, erzählte Bismarck, »und war durch die Beschleunigung des Kampfes angenehm erregt.« Moltke sei »elastischen Schrittes« weggegangen, habe sich an der Tür noch einmal umgewandt und in ernsthaftem Ton gefragt: »Wissen Sie, daß die Sachsen die Dresdener Brücke gesprengt haben?« Er weidete sich einen Augenblick am Ausdruck des Erstaunens im Gesicht des Hausherrn und fügte dann hinzu: »Aber mit Wasser, wegen Staub.« Bismarck kommentierte: »Eine Neigung zu harmlosen Scherzen kam bei ihm in dienstlichen Beziehungen wie den unsrigen sehr selten zum Ausbruch.«

Bismarck hatte gewartet, bis der Gegner einen entscheidenden politischen Fehler beging. Das geschah am 1. Juni 1866: Österreich stellte die Entscheidung über Schleswig-Holstein in das Ermessen des Deutschen Bundes. Preußen erklärte dies für einen Bruch des Gasteiner Vertrags und besetzte das von Österreich verwaltete Holstein. Bismarck übermittelte den deutschen Regierungen den Entwurf einer neuen bundesstaatlichen Verfassung – mit Ausschluß Österreichs und unter Führung Preußens. Auf österreichischen Antrag beschloß der Frankfurter Bundestag am 14. Juni die Mobilmachung der Bundesarmee, ohne die preußischen Bundesarmeekorps. Dadurch, so ließ Bismarck noch am selben Tage erklären, sei die Bundesverfassung gebrochen, der Deutsche Bund erloschen.

Sachsen, Hannover und Kurhessen forderte er auf, sich unverzüglich Preußen anzuschließen. Als sie ablehnten, wurden am 16. Juni 1866 die preußischen Truppen in Bewegung gesetzt, zur Besetzung dieser Staaten, die auf den Marschrouten gegen die Süddeutschen – zum Nebenkriegsschauplatz am Main – und gegen die Österreicher – zum Hauptkriegsschauplatz in Nordböhmen – lagen.

Der Durchmarsch ging in den Vormarsch über. Am 22. Juni konnte Moltke die konzentrische Angriffsoperation anordnen, per Telegraph, mit dem das blitzschnell ging: »Seine Majestät befehlen, daß beide Armeen in Böhmen einrücken und die Vereinigung in Richtung auf Gitschin suchen« – in der von ihm vorgesehenen Gegend an der Südseite des Lausitzer Gebirges und des Riesengebirges, zwischen den Flüssen Iser und Bistritz und den Städten Münchengrätz und Königgrätz.

Dorthin marschierten die Erste Armee, der die Elbarmee unterstellt wurde, aus Richtung Sachsen und Lausitz, und die Zweite Armee aus Schlesien – auf getrennten Wegen, um am richtigen Ort und zur richtigen Zeit vereint den Feind zu schlagen.

IN GITSCHIN, dem Marschziel, das die Erste Armee am 29. Juni 1866 erreicht hatte, traf Moltke am 1. Juli ein. Vor dreiundfünfzig Jahren, im Sommer 1813, war hier das Hauptquartier des Kaisers Franz I. von Österreich und seines Ministers Metternich gewesen, die sich mit König Friedrich Wilhelm III. von Preußen und Zar Alexander I. von Rußland zum Befreiungskrieg gegen Napoleon I. verbündet hatten.

Nun traten hier König Wilhelm I. von Preußen und sein Generalstabschef Moltke zum Entscheidungskampf um die Vorherrschaft in Deutschland gegen das Österreich Kaiser Franz Josephs I. an, während sich Zar Alexander II. zurückhielt und Kaiser Napoleon III. Gewehr bei Fuß stand.

Moltke hatte sich lange einen Krieg zwischen den deutschen Großmächten nicht vorstellen mögen. Ihn zu planen und zu führen, hatten ihn am Ende die politischen Umstände gezwungen. Als er nun dessen erste Auswirkungen an Ort und Stelle sah, war ihm seltsam zumute.

Auf dem Gefechtsfeld in Gitschin »lagen wohl noch dreißig Pferde herum, die menschlichen Leichen waren beerdigt, an einer Stelle sechshundert Österreicher, an einer andern Stelle auch zweiundneunzig Unteroffiziere und Mannschaft von uns mit einem hölzernen Kreuz«. Er begegnete langen Wagenzügen mit Verwundeten, ritt an einer Wiese vorbei, auf der an die tausend österreichische und sächsische Gefangene lagen, sah die rauchenden Trümmer von Dörfern, die in Brand geschossen worden waren.

Am 30. Juni 1866 hatte der Generalstabschef in Reichenberg den Ministerpräsidenten getroffen, der in der Uniform eines Majors der Landwehr-Kavallerie mit dem Großen Hauptquartier auf den nordböhmischen Kriegsschauplatz gekommen war. Im Ort lagen nur dreihundert preußische Trainsoldaten, und in der Nähe standen sechs österreichische und sächsische Kavallerieregimenter. Könnten sie nicht das ganze preußische Hauptquartier, samt König, Kriegsminister und Ministerpräsident, gefangennehmen? »Ich ging zu Moltke und stellte ihm die Gefahr vor«, berichtete Bismarck, der die Antwort bekam: »Ja, im Kriege ist alles gefährlich.«

Und es war auch nicht alles vorauszusehen und vorauszuplanen, wie der Generalstabschef bereits erfahren hatte. Nicht einmal die Operationen gegen die doch weiß Gott nicht furchteinflößenden Hannoveraner waren ordnungsgemäß verlaufen. Die preußische Westarmee unter General Vogel von Falckenstein hatte zwar in wenigen Tagen Hannover wie Kurhessen besetzt, aber der zwanzigtausend Mann zählenden hannoverschen Armee nicht rechtzeitig den Weg nach Süden, in Richtung der sich am Main versammelnden Süddeutschen, abzuschneiden vermocht.

Es gab Unterführer, denen man eben nicht zu viel Handlungsspielraum belassen konnte, denen man genaue Anweisungen geben mußte – was Moltke noch von Berlin aus tat. Vogel von Falckenstein benahm sich bockig, Verhandlungen brachten Verwirrung, der erste Angriff der Preußen auf die bei Langensalza stehenden Hannoveraner am 27. Juni wurde zurückgeschlagen.

Zwei Tage später streckte die hannoversche Armee, die sich umzingelt glaubte, die Waffen. Moltke, der in Berlin »fast nicht mehr zu Bett gekommen war«, atmete auf. Er machte sich nun auf den Weg nach dem nordböhmischen Kriegsschauplatz, wo ebenfalls zu befürchten war, daß Unterführer den Generalanweisungen seiner Operationsführung nicht angemessen nachkamen oder sie, in Überdehnung des ihnen zugestandenen Ermessens, zu eigenmächtig auslegten.

Die ersten Pannen waren bereits passiert. Prinz Friedrich Karl, der die rote Uniform der Zietenhusaren trug, bewegte sich keineswegs »wie Zieten aus dem Busch«, kam mit seiner eng aufgeschlossenen Armee nur langsam voran, neigte dazu, bei Widerständen von der vorgegebenen Operationslinie abzuweichen. Der vom Kronprinzen kommandierten Zweiten Armee, die mit getrennten Kolonnen über die Pässe des Riesengebirges rückte, stellten sich starke österreichische Kräfte entgegen.

Die Erste Armee und die ihr unterstellte Elbarmee hatten es mit schwächeren österreichisch-sächsischen Verbänden zu tun, die bei Podol, Hühnerwasser, Münchengrätz und Gitschin zurückgeschlagen wurden. Die Zweite Armee kam in Bedrängnis. Ein Korps unter General Bonin wurde bei Trautenau zurückgeworfen. Ein Korps unter General Steinmetz wetzte die Scharte wieder aus, schlug den überlegenen Feind bei Nachod, Skalitz und Schweinschädel zurück. Und die preußische Garde drang bei Soor und Königinhof vor, und wie man sie kannte, würde sie noch weiter vordringen.

Es war höchste Zeit, daß der Generalstabschef an Ort und Stelle eingriff. Denn sein Operationsplan stand und fiel damit, daß die getrennt vorgehenden Armeen zur gegebenen Zeit am vorgesehenen Platz eintrafen – nicht zu spät und nicht zu früh.

Moltke dampfte mit der Eisenbahn an die Front, gab bereits unterwegs per Telegraph korrigierende Anweisungen: Die Zweite Armee solle dort halten, wo sie, nördlich der oberen Elbe, angekommen war. Die Erste Armee solle »ohne Aufenthalt« nach Südosten marschieren und sich dabei von der Elbarmee die rechte Flanke decken lassen. Dadurch sollte ein vorzeitiger Zusammenschluß der beiden Armeen vermieden und ihr rechtzeitiger Zusammenschluß ermöglicht werden.

Aber wo genau stand Benedek mit der österreichischen Armee? Zur Aufklärung war nicht – wie es Moltke verlangt hatte – genügend Kavallerie eingesetzt worden. Es war anzunehmen, daß Benedek sich hinter der Elbe sammelte, gedeckt durch die Festungen Königgrätz und Josefstadt. Um es genau zu erfahren, ließ man berittene Spähtrupps ausschwärmen.

Inzwischen wurde – am 2. Juli – der Truppe eine Pause vergönnt. Wie es weitergehen könnte, trug Moltke dem König in Gitschin vor: Stünde der Feind dort, wo er ihn vermutete, nämlich hinter der Elbe, sollten ihn die beiderseits des Flusses vorgehenden Armeen konzentrisch angreifen, gleichzeitig in Front und Flanke.

Moltke trug die alleinige »Verantwortung des Rats«; er war Wilhelms I. einziger militärischer Stabschef geworden, so wie Bismarck sein einziger politischer Stabschef war. Aber es ließ sich nicht vermeiden, daß bei seinen Vorträgen andere zugegen waren, die nicht nur zuhören, sondern auch mitreden, einen regelrechten »Kriegsrat« abhalten wollten – vor allem, wenn es um eine so wichtige Entscheidung wie die des 2. Juli ging.

»Ein Angriff, bei welchem ein Fluß wie die Elbe zwischen den Armeen liegt, ist gefährlich«, wandte Gustav von Alvensleben ein, der Generaladjutant des Königs. Die Armeen dürften nicht länger getrennt gehalten, müßten endlich vereint werden, geschlossen auf dem westlichen Ufer elbabwärts marschieren, um Benedek aus seiner starken Stellung herauszumanövrieren. Moltke aber bestand auf seinem Angriffsplan, ließ indessen die andere Möglichkeit offen. Das Ergebnis der Erkundung war abzuwarten.

Moltke erfuhr es noch am 2. Juli 1866, eine Stunde vor Mitternacht: Die Österreicher hatten sich nicht hinter, sondern vor der Elbe aufgestellt, den Fluß und die Festung Königgrätz im Rücken – als wollten sie den Preußen den Angriff erleichtern und sich selber den Rückzug abschneiden.

»Diese Nachricht beseitigte alle Zweifel und nahm mir einen Stein vom Herzen. Mit einem ›Gott sei Dank!‹ sprang ich aus dem Bett.« Nichts konnte ihm erwünschter sein »als dies freundliche Entgegenkommen ihrerseits und ihr Vorgehen aus dem starken Abschnitt«. Jetzt konnte nicht nur, jetzt mußte konzentrisch angegriffen werden.

Benedek hatte das getan, womit nicht zu rechnen gewesen war. Man konnte eben nicht alles vernunftentsprechend vorausplanen. Man mußte darauf gefaßt sein, daß der Gegner Fehler beging, die man als vernunftwidrig nicht für möglich gehalten hätte. Nicht nur das eigene Geschick, sondern auch das Mißgeschick des anderen konnte entscheidend sein. Das Kriegführen war und blieb – was Moltke in der Theorie erkannt hatte und nun in der Praxis erfuhr – eine Kombination von Kalkulierbarem und Unkalkulierbarem. Man mußte auch Glück haben – und er hatte Fortune gehabt, brauchte es weiterhin.

Der König, der ebenfalls aus dem Bett geholt worden war, billigte binnen zehn Minuten die Entscheidung Moltkes: An dem Tag, der in Kürze anbrach, am 3. Juli 1866, sollte die vom Generalstabschef schon lange geplante und sehnlich erwartete konzentrische Umfassungsschlacht geschlagen werden. Um Mitternacht gingen die entsprechenden Befehle an die Armeen ab. Die Erste Armee sollte frontal angreifen, die Zweite Armee dem Feind in die rechte, die Elbarmee in die linke Flanke fallen. »Die Absicht war, die feindliche Armee gegen die Elbe zu werfen, sie von beiden befestigten Übergängen abzuschneiden und, wenn möglich, ganz zu vernichten.«

Das war der Schlachtplan, der ausgeführt werden sollte. Doch zwischen Idee und Tat waren Fallstricke gespannt. Schon beim Plan steckte der Teufel im Detail. Die Zweite Armee wie die Elbarmee, in die Flanken der Österreicher dirigiert, hatten »zwei oder drei Meilen zu marschieren, ehe sie in das Gefecht eingreifen konnten«. Mußte nicht die siegverspechende Umfassung scheitern, wenn sie nicht rechtzeitig einträfen? Schlechte Wege wie auch geschickt operierende Österreicher könnten sie aufhalten.

Beim Vollzug des Schlachtplans konnte und mußte nach aller Erfahrung das eine oder andere Hemmnis eintreten. Würde der Feind sich so verhalten, wie angenommen worden war? Das konnte von dem sprunghaften Benedek kaum erwartet werden. Würden die eigenen Unterführer, denen eine gewisse Entscheidungsfreiheit eingeräumt worden war, sich an die Generallinie halten? Nach den bisherigen Erfahrungen des Feldzugs war das nicht so sicher. Würde der Oberste Kriegsherr, der das letzte Wort hatte, nicht schwankend werden, wenn nicht alles wie am Schnürchen lief? Bei der offenkundigen Schwarzseherei Wilhelms I. war dies nicht auszuschließen.

Der Schlachtendenker Moltke hatte oft genug auf das Unwägbare, Unberechenbare, Unverhoffte im Kriege hingewiesen. Dem Schlachtenlenker Moltke merkte man nun nicht an, welche Bedenken sein Inneres bewegten. Auf seiner Rappstute ritt er so sicher und ruhig in die Schlacht, als habe er schon jetzt für künftige Denkmäler als Sieger von Königgrätz in Positur zu sein.

DIE SCHLACHT BEI KÖNIGGRÄTZ begann am 3. Juli 1866 kurz nach acht Uhr. »Es war ein trüber Morgen, und von Zeit zu Zeit fiel ein feiner Sprühregen.« Moltke sah nicht weit, und das, was er nach und nach zu sehen bekam, glich nicht im entferntesten dem, was man in Manövern geübt und was ihm so gefallen hatte:

»Die Geschütze krachten lustig, Helme und Kürasse funkelten in der Sonne, die Gewehre blitzten und die Erde dröhnte unter den Hufen der Reiterangriffe, kurz« – hatte er einmal seiner Frau geschrieben – »Du hättest ein Bild von der Sonnenseite einer Schlacht.«

König Wilhelm I. mit Bismarck und Moltke bei Königgrätz.
Nach einem Gemälde von Georg Bleibtreu

Nun gewahrte er ihre Schattenseite: Wolken von Pulverdampf, brennende Dörfer, das Mündungsfeuer der österreichischen Artillerie, die verteufelt gut schoß; neben dem König und seinem Generalstabschef, die auf der Höhe von Dub standen, schlugen ein paar Granaten ein, die, von dem regennassen, schwammig gewordenen Boden verschluckt, nicht explodierten. Der Angriff der Ersten Armee geriet ins Stocken, schon gab es Rückwärtsbewegungen. Der König höchstpersönlich hielt einen Trupp Infanteristen auf und schickte ihn wieder ins Feuer.

Es lief nicht so, wie man es auf dem Feldherrnhügel – seit 9 Uhr der Roskosberg vor Sadowa – erwartet hatte. Gegen 11 Uhr kam die Schlacht zum Stehen. Mit dem Frontalangriff allein war nichts zu gewinnen, und zu den Flankenangriffen konnte noch nicht angesetzt werden: Die Elbarmee, die konzentriert an einer Stelle

Die Schlacht bei Königgrätz

ZWEITE ARMEE

3. JULI 1866
Morgen

ERSTE ARMEE

ELB-ARMEE

Nach dem Plan des preußischen Generalstabschefs Moltke
wurden am 3. Juli 1866 die Österreicher bei Königgrätz besiegt –
in der bis dahin größten Schlacht der Geschichte

über die Bistritz gegangen war, rückte zu langsam heran. Und die
Zweite Armee kam und kam nicht.

Nach der Berechnung Moltkes hätte sie um 11 Uhr 30 aus dem
Anmarsch zum Angriff übergehen sollen. Doch durch den Regen
waren die Wege aufgeweicht, schwer passierbar geworden. Das
I. Korps der Zweiten Armee, das als erstes zur Stelle sein sollte,
war als letztes aufgebrochen; sein Kommandeur, General Bonin,
wollte den Befehl dazu nicht von Moltke, sondern nur vom
Kronprinzen entgegennehmen.

Schon wollte Prinz Friedrich Karl, der Husar, die Reserven

238

seiner Ersten Armee in die Schlacht werfen, um den Frontalangriff wieder voranzubringen. Doch er hätte sich, wie Moltke sich durch einen Erkundungsritt überzeugt hatte, an der starken Höhenstellung, im Abwehrfeuer der österreichischen Artillerie totgelaufen. Der Generalstabschef verhinderte den sinnlosen Einsatz.

Es blieb nichts anderes übrig, als in der von der Ersten Armee erreichten Stellung zu verharren, sie gegen etwaige Angriffe der Österreicher mit der Feuerüberlegenheit des Zündnadelgewehrs zu halten. Und das Eintreffen der Zweiten Armee abzuwarten, den Zeitpunkt, in dem sie und die inzwischen angekommene Elbarmee zu den entscheidenden Flankenangriffen gegen den Feind eingesetzt werden könnten.

Das Warten zerrte an den Nerven. Bismarck ritt an Moltke heran, der an einem Zigarrenstummel kaute. Der Diplomat in Kürassieruniform bot ihm sein Zigarrenetui, das nur noch zwei Zigarren enthielt, eine gute und eine schlechte. Moltke wählte die gute, was Bismarck auch für ein Zeichen sicheren Feldherrnblicks nahm. Wilhelm I. freilich lamentierte: »Moltke, Moltke, wir verlieren die Schlacht!« Der Generalstabschef antwortete: »Eure Majestät gewinnen heute nicht nur die Schlacht, sondern den Feldzug.«

Einzig und allein Moltke schien kaltes Blut zu bewahren. Aber auch er konnte seine Erregung nicht verbergen, als man endlich, um 1 Uhr 30, in der rechten Flanke des Feindes, über der baumgekrönten Höhe von Chlum eine weiße Wolke erblickte. »Es war noch nicht die Zweite Armee, aber das Feuer, welches, auf sie gerichtet, ihren nahen Anmarsch verkündete. Der freudige Ruf: ›Der Kronprinz kommt!‹ ging durch alle Reihen.«

Um 1 Uhr 45 erhielt die Elbarmee den Angriffsbefehl. Sie drückte zwar den linken Flügel der Österreicher frontal ein, vermochte aber nicht, ihn zu umfassen. Währenddessen stieß die Zweite Armee in den rechten Flügel der Österreicher hinein. Aber sie drang nicht so tief in den Rücken des Feindes, um ihm den Rückzug abzuschneiden. Zur Eroberung von Chlum, die um 2 Uhr 45 erfolgte, waren alle ihre Kräfte eingesetzt worden.

Inzwischen hatte die Erste Armee wieder zum Angriff gegen die Front des in Flügelkämpfe verwickelten Feindes angesetzt. Er kam zügig voran. Doch die Hauptmasse der österreichischen Armee konnte, weil ihr von der Elbarmee und der Zweiten Armee nicht der Rückweg verlegt worden war, von Artillerie und Kavallerie gedeckt, den Rückzug antreten.

Die von Moltke vorgesehene Umfassung war nicht geglückt. Die feindliche Armee konnte nicht umzingelt und vernichtet werden. Die Entscheidungsschlacht war gut geplant gewesen, aber nicht ebenso gut durchgeführt worden. Nach den Fehlgriffen der Unterführer machte auch der Oberführer einen Fehler: Er blieb dem Feind nicht auf den Fersen.

Als der Sieg gegen 3 Uhr feststand, war Wilhelm I. davongeritten, um ihn mit seinen Soldaten zu bejubeln. Der Generalstabschef suchte ihn vergebens, fand gegen 6 Uhr den Prinzen Friedrich Karl, der ihm nahelegte, die notwendigen Befehle im Namen des Königs zu erlassen. Ohne alle Ergebnisse des Tages zu kennen – der Rechner war aufs Raten angewiesen –, ordnete Moltke um 6 Uhr 30 an: »Morgen wird allgemein geruht.« Nur die Elbarmee solle den Feind, »so weit wie möglich«, verfolgen.

Entgegen seiner Gewohnheit hatte sich Moltke unklar ausgedrückt. Herwarth von Bittenfeld, Befehlshaber der Elbarmee, verstand jedenfalls das »so weit wie möglich« nicht als »möglichst nahe an den Feind«, sondern »soweit es in seinen Kräften stünde«, und da er diese für erschöpft hielt, blieb er weit vom Schuß.

Warum wurde der Feind nicht sofort und energisch verfolgt, der taktische Sieg nicht operativ ausgenutzt? Die drei preußischen Armeen hätten sich, so Moltke später, »aus den verschiedenen Richtungen auf engem Raum durchdrungen und untereinander gemischt. Es brauchte 24 Stunden, um sie zu entwirren und die Verbände wiederherzustellen.« Die Truppen waren ermattet, und die Kräfte, die ihnen verblieben waren, wurden im Jubel über den Sieg verausgabt.

Moltke bemerkte nun auch die Kehrseite der Medaille. »Im scharfen Galopp vorgehend, hatte ich wenig auf das Schlachtfeld geachtet, beim Zurückreiten traten die Schrecknisse hervor. An manchen Stellen war das Feld förmlich bedeckt mit Leichen von Menschen und Pferden. Gewehre, Tornister, Mäntel usw. lagen überall herum. Es gab schreckliche Verwundungen, niemand konnte helfen. Ein Offizier flehte uns an, ihn totzuschießen.«

Der Generalstabschef war um vier Uhr morgens in Gitschin aufgebrochen und kehrte um ein Uhr nachts zurück. Gegessen hatte er nur zwei Schokoladenplätzchen, ein Stück Brot sowie eine

Scheibe Wurst, die ihm von einem Ulanen spendiert worden war. »In Gitschin war nichts mehr zu haben. Hungrig und von Frost geschüttelt, warf ich mich im Mantel auf ein schlechtes Bett und schlief vortrefflich ein paar Stunden.«

Er konnte, alles in allem, mit diesem 3. Juli 1866 zufrieden sein. Die größte Schlacht, welche die Weltgeschichte bis dahin gekannt hatte, war gewonnen. In einem Raum von 8 bis 10 Kilometer Breite und 3 bis 5 Kilometer Tiefe hatten 221 000 Preußen und 215 000 Österreicher gekämpft. Der Sieger zählte an Verwundeten, Toten und Vermißten 359 Offiziere und 8794 Mann; der Besiegte verlor – einschließlich der zahlreichen Gefangenen – 1313 Offiziere und 41 499 Mann.

Dies war der erste große Sieg der Kriegsgeschichte, der nicht in alter Tradition von einem Feldherrn, sondern von einem Generalstabschef gewonnen wurde, der die Operationen fachwissenschaftlich geplant und im Auftrage des königlichen Oberbefehlshabers in Oberleitung ausgeführt hatte.

Es waren freilich Fehler von Unterführern begangen worden, auf die man sich verlassen mußte, aber eben nicht immer verlassen konnte. Der dirigierende Generalstabschef hatte sich bemüht, vor und während der Schlacht korrigierend einzugreifen. Dabei hatte er seine am Kartentisch bewiesenen Fähigkeiten auch im Kampfgeschehen erwiesen: Sicherheit des Urteils, Beweglichkeit in der Anpassung an Veränderungen, Treffsicherheit der Entscheidung und Tatkraft bei der Durchsetzung.

Nicht alle Fehler hatte er korrigieren können. Er nahm sich vor, künftig die Unterführer am kürzeren Zügel zu leiten, und wollte nicht zu viel Verdienst für sich in Anspruch nehmen. Er habe lediglich eine sich bietende Chance richtig ergriffen: »Die Vereinigung der preußischen Heere im rechten Augenblick«, resümierte der Sieger von Königgrätz, »ist, wenigstens vom preußischen Generalstabe, niemals als eine besonders geistreiche Idee oder tiefgelehrte Kombination in Anspruch genommen worden. Es war die verständig angeordnete und energisch durchgeführte Abhilfe einer ungünstigen, aber notwendig gebotenen ursprünglichen Situation.«

Wie er sie meisterte, verkehrte den Nachteil der Preußen, auf der Äußeren Linie operieren zu müssen, in einen Vorteil gegenüber den Österreichern, die auf der Inneren Linie operieren konnten – es jedoch wegen ihrer Fehler und des Nutzens, den Moltke daraus zog, nicht vermochten. Die Lehre: »Die unbestreitbaren Vorteile der inneren Operationslinie behalten ihre Geltung nur, solange man Raum genug hat . . . Verengt sich dieser Raum in dem Maße, daß man den einen Feind nicht mehr angreifen kann, ohne Gefahr zu laufen, es zugleich mit dem anderen zu tun zu bekommen, der uns in Flanke oder Rücken fällt, dann verkehrt sich der strategische Vorteil der inneren Operationslinie in den taktischen Nachteil des Umfaßtseins im Gefecht.«

So hatten die Preußen vor der Schlacht eine Ausgangsposition gewonnen, die den Sieg über die Österreicher versprechen, aber nicht garantieren konnte. Wie wäre die Schlacht verlaufen, wenn Benedek beispielsweise seine rechte Flanke so stark gemacht hätte, daß sich daran die Zweite Armee die Köpfe blutig gestoßen hätte?

Moltke wußte, daß er nicht nur Geschick, sondern auch Glück gehabt hatte – und Benedek Mißgeschick und Unglück. »Ein besiegter Feldherr! Wenn der Laie nur eine entfernte Idee hätte, was das zu bedeuten hat! Der Abend von Königgrätz, wenn ich mir den vorstelle! Solch ein verdienstvoller, tapferer, umsichtiger General wie Benedek!«

Der Sieger gestand sich ein: »Über den Ruf des Feldherrn entscheidet vor allem der Erfolg. Wieviel davon sein wirkliches Verdienst, ist außerordentlich schwer zu bestimmen. An der unwiderstehlichen Gewalt der Verhältnisse scheitert selbst der beste Mann, und von ihr wird ebensooft der mittelmäßige getragen. Es kann leicht ein tüchtiger Feldherr von einem weniger tüchtigen geschlagen werden.« Aber – das war er sich schuldig –: »Glück hat auf die Dauer nur der Tüchtige.«

Und Glück hatte Preußens tüchtiger Feldherr auch weiterhin. Die Vernichtung von Benedeks Armee in einer Umfassungsschlacht war ihm zwar mißglückt, aber auf Kaiser Franz Joseph wirkte die Niederlage bei Königgrätz so niederschmetternd, daß er nicht mehr weiterkämpfen wollte. Der Feldzug zog sich noch drei Wochen hin, jedoch entschieden worden war er – wie Moltke feststellte – schon in den ersten acht Tagen.

Unter seiner Kriegführung hatte Preußen in einer Woche erreicht, was Friedrich dem Großen in sieben Jahren nicht gelungen war (und was er freilich auch gar nicht gewinnen konnte und wollte): die Vorherrschaft in Deutschland.

Neuntes Kapitel

ZWISCHEN FRIEDEN UND KRIEG

DEN SCHWARZEN ADLER erhielt Moltke am 28. Juli 1866, nach der Ratifizierung des Vorfriedens mit Österreich. »Suum cuique – Jedem das Seine« hieß der Wahlspruch des Ordens. Der Generalstabschef hatte das Seine für Preußens Gloria getan, und er empfing nun den Dank, die höchste preußische Auszeichnung.

Der tiefgerührte König hatte ihn bei der Verleihung des Ordens umarmt und geküßt. »Was mir noch mehr Freude macht«, sagte Moltke, »ist, daß man ihn mir in der Armee allseitig zu gönnen scheint. Man sieht das allen Gesichtern an, wohin ich komme.« Kronprinz Friedrich Wilhelm stellte ihm seinen eigenen Ordensstern zur Verfügung. Das verringerte den Verdruß, den ihm dessen Stabschef, Leonhard von Blumenthal, bereitet hatte.

Schwarz auf weiß hatte er zur Kenntnis nehmen müssen, was dieser von ihm hielt: Moltke sei »ein genialer Mann, der keine Idee vom praktischen Leben hat und von Truppenbewegungen nichts versteht«, stand in Blumenthals Feldpostbrief an seine Frau, den die Österreicher abgefangen und in der Presse veröffentlicht hatten. »Er liebt es nicht sehr, wenn ich ihm sage, daß seine Befehle unausführbar sind, aber er ändert immer alles genau nach dem, was ich gesagt habe.«

Der Erfolg hatte viele Neider. Und auch Besserwisser meldeten sich nach dem gewonnenen Feldzug zu Wort. Die einen – wie Blumenthal – nannten Moltke einen praxisfernen Planer. Die anderen – wie Wilhelm von Doering, Abteilungschef im Großen Generalstab – hielten ihn für keinen Planer, sondern für einen Macher: »Überhaupt ist Moltke weit mehr der Mann des raschen, energischen Entschlusses als der Mann wohlberechneter Pläne.«

Bismarck hatte ihn zu Beginn der Schlacht bei Königgrätz

gefragt: »Wissen Sie, wie lang das Handtuch ist, dessen Zipfel wir hier gefaßt haben?« Moltkes Antwort: »Nein, genau wissen wir es nicht, nur, daß es wenigstens drei Korps sind, vielleicht ist es die ganze österreichische Armee.«

Einen greifbaren Zipfel des Geschehens fassen, ihn festhalten, um dann zu versuchen, das Ganze in die Hand zu bekommen und es nach seinen Vorstellungen zu gestalten – das war die Maxime des Realpolitikers Bismarck. Bei Moltke, dem Realstrategen, war es ähnlich. Nur daß sein Metier eine eingehendere Planung erforderte, ohne ihn der Notwendigkeit zu entheben, sie den jeweiligen Umständen anzupassen und dabei auch Risiken nicht zu scheuen: »Erst wägen, dann wagen!«

So wurden der Realpolitiker und der Realstratege das Dioskurenpaar der preußischen Reichsgründung – bei aller Unterschiedlichkeit der Charaktere, allen späteren Auseinandersetzungen über die Vorrangigkeit ihrer Sache: der Politik oder der Militärstrategie.

Die Frage, wie es nach Königgrätz weitergehen sollte, beantworteten sie einvernehmlich. Einen sofortigen Waffenstillstand, wie ihn die Österreicher schon am Tage darauf erbaten, lehnten sie ab: Der Militär mußte den Krieg mit den Kräften, die sich überlegen gezeigt hatten, so lange weiterführen, bis der Diplomat einen vorteilhaften Frieden aushandeln konnte.

Was aber war vorteilhaft für Preußen? Der König wollte den Krieg fortführen, bis Wien genommen wäre, Österreich und dessen süddeutsche Verbündeten am Boden lägen, Gebietsabtretungen zugestehen müßten. Bismarck wollte das nicht, weil er mit den Süddeutschen als künftigen Reichsgenossen und mit Österreich als mitteleuropäischem Bündnispartner rechnete. Zudem *konnte* er es nicht, weil ein Eingreifen Frankreichs drohte: Napoleon III. wollte Preußen nicht zu stark und Österreich nicht zu schwach sehen.

Der Generalstabschef hatte mit allen Eventualitäten zu rechnen. Ein Angriffsplan auf Wien war fertig, seine Ausführung bereits eingeleitet. Die Preußen marschierten durch Böhmen und Mähren, auf die Donau zu; Mitte Juli waren sie nur noch ein paar Kanonenschußweiten von der österreichischen Hauptstadt entfernt. Schon hatte Moltke schwere Artillerie angefordert, denn der Kampf um Wien würde schwer werden. Die Österreicher hatten ihre Südarmee, die bei Custoza die Italiener besiegt hatte, an die Donaufront geworfen.

Was aber, wenn Frankreich militärisch eingreifen sollte? Bismarck fragte dies Moltke, der erwiderte: »Eine defensive Haltung gegen Österreich mit Beschränkung auf die Elblinie, inzwischen Führung des Krieges gegen Frankreich.« Das war eine kühne Antwort, die jedoch beiden nicht behagte. Sie wußten, daß es über kurz oder lang zum Krieg mit Frankreich kommen müßte. Ihn aber jetzt schon zu wagen, hätte den Zweifrontenkrieg bedeutet, mit mehr Risiken als Chancen.

Der Generalstabschef sekundierte dem Außenminister, der ein Eingreifen Frankreichs durch einen raschen Friedensschluß mit Österreich und den süddeutschen Staaten zu vermeiden suchte. Bismarck wollte die Feinde von heute und potentiellen Freunde von morgen glimpflich behandeln. Man habe nicht eines Richteramtes zu walten, sondern deutsche Politik zu machen, erklärte er. Moltke stimmte zu: Man habe nicht Rache zu nehmen, sondern den eigenen Vorteil zu verfolgen.

Dieser Politik entsprach eine operative Anweisung an die preußische Westarmee, die an den Main vorgestoßen war: Sie solle die vorgesehene Grenzlinie zwischen einem von Preußen beherrschten Norddeutschland und den süddeutschen Staaten, die man für einen freiwilligen Anschluß gewinnen wollte, nicht überschreiten, sondern sich auf die »faktische Okkupation der Länder nördlich des Mains« beschränken.

Österreich mußte als Großmacht bewahrt, als kraftvoller Bundesgenosse der Großmacht Preußen-Deutschland in Reserve gehalten werden. Fünfzehn Jahre später, als der Zweibund geschlossen war, resümierte der Sieger von Königgrätz: »Österreich erschöpfte, während es die deutschen Westmarken ungeschützt ließ, seine Kräfte in Eroberungen jenseits der Alpen, statt dort, wohin die Donau den Weg zeigt. Sein Schwerpunkt lag außerhalb, der Preußens in Deutschland. Preußen fühlte sich stark und berufen, die Führung der deutschen Stämme zu übernehmen. Der bedauerliche aber unvermeidliche Ausschluß eines derselben aus dem neuen Reiche konnte nur durch ein späteres Bündnis annähernd ersetzt werden.«

So dachte Moltke schon 1866, ja noch früher, seitdem er in der Türkei erkannt hatte, daß Österreich eine Aufgabe im Südosten zu erfüllen habe, für ganz Deutschland und Mitteleuropa. Das Vielvölkerreich blieb für ihn, auch wenn es in Norddeutschland und bald auch in Süddeutschland nichts mehr zu bestimmen hatte, ein mit der deutschen Vergangenheit untrennbar verbundenes, noch in der Gegenwart deutsch geführtes Reich. Und die Habsburgermonarchie galt ihm als eine konservative Macht in einem zunehmend von revolutionären Kräften bestimmten Europa.

Bismarck argumentierte ähnlich: Er könne sich keine für Preußen und Deutschland »annehmbare Zukunft der Länder, welche die österreichische Monarchie bildeten, denken, falls letztere durch ungarische und slawische Aufstände zerstört oder in dauernde Abhängigkeit versetzt werden sollte. Was sollte an *die* Stelle Europas gesetzt werden, welche der österreichische Staat von Tirol bis zur Bukowina bisher ausfüllt? Neue Bildungen auf dieser Fläche könnten nur dauernd revolutionärer Natur sein.« Dennoch dachte Bismarck 1866 daran, eine ungarische Legion gegen die Habsburger einzusetzen, wenn es zum Äußersten käme. Dazu ließ er es allerdings nicht kommen. Aber daß er mit diesem Gedanken gespielt hatte, bestärkte Moltkes Vermutung, daß er es mit einem Machiavellisten zu tun habe.

Im Wesentlichen, um das es nach Königgrätz ging, stimmten beide überein: im Verlangen nach einem baldigen und vernünftigen Friedensschluß. Bei dessen Durchsetzung hatte Bismarck in Moltke einen Bundesgenossen, einen sich ziemlich zurückhaltenden freilich, wie es eben seiner Art entsprach. Und seiner Auffassung, daß ein Soldat nicht mit seinem König rechten dürfe – was Bismarck, der Zivilist, letztlich allein tun mußte.

Am 18. Juli 1866 war das Hauptquartier auf Schloß Nikolsburg angelangt, neun Meilen vor Wien, das der König, wenn er schon so weit gekommen war, nun auch einnehmen wollte. »Wir fuhren«, erzählte Moltke, »durch drei oder vier finstere Tore zwischen Wartturm und Felsenwände steil aufwärts in die engen Schloßhöfe.« Diese mittelalterliche Burg war ein trefflicher Schauplatz für den Zweikampf zwischen dem kurbrandenburgischen Vasallen und seinem Lehnsherrn.

Als Kronprinz Friedrich Wilhelm im Hauptquartier ankam, begegnete er Moltke, der den Schloßberg hinunterging, als wollte er wenigstens für einen Augenblick den Streit um Krieg und Frieden hinter sich lassen. »Sie finden dort oben alles in der

Die Vorfriedens-Konferenz auf Schloß Nikolsburg
zwischen Preußen und Österreich Ende Juli 1866. Links neben
Bismarck (stehend) Generalstabschef Moltke

schlimmsten Bagarre«, in Kampf und Krach, berichtete ihm der
Generalstabschef. Der Kaiser von Österreich habe durch Vermitt-
lung des Kaisers der Franzosen Frieden angeboten, unter der
Bedingung, daß Österreichs Bundesgenosse Sachsen unversehrt
bliebe. Doch der König von Preußen wolle wenigstens einen Teil
von Sachsen für sich haben. Und Bismarck dränge darauf, das
Friedensangebot ohne Wenn und Aber anzunehmen. Die Folge:
Der Monarch schaue seinen Ministerpräsidenten nicht mehr an.

Der Generalstabschef war in den Streit verwickelt. »Ich bin sehr
müde«, schrieb er seiner Frau. »Jetzt muß ich auch noch in
Diplomatie machen, was von gewisser Seite recht schwergemacht
wird.« Der König war damit gemeint, der sich auch taktvolleren
Versuchen, ihn für Bismarcks in dieser Situation einzig richtigen
Standpunkt einzunehmen, grollend verschloß. Erst dem Kronprinzen, von Moltke entsprechend instruiert, gelang der Durchbruch.

Mit dem Vorfrieden, der in Nikolsburg am 26. Juli 1866 unterzeichnet, am 28. Juli ratifiziert und schließlich am 23. August mit

dem Frieden zu Prag sowie den Friedensschlüssen mit Sachsen und den süddeutschen Staaten besiegelt wurde, konnte auch Wilhelm I. zufrieden sein. Zwar wurden Österreich, Sachsen, Württemberg und Baden keine Gebiete und Bewohner abverlangt; nur Bayern und Hessen-Darmstadt mußten Grenzstriche abtreten. Aber Preußen bekam außer Schleswig-Holstein auch Hannover, Kurhessen, Nassau und die Freie Stadt Frankfurt, wuchs von 279 000 auf 352 000 Quadratkilometer, von 19,6 auf 24,4 Millionen Einwohner. Der Deutsche Bund und damit die deutsche Stellung Österreichs wurde vom Habsburger aufgegeben. Der Hohenzoller konnte ganz Norddeutschland unter der Vorherrschaft des vergrößerten Preußens zusammenfassen. Und Süddeutschland ins Visier nehmen.

Noch in Nikolsburg ließen sich die Sieger, hoch zu Roß, photographieren. Der Generalstabschef war neben dem König zu sehen, auf seinem Rappen, der »exemplarisch ruhig« stand. In Bewegung war dieses Gruppenbild dann am 20. September 1866 zu bewundern, beim Einzug in Berlin. Bismarck, Roon und Moltke ritten unmittelbar vor Wilhelm I. durch das Brandenburger Tor, auf dem die Siegesgöttin gleichsam vorausfuhr, die Linden entlang, die Triumphstraße Preußens, durch ein Spalier von eroberten Kanonen zum Lustgarten. Hier stand eine in wenigen Tagen errichtete »Borussia«, was daran erinnerte, wie schnell der preußische Sieg errungen worden war (und natürlich nicht daran gemahnen sollte, daß rasch Gewonnenes auch rasch wieder zerrinnen könnte).

An diesem denkwürdigen Tag ernannte der König seinen Generalstabschef zum »erneuten Beweis Meiner Anerkennung für Ihre hervorragenden Verdienste während des Feldzuges« beziehungsreich zum Chef des 2. Pommerschen Grenadierregiments (Kolberg) Nr. 9: Vorgänger war Gneisenau gewesen, der Friedrich Wilhelm III. zum Sieg über Napoleon I. verholfen hatte, wie nun Moltke Wilhelm I. zum Sieg über Franz Joseph I.

Moltke war nun ein vielgerühmter und hochgeehrter, ein populärer Mann. Auf patriotischen Bildern wurde er, als einziger Bartloser unter bärtigen Militärs, fast wie ein römischer Konsul oder ein griechischer Philosoph dargestellt. Poeten feierten ihn mit mehr vaterländischer Begeisterung als dichterischer Begabung. Und natürlich befaßte sich die Presse mit ihm. Ein Vertreter der Zeitschrift »Daheim« suchte den Sieger von Königgrätz auf. Der General empfing Herrn Mels im Arbeitszimmer des Generalstabsgebäudes, dessen einziger Schmuck in Stahlstichen, Porträts der königlichen Familie und preußischer Armeeführer bestand. »Er saß in einem jener altertümlichen, doch so bequemen Armstühle, die den modernen Fauteuils, ohne von denselben ersetzt zu werden, Platz gemacht haben.«

Der Besucher fand einen Mann, wie er und seine Leser sich ihn vorgestellt hatten. »Der erste Eindruck, den die Erscheinung des Freiherrn von Moltke auf den Besucher macht, ist der einer äußerst ernsten Persönlichkeit: seine hohe, kerzengerade Gestalt scheint wie zum Befehlen geboren, der Ausdruck seiner Züge ist eisern fest, man möchte denken, daß die Jahre die Falten seines Gesichts in einen Marmorblock eingemeißelt hätten.« Jedoch: Er konnte auch lächeln, »und ich bemerkte, daß in diesen eisernen Zügen sich auch ein Ausdruck von Güte und Freundlichkeit, wie man selten einen gleichen sieht, mit jenem vorher angegebenen paaren könne.«

Der General machte den Journalisten darauf aufmerksam, daß er »eine Antipathie vor Lobhudeleien« habe, daß er »höchst unvollständige, sogar gänzlich falsche und manchmal höchst lächerliche« Berichte über sich habe lesen müssen. Es gebe Schriftsteller, »die in ihrem phantasiereichen Schaffen sehr merkwürdige Ideen von Konvenienzen haben«.

Vorsorglich faßte Moltke das Gespräch mit Mels in einer Niederschrift zusammen, die er ihm zuleitete und die schließlich auch veröffentlicht wurde. »Erst in meinem 66. Lebensjahr«, hieß es da, eher bescheiden, »ist mir das Glück geboten worden, tätigen Anteil an einem Feldzuge zu nehmen, welcher für die Zukunft Preußens wie Deutschlands von entschiedenem Erfolge geworden ist.« Und: »Ich darf mich glücklich schätzen, meine Laufbahn zu schließen, reich belohnt durch die Gnade des Königs und das Vertrauen meiner Kameraden.«

Er war genug gerühmt geworden, weit mehr, als er es vertrug. Im Lichte der Öffentlichkeit zu stehen behagte ihm nicht. Die gesellschaftlichen Verpflichtungen, denen sich ein Mann seines Rangs und Namens nicht mehr zu entziehen vermochte, wurden ihm lästig: »Alle Abend ist was los, und abends um 10 Uhr, wo man gern zu Bett ginge, geht's zur Cour, in Konzerte oder

Assembleen. Leute und Pferde kommen nicht vor 1 Uhr zur Ruhe, und dabei soll man morgens arbeiten. Für die Gesundheit taugt das nichts.«

Er hatte das Pensionsalter erreicht und meinte auf seinen Lorbeeren ausruhen zu dürfen, auf eigenem Grund und Boden, wovon er sein Leben lang geträumt hatte. Da der König seine Lorbeeren im wahrsten Sinne des Wortes vergoldet hatte – mit einer Dotation von 200 000 Talern, einem Dank des Vaterlandes in klingender Münze –, war er nun in der Lage, sich ein Gut zu kaufen.

DAS GUT KREISAU, samt den benachbarten Gütern Nieder-Gräditz und Wierischau, erwarb er am 1. August 1867. Es lag im Kreis Schweidnitz, ungefähr 50 Kilometer südwestlich von Breslau. Moltke hätte sich lieber in Mecklenburg oder in Holstein, der alten Heimat der Familie, ansässig gemacht. Aber Schlesien war ihm

auch recht. Seit seinen lustigen Tagen als Landvermesser hatte er das schöne Land am Riesengebirge schätzen gelernt.

Auch diesmal war er auf Dienstreise dorthin gekommen. Denn in Pension hatte der Sieger von Königgrätz nicht gehen dürfen. Der König hielt ihn an seiner Seite. Preußen brauchte ihn zur Sicherung des Gewonnenen. Und er selber wollte die Autorität, die er erlangt hatte, dafür einsetzen, daß die Lehren, die er aus dem Kriege von 1866 gezogen hatte, in der Armee befolgt würden. Allerdings wollte er sich ein Refugium schaffen, in das er sich, wenn immer möglich, von der Generalstabsarbeit und vom Gesellschaftsleben in Berlin zurückziehen könnte.

Er fand es zu Füßen der Hohen Eule und des Zobten, eines erloschenen Vulkans, des letzten höheren Berges vor der Ebene, die sich bis zum Ural erstreckt. »Das ganze Land ist wie ein Garten, und wohin man fährt, ist's wunderschön.« Er entschloß sich rasch, erwarb die zum Verkauf stehenden Güter, die einer

Das Rittergut
Kreisau in Schlesien,
das sich
Helmuth von Moltke
mit der Dotation
für den Sieg
von 1866 kaufte.
Zeichnung von
Reinhard Hoberg

verwitweten Frau von Dresky gehörten, 400 Hektar für 240 000 Taler.

Er war auf seinem Grund und Boden so angekommen, wie er hier leben wollte: schlicht und einfach wie der alte Römer Cincinnatus, in der Hoffnung freilich, daß er nicht von der Scholle in den Krieg geholt werden würde, und wenn, daß er bald wieder zurückkehren könnte. Der General hatte weder Diener noch Gepäck bei sich, als er zur Besichtigung eintraf. Der Anzug, den er auf dem Leibe trug, wurde durch einen Gewitterregen völlig durchnäßt. Ein Nachbar, der ihn beim Kauf beriet, stellte trockene Kleidungsstücke zur Verfügung, die ihm zu kurz und zu weit waren.

»Alle Welt wünscht mir übrigens Glück zu meinem Kauf, bei dem Preise von etwa dreihundert Talern pro Tonne Land«, berichtete er. »Der Boden gehört zu den fruchtbarsten, tiefgründigen und sicher tragenden des Landes.« Da er aber vernachlässigt worden sei, müsse man ihn chemisch düngen, mit Superphosphat. Das koste viel Geld. Besonders einträglich war Grundbesitz in diesen Zeiten nicht. Er müsse zufrieden sein, wenn er am Schlusse des Wirtschaftsjahres sein Kapital zu 2 ½ Prozent verzinst habe. »Wer höhere Zinsen haben will, muß sich nicht ankaufen. Grundbesitz bleibt aber immer Grundbesitz. Er gewährt die größte Sicherheit für alle Zeiten. Der Gutsherr ist der erste Stand der Welt.«

Er war König in seinem Reich. Der neue Gutsherr begann mit einem Feuereifer zu schalten und zu walten, als wollte er auf einmal all das nachholen, was ihm so lange verwehrt gewesen war. Er machte sich an die Renovierung des heruntergekommenen Schlosses, die Anpflanzung eines Parks, die Überbrückung der Peile, die Regulierung des Baches, die Umwandlung von Sumpfgelände in Wiesen und Felder, die Anschaffung von Maschinen. Er dachte an »Faust«, zweiter Teil.

Und er fühlte sich als Patriarch: Er baute eine Schule, stellte einen Lehrer an, gab jedem Schulabgänger ein Sparkassenbuch sowie die Lebensregel mit auf den Weg: »Hilf dir selbst, so wird dir auch von anderen geholfen werden.« Er teilte seinen Hofleuten größere Fleischportionen zu, »so daß sie bei Kräften und gutem Willen sind«.

Der ideelle Gewinn war größer als der materielle. Das erste Jahr machte er »eine gute Mittelernte«. Er rechnete aus, wieviel er eingenommen hatte, und da er sein Leben lang hatte knausern müssen, zählte er jeden Taler. Mehr noch befriedigte ihn, daß er eigene Früchte einheimste. »Den ganzen Tag hindurch ziehen die schwankenden Erntewagen, mit Weizen hoch beladen, über den Hof in die Scheunen.«

Er brachte in die Scheuer, was er gesät hatte. Er erfreute sich an dem Stück Natur, das ihm gehörte, an Anemonen, Himmelsschlüsseln, Maiglöckchen, Margeriten und Glockenblumen, an Akazien und Linden, weniger an den Birken, die er für »das Unkraut des Waldes« hielt. Er rodete sie und ersetzte sie durch Eichen, die er über alles liebte: deutsche Eichen, an denen er wie Justus Möser, der Verfasser der »Patriotischen Phantasien«, den »härtesten, höchsten und reinsten Stamm« und die hocherhobenen Kronen schätzte.

Sein Verhältnis zur Natur war sentimentalisch, nicht naiv. Er suchte das, was er verloren, eigentlich nie gehabt hatte. Und versuchte, das Gefundene seinen Vorstellungen anzupassen, das Ursprüngliche rational zu bändigen. Zur Anlage des Parks »durch Führung von Wegen durch Wiese und Busch, Anpflanzung von Baumgruppen usw. usw.« ließ er sich einen Meßapparat kommen, »zur Spezialaufnahme des dabei in Betracht kommenden Terrains«. Er steckte die Wege aus, legte für jeden Setzling den Platz fest und ging nie ohne Baumschere aus.

Wie weit hatte er es gebracht! Als junger Generalstäbler mußte er das Land anderer vermessen, Landkarten zeichnen. Der Gutsherr, der auf die Siebzig ging, konnte in geradezu generalstabsmäßigem Vorgehen sein eigenes Land nach eigenem Plan formen, nach seinen Vorstellungen gestalten – wie stets mit den Gegebenheiten rechnend, aus ihnen das Beste machend.

Vorerst nur in den Sommermonaten lebte er in Kreisau das einfache Leben, das er in Berlin so sehr vermißte. Er war den ganzen Tag in Zivil, von früh bis spät an der frischen Luft – und meist allein, ohne reden und sich das Schweigen als Verschlossenheit ankreiden lassen zu müssen. Oft vergaß er das Mittagessen, zum Speisen brauchte er sich nicht umzuziehen, konnte Hausmannskost essen, hatte keine Fürstin X als Tischdame, die ihn zum soundsovielten Male fragte, wie es auf dem Feldherrnhügel von Königgrätz gewesen sei. Und hinterher konnte er sich auf eine Bank unter einer Eiche setzen, den Staren zuhören und den

Schnittern zusehen, das, was ihm gehörte und was er sich geschaffen hatte, ruhig betrachten und still genießen.

Im Schatten der Eichen, die er gepflanzt hatte, werde er nicht mehr wandeln, schrieb er seinem Bruder Adolf. Und er hatte keine Kinder, die sich einmal am Erbe des Vaters erfreuen könnten. Der Stammbaum, den er erstellt hatte, war »ein Blatt wie ein Tischtuch«, aber Sprößlinge von Helmuth und Marie von Moltke konnte er darauf nicht verzeichnen.

Es blieben seine Brüder Friedrich, Adolf und Ludwig, seine Schwester Auguste und deren Sohn Henry Burt, um den er sich schon lange gekümmert hatte, vor allem aber die Söhne Adolfs: Wilhelm, Helmuth, Fritz und Ludwig. Der Gutsherr von Kreisau machte aus seinem Besitz ein Fideikommiß. Das bedeutete, daß das Gut nur als Ganzes zu vererben, nicht zu veräußern war und nur der jeweilige Besitzer über den Ertrag verfügen durfte. Zum künftigen Majoratsherrn war Wilhelm, der älteste Sohn Adolfs, bestimmt.

Am liebsten hätte Helmuth von Moltke seine Geschwister und Geschwisterkinder in Kreisau um sich versammelt. »Es wäre hübsch, wenn wir uns endlich alle aus dem Dienst zurückziehen und dort zusammen wohnen könnten«, hatte er Ludwig geschrieben, noch bevor er Kreisau gekauft hatte. Das war immer sein Wunsch gewesen: den Moltkes, die ihre Güter verloren hatten, einen neuen Familiensitz und einen Familienmittelpunkt zu schaffen.

Ein Eheheim ist Kreisau für ihn nicht geworden. Seine Frau teilte den Hang ihres Mannes zum Landleben nicht. Wenn schon, dann hätte sie ein Gut in Holstein vorgezogen, in der Nähe der alten Heimat, in der Nachbarschaft der Verwandten. Die Generalin war in Berlin in ihrem Element. Sie verkehrte lieber bei Hofe als mit Gutsnachbarn, die zwar von Adel waren, aber sich wie Bauern benahmen. Sie ritt lieber im Tiergarten aus, wo man seinesgleichen begegnete, als in einer Gegend, wo sich Hasen und Füchse gute Nacht sagten.

Nur den Sommer 1868 verbrachte sie mit ihrem Mann in Kreisau. Im Jahr zuvor hatten sie Silberne Hochzeit gefeiert. Die einundvierzigjährige Braut trug im dunklen Haar den silbernen Myrtenkranz, der sechsundsechzigjährige Bräutigam im Knopfloch des Waffenrocks einen Silberstrauß. Er schenkte ihr ein

Armband mit Kapsel, die sein Bild enthielt und mit einer Nach-
bildung des 25jährigen Dienstkreuzes verziert war. Es war ein
Dank für die treuen und liebevollen Dienste, die sie ihm geleistet
hatte.

»Ich ginge so gern (ohne Scherz) als Trainsoldat mit Helmuth«,
hatte sie 1850 geäußert, als beinahe ein Krieg ausgebrochen wäre.
1866 ließ sie ihn mit Zuversicht ziehen: »Die Welt ruht nicht
sicherer auf den Schultern des Atlas als Preußen auf einer solchen
Armee« – und einem solchen Generalstabschef. Nach Königgrätz
war sie stolz darauf, daß sich ihr Helmuth »unsterbliches Verdienst erworben«.

Die Halbengländerin war so preußisch gesinnt, wie man es von
einer Soldatenfrau erwarten durfte. Freilich schien sie etwas zu
lebhaft für einen Mann, dessen Ruhebedürfnis größer war, als es
ihm die Anzahl seiner Jahre gestattete. »Mich stach der Hafer«,
pflegte sie zu sagen, wenn sie wieder einmal zu übermütig gewesen war: »Ein Erbteil meines würdigen Squires, immer tolles Zeug
im Kopf zu haben! Hätte ich nicht einen so nachsichtigen Gatten,
der sich daran amüsiert, so wäre ich schlimm daran, denn ich kann
es nicht lassen, sobald mir eine solche Idee kommt, sie sogleich zu
äußern und mir mein Mütchen zu kühlen.«

Noch als Silberbraut tanzte sie gerne Walzer und machte
manchen Wirbel. Aber sie war doch gesetzter geworden, eine
Exzellenz, die ihre Umtriebigkeit in gesellschaftliche Unternehmungen gesteckt hatte. So auch in der Adventszeit des Jahres
1868, als sie sich für einen Weihnachtsbasar einsetzte. Sie war im
Regen hingeritten, hatte durchnäßt am Verkaufsstand gestanden,
zog sich einen Gelenkrheumatismus zu, der, wie die Ärzte sagten,
aufs Herz schlug.

Am Heiligen Abend starb sie, nachdem sie die Christbesche-
rung für das Personal angeordnet und ihrem Mann einen Rubin-
ring, sein Weihnachtsgeschenk, an den Finger gesteckt hatte. »Ich
hätte nicht gemocht, daß sie wieder erwache«, schrieb der Witwer
seinem Bruder Adolf. »Sie hat ein selten glückliches Leben genossen und ist des traurigen Alters überhoben.«

»Ihr Antlitz zeigte wie die schönste Marmorbüste den stillen
Frieden, die männliche Stärke ihres Charakters«, schrieb er seinem Bruder Ludwig. Mit ihm zusammen hatte er früher Verse
von Thomas Moore übersetzt, die ihm wieder in den Sinn kamen:

»Glaub' ich zu wallen
Durch Festes Hallen,
Doch ach! es erlosch der Kerzen Schein!
Verstummt sind die Reigen,
Ringsumher Schweigen,
Entflohen die Gäste, und ich – allein!«

Er brachte die Tote nach Kreisau, wo er seine Tage mit der Lebenden hätte beschließen wollen. Sie wurde vorläufig in der katholischen Dorfkirche beigesetzt, bis das Mausoleum auf dem Steinberg fertiggestellt war. Es wurde nach seinem Entwurf in neo-romanischem Stil aus Backsteinen erbaut. Den Hügel bepflanzte er mit Tannen und Stechpalmen. Von oben überblickte man den Moltkeschen Besitz, das Schloß, den Park, der erst einer werden mußte, die Felder mit Weizen und Raps, die Wiesengründe der Peile, Hügel und Berge – ein schönes und friedliches Land.

Hier wollte er weilen, wenn ihn der König in den Ruhestand geschickt, und ruhen, wenn ihn der Allmächtige in die Ewigkeit abkommandiert haben würde. Vorerst hinderte ihn sein Dienst daran, daß er zu sehr Erinnerungen nachhing und zu oft an das Ende dachte. »Viel Geschäfte sind jetzt eine Wohltat für mich.«

Die Familie half ihm über die schwere Zeit hinweg. Seine Schwester Auguste und sein Bruder Friedrich zogen zu ihm in das Generalstabsgebäude in Berlin, kamen mit ihm im Sommer nach Kreisau. Und der König war um seinen Generalstabschef besorgt, stellte ihm den Neffen Henry Burt als persönlichen, zweiten Adjutanten zur Seite.

Seine Dienste wurden noch benötigt: als Chef des Generalstabes der Armee, der den wahrscheinlich unvermeidbaren Krieg mit Frankreich vorzubereiten hatte. Und als Reichstagsabgeordneter, der mithelfen sollte, das im Krieg gegen Österreich Erreichte mit politischen Mitteln zu festigen und auszubauen.

NORDDEUTSCHLAND gelte es »schnell zu konsolidieren, um späteren Gefahren von Westen und Osten her mit genügender Macht entgegenzutreten«, hatte Moltke bereits nach Königgrätz bemerkt. Eine Erschütterung, wie sie von Frankreich ausgehen könnte, werde »die neue Bildung entweder zertrümmern oder dauernd und klar herstellen. Der Erfolg, die Zukunft Deutschlands, hängt davon ab, inwieweit es Preußen gelingt, in der ihm vom Schicksal vergönnten Frist nicht bloß moralisch, sondern auch materiell die Führerschaft in Deutschland zu gewinnen.«

Das war zunächst eine politische Aufgabe, der sich Bismarck annahm. Er sorgte für Ordnung im preußischen Abgeordnetenhaus, das lange genug unbotmäßig gewesen war. Und gründete den Norddeutschen Bund. Preußen, das sich Schleswig-Holstein, Hannover, Kurhessen, Nassau und Frankfurt am Main einverleibt hatte, tat sich mit den übriggebliebenen norddeutschen Staaten zusammen, wie ein Löwe, der vorerst, aber nicht für immer, satt geworden war – mit seinen kleinen Bundesgenossen, die 1866 mitmarschieren mußten, mit dem Königreich Sachsen, das noch einmal davongekommen war, und mit der nördlichen Hälfte des Großherzogtums Hessen-Darmstadt, um die Mainlinie deutlicher zu ziehen, die bis auf weiteres Norddeutschland von Süddeutschland trennte.

»Der Berliner ist wie umgewandelt«, hatte der aus dem Feldzug zurückgekehrte Moltke bemerkt. Wie hatten die Liberalen, die in der Hauptstadt den Ton angaben, den Mund voll genommen! Einen Bruderkrieg habe Bismarck vom Zaune gebrochen, behaupteten sie, und das Abgeordnetenhaus, das immer noch im Verfassungskonflikt mit der Krone lag, wollte keinen Taler dafür genehmigen.

Bei Königgrätz war auch die Opposition besiegt worden. Am 3. Juli 1866, am Tage der Schlacht, schrumpften bei den Neuwahlen die Liberalen von 247 auf 148, wuchsen die Konservativen von 35 auf 136 Mandate an. Nun war es an der Zeit, auch Frieden mit dem Abgeordnetenhaus zu schließen, zu königlich preußischen Bedingungen. In der Thronrede vom 5. August wurde eine Vorlage angekündigt, die um Indemnität nachsuchte: Die Verwendung von Steuergeldern für den Staatshaushalt ohne Bewilligung des Parlaments solle »unverdammt«, lateinisch »indemnatum«, bleiben.

»Die Thronrede hat einen großen Eindruck gemacht«, bemerkte Moltke, »und ich hoffe, daß wir auch im Innern zur Verständigung gelangen werden.« Am 3. September 1866 genehmigte das Abgeordnetenhaus mit 230 gegen 75 Stimmen die Indemnitätsvorlage, beendete damit den Verfassungsstreit, unterwarf sich der Obrigkeit, die Macht gezeigt und Erfolg gehabt hatte.

An dieser Abstimmung zerbrach die Fortschrittspartei: in eine Minderheit liberaler Grundsatzpolitiker, die im Widerstreit der Parteiziele im Zweifelsfall das Recht über die Macht und die Freiheit über die Einheit stellten; in die Mehrheit der Nationalliberalen, welche die neues Recht setzende preußische Macht und eine nun mögliche kleindeutsche Einheit ohne die ersehnte große Freiheit bevorzugten und die damit verbundenen wirtschaftlichen und gesellschaftlichen Vorteile ergriffen. Das nationalliberale Bürgertum wurde der parlamentarische Koalitionspartner Bismarcks, der wirtschaftliche Partner des Feudalismus und ein gesellschaftlicher Nutznießer der Reichsgründungszeit.

Nachdem Bismarck den deutschen Dualismus im Kampfe gegen Österreich gelöst hatte, entschied er den Dualismus des deutschen Liberalismus. Und den Widerstreit des preußischen Konservativismus.

Die Realpolitik trennte auch die Neukonservativen von den Altkonservativen. »Hüten wir uns vor der scheußlichen Irrlehre, als umfaßten Gottes heilige Gebote nicht auch die Gebiete der Politik, der Diplomatie und des Krieges und als hätten diese Gebiete kein höheres Gesetz als patriotischen Egoismus«, hatte vor Königgrätz Ludwig von Gerlach in der »Kreuzzeitung« gemahnt. Nach Königgrätz gründete die Kreuzzeitungsgruppe die Patriotische Vereinigung.

Andere Konservative zitierten Paul de Lagarde, der bereits 1853 gesagt hatte: »Der Staat Preußen ist weithin konservativ, wenn er mit allen Kräften und Mitteln strebt, das zu erreichen, was sein Ziel war, als er erstand: deutsches Leben zu pflegen, in Deutschland zu retten, was an Deutschland noch rettbar ist. Das ist keine Arbeit des Friedens, und wer Eier essen will, darf Eierschalen zu zerschlagen sich nicht scheuen.« Auch und gerade für eine konservative Partei, meinten die Neukonservativen, sei es notwendig, daß sie »inmitten der Bewegung der Zeit steht und den veränderten politischen Verhältnissen Rechnung trägt«.

Auf dem Boden der Tatsachen erstand die Freikonservative Partei, die mit der Nationalliberalen Partei Bismarcks Mehrheit im Norddeutschen Reichstag bildete. Die Freikonservativen sagten Moltke am meisten zu. In ihrem Wahlprogramm von 1867 stand: »Den neuen Provinzen werden wir zu beweisen haben, daß Preußisch und Deutsch eins und dasselbe ist, und daß Deutschland gewinnt, was Preußen erwirbt.« Diese Partei war deutsch und preußisch zugleich, national, ohne nationalistisch zu sein, konservativ, aber nicht reaktionär, und ihre Liberalität ging so weit, daß sie mit dem Liberalismus koalierte, wenn auch nicht mit ihm sich verbündete.

Diese Konservativen hatten das Erbe der „Neuen Ära« übernommen und sich den Aufgaben der neuen Eisenzeit zugewandt. Was der Generalstabschef militärisch gewonnen und zu sichern hatte, wollten sie politisch weiterführen und parlamentarisch konsolidieren helfen. Dem König sollte, was dem preußischen Soldaten recht und billig schien, die Monarchensouveränität wie die Kommandogewalt belassen, dem Parlament nur gegeben werden, was unumgänglich war. Die gesellschaftlichen Vorrechte und die wirtschaftlichen Vorteile des grundbesitzenden Adels sollten erhalten werden, was im Interesse des Gutsherrn von Kreisau lag.

Dieser Herrenklub suchte mit den bürgerlichen Nationalliberalen einen Damm gegen Linksliberalismus und Sozialismus zu errichten. Der erste erschien als die Vorhut, der zweite als die Hauptmacht der Revolution. Deren Siegeszug schloß Moltkes Wirklichkeitssinn nicht aus. Die Folge – befürchtete er 1869 – würde »allgemeine Verarmung und Verwilderung« sein. Und ständige Unruhe. Einig könnten die Sozialisten nur in Beziehung auf die erste Teilung der Beute sein; über die zweite müßte der Kampf unter ihnen ausbrechen. Denn frage einer: »Wie aber nun, wenn allgemeine Gleichheit (an Glücksgütern versteht sich) hergestellt ist und ich vermehre meinen Anteil durch Fleiß und Sparsamkeit, du aber vergeudest den deinigen?«, dann würde die Antwort lauten: »Dann teilen wir noch einmal.«

Moltke hatte, wie viele seiner Zeitgenossen, im Idealismus begonnen und war beim Realismus angekommen. Der erfolgreiche Generalstabschef galt als Symbolfigur der Reichsgründungskoalition aus preußischem Konservativismus und nationalem Liberalismus. Und sollte sie als Galionsfigur im Norddeutschen Reichstag vertreten.

Dieses Parlament war kein Parlament im eigentlichen Sinne. Es war aus keiner verfassunggebenden Versammlung hervorgegangen. Der Bundesrat, das Organ der Fürsten, die den Norddeutschen Bund geschlossen hatten, war dem Reichstag, der Vertretung des Volkes, übergeordnet. Und dessen Kompetenzen waren beschränkt. Ausschlaggebend blieb die monarchische Gewalt, die der Reichskanzler, der zugleich preußischer Ministerpräsident war, im Namen der Bundesfürsten und zum Nutzen der Vormacht Preußen ausübte.

Diese preußisch-deutsche Form der konstitutionellen Monarchie war ganz im Sinne Moltkes. Weniger gefiel ihm, wie der Reichstag zustande kam: durch allgemeine, gleiche und direkte Wahlen. Bismarck glaubte sich dieses Zugeständnis an die Nationaldemokratie gestatten zu können, weil er dem demokratisch gewählten Parlament keine entsprechenden Befugnisse eingeräumt hatte. Moltke paßte dieses Wahlrecht aus grundsätzlichen Erwägungen nicht, und weil er damit persönlich eine schlechte Erfahrung machte.

Der Sieger von Königgrätz war in der künftigen Reichshauptstadt als Reichstagskandidat aufgestellt worden. Weitere Repräsentanten der Reichsgründungszeit kandidierten in den anderen fünf Berliner Wahlkreisen: Bismarck, Roon, die Generäle Eduard Vogel von Falckenstein, Herwarth von Bittenfeld und Karl Friedrich von Steinmetz. Sie fielen am 12. Februar 1867 alle durch. An ihrer Stelle wurden Linksliberale gewählt.

Moltke wurde von Moritz Wiggers besiegt, der in den fünfziger Jahren in den Rostocker Hochverratsprozeß verwickelt gewesen war. »Ich gönne es der Stadt Berlin, wenn ich durchfalle«, hatte er, in Vorahnung des Ergebnisses, geschrieben. »Die Stadt der Intelligenz verschreibt sich einen eben aus dem Zuchthaus entlassenen Mecklenburger zu ihrem Vertreter.« Nach Bekanntgabe des Resultats fügte er hinzu: »Die Menge ist eben blind, und wehe dem Staat und der Gesellschaft, wo sie zur Herrschaft gelangt.«

Vorsorglich war Moltke noch in weiteren Wahlkreisen aufgestellt worden, auf dem flachen Land, wo die Leute noch wußten, was sie dem König und dessen Generalstabschef schuldig waren: in Memel-Heydekrug, Fürstentum und Bitterfeld-Delitzsch. Er nahm für Memel an, das er bis zu seinem Tode, zunächst im Norddeutschen, dann im Deutschen Reichstag vertreten hat.

Mehr Pflicht als Neigung führten ihn in die Volksvertretung. Obgleich ihm eine parlamentarische Tätigkeit zuwider sei, werde er sich ihr nicht entziehen, hatte er im Januar 1867 erklärt. Die Sache sei diesmal wichtig; jedenfalls schließe man durch die Annahme der Wahl »ein böses Element« aus. In Memel war sein

Gegenkandidat Dr. Johann Jacoby, der Königsberger Demokrat, der schon König Friedrich Wilhelm IV. zur Weißglut gebracht hatte.

Was Moltke machte, suchte er richtig zu machen. Wenn man dabei nur nicht soviel Zeit vertan hätte! »Heute«, berichtete er am 10. März 1867, »haben wir von zehn bis drei Uhr gesessen, jetzt ist Fraktionssitzung, und daneben wollen doch auch die laufenden Dienstgeschäfte besorgt sein.«

Immerhin hörte man Aufschlußreiches und sah interessante Leute. »Es sind doch sehr bedeutende Talente in dieser Versammlung, und neben diesen fallen die konventionellen Phrasen, die Reden, um zu reden, gänzlich durch.« Auch Oppositionellen hörte er zu, wenn sie ihre Meinung, wie beispielsweise Alexander von Münchhausen, »mit Ruhe und gemessener Würde« vortrugen. Billigen konnte er die Ansichten des früheren hannoverschen Ministerpräsidenten nicht. »Es ist doch, als ob selbst die helleren Geister aus dem kleinstaatlichen Leben nur den beschränkteren Gesichtskreis mitbringen.«

Die Hälfte der Abgeordneten spreche nur für die Stenographen, bemerkte er und sammelte die Protokolle der Reden. Bald waren auch eigene darunter, nicht viele, nicht lange, aber doch solche, die seines Erachtens mehr Echo in den Zeitungen hätten finden dürfen.

Der ins Parlament abkommandierte Generalstabschef äußerte sich pflichtgemäß und sachgerecht zu militärischen Fragen. Am 19. März 1869 widersprach er der Opposition, die am Verbot des Wahlrechts für aktive Soldaten rüttelte: »Seien wir froh, daß wir in Deutschland eine Armee haben, die nur gehorcht. Blicken wir auf andere Länder, wo die Armee nicht die Schutzwehr gegen die Revolution ist, sondern wo diese aus der Armee hervorgeht.«

Die preußisch-deutsche Armee – so Moltke am 28. Mai 1869 im Norddeutschen Reichstag – sollte deshalb, etwa im Gegensatz zur amerikanischen, von Steuern befreit bleiben – aus materiellen Gründen, denn der amerikanische Leutnant beziehe 120 Taler, der preußische nur 26 Taler, und aus Prinzip: »Die Armee ist ein Teil des Volkes und nicht der schlechteste, und es ist wirklich nicht nötig, ihr erst eine Steuer aufzuerlegen, um das zu ihrem Bewußtsein zu bringen.«

Als die Opposition »den großen Aufwand für Kriegszwecke«

kritisierte, antwortete Moltke am 15. Juni 1868: »Welcher verständige Mensch würde nicht wünschen, daß die enormen Ausgaben, welche in ganz Europa für Militärzwecke gemacht werden, für Friedenszwecke verwendet werden könnten? Aber auf dem Wege, wie einer der Herren Vorredner es gemeint hat, auf dem Wege der internationalen Verhandlung wird das sicherlich nie zustande kommen.« Deshalb sehe er »nur eine Möglichkeit, und das ist, daß im Herzen von Europa sich eine Macht bilde, die, ohne selbst eine erobernde zu sein, so stark ist, daß sie ihren Nachbarn den Krieg verbieten kann«.

Konservative Kollegen waren mit dem Parlamentarier Moltke so zufrieden, daß sie ihn zum Fraktionsvorsitzenden machen wollten. »Die eigentlichen Korporaldienste«, meinte Moritz von Blanckenburg, könnte ein anderer leisten. Ihn bräuchte man »als feinstes Deckblatt« für »unsere Vierradener Einlagen«, den provinziellen Tobak. Roon, der seinen Pappenheimer kannte, entgegnete, daran sei nicht zu denken, »da sich dieses Deckblatt nicht gut rollen läßt«.

Die parlamentarische Tätigkeit war für Moltke nichts weiter als die Fortsetzung seiner Generalstabsarbeit mit anderen Mitteln. Sein Interesse an Vorlagen und Debatten beschränkte sich auf das, was seines Amtes war – in erster Linie auf die Gestaltung der Militärverfassung des Norddeutschen Bundes.

Das Ergebnis entsprach nicht ganz seinen Erwartungen. Die neue Bundesstreitmacht wurde zwar unter König Wilhelm I. als Bundesfeldherrn und mit Moltke als dessen Generalstabschef aufgestellt. Aber es war nicht zu verhindern, daß das Militärwesen in die Gesetzgebungskompetenz des Bundes einbezogen wurde. Immerhin konnte das durch die Heeresreorganisation geschaffene preußische Militärsystem nicht nur beibehalten, sondern auch auf die Bundesgenossen ausgedehnt werden. Denn im Bundesrat, dem ausschlaggebenden Bundesorgan, durfte Preußen nicht widersprochen werden, wenn es sich »für die Aufrechterhaltung der bestehenden Einrichtungen« aussprach.

Aber im Reichstag mußte die dreijährige Dienstzeit verteidigt und um den Heereshaushalt gestritten werden. Bei der Debatte um die betreffenden Artikel des von Bismarck vorgelegten Verfassungsentwurfes war der Generalstabschef als Parlamentarier gefordert.

Er führte seine Kriegserfahrung ins Feld: 1866 hätten die Preußen nicht zuletzt deshalb die Österreicher bezwungen, weil sie die dreijährige Dienstzeit, diese aber nur eine eineinhalbjährige Dienstzeit gehabt hätten. »Meine Herren, das Gefühl des Zusammenhaltens unter allen Umständen kann nicht einexerziert werden, es kann nur eingelebt werden, und das können Sie mit zwei Jahren nicht erreichen.«

Die dreijährige Dienstzeit wurde, wie gefordert, in die Verfassung aufgenommen. Nicht zufrieden war er mit der Festlegung der Präsenzstärke auf 1 Prozent der Bevölkerung von 1867 bis zum 31. Dezember 1871 und der Festsetzung einer entsprechenden Pauschalsumme. Moltke wollte, daß die Regelung automatisch gültig bleiben sollte, bis ein neu zu vereinbarendes Bundesgesetz in Kraft träte. Am 5. April 1867 stellte er einen entsprechenden Antrag.

»Mein Amendement bezweckt, einer so dauernden Institution, wie es das Heer ist, auch eine feste Grundlage in einer sicheren Einnahme zu verschaffen«, hieß es in seiner Begründung. »Es ist richtig, daß dabei ein Teil der Militär-Einnahmen und -Ausgaben der Bewilligung der Volksvertretung entzogen bleibt«, gestand er zu, bat jedoch die Volksvertreter: »Gewähren Sie der Militärverwaltung das Recht, innerhalb bestimmter Grenzen frei und nach eigenem Ermessen verfahren zu können.« Denn: »Es gibt viele Gegenstände, welche die Militärverwaltung sicherlich besser versteht als eine Versammlung von ausgezeichneten und patriotischen Männern.«

Das Amendement wurde mit 138 gegen 125 Stimmen abgelehnt. Dies verminderte seine Achtung vor dem Parlament und vermehrte seine Zweifel an der Nützlichkeit seiner Abgeordnetentätigkeit. Mit um so größerem Nachdruck widmete er sich den von den neuen Militärverhältnissen aufgeworfenen Fragen, die den Generalstabschef betrafen und die mit Militärverwaltungen zu lösen waren.

Bei ihnen war mit mehr Verständnis, aber auch mit einigen Vorbehalten zu rechnen. »Die kleinen Staaten haben so wohlfeile Soldaten gehabt, daß derselbe Aufwand, den Preußen seit fünfzig Jahren für sie mitgetragen, die Verdoppelung und Vervierfachung involviert.« Sie mußten das preußische Militärsystem übernehmen, vom Uniformschnitt bis zum Militärgesetzbuch. Und sich in die Planungen des preußischen Generalstabes für Mobilmachung und Aufmarsch einfügen.

Die Militärorganisation des Norddeutschen Bundes strahlte bereits auf die süddeutschen Staaten aus, die eben noch mit Preußen im Krieg gestanden hatten. Schon integrierten Hessen-Darmstadt ganz und Baden halb ihre Truppen in die preußische Armee, und selbst Bayern und Württemberg führten die allgemeine Wehrpflicht ein. Von Bismarck waren sie nicht als Gegner von gestern, sondern als Partner von morgen behandelt worden. In Schutz-und-Trutz-Bündnissen mit dem Sieger verpflichteten sie sich, im Falle eines Angriffs auf das militärisch bereits als Einheit betrachtete Kleindeutschland ihre gesamten Streitkräfte unter den Oberbefehl des Königs von Preußen zu stellen.

Wie das im einzelnen geschehen sollte, hatte der preußische Generalstabschef in Verhandlungen mit seinen süddeutschen Kollegen zu klären. Deren Streitkräfte mußten rechtzeitig aufgeboten und versammelt, zur Verfügung des Oberkommandos gestellt werden. Entsprechende Pläne für Unterbringung und Transport wurden ausgearbeitet. Auf die Besprechung eines gemeinsamen Operationsplanes ließ sich Moltke nicht ein. Wie alle deutschen Streitkräfte geführt und eingesetzt werden sollten, habe allein die preußische Heeresleitung zu entscheiden.

Er traute den süddeutschen Brüdern politisch nicht über den Weg – und militärisch nicht viel zu. Den württembergischen Generalstabschef Albert von Suckow, der lieber heute als morgen an die Seite Preußens getreten wäre, hielt er sich mit der Frage vom Leib: Was denn die Württemberger überhaupt leisten könnten, und was wie schnell? Die Antwort gab er selber: Er müsse die württembergische Leistung nicht nur als eine schwache, sondern auch als eine unzuverlässige ansehen.

Auf die süddeutschen Staaten sei nicht zu bauen, sagte er zu Theodor von Bernhardi, dem vertrauten Gesprächspartner: »Nicht daß sie etwa im Falle eines Konfliktes offen Verrat üben werden; sie werden im Gegenteil den allerbesten Willen zeigen, aber zögern und sich so einrichten, daß sie zu spät kommen.« Das sagte er auch dem bayerischen Ministerpräsidenten Fürst Chlodwig zu Hohenlohe-Schillingsfürst ins Gesicht, der erwiderte: Die Bayern befürchteten, daß bei einem Kriegsmarsch mit Preußen ihre staatliche Selbständigkeit auf der Strecke bliebe.

Eine Attraktion der Pariser Weltausstellung 1867:
Krupps Riesenkanone aus dem preußischen Ruhrgebiet

Diese Befürchtung sei grundlos, sagte Moltke zu Hohenlohe, und zu Bernhardi: »Die Deutschen sind eine erbärmliche Nation.« Zum ersten Mal seit Karl V. sei ihnen Gelegenheit geboten, sich zu einigen, »aber, anstatt zuzugreifen, sagen sie: Nein, so wollen wir es nicht haben.« Die Leute sollten doch bedenken, »wenn Preußen fällt, dann ist es vorbei mit der deutschen Nation. Deutsche kann es dann noch geben, aber keine deutsche Nation; nur deutsche Vasallenstaaten.«

Vom Zollparlament, durch das Bismarck im Jahre 1868 die Süddeutschen näher an die Norddeutschen heranführen wollte, hielt Moltke wenig. Zwar erschienen süddeutsche Abgeordnete im Norddeutschen Reichstag, aber es waren ausgesprochene Partikularisten darunter. In einer solchen Versammlung wollte der preußische Generalstabschef, der als norddeutscher Parlamentarier dem Zollparlament angehörte, das Wort denn doch nicht ergreifen, obschon er zwei Entwürfe für Reden ausgearbeitet hatte.

Er hätte ihr nämlich sagen müssen, daß auf dem Wege der Vereinbarung ein Zusammenschluß zwischen Süddeutschland und Norddeutschland nicht zu erreichen sei. »Was auch über deutsche Einheit geredet und gedruckt, gesungen und getoastet wird, etwas Reales ist daraus nie hervorgegangen.« Keiner könne sich dem anderen fügen, jeder wolle »einen anderen, daher meist unmöglichen Weg«.

Was bisher an wirklicher Einigung zustande gekommen sei, »das verdanken wir dem Zwang, den Preußen in milderer oder herberer Form durch seine Handelspolitik, seine Diplomatie und sein Schwert geübt hat«. Die deutsche Einheit sei nur im Kampf, durch und mit Preußen zu erreichen, »durch den Krieg, welcher die bestehenden Verträge beseitigt und an ihre Stelle andere setzt, die den Verhältnissen mehr entsprechen«.

Er dachte dabei nicht an einen Krieg gegen, sondern mit den süddeutschen Staaten, die zu preußischen Bedingungen mitmachen müßten, wenn sich Frankreich – was er für todsicher hielt – einer Einigung Deutschlands durch Preußen in den Weg stellte.

NAPOLEON III. empfing im Juni 1867 die Preußen mit offenen Armen. Die Weltausstellung in Paris sollte demonstrieren, wie weit es die Menschheit im 19. Jahrhundert gebracht hatte. Und wie friedlich die Menschen leben könnten, wenn sie Paris als Metropole der Zivilisation und die Hauptstadt des Kaisers der Franzosen als Mittelpunkt Europas respektierten.

Preußen wollte die Gelegenheit benutzen, sich selber in Positur zu setzen. Zur Ausstellung schickte es ein 50-Tonnen-Geschütz aus Kruppstahl. Und auf die Reise nach Paris machten sich keine Geringeren als der Soldatenkönig Wilhelm I. selbst, der Eiserne Kanzler Bismarck und Moltke, der Sieger von Königgrätz (oder Sadowa, wie die Franzosen sagten).

Am Gare du Nord erwartete sie Napoleon III. Moltke, der ihn vor elf Jahren gesehen hatte, fiel auf, wie sehr er gealtert war. Die Kaiserin Eugenie hingegen fand er so schön wie damals. Auf der Fahrt zu den Tuilerien, wo er wieder wohnte, bemerkte er die »ruhige Haltung des Volkes, welches still stehen bleibt«, und die »große polizeiliche Ordnung«.

Nach der Tafel unterhielt sich der Kaiser auf deutsch mit dem preußischen Generalstabschef. Leider wurde das Gespräch unterbrochen; Moltke hätte gerne mehr über seine Ansichten und Absichten erfahren. Ausführlich sprach er mit Marschall Adolphe Niel, dem neuen Kriegsminister, der seit Anfang des Jahres den französischen Rüstungsrückstand aufzuholen suchte, ohne sich der Hoffnung hinzugeben, mit Preußen gleichzuziehen, »in dem der militärische Geist in einem Grade vorherrscht, wie wir ihn vielleicht nie erreichen werden«.

Um so großartiger wurde die Parade auf der Pferderennbahn von Longchamps inszeniert: 30 000 französische Soldaten marschierten an ihrem Kaiser und seinen preußischen Gästen vorbei: Grenadiere und Jäger, Zuaven und Turkos, Husaren und Dragoner, Kürassiere und Chasseurs, die Artillerie mit blitzblanken Rohren. Es war die Selbstdarstellung einer Armee, die im Krimkrieg gegen die Russen und im italienischen Krieg gegen die Österreicher gesiegt hatte.

Dem mit dem Großkordon der Ehrenlegion dekorierten preußischen Generalstabschef imponierte das freilich nicht in dem Maße, wie es imponieren sollte. Er wußte, daß das französische Heer nicht so wie das preußische Heer reorganisiert werden konnte, weil Volk und Volksvertretung das nicht mitmachten. 1866 hatte er die beiden Armeekorps vom Rhein nach Böhmen geschickt, weil ihm bekannt war, daß Frankreich, mit 30 000 Mann in Mexiko engagiert, kurzfristig keine besorgniserregende Armee aufstellen konnte. Im Frühjahr 1866 hatte ihm der preußische Militärattaché in Paris berichtet, daß Frankreich, trotz aller Rüstungsanstrengungen, höchstens 235 000 Mann gegen Preußen ins Feld stellen könnte.

Wäre das nicht der günstigste Zeitpunkt gewesen, den Krieg, den man eines Tages doch mit Frankreich führen müßte, jetzt zu beginnen? Österreich konnte, selbst wenn es wollte, ein Jahr nach Königgrätz keine Rache nehmen, sich nicht mit Frankreich gegen Preußen zusammentun – und Napoleon III. war 1867 mit seinen Rüstungen noch nicht soweit, daß er tun könnte, was er tun müßte: das durch den Sieg über Österreich zu mächtig gewordene Preußen zurückdämmen, seine Ausbreitung auf Süddeutschland verhindern, Frankreichs Vormachtstellung in Europa verteidigen.

Denn was die Schreier auf den Pariser Boulevards nach dem Eintreffen der Nachricht von Königgrätz mit dem Ruf »Rache für Sadowa!« artikulierten, war im Grunde ein Gebot der französischen Staatsräson. Seit Richelieu hatte sie gefordert, daß Deutschland in Einzelteile zersplittert blieb, um der Sicherheit wie des Vorranges Frankreichs willen. Und – seit dem Wiener Kongreß von 1814 – des Friedens in Europa wegen. Denn eine Machtballung in der Mitte Europas hätte das friedenssichernde Gleichgewicht der Kräfte gefährdet, wenn nicht zerstört.

Was Napoleon III. als bonapartistischer Ideologe den Deutschen zugestehen wollte, gemäß dem Nationalitätsprinzip einen Nationalstaat zu bilden, konnte er als französischer Machtpolitiker nicht zulassen. Er durfte es nicht als ein Herrscher, der durch Volksabstimmung an die Regierung gekommen war und von der Volksstimmung abhängig blieb. Diese wurde von der Pariser Zeitung »Époque« in der Mahnung ausgedrückt: »Wenn man ein Neffe Napoleons ist, darf man nicht ungestraft die Verringerung Frankreichs hinnehmen. Ebensowenig würde die französische Nation sich die Wiederherstellung des Deutschen Reiches gefallen lassen.«

In Frankreich – so Moltke in der Denkschrift vom Januar 1867 – erkenne man, »daß an Stelle des in sich zerrissenen und daher nach außen ohnmächtigen Deutschlands ein einheitlicher kräftiger Staat sich zu bilden beginnt. Das von Frankreich aufgestellte Nationalitätsprinzip, gegen Frankreich zur Anwendung gebracht, würde zu bedenklichen Konsequenzen für dieses führen.«

Moltke rechnete mit dem Versuch Frankreichs, diese Folgerungen zu verhindern, gegebenenfalls durch Krieg. Vorerst schien sich Napoleon III. mit Kompensationen zu begnügen – Entschädigungen für den Schaden, den sein Entgegenkommen an Deutschland und sein Stillhalten gegen Preußen seinem eigenen Lande zugefügt hatten.

Bismarck hatte ihn vor Königgrätz in dem Glauben gelassen, daß er etwas bekäme, und ihm nach Königgrätz nichts gegeben. Was Napoleon begehrte, das linke Rheinufer, wurde ihm rundweg abgeschlagen. So wollte er wenigstens Luxemburg haben, das zum Deutschen Bund gehört hatte und nun zwischen den Fronten lag.

Bismarck war im Grunde nicht abgeneigt, etwas zu geben, das ihm nicht gehörte. Wilhelm I. schätzte die Luxemburger nicht. Moltke überschätzte nicht den militärischen Wert der ehemaligen Bundesfestung. Doch die deutschen Patrioten wollten nicht einmal ein halbdeutsches Land dem »Erbfeind« ausliefern, der schon das Elsaß und Lothringen genommen und Deutschland so lange niedergehalten hatte. Da Preußen die Nationalbewegung als Schubkraft seiner kleindeutschen Einigung brauchte, blieben Napoleons Kompensationswünsche auf der Strecke.

Wäre er 1866 an den Rhein gerückt, so hätte dies »voraussichtlich statt eines Norddeutschland ein Gesamtdeutschland gegen Frankreich geeinigt«, bemerkte Moltke. Sollte man 1867 nicht diesen Nationalzorn ausnützen und in einem Nationalkrieg gegen das nur halb gerüstete Frankreich die Macht des »Erbfeindes« brechen und die Macht Preußens auch auf Süddeutschland ausdehnen?

Im Norddeutschen Reichstag nahm Moltke den freikonservativen Abgeordneten Graf Bethusy-Huc zur Seite: »Nach einem Kriege, wie wir ihn eben gehabt, kann man wahrlich nach einem zweiten Krieg kein Verlangen tragen, und niemand ist entfernter davon als ich. Und doch muß ich wünschen, daß der gegebene Anlaß zu einem Kriege mit Frankreich benutzt werde – ich halte leider diesen Krieg binnen jetzt und fünf Jahren für absolut unvermeidlich, und innerhalb dieser Frist wird sich das heute unbestreitbare Übergewicht unserer Organisation und Bewaffnung durch Frankreichs Anstrengungen täglich zu unseren Ungunsten mehr ausgleichen.«

Folglich: »Je früher wir also handgemein werden, desto besser. Der gegenwärtige Anlaß ist gut. Er hat einen nationalen Charakter, man benütze ihn.« In günstiger Stunde und vorteilhafter Lage wollte Moltke den Präventivkrieg gegen Frankreich.

Bethusy-Huc informierte die Fraktion, die ihn beauftragte, den norddeutschen Bundeskanzler und preußischen Ministerpräsidenten zu fragen, ob er die Ansicht des Generalstabschefs teile. Im Prinzip ja, antwortete Bismarck, doch er würde es niemals verantworten können, das Elend eines Krieges über sein Land heraufzubeschwören, wenn das Land diesen Krieg nicht, wie das im österreichischen Krieg der Fall gewesen, zur Wahrung seiner vitalen Interessen oder seiner Ehre bedürfe. Denn: Die wie immer fundierte subjektive Überzeugung eines Regenten oder eines Staatsmannes, daß der Krieg dereinst doch hereinbrechen werde, könne einen solchen nicht rechtfertigen. Unvorhergesehene Ereignisse könnten die Lage ändern und das scheinbar Unvermeidliche abwenden.

Als Bethusy-Huc dem Generalstabschef dies mitteilte, meinte Moltke:»Bismarcks Standpunkt ist unanfechtbar, wird uns aber seinerzeit viel Menschenleben kosten.«

Der Ministerpräsident und Außenminister ärgerte sich über den Generalstabschef, der sich in Angelegenheiten einmischte, die durchaus nicht seines Amtes waren. Anläßlich der Luxemburger Frage, erläuterte er später, habe er den Krieg verhindert, gegen Moltkes und der Militärpartei heftigstes Drängen. Man wäre zwar vielleicht nach Paris gekommen, aber nur durch ein Meer von Blut.

Je länger man warte, um so tiefer werde dieses Meer, glaubte der Militär zu wissen. Er fand seine Ansicht bestätigt, daß der Generalstabschef, wenn es um Krieg oder Frieden gehe, auch für die politische Strategie zumindest mit zuständig sein müsse. Und er nahm sich vor, diese Auffassung so schnell und soweit wie möglich durchzusetzen – auch gegen einen Bismarck, der sich selbstverständlich als für alles maßgebend hielt und seine Gesamtverantwortung selbstbewußt behauptete.

Am 6. Mai 1867, als die Großmächte in London die Luxemburger Krise zu entschärfen suchten, gab sich Moltke immer noch als Scharfmacher. Bernhardi fand, er trete »mit einem Aplomb auf, der ihm früher fremd war«. Und: »Er wünscht den Krieg ganz entschieden und erwartet ihn auch mit Bestimmtheit; er meint, die Konferenz werde zu nichts führen – ist überzeugt, daß trotz aller Konferenzen der Befehl, die Armee mobil zu machen, in den nächsten vierzehn Tagen erlassen sein werde.«

Am 11. Mai 1867 schlichtete die Londoner Konferenz den Streitfall zwischen Preußen und Frankreich: Die Neutralität des Großherzogtums Luxemburg wurde international garantiert. Die preußische Besatzung räumte die ehemalige Bundesfestung, die geschleift wurde. Einen Monat später kam Moltke mit Bismarck nach Paris, auf einer Woge des guten Willens, zum Friedensfest der Weltausstellung, auf der sich der Kaiser der Franzosen als Friedensfürst in Szene setzte.

Den Krieg mit Frankreich so vorzubereiten, daß er jeden Tag beginnen und in wenigen Wochen gewonnen werden könnte, blieb die erste Aufgabe des preußischen Generalstabschefs. Dafür hatte er nun mehr Leute: 109 Offiziere, davon 46 im Großen

Generalstab in Berlin. Ein neues Generalstabsgebäude war im Bau.

Preußen war gewachsen, seine Bevölkerung hatte sich vermehrt, seine Hauptstadt mußte größer und sollte schöner werden. Die neue Börse war bereits fertig. Unweit des Hohenzollernschlosses stand der Tempel des bürgerlichen Kapitalismus, der mit dem preußischen Monarchismus und dem adeligen Feudalismus den Regierungsbund geschlossen hatte. Der politische Liberalismus, der die Ideale von 1848 in günstigere Zeiten hinüberretten wollte, hatte sich im neuen Rathaus verschanzt. Es wurde das »rote Haus« genannt, nicht nur der Backsteine, sondern auch der fortschrittlichen Stadtverwaltung wegen.

Eine Hochburg des Preußentums sollte das neue Generalstabsgebäude werden. Es entstand unweit des Krollschen Etablissements, in dem Volksopern und Lokalpossen gespielt wurden, am Königsplatz, auf welchem 1865 der Grundstein zum Siegesmal für 1864 gelegt wurde, das man nach 1866 und 1870/71 zur Siegessäule der deutschen Einigungskriege aufstockte.

Im neuen Bau sollte der größer gewordene Generalstab die gewachsenen Aufgaben für Kriegsvorbereitung und Kriegführung in Angriff nehmen – unter der Leitung des Generalstabschefs, der schon jetzt, noch im alten Gebäude an der Behrenstraße, die Erfahrungen aus dem letzten Feldzug sammelte und auswertete, Lehren daraus zog, nach denen nicht nur sein Stab, sondern die ganze Armee geschult werden sollte.

Die Kriegsgeschichte galt Moltke als Quelle der Kriegslehre. Unter seiner Federführung entstand das Generalstabswerk »Der Feldzug von 1866 in Deutschland«, das 1867/68 in fünf Lieferungen erschien. Bereits 1865 hatte er eine Richtlinie für die kriegsgeschichtliche Darstellung gegeben: »Wenn man eine ruhmvolle Tat zu erzählen hat, so braucht man nicht zu sagen, daß sie ruhmvoll gewesen ist. Die einfache Darstellung des Verlaufs enthält das Lob.« Nun fügte er hinzu: »Leidenschaftliche Ergüsse, auch wenn sie aus patriotischem Gefühl fließen, erreichen nicht das Ziel aller geschichtlichen Forschung – die Wahrheit.«

Nur für den Dienstgebrauch bemerkte er: »Wir können la vérité, rien que la vérité, aber in einem dem Publikum vorzulegenden Werke nicht toute la vérité sagen.« Den Unterführern war so mancher Fehler unterlaufen, der Schatten auf die dank des Kriegsplans und der operativen Oberleitung des Generalstabschefs schließlich glänzend gelungenen Unternehmungen geworfen hätte.

Schonungslos waren freilich solche Fehler intern aufzudecken, damit sie künftig vermieden werden könnten, ein Krieg reibungsloser verlaufen und ein Sieg noch strahlender werden würde. Dies unternahm Moltke in einer Denkschrift. Sie wurde den 1869 erlassenen »Verordnungen für die höheren Truppenführer« zugrunde gelegt.

Das war eine Aufwertung des Generalstabes, der nun maßgebend zur Abfassung von Vorschriften für operative und taktische Truppenführung herangezogen wurde. Für den Generalstabschef war es der lange anvisierte Durchbruch durch die Mauer traditioneller Vorurteile und hierarchischer Überheblichkeiten. Jetzt erst konnte seine Kriegslehre in der preußischen Armee Schule machen. Noch in der am Anfang der dreißiger Jahre des 20. Jahrhunderts von den Generälen Beck und Stülpnagel bearbeiteten Heeresdienstvorschrift »Truppenführung« fand sie entsprechende Beachtung.

Moltkes Lehre konnte nicht zuletzt deshalb so lange für gültig gehalten werden, weil sie kein Lehrgebäude darstellte. Die Strategie sei kein System, betonte er, dem »allgemeine Lehrsätze, aus ihnen abgeleitete Regeln« entnommen werden könnten. »Die Strategie ist ein System der Aushilfen. Sie ist mehr als Wissenschaft, ist die Übertragung des Wissens auf das praktische Leben, die Fortbildung des ursprünglich leitenden Gedankens entsprechend den stets sich ändernden Verhältnissen, ist die Kunst des Handelns unter dem Druck der schwierigsten Bedingungen.«

Wie für Bismarck die Politik die Kunst des Möglichen, so war für Moltke die Strategie die Kunst des Möglichen. Das entsprach dem Realismus des fortgeschrittenen 19. Jahrhunderts, das aber noch nicht so weit gekommen war, daß es bei dem an den Tatsachen orientierten Handeln auf übergeordnete Ideen verzichten zu können meinte.

Moltkes System, das eigentlich gar kein System war, konnte in der Theorie nicht Satz für Satz gelehrt, in der Praxis nicht Satz für Satz ausgeführt werden. »Die Lehren der Strategie gehen wenig über die ersten Vordersätze des gesunden Verstandes hinaus; man darf sie kaum eine Wissenschaft nennen; ihr Wert liegt fast ganz in der konkreten Anwendung. Es gilt mit richtigem Takt die in jedem Moment sich anders gestaltende Situation aufzufassen und danach das Einfachste und Natürlichste mit Festigkeit und Umsicht zu tun.«

Bei der Anwendung des »Systems der Aushilfen« kam es auf die Menschen an, die es zu handhaben hatten. »Es liegt auf der Hand, daß dazu theoretisches Wissen nicht ausreicht, sondern daß hier die Eigenschaften des Geistes wie des Charakters zur freien praktischen, zur künstlerischen Entfaltung gelangen, geschult freilich durch militärische Vorbildung und geleitet durch Erfahrungen, sei es aus der Kriegsgeschichte oder aus dem Leben selbst.«

Auch das entsprach dem Geist des fortgeschrittenen 19. Jahrhunderts, das an den zum Guten und Richtigen erziehbaren Menschen glaubte und dem solchermaßen Erzogenen Verantwortung für sein Denken und Handeln überließ. Und es widersprach nicht dem traditionellen Geist der preußischen Armee, in der zwar Gehorsam des Soldaten erste Pflicht war, doch die Befehlenden gehalten waren, ihr Befehlsvermögen, ihren Charakter wie ihre Fähigkeiten ständig auszubilden.

»Das moralische Element kommt im Frieden seltener zur Geltung, im Kriege bildet es die Bedingung jeglichen Erfolges, den wahren Wert einer Truppe«, hieß es in den »Verordnungen für die höheren Truppenführer«. Denn: »Beim kriegerischen Handeln kommt es oft weniger darauf an, *was* man tut, als darauf, *wie* man es tut.«

Gesteigerte Anforderungen stelle der Krieg an den Offizier, der das Vertrauen der Soldaten durch sein persönliches Verhalten zu erwerben habe. »In dem Zugführer vor der Front, in dem Hauptmann und dem Rittmeister, auf den alle Blicke gerichtet sind, liegt die Kraft der Armee.«

Doch diese Kraft müsse durch die Intelligenz der Führer geleitet werden, auf denen, je höher sie stünden, eine um so schwerere Verantwortlichkeit ruhe. Im »Nebel der Ungewißheit«, der oft über den Kampfstätten liege, müßten sie selbständige Entschlüsse fassen. Und an ihnen festhalten, sich durch den Gegner nicht davon abbringen lassen, solange dies nicht unabweisbar notwendig geworden sei. »Einfaches Handeln folgerecht durchgeführt wird am sichersten das Ziel erreichen.«

Moltke wollte den entsprechend geschulten Unterführern möglichst freie Hand lassen, damit sie den Unberechenbarkeiten eines Kriegsverlaufs begegnen könnten. Aber der Heerführer, der das Berechenbare zu planen und auszuführen hatte, mußte den Truppenführern allgemeine Verhaltensanweisungen geben.

So faßte er noch einmal seine durch die Erfahrungen von 1866 bestätigten Grundgedanken zusammen: Schnell aufmarschieren, getrennt an den Feind marschieren, ihn umfassen und, zur richtigen Zeit und am richtigen Ort vereint, vernichtend schlagen. »Der Sieg in der Waffenentscheidung ist der wichtigste Moment im Krieg. Der Sieg allein bricht den Willen des Feindes und zwingt ihn, sich dem unsrigen zu unterwerfen. Nicht die Besetzung einer Strecke Landes oder die Eroberung eines festen Platzes, sondern allein die Zerstörung der feindlichen Streitmacht wird in der Regel entscheiden. Diese ist daher das vornehmste Operationsobjekt.«

Das war zwar in der Schlacht von Königgrätz nicht ganz geglückt, aber sie hatte doch die Entscheidung gebracht, blieb ein Beispiel: »Wenn am Schlachttage die Streitkräfte von getrennten Punkten aus gegen das Schlachtfeld selbst konzentriert werden können; wenn die Operationen also derartig geleitet werden, daß von verschiedenen Seiten aus ein letzter kurzer Marsch gleichzeitig gegen Front und Flanke des Gegners führt: Dann hat die Strategie das Beste erreicht, was sie zu erreichen vermag, und große Resultate müssen die Folge sein.«

Königgrätz war ein Exempel, doch kein Patentrezept. »Keine Voraussicht freilich kann es verbürgen, daß die Operation in getrennten Heeren wirklich zu diesem Schlußresultat führt, dasselbe ist vielmehr abhängig nicht bloß von den berechenbaren Größen Raum und Zeit, sondern vielfach auch von dem Ausgange vorangehender partieller Gefechte, vom Wetter, von falschen Nachrichten, kurz von dem, was im menschlichen Sinne als Zufall und Glück bezeichnet wird.«

Der konzentrische Angriff à la Königgrätz war mustergültig, aber nicht in jeder Situation nachzuvollziehen. Das war dem Generalstabschef bewußt, als er Pläne für neue Kriegsfälle ausarbeitete.

Zunächst rechnete er mit einem Zweifrontenkrieg, gegen Frankreich und Österreich. Dabei sollte der Norddeutsche Bund, samt den verbündeten süddeutschen Staaten, defensiv gegen

Frankreich bleiben und offensiv gegen Österreich werden, mit Vorstößen nach Böhmen, wie gehabt.

Als sich dann herausstellte, daß Österreich genug hatte, neutral bleiben, Frankreich der einzige Gegner sein würde, gedachte er gegen ihn offensiv, aber nicht in einem konzentrischen Angriff vorzugehen. Dieser war für ihn kein Dogma. Die andere Situation erforderte andere Maßnahmen. So wollte er, zumindest in der ersten Phase des Krieges, diesmal nicht auf der Äußeren, sondern auf der Inneren Linie operieren, und mit massierten Streitkräften vorgehen, was ihm in dieser Lage nicht als mißlich, sondern als notwendig erschien.

Moltkes Überlegung: Die Franzosen seien durch ihre Eisenbahnlinien auf eine Versammlung ihrer Streitkräfte um Metz und Straßburg, getrennt durch die Vogesen, verwiesen. Die Deutschen könnten mittels sechs durchgehender Schienenwege ihre Streitkräfte zwischen Rhein und Mosel, in der Pfalz konzentrieren. »Dort stehen wir auf der inneren Operationslinie zwischen beiden feindlichen Gruppen. Wir können uns gegen die eine wie die andere oder, vorausgesetzt daß wir stark genug sind, gegen beide gleichzeitig wenden. Die Versammlung aller Kräfte in der Pfalz schützt den unteren wie den oberen Rhein und gestattet eine Offensive in Feindesland, welche, rechtzeitig ergriffen, wahrscheinlich jedem Betreten deutschen Bodens durch die Franzosen zuvorkommen wird.«

»Rechtzeitig« – das erforderte eine beschleunigte Mobilmachung und einen zügigen Antransport des preußisch-deutschen Heeres. Auch diesmal hielt er den schnellen Aufmarsch für entscheidend. »Unsere Mobilmachung ist bis in das letzte Detail vorbereitet«, stellte der Generalstabschef fest. »Die Fahrtableaux, aus welchen jeder Truppenteil Tag und Stunde des Aufbruchs und des Eintreffens ersieht, liegen fertig.« Bis zum 18. Tage nach Erlaß des Mobilmachungsbefehls könnten 300 000 – von schließlich 500 000 – Mann zur Stelle sein.

Vier Armeen sollten aufmarschieren: die Erste Armee als rechter Flügel um Wittlich, die Zweite Armee im Zentrum bei Neunkirchen-Homburg, die Dritte Armee, einschließlich Bayern, Württembergern und Badenern, als linker Flügel bei Landau und Rastatt, eine Reservearmee bei Mainz. Diese wurde 1870 mit der Zweiten, der Hauptarmee, zusammengefaßt, die den Hauptstoß führen mußte, in den Flanken von den beiden anderen Armeen gedeckt.

Diese schnell aufmarschierte und günstig versammelte Streitmacht sollte unverzüglich den Angriff beginnen. »Die Operation gegen Frankreich wird einfach darin bestehen, daß wir möglichst geschlossen einige Märsche auf französischem Boden vorgehen, bis wir der französischen Armee begegnen, um dann die Schlacht zu liefern. Die Richtung dieses Vorgehens ist im allgemeinen Paris, weil wir in derselben am sichersten den Zielpunkt des Vorgehens, das feindliche Heer zu treffen, erwarten dürfen.«

Auf dem Wege nach Paris liege die Festung Metz, die zu umgehen und zu beobachten sei. »Der nächste strategische Aufmarsch, sofern es nicht schon früher zur Schlacht kommt, ist die Linie der Mosel Lunéville-Pont à Mousson.« Dort in Lothringen, wenn nicht früher, müsse es wahrscheinlich zur Entscheidung kommen. Und bis dahin müßte man die eigenen Truppen so zusammenhalten, daß sie mit überlegener Kraft erzwungen werden könnte.

Mehr und Näheres konnte im voraus nicht festgelegt werden. Denn – wie er immer wieder betonte – kein Operationsplan reiche mit einiger Sicherheit über das erste Zusammentreffen mit der feindlichen Hauptmacht hinaus. »Der Operationsplan zur Offensive gegen Frankreich besteht lediglich darin, die Hauptmacht des Gegners aufzusuchen und, wo man sie findet, anzugreifen.«

Das war das A und O des Kriegsplans, den Moltke im Winter 1868/69 entwarf. Auf der Denkschrift vermerkte er: »Auch 1870 gültig«.

Zehntes Kapitel

SEDAN UND VERSAILLES

Im Sommer 1870 hielt sich Moltke wieder in Kreisau auf. In den letzten Jahren hatte er »hier geschanzt und gegraben wie ein Tagelöhner«, Wege angelegt, Bäume gepflanzt, das Dach decken lassen. »Man muß sich eine andere Tätigkeit schaffen.« Das war ihm bisher nur im Urlaub möglich gewesen. Der bald Siebzigjährige dachte daran, sich in das von ihm geschaffene Refugium zurückzuziehen, seine letzten Lebensjahre dort zu verbringen.

Seine Lebensaufgabe schien erfüllt zu sein. Im Vorjahr, beim fünfzigjährigen Dienstjubiläum, war er erneut als Sieger von Königgrätz gefeiert worden. Seine Generalstabsoffiziere hatten ihm einen Ehrendegen überreicht, als wollten sie ihm zu verstehen geben, daß es für ihn an der Zeit wäre, seinen Militärdegen abzulegen. Wilhelm I. hatte ihm sein Bild geschenkt, der König von Preußen, für dessen Ansehen er soviel getan hatte. Aber noch nicht genug, wie dieser meinte: Er gebe sich der Hoffnung hin, hieß es in der Kabinettsorder vom 12. März 1869, »daß die Armee noch lange den Vorzug haben wird, sich Ihrer ersprießlichen Wirksamkeit in Ihrer hohen Stellung zu erfreuen«.

Der Jubilar hatte bereits im Jahr davor an Pensionierung gedacht. Der Krieg mit Frankreich, den er 1867 hatte führen wollen, war vermieden worden. Und auch im Frühjahr 1868 war er nicht, wie von ihm erwartet, ausgebrochen. Für den Generalstabschef schien es in absehbarer Zeit nichts mehr zu tun zu geben.

Er rechnete weiter damit, daß Frankreich eine Ausdehnung des Norddeutschen Bundes auf Süddeutschland nicht hinnehmen könnte. Und daß Napoleon III. aus innenpolitischen Gründen auf einen Krieg hintreibe. Frankreich, dem der Neffe Napoleons I. große Ruhmestaten versprochen, aber immer weniger geliefert hatte, langweile sich, bemerkte Moltke im Frühjahr 1868. »La France s'ennuie! Und um sich zu amüsieren, muß Europa in Brand gesteckt werden.« Alles hänge »von dem Entschluß eines unschlüssigen Mannes ab, der die nationalen Leidenschaften fortwährend und absichtlich aufstachelt, in einer Weise rüstet, daß das Land das Budget auf die Dauer nicht ertragen kann, der nicht abrüsten kann, ohne in der öffentlichen Meinung, besonders der Armee, zugrunde zu gehen, und diese Armee auf die Schlachtbank führen muß, um sie wieder loszuwerden«.

Die Völker meldeten ihre Ansprüche an, die mehr gefühlsmäßig motiviert als vernünftig begründet waren. In Deutschland, in Preußen zumal, wurde die Nationalbewegung unter staatlicher, und das hieß rationaler, Kontrolle gehalten – auch das Parlament, in dem der Volkswille verfassungsgemäß artikuliert werden sollte. In Frankreich war das anders. In knapp einem Jahrhundert hatte es eine größere und zwei kleinere Revolutionen gehabt. Ihre Krater konnten zwar immer wieder durch Monarchen geschlossen werden: Napoleon I., Louis Philippe, Napoleon III. Aber der Bürgerkönig wie die Kaiser der Franzosen hatten durch Zugeständnisse den Vulkan besänftigen müssen, ohne ihn auskühlen zu können. Mit seinem Ausbruch war stets zu rechnen.

Napoleon III., vom Volk zum Kaiser gewählt, hatte dieses zunächst niedergehalten, mußte ihm aber zunehmend Konzessionen machen. 1867 hatte er ein dem Parlament verantwortliches Kabinett gebildet, der Volksvertretung mehr Kompetenzen eingeräumt, das »liberale Kaiserreich« verkündet. »Er baut auf Franzosen und die Volkssouveränität – also auf Sand«, hatte Wilhelm I. vorausgesagt. Und Moltke resümierte: »Die liberale Strömung des Zeitalters lehnte sich auf gegen die Alleinherrschaft des Kaisers, er mußte Bewilligungen zugestehen, seine Machtstellung im Innern war geschwächt, und eines Tages erfuhr die Nation aus dem Munde ihrer Vertreter, daß sie den Krieg mit Deutschland wolle!«

Das war neu, unheimlich und bedrohlich: Früher wurde für dynastische Zwecke von Söldnern um Ländereien gekämpft. »Die Kriege der Gegenwart«, schrieb Moltke in seiner »Geschichte des deutsch-französischen Krieges von 1870/71«, »rufen die ganzen Völker zu den Waffen.« Der Nationalkrieg wurde heftiger begehrt und intensiver geführt als der Staatenkrieg. Und er wurde unbedenklicher erklärt.

»Überhaupt ist es nicht mehr der Ehrgeiz der Fürsten, es sind die Stimmungen der Völker, das Unbehagen über innere Zustände, das Treiben der Parteien, besonders ihrer Wortführer, welche den Frieden gefährden. Leichter wird der folgenschwere Entschluß zum Kriege von einer Versammlung gefaßt, in welcher niemand die volle Verantwortung trägt, als von einem Einzelnen, wie hoch er auch gestellt sein möge, und öfter wird man ein friedliebendes Staatsoberhaupt finden als eine Volksvertretung von Weisen!«

Vom Gesetzgebenden Körper des Zweiten Kaiserreiches, nicht vom Kaiser der Franzosen ging jedenfalls der Entschluß zum Kriege gegen Preußen und Deutschland aus. Auf eine »Entwaffnung von Europa« hoffend, hatte Kriegsminister Marschall Lebœuf, Nachfolger des 1869 verstorbenen Marschalls Niel, statt 100 000 nur 90 000 Rekruten beantragt. Das Parlament, von rechts bis links, protestierte. Der Abgeordnete Thiers erklärte, eine Abrüstung sei ein Hirngespinst angesichts eines Preußens, das seit Sadowa an der Spitze von 40 statt von 19 Millionen Menschen stehe. Der Abgeordnete Cochery stellte den Antrag, »die Regierung zu befragen wegen der Aufstellung eines Prinzen der königlichen Familie von Preußen für den spanischen Thron«.

Juli 1870. Die spanische Thronfolgefrage war zum französisch-deutschen Konfliktstoff geworden. Königin Isabella war gestürzt, aber die spanischen Revolutionäre glaubten, ohne Monarchen nicht auskommen zu können. Sie trugen dem Erbprinzen Leopold von Hohenzollern-Sigmaringen die Krone an. Wilhelm I. gab als Chef des Hauses Hohenzollern seine Einwilligung. Er war von Bismarck dazu gedrängt worden, den Moltke unterstützt hatte: Die Annahme liege im preußischen Interesse.

»Diese Spanische Fliege zieht vortrefflich«, die spanische Revolution sei ein Zugpflaster, das Napoleon lähme, hatte Moltke bei Ausbruch der Revolution gemeint. Eine demokratische Republik oder die Erhebung eines Prinzen von Orléans, eines Verwandten des 1848 gestürzten Bürgerkönigs, würde der Opposition in Paris Auftrieb geben. Die Thronkandidatur eines Hohenzollernprinzen brachte das französische Parlament und die französische Regierung gegen Preußen auf, trieb Napoleon zum Konflikt mit Deutschland.

»Wir glauben nicht«, beantwortete Außenminister Gramont

die parlamentarische Anfrage, »daß die Achtung vor den Rechten eines Nachbarvolkes uns verpflichtet, zu dulden, daß eine fremde Macht einen ihrer Prinzen auf den Thron Karls V. setze und dadurch zu unserem Schaden das gegenwärtige Gleichgewicht der Mächte Europas in Unordnung bringen und die Interessen und die Ehre Frankreichs gefährden könnte.«

Das war eine überzogene Reaktion. Zwar hatte Frankreich im 16. und 17. Jahrhundert die Umklammerung durch die im Reich wie in Spanien herrschenden Habsburger gefürchtet. Aber der historische Vergleich hinkte. Denn der Sigmaringer gehörte einer hohenzollernschen Nebenlinie an, er wäre als König von Spanien vom Parlament abhängig gewesen und ein so guter Spanier geworden, wie der Prinz von Coburg in England ein guter Engländer geworden war. Doch die Franzosen – Presse, Parlament, Regierung und schließlich auch der Kaiser – erklärten die spanische Thronkandidatur des Hohenzollern zur nationalen Existenzfrage für Frankreich. Den Grund nannte Alfred Graf Waldersee, der preußische Militärattaché in Paris: »Alles, was sie seit 1866 heruntergeschluckt haben, kommt jetzt heraus.«

Gewitterwolken zogen am Sommerhimmel des Jahres 1870 auf. Blitz und Donner schien man diesseits des Rheins nicht erwartet zu haben. Wilhelm I. war in Bad Ems, Bismarck in Varzin, Moltke in Kreisau, und der Thronkandidat kletterte in den Alpen. Bismarck erhielt die Nachricht von Gramonts Rede beim Frühstück. »Das sieht ja aus wie Krieg«, sagte er und machte sich, am 12. Juli, auf den Weg nach Berlin.

Am selben Tage hielt es Oberst von Stiehle, der Stallwächter im Generalstab, für angebracht, den Chef telegraphisch nach Berlin zu bitten. Am Nachmittag war Moltke mit seinen Gästen, Bruder Adolf, dessen Frau und deren beiden Töchter, im offenen Wagen ausgefahren. Er saß auf dem Bock und führte die Zügel. Als er eine Furt durch die Peile passierte, rief ihn vom daneben liegenden Steg ein Telegraphenbote an. Moltke hielt, ließ sich die Depesche herüberreichen, las sie, steckte sie in die Tasche und fuhr weiter, etwas unaufmerksam, denn er stieß gegen einen Prellstein.

Nach einer Stunde, der üblichen Ausfahrtszeit, war man zurück. »Es ist eine dumme Geschichte, ich muß noch diese Nacht nach Berlin«, sagte er zum Bruder und ging in sein Arbeitszimmer, wo er bis zur Teestunde verblieb. Es war gemütlich wie immer. Plötzlich stand er auf, schlug mit der Hand auf den Tisch und rief aus: »Laßt sie nur kommen, mit oder ohne Süddeutschland, wir sind gerüstet!«

Der Generalstabschef fuhr nach Berlin in der Erwartung, daß es nun endlich zu dem für ihn schon lange für notwendig erachteten und gründlich vorbereiteten Krieg mit Frankreich kommen würde. Bei seiner Ankunft mußte er erfahren, daß der Sigmaringer auf die spanische Thronkandidatur verzichtet hatte. Wilhelm I. hatte ihn darum gebeten und damit Moltkes Theorie bestätigt, daß ein Monarch Konflikte eher scheue als sie suche. Der Krieg schien wiederum nicht stattzufinden.

Das traf sie hart, Bismarck, Roon und Moltke, die am Abend des 13. Juli ohne großen Appetit zusammen speisten. Der Ministerpräsident und Außenminister hielt es für unausweichlich, »daß ein deutsch-französischer Krieg geführt werden müsse, bevor die Gesamt-Einrichtung Deutschlands sich verwirklichte«. Der Bundeskanzler des Norddeutschen Bundes hatte sich deshalb mit den süddeutschen Staaten verbündet, Österreich isoliert und sich der Neutralität Rußlands versichert. Und die spanische Thronkandidatur – wie Friedrich von Holstein sagte – in die Hand genommen, »so wie wenn jemand mit brennendem Schwefelholz über einen Gashahn fährt, um zu sehen, ob derselbe auf oder zu ist«. Die Explosion schien nicht stattzufinden. Bismarck dachte an Rücktritt.

Der Kriegsminister hatte das preußische Heer reorganisiert, für einen Krieg mit Frankreich gerüstet. Der Generalstabschef hatte den Aufmarschplan festgelegt und den Operationsplan entworfen. »Beide waren sehr niedergeschlagen«, berichtete Bismarck, »und machten mir indirekt Vorwürfe, daß ich die im Vergleiche mit ihnen größere Leichtigkeit des Rückzuges aus dem Dienste egoistisch benutzte«. Moltke soll sogar gesagt haben: »Sie sind schön raus; Sie gehen nach Varzin zurück und bauen dort Ihren Kohl; wir als Soldaten müssen aushalten und zusehen, wie sich der König die französische Ohrfeige gefallen läßt.«

In diese mißmutige Tafelrunde platzte ein Telegramm. Der Geheime Rat Abeken, der Vertreter des Auswärtigen Amts in Bad Ems, meldete, daß an diesem 13. Juli 1870 Graf Benedetti, der französische Botschafter, Wilhelm I. im Auftrag seiner Regierung ersucht habe, der König von Preußen möge sich offiziell der

Verzichtleistung des Sigmaringers anschließen und versichern, daß er diese Bewerbung nicht von neuem zulassen werde. Wilhelm war darauf nicht eingegangen: Für ihn sei die Sache mit dem Verzicht des Prinzen erledigt.

Der König ließ den Außenminister durch Abeken in Kenntnis setzen. Das Telegramm gab nüchtern den Sachverhalt wieder. Es schloß mit dem Satz: »Seine Majestät stellt Eurer Exzellenz anheim, ob nicht die neue Forderung Benedettis und ihre Zurückweisung sogleich sowohl unseren Gesandten als auch in der Presse mitgeteilt werden sollte.« Bismarck packte den Zipfel, der sich ihm unerwartet bot: Er kürzte und redigierte das Telegramm, und die »Emser Depesche«, die sofort an Wolffs Telegraphenbüro ging, las sich nun für Deutsche so, als seien sie gekränkt worden, und für Franzosen, als seien sie beleidigt worden.

Der Generalstabschef, der seine Offiziere anzuhalten pflegte, die Wahrheit und nichts als die Wahrheit zu schreiben, scheint gegen diese die objektiven Tatsachen zwar nicht verfälschende, aber nach subjektivem Bedürfnis zuspitzende Redaktion nichts eingewendet zu haben. Im Gegenteil. »So hat das einen anderen Klang, vorher klang es wie eine Chamade [ein Zeichen zum Rückzug], jetzt wie eine Fanfare in Antwort auf eine Herausforderung«, soll Moltke, wie Bismarck erzählte, lobend gesagt haben. »Moltke trat so weit aus seiner gleichmütigen Passivität heraus, daß er sich, mit freudigem Blick gegen die Zimmerdecke und mit Verzicht auf seine sonstige Gemessenheit in Worten, mit der Hand vor die Brust schlug: ›Wenn ich das noch erlebe, in solchem Kriege unsre Heere zu führen, so mag gleich nachher die alte Carcasse [das alte Gerippe] der Teufel holen!‹«

Der politische Stratege war in diesem Augenblick mit dem militärischen Strategen zufrieden. In der Luxemburger Krise von 1867 hatte der Staatsmann dem Drängen der Generalstäbler nicht nachgegeben, »die Tüchtigkeit der von ihnen geleiteten Truppen und die eigne Befähigung zu dieser Leitung zu verwerten«. Später nannte Bismarck Moltke einen »blutdürstigen Menschen«, auf den die Aussicht auf einen Krieg belebend wirke »wie auf unsereinen ein Glas Champagner«. 1870 wie schon 1866 war ihm »seine Kampfeslust, seine Schlachtenfreudigkeit für die Durchführung der von mir für notwendig erkannten Politik ein starker Beistand«.

Ein rascher Ausbruch des Krieges sei für Preußen vorteilhafter als eine Verschleppung, hatte der Generalstabschef dem Ministerpräsidenten bedeutet. Bismarck stimmte mit ihm überein, meinte jedoch: »Worauf es mir ankommt, ist, daß wir die Geforderten sind; ich habe darauf schon als Student immer einen besonderen Wert gelegt.« Beide brauchten nicht lange zu warten. Frankreich fühlte sich von der »Emser Depesche« provoziert, wie es Bismarck beabsichtigt und erwartet hatte. Am 15. Juli wurde die Armeereserve einberufen und der Kriegskredit bewilligt, am 17. Juli die formelle Kriegserklärung ausgefertigt und am 19. Juli in Berlin überreicht.

Am 15. Juli reiste Wilhelm I. von Bad Ems in seine Hauptstadt zurück. Der Kronprinz, Bismarck, Roon und Moltke fuhren ihm bis Brandenburg entgegen. Als sie um 20 Uhr 45 in dem erst im Bau befindlichen Potsdamer Bahnhof in Berlin ankamen, lag die Nachricht von den Geschehnissen in Paris vor, die Krieg bedeuteten. Im provisorischen Wartesaal wurde die Mobilmachung der Norddeutschen Bundesarmee beschlossen. Der Kronprinz stürzte hinaus und rief: »Krieg und alles mobil!« Die Menge sang »Die Wacht am Rhein« und »Heil Dir im Siegerkranz«.

»Wie haben sich die Dinge in den wenigen Tagen seit meiner Abreise geändert!« schrieb Moltke nach Kreisau. »Nie ist ein Krieg gerechter geführt worden als dieser von unserer Seite, und so hoffen wir auf Gottes Beistand. Aber seine Wege sind nicht unsere Wege, und in der Weltentwicklung führt er auch durch verlorene Feldzüge zum Ziel. Dennoch hoffen wir auf einen glücklichen.«

Mit einem Roman von Walter Scott in der Hand wurde Moltke von Stiehle angetroffen. Ob das die passende Lektüre in diesem Augenblick sei? »Warum nicht?« antwortete Moltke. »Alles ist fertig, die Klingel braucht nur gezogen zu werden.«

Die Mobilmachung lief mit der Präzision eines Uhrwerks ab. Planmäßig standen Infanterie, Kavallerie und größtenteils auch die Feldartillerie des stehenden Heeres am zehnten, Kolonnen und Trains zwischen dem zwölften und siebzehnten Mobilmachungstag auf Kriegsfuß. Schließlich, im August, betrug die Verpflegungsstärke der Norddeutschen Bundesarmee, einschließlich der Besatzungs- und Festungstruppen, nach einer Durchschnittsberechnung der Effektivstärke 982 064 Mann und 209 403 Pferde.

»Es wird herrlich gehen mit Süddeutschland, es wird gutgehen ohne Süddeutschland, es wird gehen – wenn es sein muß – selbst gegen Süddeutschland«, soll Moltke – patriotische Geschichten hatten Konjunktur – geäußert haben. Es ging *mit* Süddeutschland. Für die Partner Norddeutschlands war der Bündnisfall gegeben. Bayern stellte 128 964 Mann und 24 056 Pferde, Württemberg 37 180 Mann und 8876 Pferde, Baden 35 181 Mann und 8038 Pferde.

»Wenn wir nur erst alles am Rhein beisammenhaben, so wird alles Weitere sich schon finden«, sagte Moltke zum General Fransecky. Auch der Aufmarsch verlief reibungslos. Der Antransport begann am 24. Juli, die Bereitstellung war am 3. August beendet. Mit dem Tage der Mobilmachung trat der Militärfahrplan in Kraft. Auf zehn Eisenbahnlinien wurde die norddeutsche Armee Zug auf Zug, mit der vorgeschriebenen Geschwindigkeit von 22,5 Kilometer in der Stunde, an den Rhein befördert. Auf drei Schienenwegen kamen die süddeutschen Truppen, die weniger waren und es nicht so weit hatten.

Bei den Franzosen klappten Mobilmachung und Aufmarsch nicht so gut. Sie hatten im Frieden keinen Generalstabschef gehabt, und der für den Krieg ernannte, Marschall Lebœuf, hatte keinen verbindlichen Operationsplan. Immerhin standen Anfang August 270 000 Franzosen unter Marschall Bazaine bei Metz und unter Marschall Mac-Mahon bei Straßburg sowie Reserven bei Nancy und im Lager von Châlons.

Zur selben Zeit waren 384 000 Mann des deutschen Feldheeres in einem Raum von 150 Kilometer Breite und 80 Kilometer Tiefe versammelt, gegliedert in drei Armeen: die Erste Armee unter General Steinmetz und Generalstabschef Sperling bei Trier, die Zweite Armee unter Prinz Friedrich Karl und Generalstabschef Stiehle südlich von Mainz, die Dritte Armee unter Kronprinz Friedrich Wilhelm und Generalstabschef Blumenthal zwischen Landau und Speyer. Nach Moltkes termingerecht ausgeführtem Aufmarschplan konnte und sollte die Offensive unverzüglich beginnen.

Bis Ende Juli blieb der Generalstabschef in Berlin. Er nahm an der Sitzung des Norddeutschen Reichstages teil, in dem es nun keine Fraktionen, nur noch Patrioten gab, die einstimmig erklärten: »Wie zur Zeit der Befreiungskriege, so zwingt uns jetzt ein

Napoleon zum heiligen Kampfe. Wie damals werden auch jetzt die auf Schlechtigkeit und Untreue gestellten Berechnungen an der sittlichen Kraft des deutschen Volkes zuschanden werden.«

Damit dies nicht nur in Worten, sondern auch durch Taten geschehe, arbeitete Moltke im Generalstabsgebäude, rechnete an seinem Schreibtisch, steckte Fähnchen auf die Karte, informierte und instruierte die Armeeführer, gab mit Genehmigung und im Namen des Königs die erforderlichen Befehle.

Zwischendurch ritt er, wie gewohnt, im Tiergarten spazieren. »Nun, wie steht es, Exzellenz?« rief ihm ein neugieriger Zivilist zu. »Nun, gut«, entgegnete der Generalstabschef. »So, also Exzellenz meinen, daß ...« Moltke unterbrach ihn: »Ich meine die Sommersaat. Mit den Kartoffeln bin ich auch zufrieden, aber das Winterkorn steht nicht besonders.«

»Hoffentlich geht die Ernte frisch vor sich, wir können das brauchen«, hatte er am 18. Juli seinem Bruder Adolf nach Kreisau geschrieben. »Von den Arbeitern werden wohl wenige eingezogen werden, es sind ja lauter alte Krüppel, aber der Inspektor wird noch heran müssen.« Seine Diener Ernst und August forderte er als Trainsoldaten an; sie sollten das Reitpferd und vier Wagenpferde mitbringen. Außerdem die 200 Taler, »die in dem feuerfesten Schrank liegen, ferner meinen Schlafrock und Pantoffeln und einen Teil der Wäsche. Die Zivilsachen bleiben dort.«

Der Greis, der in wenigen Monaten Siebzig werden würde, wollte noch so lange in Uniform bleiben, bis von ihm, worauf er so lange gewartet hatte, Frankreich geschlagen worden war. Die Aussicht darauf ließ ihn aufleben, machte ihn munterer und beherzter, als er es in jüngeren Jahren gewesen war. Als »Heldengreis« sollten ihn bald die nationalen Barden rühmen.

Hingegen behauptete Bismarck, der alte Moltke sei damals hinfälliger als später gewesen und habe gezweifelt, »ob er die Strapazen des Feldzuges überleben werde«. Bismarcks lange danach niedergeschriebene Bemerkung war dem nachhaltigen Groll darüber entsprungen, daß ihm der keineswegs gebrechliche, vielmehr erstaunlich vitale Greis während des Frankreichkrieges soviel zu schaffen gemacht hatte.

Es begann bereits in Berlin, beim Aufbruch des Großen Hauptquartiers nach Westen. Obwohl er die Uniform der Magdeburger Kürassiere mit den Rangabzeichen eines Generalmajors angelegt hatte, wurde der Bundeskanzler und Ministerpräsident als Zivilist behandelt, den man zwar mitnehmen mußte, aber nicht mitreden lassen wollte.

Der in der Natur der Sache liegende Gegensatz zwischen der politischen und der militärischen Führung hatte sich bereits 1866 angekündigt, sollte sich 1870/71 auswirken. Bismarck konnte die Auffassung der Militärs verstehen, wenn auch nicht billigen: Der Minister des Auswärtigen komme erst wieder zu Wort, wenn die Heeresleitung die Zeit für gekommen halte, den Janustempel zu schließen – jenen Tempel der alten Römer, der während des Krieges geöffnet und im Frieden geschlossen war. Der Politiker hingegen machte geltend, schon in dem doppelten Gesicht des Janus liege die Mahnung, »daß die Regierung eines kriegführenden Staats auch nach anderen Richtungen zu sehen hat als nach dem Kriegsschauplatze«.

Andererseits blieb Moltke dabei, daß sich im Krieg alles auf die militärische Entscheidung zu konzentrieren habe – und dafür sei die Heeresleitung, konkret: der Generalstabschef, zuständig und verantwortlich. Deshalb hätte er am liebsten nicht nur den Außenminister, sondern auch den Kriegsminister zu Hause gelassen. Dieser hatte es noch immer nicht verwunden, daß der ihm untergeordnete Generalstabschef der erste und einzige Berater des königlichen Oberbefehlshabers geworden war. Moltke seinerseits sah voraus, daß ihm Roon militärisch und Bismarck politisch dazwischenreden würden.

Doch in den sechs Eisenbahnzügen, in denen sich am 31. Juli 1870 das Große Hauptquartier an den Rhein begab, saßen außer dem König und dem Generalstabschef der Ministerpräsident und der Kriegsminister, Hofchargen, Offiziere, Beamte, rund tausend Personen. Bismarck reiste im ehemals königlich-hannoverschen Hofwagen mit seinen Beamten, Moltke in einem Salonwagen mit seinem Stab: dem Generalquartiermeister Theophil von Podbielski und den Chefs der drei Abteilungen: Karl von Brandenstein für das Eisenbahnwesen, Paul Bronsart von Schellendorff für die Operationen und Julius von Verdy du Vernois für die Nachrichten.

»Halbgötter« nannte sie Bismarck, die ihn von oben herab behandelten. Zu Moltke blickten sie auf, zum Beispiel Verdy du Vernois: »Ein jeder von uns rechnet es zu den höchsten Glückszufällen des eigenen Lebens, diesem Manne in großer und schwerer Zeit nahegestanden zu haben.« Mit diesem Abgott konnte Whist gespielt werden, schon während der 37stündigen Eisenbahnfahrt nach Mainz. Als Kartenspieler war er mäßig, verlor oft.

Das große Spiel aber mußte er gewinnen. Gegen die Franzosen hatte er alle Trümpfe in der Hand. Doch der politische Kiebitz Bismarck störte ihn. Und militärische Mitspieler waren drauf und dran, seinen Spielplan zu verpfuschen.

DIE ERSTEN KÄMPFE verliefen nicht programmgemäß. Armeeführer hielten sich weder an Moltkes Operationsplan noch an seine taktischen Empfehlungen. Sie handelten nach der Parole: »In Gottes Namen drauf!«, marschierten dem Kanonendonner nach, griffen den Feind an, wo sie auf ihn stießen. Und stürmten mit Hurra gegen die Feuerwände der Chassepot-Gewehre, die schneller und weiter schossen als die Zündnadelgewehre, und der Mitrailleusen, die zweitausend Kugeln in fünf Minuten verspritzten.

General der Infanterie Karl Friedrich von Steinmetz, Oberbefehlshaber der Ersten Armee, war schon Vierundsiebzig und wollte unbedingt noch Schlachtenruhm gewinnen. Anstatt in der Flanke der zwischen Bingen und Kaiserslautern vorrückenden Armee des Prinzen Friedrich Karl zu bleiben, also vorerst südlich von Trier stehenzubleiben, preschte er gegen die zwischen Metz und Saarbrücken aufmarschierte, ihm überlegene Armee Bazaines vor.

Bei Spichern, südwestlich Saarbrückens, trafen am 6. August 1870 die Spitzen der Ersten Armee auf den Feind und griffen ihn sofort an, mit Unterstützung von Vorhuten der Zweiten Armee. Anstatt die starke Höhenstellung der Franzosen zu umfassen, wurde sie unter schweren Verlusten – insgesamt 4078 Mann – gestürmt.

Nach Moltkes Plan hätte die Saar mit nicht durch Gewaltmärsche strapazierten Truppen erst am 9. August erreicht werden dürfen. Vorgesehen war ein konzentrischer Angriff der drei Armeen auf die französische Hauptmacht. Doch die Erste und die Zweite Armee hatten zu früh losgeschlagen – und die Dritte, die auf der linken Flanke operieren sollte, war zu spät angetreten.

Immerhin schlug sie am 4. August bei Weißenburg und am 6. August bei Wörth im Elsaß die Südgruppe des französischen

Der Sturm auf die Spicherer Höhe am 6. August 1870.
Nach einem Gemälde von Anton von Werner

Heeres unter Mac-Mahon. Aber um welchen Preis! Bei Weißen-
burg waren die Infanteriebataillone mit schlagenden Tambours
und wehenden Fahnen gegen den aus allen Rohren schießenden
Feind vorgerückt. Auf der Verlustliste standen 1460 Mann und 91
Offiziere, die, ihren Truppen voran, als erste gefallen waren. Der
Sieg bei Wörth kostete die Dritte Armee 489 Offiziere und 10 153
Mann.

»Gegen den Willen der oberen Leitung«, wie Moltke bilanzierte, waren die Schlachten bei Weißenburg, Wörth und Spichern
entbrannt – nicht nur gegen den Willen des Generalstabschefs,
sondern auch der Oberbefehlshaber der Armeen. Unterführer
hatten die Entscheidungsfreiheit, die man ihnen belassen hatte,
für falsche, zumindest unpassende Entscheidungen gebraucht,
sich weder strategisch noch taktisch richtig verhalten. In keiner

der drei Schlachten wurde der Feind eingeschlossen und vernichtet, der geschlagene nicht einmal energisch verfolgt.

In diesen Tagen war das Große Hauptquartier noch in Mainz. Befehle an die kämpfende Truppe konnten nur unzulänglich übermittelt werden, und Meldungen von der Front gingen nur unvollständig ein. Die Nachricht von Wörth beispielsweise kam telegraphisch verstümmelt an, mitten in der Nacht. Die »Halbgötter« des Generalstabes rätselten im Nachthemd und bei Kerzenschein an den Bruchstücken herum, weckten schließlich den Chef. »Ich werde«, erzählte Verdy du Vernois, »nie den eigentümlichen Gesichtsausdruck des Generals vergessen, als er sich in seinem Bette erhob, ohne Perücke, und uns ansah, als ob er fragen wollte: ›Was ist denn das für eine Gesellschaft?‹«

Das war nun die Schaltzentrale der preußischen Kriegsmaschinerie, die sich Freund wie Feind so minuziös funktionierend vorstellten! Zum Glück ging es bei den Franzosen drunter und drüber. Die Heerführer wußten überhaupt nicht mehr, was gespielt wurde. Mac-Mahon zog sich auf das Lager von Châlons zurück, wo er sich ausruhen und verstärken konnte, Bazaine an die Mosel, wo die Festung Metz Deckung gab. Sie wußten nicht, daß die Operationen der Deutschen unplanmäßig verlaufen waren. Der Angriffsgeist, ja die Angriffswut der Teutonen hatte sie schockiert.

Dieses Resultat, wenn auch nicht geplant, kam gelegen. Die Grenzschlachten seien nicht vorgesehen gewesen, stellte Moltke fest. »Im allgemeinen wird es wenig Fälle geben, wo der taktische Sieg nicht in den strategischen Plan paßt. Der Waffenerfolg wird immer dankbar akzeptiert und ausgenutzt werden.« Bei Wörth hatte sich die Armee Mac-Mahons derart aufgelöst, daß sie unlenksam geworden war. Und durch Spichern »war das II. französische Korps verhindert, ungeschädigt abzuziehen, es war Fühlung mit der feindlichen Hauptmacht gewonnen und der oberen Heeresleitung die Grundlage für weitere Entschließung gegeben«.

Moltke disponierte um. Er hatte zu verhindern, daß sich Bazaine und Mac-Mahon vereinigten. Und er mußte versuchen, den Näheren und Stärkeren, Bazaine, so schnell wie möglich zu schlagen – bevor er, wie vermutet, noch weiter westlich, in Richtung der Festung Verdun, auswich. Nach gehabter Erfahrung wollte Moltke nun nicht mehr generelle, sondern konkrete Befehle an die Armeen geben. Um sie rasch zu übermitteln und genau zu überwachen, mußte das Große Hauptquartier nach vorne. Am 11. August war es in Saint-Avold, bereits auf französischem Boden, zwischen der Ersten und Zweiten Armee.

Der neue, den veränderten Gegebenheiten angepaßte Operationsplan sah vor: Marsch der Ersten Armee nach Westen, direkt auf Metz, Marsch der Zweiten Armee von Süden nach Norden, um Metz zu umfassen, Vormarsch der Dritten Armee in Richtung Nancy, um zu gegebener Zeit nach rechts, nach Norden zu schwenken.

Bazaine suchte der Schlinge zu entgehen, wollte sich aus der Gegend von Metz nach Westen absetzen, in Richtung Verdun, vielleicht bis Châlons, Mac-Mahon entgegen. Am 14. August ereilte ihn, noch auf dem rechten Moselufer, die Vorhut der Ersten Armee bei Colombey-Nouilly. Wieder griff ein Unterführer eigenmächtig an, doch diesmal paßte es in Moltkes Konzept: Das Treffen endete unentschieden, aber Bazaines Abzug verzögerte sich um vierundzwanzig Stunden, die Erste und Zweite Armee konnten wie geplant aufmarschieren.

Bazaines Hauptmacht stand am 16. August an der Straße nach Verdun, bei Vionville und Gravelotte, westlich von Metz. Das III. Korps der Zweiten Armee, das auf dem Umfassungsmarsch über die Mosel gegangen und am weitesten nach Norden gekommen war, hatte bei Vionville und Mars la Tour Feindberührung. Es meinte die Nachhut Bazaines vor sich zu haben und griff unverzüglich an. Aber es war die Hauptmacht, die auch nach dem Eingreifen weiterer Verbände Friedrich Karls überlegen blieb.

Die Schlacht dauerte elf Stunden. Sie kostete die Franzosen 834 Offiziere und 12 927 Mann, die Deutschen 711 Offiziere und 15 079 Mann. Allein die Kavallerie-Brigade Bredow hatte 16 Offiziere und 363 Mann verloren; sie war gegen die feindlichen Batterien angeritten. Deutsche Schulkinder mußten bald das Gedicht von Ferdinand Freiligrath: »Ein Blutritt war es, ein Todesritt«, auswendig lernen. »Sie gehen vor, selbst wenn der Tod sie führt«, wunderte sich Victor Hugo, der französische Dichter. Bismarck, der die Uniform der Magdeburger Kürassiere trug, von denen so viele gefallen waren, sprach von »unsinnigen und unmöglichen Kavallerieattacken«.

Moltke ritt am nächsten Tag über das Schlachtfeld von Vionville und Mars la Tour, das Friedrich Karl behauptet hatte, sah die Leichenberge von Freund und Feind. War dieses Schlachten notwendig gewesen? Geplant hatte er die Schlacht nicht.

Der Generalstabschef hatte angenommen – und das sollte sich als richtig herausstellen –, Bazaine sammle noch seine Armee für den Rückmarsch, und zwar westlich von Metz, wo Moltke sie konzentrisch anzugreifen gedachte. Friedrich Karl hingegen glaubte Bazaine bereits auf dem vollen Rückzug nach Verdun und wollte ihm deshalb ohne Aufschub zur Maas hin folgen. Dazu schickte er das III. Armeekorps vor, zog seine Armee auseinander – anstatt sie, wie Moltke es gewünscht hatte, geschlossen vorrücken zu lassen, um sie gegebenenfalls geballt einsetzen zu können.

Nachdem die Schlacht bei Vionville und Mars la Tour nun einmal entbrannt war, sollte sie auch gewonnen werden. Und der blutig erkaufte Sieg ausgenutzt werden. Ob sich Bazaine nun zurückziehen wollte oder nicht – jedenfalls war er am 16. August geschlagen und verwirrt worden. Und mußte, wenn auch nicht schon am Tage darauf, so doch am 18. August angegriffen werden – mit Truppen, die sich wieder einigermaßen erholt hätten, und frischen Kräften, die inzwischen herangezogen worden wären, die nicht im Kampf gewesenen Teile der Zweiten Armee und die Erste Armee.

Für zwei mögliche Fälle mußte Moltke planen. »Um beiden zu begegnen, sollte der linke Flügel in nördlicher Richtung gegen die nächste der den Franzosen noch offenen Rückzugsstraßen, über Doncourt, vorgehen. Fand man den Gegner im Abmarsch begriffen, so war er unverzüglich anzugreifen und festzuhalten, während der rechte Flügel nachrücken würde. Ergab sich vielmehr, daß der Feind bei Metz verbliebe, so sollte der linke Flügel östlich einschwenken und seine Stellung von Norden her umfassen, der rechte aber, bis dies wirksam würde, nur ein hinhaltendes Gefecht führen.«

Der zweite Fall trat ein. Bazaine stand westlich von Metz zwischen Gravelotte und Saint-Privat, auf einem Höhenzug, der ihm eine starke, geradezu uneinnehmbare Stellung gegen einen Frontalangriff bot. Moltke erkannte die Problematik einer Schlacht, als er am 18. August, 6 Uhr morgens, mit dem König auf der Höhe von Flavigny hielt.

Eine Schlacht mit »verkehrter Front« stand bevor – die Franzosen schauten nach Westen, die Deutschen nach Osten – beide waren abgeschnitten von den jeweiligen rückwärtigen Verbindungen, wobei im Falle einer Niederlage die Folgen für die Deutschen nachteiliger als für die Franzosen werden müßten. Die angesichts der langgestreckten Höhenstellung Bazaines gebotene Umfassung von Norden her erforderte einen langen Anmarsch von Süden her und ein beharrliches Festhalten des Gegners in der Front, bis der Flankenangriff beginnen könnte. Eine Entscheidung würde erst am späteren Tage möglich sein – und mit jeder Stunde das Risiko wachsen.

Unter solchen Voraussetzungen dürfe eine Schlacht nicht begonnen werden, erklärte Roon. Nach den Armeebefehlshabern Steinmetz und Friedrich Karl machte dem Generalstabschef nun auch der Kriegsminister Schwierigkeiten. Die Entscheidung müsse hier und heute fallen, beharrte Moltke, und Wilhelm I. gab ihm recht.

Um 10 Uhr 30 wurde der Angriff befohlen. Ein langer Kampf begann, der – wie bei Königgrätz – den König ungeduldig werden ließ. Bereits am Mittag drängte es ihn nach Rezonville, näher an den in der Front bei Gravelotte entbrannten Kampf. Der Angriff kam nicht voran, konnte es angesichts der gegnerischen Höhenstellung nicht und sollte es nach Moltkes Absicht auch nicht unbedingt – es galt, den Feind zu beschäftigen, bis der Umfassungsangriff begann.

Seine Truppen kämen in der Front nicht vorwärts, meldete Steinmetz. »Warum kommen sie nicht vorwärts?« fragte der König gereizt. »Sie haben keine Führer mehr, die Offiziere sind tot oder verwundet.« Wilhelm wandte sich gegen Moltke: Was sei das für eine Truppe, die nicht Terrain gewinne! »Sie schlagen sich für Eure Majestät wie Helden«, erwiderte der Generalstabschef. Er wurde angeherrscht: »Das weiß ich allein!« Moltke gab seinem Pferd die Sporen und ging für eine Weile auf Distanz.

Stunde um Stunde vergingen. Das II. Armeekorps traf zur Verstärkung ein. General Fransecky wollte sofort in die ins Stocken geratene Schlacht eingreifen. Das sei vielleicht zweckmäßig, sagte Wilhelm zu Moltke, der den König ersuchte, »das II. Armeekorps zunächst noch nicht anzuschneiden«. Der König machte zu Fransecky eine resignierende Handbewegung, die dieser »als eine ablehnende« verstand.

Die Entscheidung mußte durch die Umfassung im Norden fallen. Aber der Flankenmarsch des XII. (Sächsischen) Korps dauerte länger, als man angenommen hatte. Der Kommandeur des Gardekorps, Prinz August von Württemberg, der in der Front vor Saint-Privat den Flankenangriff abwarten sollte, verlor die Geduld. Um 17 Uhr 30 ließ er die Gardeinfanterie gegen die Höhe von Saint-Privat stürmen – ohne Artillerievorbereitung, unter den Klängen des Avanciermarschs. Das kostete 307 Offiziere und 7923 Mann, »die größten und schönsten Männer der Monarchie«, wie ein Davongekommener klagte. Der Blutpreis wäre vergeblich gezahlt worden, wenn nicht um 19 Uhr 30 endlich die Sachsen den Umfassungsangriff begonnen hätten. Um 20 Uhr 30 war Saint-Privat genommen.

Inzwischen hatte auch der König vor Gravelotte die Geduld verloren. Moltke konnte ihn nicht mehr davon abhalten, gegen 18 Uhr 30 alle noch verfügbaren Kräfte, vor allem das II. Korps, frontal gegen den Feind zu werfen. »Es wäre richtiger gewesen, wenn der zur Stelle anwesende Chef des Generalstabes der Armee dies Vorgehen in so später Abendstunde nicht gewährt hätte«, schrieb Moltke in seiner »Geschichte des deutsch-französischen Krieges von 1870/71«, in seiner noblen Art den eigentlichen Schuldigen nicht beim Namen nennend.

Am Abend von Gravelotte, nach der selbstherrlichen Entscheidung des Obersten Kriegsherrn, hatte Moltke ihn allein gelassen. Er ritt nach vorne, als wollte er das, was der König angerichtet hatte, mit eigenen Augen sehen. Pulverdampf schluckte das letzte Tageslicht, brennende Häuser loderten wie Fackeln. Verwundete wurden zurückgebracht, Infanterie ging gegen die Feuerlinie des Feindes vor. Es schien, als würden sich die Angreifer an der Höhe festbeißen. Am nächsten Morgen würde man weitersehen.

Moltke ritt nach Rezonville zurück, wo er Wilhelm fand, der neben einer niedergebrannten Scheune saß. Der Widerschein des Lagerfeuers gab dem Dreiundsiebzigjährigen ein gespenstisches Aussehen. Eben hatte ihn der Kriegsminister beschworen, am nächsten Tag die Schlacht nicht fortzusetzen: »Wir können nicht noch mehr Verluste tragen, dazu ist das Material zu kostbar.« 899 Offiziere und 19 620 Mann waren nach Gravelotte und Saint-Privat abzuschreiben, allein 328 beziehungsweise 4909 Tote. Doch der König nickte, als ihm der Generalstabschef ruhig und bestimmt sagte: »Eure Majestät haben nur noch den Befehl zur Fortsetzung des Angriffs zu geben, wenn morgen der Feind noch außerhalb Metz standhalten sollte.«

Bazaine, unter dem Alpdruck der Umfassung, zog sich mit den ihm verbliebenen 170 000 Mann nach Metz zurück. Im Operationsplan war eine Belagerung der Festung nicht vorgesehen gewesen; Moltke mußte das Heer umgruppieren.

Vor Metz blieb Friedrich Karl mit der bisherigen Ersten Armee und einem Teil der Zweiten Armee, 150 000 Mann, zurück. Drei Korps der Zweiten Armee, 138 000 Mann, bildeten die neue Vierte, die Maas-Armee, unter dem Kronprinzen Albert von Sachsen. Sie und die 223 000 Mann starke Dritte Armee des Kronprinzen Friedrich Wilhelm von Preußen, die westlich von Nancy angekommen war, marschierten am 23. August – »in gleicher Höhe«, wie Moltke angeordnet hatte – in Richtung Paris.

Bei Châlons sammelte sich unter Marschall Mac-Mahon eine neue französische Armee. Was würde sie unternehmen? Moltke vermutete, daß sie sich auf Paris, die stärkste Festung, das nationale Widerstandszentrum, zurückziehen wolle. Genaues zu erfahren, war nicht leicht. Man war auf Berichte von Agenten und auf Meldungen der vorausgeschickten Kavallerie angewiesen, und auf Presseberichte.

Am Abend des 25. August 1870 ging ein Telegramm aus London ein, mit einer Nachricht aus dem Pariser »Temps« vom 23. August, »daß Mac-Mahon plötzlich den Entschluß gefaßt habe, Bazaine zu Hilfe zu eilen, obgleich ein Aufgeben der Straße nach Paris die Sicherheit Frankreichs gefährde, daß die ganze Armee bereits aus der Gegend von Reims aufgebrochen sei, die aus Montmédy eingegangenen Nachrichten indessen noch nichts von einer dortigen Ankunft französischer Truppen erwähnten«.

Moltke saß im Großen Hauptquartier in Bar-le-Duc beim abendlichen Whist, als die Depesche eintraf. Er legte die Karten auf den Tisch und sagte: »Die Kerls sind doch zu dumm, nun sollen sie ihre Strafe haben!«

Ähnliche Meldungen hatte er bisher nicht ernst genommen. Er wollte nicht glauben, daß ein besonnener General wie Mac-Mahon einen solch leichtfertigen Zug machen würde: die auf Paris marschierenden Deutschen nördlich zu umgehen und dabei Ge-

Der Feldherr: Generalstabschef Moltke bei Sedan.
Nach einem Gemälde von Anton von Werner

fahr zu laufen, von Moltke, dem Spezialisten für Umfassungs-
schlachten, umgangen, umzingelt und vernichtet zu werden.

Er konnte nicht wissen, daß der französische Kriegsminister
dem Marschall telegraphiert hatte: »Wenn Sie Bazaine im Stich
lassen, bricht in Paris die Revolution aus.« Und daß der Kaiser der
Franzosen mit in Richtung Metz marschierte, um einer Revolution zu entgehen, auch auf die Gefahr hin, daß er den Deutschen in
die Hände fallen könnte.

Zunächst hatte der preußische Generalstabschef daran gezweifelt, ob Mac-Mahon tatsächlich, weit nach Norden ausholend, an
der belgischen und luxemburgischen Grenze entlang, auf Metz
marschieren wolle – oder ob es nur ein Täuschungsmanöver war,
um die Deutschen so lange von Paris abzulenken, bis dieses
verteidigungsbereit wäre. Um beiden Möglichkeiten begegnen zu
können, wollte Moltke vorerst die beiden Armeen in nordwestli-
che Richtung dirigieren.

Nachdem er am 25. August beim Whistspiel fast Gewißheit
über das Vabanquespiel der Franzosen gewonnen hatte, leitete er
noch am Abend den Rechtsabmarsch nach Norden ein, zunächst –
Umsicht blieb geboten – mit Flügelverbänden. Den beiden Ober-

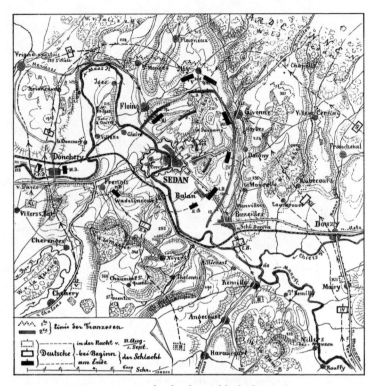

Karte zur entscheidenden Schlacht bei Sedan

befehlshabern stellte er anheim, nach Eintreffen genauerer Meldungen über die Position des Feindes selbständig im Sinne des Generalbefehls »Rechts schwenkt, marsch!« zu handeln.

Der Kronprinz von Sachsen vollzog am Morgen des 26. August die Rechtsschwenkung der Vierten Armee. Der Kronprinz von Preußen folgte mit der Dritten Armee. Moltke rechnete mit dem Zusammenstoß der von Westen nach Osten marschierenden Franzosen und der von Süden nach Norden marschierenden Deutschen am 30. August.

Er erfolgte an diesem Tage bei Beaumont, auf dem linken Ufer der Maas. Die Franzosen wurden von der Vierten Armee geschlagen. Der Weg nach Osten, Richtung Metz, war ihnen verlegt. Mac-Mahon zog sich auf das 15 Kilometer nordwestlich von

296

Beaumont, hart an der belgischen Grenze an der Maas gelegene Sedan zurück. Von hier aus wollte er den Rückzug nach Nordwesten, in Richtung Mézières, antreten, um von da aus nach Paris zu gelangen.

Die Stunde des Umfassungsangriffs, auf die Moltke gewartet hatte, war gekommen. Er setzte die Vierte Armee von Osten und die Dritte Armee von Süden und Westen gegen Sedan an. Im Norden sollten sie zusammentreffen, den Ring schließen. Noch am 30. August, eine Stunde vor Mitternacht, erließ der Generalstabschef den Armeebefehl: Die Vorwärtsbewegung sei am 31. August in aller Frühe fortzusetzen »und der Feind überall, wo er sich diesseits der Maas stellt, energisch anzugreifen und auf den möglichst engen Raum zwischen diesem Fluß und der belgischen Grenze zusammenzudrängen«.

»Nun haben wir sie doch in der Mausefalle«, sagte Moltke am Nachmittag des 31. August, nachdem die Operationen planmäßig verlaufen, 130 000 Franzosen von 250 000 Deutschen eingekesselt waren – in Sedan, einer veralteten Festung, die von den umliegenden Höhen mit Artillerie beschossen werden konnte. Der französische General Ducrot drückte es drastisch aus: »Wir sitzen hier in einem Nachttopf, in den man von allen Seiten auf uns scheißen wird!« Napoleon III., mit in Sedan, konnte nicht mehr zurück nach Paris und nicht mehr vorwärts auf Metz, wo am 31. August ein Ausfall Bazaines bei Noisseville am deutschen Belagerungsring zerschellte.

»Wir haben sie, wir haben sie«, sagte Moltke am Morgen des 1. September 1870. Er stand mit dem König, Roon und Bismarck auf der Höhe von Frénois und beobachtete die Kesselschlacht. Wilhelm begann, auch diesmal, unruhig zu werden: Wo blieb die Garde, die im Norden den Ring schließen und mit enger ziehen sollte! Sie kam gegen Mittag. Moltke schob die Schärpe zurecht, nahm dienstliche Haltung an: »Das Gardekorps greift jetzt ein«, meldete er, »ich gratuliere Eurer Majestät zu einem der größten Siege dieses Jahrhunderts.«

Einundsiebzig deutsche Batterien feuerten auf die in einem Quadrat von je drei Kilometer Seitenlänge zusammengedrängte Armee Mac-Mahons. Gegen 14 Uhr scheiterte die Gegenattacke der Kavalleriedivision Margueritte an der Feuermauer der deutschen Infanterie, die aus der Abwehr sogleich wieder zum Angriff überging. Der Kaiser der Franzosen ließ auf der Zitadelle, über den brennenden Häusern der Stadt, die weiße Fahne hissen.

»Da es mir nicht vergönnt war, inmitten meiner Truppen zu sterben, bleibt mir nichts übrig, als meinen Degen in die Hände Eurer Majestät zu legen«, lautete das Schreiben Napoleons III., das der kaiserliche Generaladjutant Reille um 18 Uhr 30 Wilhelm I. übergab. Der König beriet mit dem Kronprinzen, Bismarck und Moltke die Antwort. Sie lautete: »Indem ich die Umstände, unter denen wir uns begegnen, bedauere, nehme ich den Degen Eurer Majestät an und bitte Sie, einen Offizier zu bevollmächtigen, um über die Kapitulation der Armee zu verhandeln, die sich so brav unter Ihrem Befehle geschlagen hat. Meinerseits habe ich den General von Moltke hierzu bestimmt.«

In Erwartung der französischen Unterhändler ritt der Generalstabschef nach Donchéry hinunter. Er quartierte sich beim Bürgermeister ein, aß eine Kleinigkeit, trank ein paar Gläser Wein und ging zu Bett. Gegen Mitternacht wurde er geweckt: Die Franzosen seien da. »Was wollen sie denn?« fragte er schlaftrunken. »Kapitulieren.« Er sprang auf, steckte den kahlen Kopf in eine Waschschüssel, setzte die Perücke auf und sagte: »So.«

Bei dürftiger Beleuchtung, unter einem gespenstisch wirkenden Bild Napoleons I. setzten sie sich an den mit einer roten Decke verhüllten Tisch: Moltke, Bismarck und der französische General Emanuel Felix de Wimpffen, der an die Stelle des verwundeten Marschalls Mac-Mahon getreten war. Moltke nannte die Kapitulationsbedingungen: »Die ganze Armee ist kriegsgefangen, mit Waffen und Troß.« Wimpffen verlegte sich aufs Handeln, Moltke blieb hart. »Wohlan, dann werden wir uns morgen noch einmal schlagen«, trotzte der Franzose, erhielt die Antwort: »Es ist eine reine Unmöglichkeit.« Und: »Der Waffenstillstand läuft morgen früh um 4 Uhr ab. Pünktlich um 4 Uhr werde ich das Feuer wieder eröffnen lassen.«

Bismarck versuchte es mit Diplomatie. Er solle doch nicht die Verhandlung in einer Anwandlung von Unmut abbrechen, sagte er zu Wimpffen. Und flüsterte Moltke einige Worte ins Ohr. »Es schien mir eine geheime Meinungsverschiedenheit zwischen Herrn von Bismarck und dem General von Moltke obzuwalten«, bemerkte der französische Augenzeuge Capitain d'Orcet, »indem jener im Grunde nicht abgeneigt gewesen wäre, den Krieg zu beendigen, während der General ihn im Gegenteil fortzusetzen wünschte.«

Man einigte sich auf eine Verlängerung des Waffenstillstands bis um 9 Uhr morgens am 2. September. Moltke bekräftigte: »Wenn ich bis 9 Uhr früh nicht Ihre Antwort habe, erfolgt das Signal zum Beginn der Feindseligkeiten.«

Um 2 Uhr ging man auseinander. An Stelle von Wimpffen, den Moltke am Morgen erwartete, kam Napoleon III., um günstigere Kapitulationsbedingungen zu erreichen. Moltke eilte zu dem

1. September 1871: Die weiße Fahne über der Festung Sedan. Mit der Stadt kapitulierten eine Armee und ein Kaiser

Weberhäuschen von Donchéry, wo Bismarck den Kaiser, der zu Wilhelm I. wollte, in ein Gespräch gezogen hatte.

Als der preußische Generalstabschef die elende Stube betrat, erhob sich der Kaiser der Franzosen und bat ihn, Platz zu nehmen. Die Kapitulation, bei der auf der Gefangennahme der ganzen Armee bestanden werden müsse, habe Wimpffen zu unterzeichnen, nicht der Monarch, der sich bereits gefangengegeben habe, meinte Moltke. Und wenn dies nicht zur angegebenen Zeit geschehe, werde er das Feuer wieder eröffnen. »C'est bien dur«, seufzte Napoleon. »Übrigens war er ruhig und völlig in sein Schicksal ergeben«, bemerkte Moltke. »Bald darauf wurde eine von uns entworfene und übersetzte Kapitulation von dem unglücklichen Wimpffen ohne weiteres unterzeichnet.«

Die französische Armee ging in Kriegsgefangenschaft. Der Kaiser der Franzosen wurde nach Schloß Wilhelmshöhe bei Kassel gebracht.

»Am folgenden Morgen, bei strömendem Regen«, berichtete Moltke, »fuhr eine lange Wagenreihe, eskortiert durch eine Eskadron Totenkopf-Husaren, auf der Chaussee nach Bouillon (in Belgien) durch Donchéry. Graf Bismarck sah auf der einen Seite der Straße, ich auf der anderen zum Fenster hinaus, der abgedankte Imperator grüßte, und ein Stück Weltgeschichte war abgespielt.«

»Welch eine Wendung durch Gottes Führung«, depeschierte Wilhelm I. nach Hause. Der Generalstabschef, der die preußisch-deutschen Truppen geführt hatte, darüber vom 25. August bis 2. September nicht zum gewohnten Whistspiel gekommen war, sagte zu seinen Offizieren: »Nachdem dieser störende Inzidenzpunkt beseitigt ist, dächte ich, wir könnten unsere Whistpartie wieder aufnehmen.«

DER KRIEG WAR NOCH NICHT ZU ENDE. Vor seinem Ausbruch hatte der Generalstabschef erklärt, er werde die französische Armee schnell zu finden und entscheidend zu schlagen wissen. »Dann erfolgt in Frankreich der Dynastiewechsel, wir sind dann in der Lage, den Franzosen sagen zu können: ›Habt ihr nun genug?‹, und den Frieden anzubieten.«

Innerhalb von vier Wochen hatte er die französische Feldarmee zerschlagen, den einen Teil in Metz eingeschlossen, den anderen bei Sedan gefangengenommen – samt dem Kaiser der Franzosen. »Eigentlich müßte der Krieg aus sein«, schrieb er am 11. September 1870. »Frankreich hat kein Heer mehr, das eine hat kapituliert, das andere muß unfehlbar kapitulieren.« Ende Oktober hoffte er in Kreisau Hasen schießen zu können.

Von einem Dynastiewechsel war nicht die Rede. Zwar wurde das bonapartistische Kaisertum gestürzt, das zunächst statt des versprochenen Friedens den Krieg und dann statt des verheißenen Sieges eine schmähliche Niederlage gebracht hatte. Aber die Franzosen, die es mal rechts, mal links versuchten, wollten nun überhaupt keine Monarchie mehr, sondern die Republik haben.

Sie bekamen sie am 4. September 1870, drei Tage nach der Kapitulation Napoleons III. Während der Gesetzgebende Körper in Paris debattierte, ob dem Antrag des Sprechers der Opposition, des Lyoner Rechtsanwalts Jules Favre, auf Absetzung der Dynastie stattgegeben werden solle, drang ein Volkshaufe ein. »Die gegenwärtige Regierung«, bemerkte Moltke, »ist in der Weise eingeführt, daß in der famosen letzten Sitzung ein Arbeiter auf den Sessel des Präsidenten sprang, die Klingel ergriff und die Republik proklamierte.«

Am Giebel des Palais Bourbon wurde das Blau und Weiß von der Trikolore gerissen, das Rot belassen. Es war nicht nur, wie gehabt, eine nationale, sondern auch eine soziale Revolution. »Gegen Demokraten helfen nur Soldaten«, hieß ein preußisches Hausrezept, das Moltke auch im fremden Lande anzuwenden gedachte. Die Deutschen, die den Krieg beenden wollten, müßten das tun. Die »besitzenden Klassen« Frankreichs, die mehr Angst vor einem gesellschaftlichen Umsturz als einer militärischen Niederlage haben sollten, müßten daran interessiert sein. Und das alte Europa hätte dem neuen Deutschland, das zwar für die Staatsmacht, aber gegen die Revolution kämpfte, Dank geschuldet.

Mit dem Mob, der wohl besser die Marseillaise sang als schoß und marschierte, glaubte der preußische Generalstabschef kurzen Prozeß machen zu können. Einen Tag nach der Kapitulation von Sedan, am 3. September 1870, befahl er den Marsch der Dritten und der Vierten Armee auf Paris, die Hauptstadt Frankreichs und den Herd der französischen Revolutionen. Bis dorthin waren es 210 Kilometer Luftlinie.

Am 5. September ging das Große Hauptquartier nach Reims,

Moltke vor Paris. Gemälde von Ferdinand Graf von Harrach

der Krönungsstadt der französischen Könige und der Metropole des Champagners. Mit ihm stieß man auf den unaufhaltsamen Vormarsch an. Selbst Kronprinz Friedrich Wilhelm, der im Hause »Veuve Clicquot« einquartiert war, ließ sich davon einschenken, obwohl er wußte, daß dieses Gewächs bei den Preußen, die ihm 1814 hier zusprachen, gegenteilige Wirkungen hervorgerufen hatte. Moltke schickte 40 Flaschen den Seinen nach Hause, die sie »auf die Gesundheit unserer braven Truppen« leeren sollten.

Sein Wunsch wäre es, die Republikaner in Paris »etwas in ihrer

Sauce schmoren zu lassen«, meinte Bismarck. Und daß »wir uns in den eroberten Departements häuslich einrichten, ehe wir weiter vorgehen«. Der Ministerpräsident war mit Kost und Quartier in Reims zufrieden. Während des Vormarsches hatte er geklagt, daß sich die Abneigung des Generalstabes gegen die mitgeführten Zivilisten »bis in das Gebiet der Naturalverpflegung und Einquartierung fühlbar« machte. Zu den militärischen Beratungen wurde er auch jetzt nicht zugezogen.

Der Marsch auf Paris ging weiter. Am 19. September war die Stadt, in weitem Kreis um die Forts der Riesenfestung, eingeschlossen. Die Kette war eher locker gefügt: Auf 90 Kilometer Umschließungslinie standen pro Kilometer 1600 Mann.

»Alle Gedanken sind immer nur auf das eine Ziel gerichtet, und trotz aller bisherigen Erfolge lasten die Sorgen von einem Tag auf den anderen schwer auf dem Gemüt«, schrieb Moltke am 16. September aus Meaux. »Allerdings fühle ich mich ziemlich erschöpft, aber ich habe das Glück eines festen, gesunden Schlafs, der mich wieder erfrischt.«

Am 19. September konnte er sich in Ferrières zur Ruhe legen, im Schlosse des Bankiers Rothschild. Hier habe »der Parvenue des Reichtums den Parvenue der Macht« empfangen. »Die offiziösen Zeitungen erwähnten damals eine Jagd, auf welcher der Kaiser das seltenste Wildbret erlegte, unter anderem einen Papagei, welcher im Fallen ›vive l'empereur!‹ schrie. Jetzt schreit die Nation ›à bas l'empereur!‹.« Und Ferrières sei das Hauptquartier ihres Feindes, der die nach Victor Hugo »heilige« Hauptstadt mit eisernen Armen umfaßt habe. In der Ville lumière ging die Gasbeleuchtung aus.

Am 5. Oktober kam das Große Hauptquartier nach Versailles, wo das Schloß Ludwigs XIV. stand, das »toutes les gloires de la France« geweiht war. Der Generalstab schlug sein Büro in der Rue Neuve Numéro 38 auf. Im ersten Stock arbeitete und wohnte der Chef. Zum Essen ging er in das Hôtel des Réservoirs. Wenn er den Speisesaal betrat, erhoben sich die anwesenden Militärpersonen voller Respekt. Seine eigenen Offiziere hätten ihn, wie Verdy du Vernois schrieb, am liebsten auf Händen getragen. Ein jeder sage, er sei ein wahrhaft klassischer Charakter. »So blickten wir zu ihm auf, wie zu einem ehrwürdigen Patriarchen seine Gemeinde emporsieht.«

Mit ihm durfte am Abend Whist gespielt werden. In den Pausen unterschrieb er die Reinschriften der Instruktionen und Armeebefehle, die er vorher gegeben hatte. Beim Kartenspiel wollte er immer gewinnen. Beim Kriegsspiel kamen ihm Zweifel, ob er das so schnell wie gewünscht tatsächlich vermöchte.

Noch am 7. Oktober hatte er erklärt: »Der Krieg ist zu Ende; es sind das alles noch Zuckungen; von großen Operationen ist keine Rede mehr.« Doch im Ruck-Zuck war der Krieg nicht zu gewinnen. Viele größere und kleinere Operationen waren noch zu führen – indessen nicht mehr im großen Zuge und raschen Zugriff, wie es der Sieger von Königgrätz und Sedan gewohnt war.

Da waren die französischen Festungen, die belagert, zumindest eingeschlossen oder beobachtet werden mußten: das riesige Paris, in dem 300 000 Bewaffnete, wenn auch meist Milizen, lagen. Das wichtige Metz, in dem fast 190 000 Mann der Rheinarmee Bazaines standen. Und die kleineren, die in der Summe eine beträchtliche Zahl deutscher Truppen banden: Straßburg, Schlettstadt, Belfort, Pfalzburg, Bitsch, Toul, Diedenhofen, Verdun, Montmédy, Mézières, Soissons und andere. Sie konnten zwar nach und nach genommen werden, aber das dauerte und dauerte: Straßburg fiel am 27. September, Metz am 27. Oktober.

Und Paris hielt sich und schlug sich. »Die Ausfälle sind bisher an unseren Vorposten gescheitert, sie sind nirgends bis zu unseren Hauptstellungen durchgedrungen«, berichtete Moltke am 27. Oktober. »Aber jede Verfolgung unsererseits ist unmöglich, und wir verlieren täglich Leute durch das Feuer der Forts.« Mit 60 bis 100 Schuß, habe er ausgerechnet, die die Franzosen 6 bis 93 Taler kosteten, töteten sie zwischen 3 bis 20 Deutsche.

Nicht gerechnet hatte der Stratege des Bewegungskrieges mit einem Festungskrieg dieser Nachhaltigkeit. Er war in seinen Plänen nicht vorgesehen und in der Praxis von 1864 und 1866 nicht vorgekommen. Er war darauf nicht vorbereitet: Der Belagerungstrain, die schweren Geschütze mußten erst herangeschafft werden. Moltke hatte zwar vorausgesagt, daß die Franzosen sich durch einen Schlachtensieg à la Königgrätz nicht in die Knie zwingen lassen würden. Doch er war überrascht, als dies nach Sedan so kam, und bestürzt, als sich der französische Patriotismus, dem er einiges zugetraut hatte, zu einem republikanischen Nationalismus steigerte, der unberechenbar wurde.

»Frankreich ist ohne Heer«, hatte er festgestellt, aber vorsichtig hinzugefügt: »Dennoch muß erst abgewartet werden, ob die in Fieberhitze rasenden Pariser diesen hoffnungslosen Widerstand aufgeben.« Die neue Regierung in Paris verkündete: »Das Volk hat, um das Vaterland zu retten, das sich in Gefahr befand, die Republik verlangt. Die Republik hat die Invasion von 1792 besiegt, sie wird auch diesmal des Sieges teilhaftig werden.«

Wie er errungen werden solle, schrieb Minister Léon Gambetta, der starke Mann, den Präfekten vor: »Unsere neue Republik ist eine Republik der nationalen Verteidigung, eine Republik des Kampfes bis zum Äußersten gegen den Eindringling.« Im Luftballon verließ er am 7. Oktober das umzingelte Paris, landete in Tours, ergriff die diktatorische Gewalt, rief zum Partisanenkrieg auf, organisierte, wie seinerzeit die Französische Revolution, eine »Levée en masse«, mobilisierte die Massen, stampfte neue Armeen aus dem Boden, ungefähr 800 000 Mann. Und führte das Volksheer in einen Volkskrieg gegen den Feind der Nation.

Was das bedeutete, mußte der preußische Generalstabschef bald erleben. Franktireurs – die er nicht Franc-Tireurs, Freischützen, sondern Franc-voleurs, Freidiebe, nannte – machten der regulären, an regelrechte Kriegführung gewöhnten und nicht auf einen Partisanenkrieg eingestellten deutschen Armee zu schaffen. Die französischen Freischaren – denen sich auch der italienische Berufsrevolutionär Garibaldi anschloß – überfielen Posten und Quartiere, griffen bald schon größere Einheiten an, aus dem Hinterhalt, nach Heckenschützenart.

Die Franktireurs, in konventionellen Kriegsplänen nicht vorgesehen, stellten deren Ausführung in Frage. Sie gefährdeten die immer länger werdenden Verbindungswege, sperrten Straßen, fingen Trainkolonnen ab, zerschnitten Telegraphenleitungen, rissen Schienen auf und sprengten Brücken. Die Eisenbahn, die den deutschen Aufmarsch ermöglicht und nun den Nachschub zu befördern hatte, war ein unsicherer Faktor in Moltkes Planungen geworden.

Und vier französische Feldheere, die sich aus dem eigenen, reichen Land versorgten und über offene Grenzen und viele Häfen von den sogenannten Neutralen mit Kriegsmaterial versehen wurden, marschierten auf das von den Deutschen eingeschlossene Paris. Die Belagerer sollten zwischen den Ausfällen der Belagerten und dem konzentrischen Angriff aus vier Richtungen zerrieben werden. Orléans, Rouen, Lille und Besançon waren die Ausgangspunkte der Loire-Armee, der Westarmee, der Nordarmee und der Ostarmee, die auf die französische Hauptstadt und die deutsche Hauptmacht heranrückten.

Nun standen die französischen Heere auf der günstigeren Äußeren Linie und zugleich, mit den Streitkräften in der Festung Paris, auf einer nicht ungünstigen Inneren Linie. Die Franzosen begannen einen Umfassungsangriff von allen Seiten und in alle Flanken der weit in Feindesland stehenden, um die Hauptstadt konzentrierten deutschen Armeen.

Jetzt hatten die Franzosen strategische Vorteile, und genug Streitkräfte, sie auszunutzen. »Nachdem das ganze französische Heer« – bei Sedan und Metz – »in die Gefangenschaft nach Deutschland gewandert ist, stehen heute mehr Bewaffnete in Frankreich gegen uns als zu Anfang des Krieges«, konstatierte Moltke in Versailles. »Wir haben hier einen der Zahl nach weit überlegenen Feind vor uns und hinter uns.« Er wußte, daß die großen Eröffnungszüge des Feldzuges »nur bei einer entschieden numerischen Überzahl ausgeführt werden« konnten. Jetzt hatten die Franzosen mehr Soldaten, und ihre Zahl wuchs – durch die »Levée en masse« – jeden Tag um 5000 Mann.

Nun, ihr Volksheer war nicht so gut ausgebildet, bewaffnet und geführt wie die preußisch-deutsche Linientruppe, aber es wurde von einem Geist angefeuert, der den Vertreter der alten Staatenordnung, der konservativen Heeresverfassung und der hergebrachten Kriegführung schockierte – moralisch entrüstete und militärisch erschreckte.

Der Staatenkrieg war zum Volkskrieg eskaliert, zu einem Vorläufer des totalen Krieges, in dem die ganze Nationalkraft zusammengefaßt und alle Mittel angewandt wurden. Dem »Terrorismus der Advokatenregierung« sei es gelungen, »alle guten und schlechten Eigenschaften der französischen Nation auszubeuten, ihren Patriotismus, ihren Mut, ihre Selbstüberschätzung und Unwissenheit«, klagte Moltke. »Schlimm genug, wenn sich die Armeen zerfleischen müssen; man führe doch nicht die Völker gegeneinander, das ist kein Fortschritt, sondern ein Rückschritt zur Barbarei.«

Der Krieg nehme dadurch »einen immer gehässigeren Charakter an«. Victor Hugo tönte: »Franktireurs, benützt den Schatten und die Dämmerung, kriecht in die Schluchten, schleicht, zielt, schießt, rottet aus!« Die Stimme des zum Propagandisten gewordenen Dichters – auch das war ein Zeichen des Nationalkrieges – fand ein tausendfaches Echo. Die Hinterhältigkeiten der Franktireurs »müssen durch blutige Repressalien erwidert werden«, entgegnete Moltke. »Nur erbarmungslose Strenge kann zum Ziele führen.« Die Deutschen übten Vergeltung, zündeten Häuser an, aus denen geschossen worden war, töteten mit Partisanen auch Zivilisten, weil beide oft nicht auseinandergehalten werden konnten.

Ein Krieg war – nach alter Auffassung, der Moltke anhing – ein regulierter Kampf zwischen Staaten mit regulären Heeren um die Macht. So hatte er auch den Krieg gegen das französische Kaiserreich geführt, in den angebrachten Formen und mit den hergebrachten Methoden der Strategie und Taktik. Der Krieg gegen die französische Republik weitete sich zum Volkskrieg aus, in dem der Zweck jedes Mittel zu rechtfertigen schien, in dem es – wie auch deutsche Nationalisten tönten – »um die heiligsten Güter der Nation« ging. Und in dem nicht nur die herkömmliche Kriegführung, sondern auch die preußisch-deutsche Militärordnung in Frage gestellt wurde.

War nicht die großartige Mobilisierung der französischen Nation das, was die preußischen Militärreformer in der Zeit der Freiheitskriege unter der allgemeinen Volksbewaffnung verstanden hatten? Und das, was von den preußischen Heeresreorganisatoren unter Wilhelm I. ausgeschlossen worden war? Waren die Mobil- und Nationalgarden, die zum Kampfe strömten, nicht so etwas wie eine französische Landwehr, die es in Preußen nicht mehr geben durfte?

Moltke, der preußische Generalstabschef und Befürworter der Heeresreorganisation, sah sich einer zweifachen Notwendigkeit gegenüber: Er mußte die Volksarmee nicht nur schlagen, um den Krieg gegen die Franzosen zu gewinnen, sondern auch, um den Deutschen zu beweisen, daß eine Linientruppe jeder Miliz überlegen sei.

Grundsätzlich erklärte er: »Man könnte von einem allgemeinen humanitären Standpunkt wünschen, den Beweis geführt zu sehen, daß der feste Entschluß eines ganzen Volkes dessen Bezwingung unmöglich macht, daß ein ›Volksheer‹, wie es von unseren Liberalen gefordert wird, genügt, um ein Land zu schützen. Der vaterländische Standpunkt ist freilich ein anderer, und wir hoffen zu zeigen, daß die Erhebung selbst einer Nation mit solchen unerschöpflichen Mitteln und von solchem Patriotismus wie die französische nicht standhalten kann gegen ein geschultes und tapferes Heer.«

Prinzipiell unterschied er zwischen »Nation« und »Vaterland«. Unter der ersten verstand er eine Nationaldemokratie à la française, das zweite galt ihm als Zusammenfassung der Deutschen unter Preußens Führung, mit aristokratischer und bürgerlicher Gesellschaft, konstitutioneller Monarchie und königlichem Heer. Bald schon konnte er Beweise erbringen, daß ein Volksheer, also »eine bewaffnete Menschenmenge noch lange keine Armee ist«, daß es Barbarei sei, sie in die Schlacht zu führen, weil sie selbst »gegen eine noch so kleine, aber geschulte Truppenabteilung« wenig vermöchte.

Die Franktireurs konnten die Operationen höchstens stören, nicht aufhalten. Und die Feldarmeen der Republik wurden eine nach der anderen zurückgeworfen, vor allem, seitdem nach der Kapitulation von Metz die Zweite Armee Friedrich Karls an der Loire und die neu eingeteilte Erste Armee unter Manteuffel in Nordfrankreich eingriffen.

»Die neu aufgestellten Heere Frankreichs im freien Felde sind nun nach und nach alle geschlagen«, stellte Moltke am 12. Dezember 1870 fest, »aber wir können nicht überall sein, kleine Überfälle sind nicht zu verhindern.« Auch die Feldheere gaben nicht auf. Sie immer wieder zu verscheuchen, bemerkte er am 24. Dezember, sei so, wie wenn man an einem schwülen Sommerabend mit der Hand nach einem Mückenschwarm schlage. Das müsse man immer wieder tun, weil die Mücken wiederkämen.

Wenn er in diesen trüben Wintertagen zur Schwarzseherei neigte, glaubte er eine Krake vor sich zu haben, die mit vielen Fangarmen nach ihm griff, welche er zwar einen nach dem anderen abschlug – aber sie wuchsen immer wieder nach. Er zweifelte nicht daran, daß er schließlich siegen würde. Doch es bedrückte ihn, daß dies nicht so planmäßig geschah, wie er es sich am Kartentisch vorgestellt und nach den ersten, raschen und großen Erfolgen erwartet hatte.

War seine Strategie überhaupt noch erfolgversprechend? Er hatte sie in kein System gefaßt, Spielraum für Anpassung an Unvorhergesehenes gelassen. Nun schien die Kriegswirklichkeit den Rahmen seiner Kriegslehre zu sprengen. Der Bewegungskrieg war auf die Festungen gestoßen, vor Paris zum Stillstand gekommen. Die Umfassungsstrategie konnte gegen die Feldheere der Republik nicht angewandt werden. Für die dazu erforderlichen konzentrischen Märsche fehlte es ihm an Streitkräften. Selbst wenn er eine »Grande Armée« gehabt hätte, wäre das Risiko groß gewesen, sich in den Weiten Frankreichs totzulaufen, ähnlich wie Napoleon I. in den Weiten Rußlands.

Den Raum konnte er nicht mehr bewältigen. Und die Zeit hatte er nicht mehr im Griff. Sein Kriegsplan gegen Österreich wie gegen Frankreich war so angelegt gewesen, daß durch einen schnellen und großen Sieg der Krieg gewonnen und der Frieden geschlossen werden konnte. So war es nach Königgrätz gewesen, das hatte er nach Sedan erwartet. Doch der Krieg hatte sich erheblich in die Länge gezogen. Wenn auch die Zeit nicht gegen ihn arbeitete – das Ende des Krieges und der Beginn des Friedens ließen auf sich warten. Und je länger es dauerte, um so weniger glänzend mußte der Sieg und um so weniger günstig der Frieden werden.

War seine Strategie überhaupt noch zeitgemäß? Im Grunde war sie an jener Napoleons I. orientiert: rascher Aufmarsch, schneller Anmarsch gegen die feindliche Hauptmacht, deren Vernichtung im ersten Anlauf wie 1806 bei Jena und Auerstedt oder – in Anwendung gegen den Urheber – in einem Umfassungsangriff wie 1815 bei Waterloo. In der zweiten Phase des deutsch-französischen Krieges von 1870/71 waren die feindlichen Streitkräfte zersplittert, mußten sich die Operationen zerfasern, gab es kein »Ich kam, sah und siegte« mehr, wie es Cäsar genannt und wonach Napoleon I. gehandelt hatte.

In der Napoleonischen Zeit war Moltke geboren worden. Am 26. Oktober 1870 beging er in Versailles seinen 70. Geburtstag – zu einem Zeitpunkt, da der Krieg ins Stocken und seine Strategie ins Wanken geraten war. »Für mich lassen sich keine Pläne im voraus machen, aber ich hoffe, daß, wenn der Feldzug zu Ende ist, der König mir die Ruhe nicht versagen wird«, schrieb er nach Hause. »Wenn ich das Ende dieses Krieges erlebe, so möchte ich gleich nach Gastein gehen. Wenn die tägliche Anspannung aufhört, so brechen die Nerven zusammen.«

Der Jubilar wurde als deutscher Heldengreis gefeiert. »Er sieht noch unschuldiger als sein Bild aus, man könnte fast sagen jungfräulich«, fand der badische Minister Jolly. Prinz Luitpold überbrachte einen bayerischen, Kronprinz Albert einen sächsischen Orden. Einen Lorbeerkranz überreichte der Kronprinz von Preußen und wunderte sich, daß er und nicht Moltke zum Generalfeldmarschall befördert wurde.

Wilhelm I. erhob seinen Generalstabschef in den Grafenstand, aber erst zwei Tage nach dem Geburtstag, als Metz gefallen war. »Die unermeßlichen Erfolge, welche wir erkämpft haben, verdanke ich Ihrer von Neuem so glänzend sich erwiesen habenden weisen Führung der Operationen«, schrieb ihm eigenhändig sein »dankbarer König«. Und: »Mögen Sie lange noch dem Vaterlande, der Armee und Mir Ihre Talente wie bisher mit gleich glücklichem Erfolge widmen.«

Als weitere Erfolge auf sich warten ließen, wurde der ungeduldige König freilich ziemlich ungnädig. »Ich kann nur zu dem raten, was ich als das Richtige erkannt habe. Der Erfolg steht allerdings in Gottes Hand«, erwiderte ihm der Generalstabschef bei einer Meinungsverschiedenheit. Als Moltke in diesem Winter der erfrorenen Erwartungen krank wurde, kam es wiederholt vor, daß seine Anordnungen, die der König vorher genehmigt hatte, hinterher auf dessen Kontreordre stießen, Befehl und Gegenbefehl sich kreuzten.

Und als er wieder beim täglichen Vortrag um 10 Uhr vormittags erschien, konnte passieren, was der Kronprinz schilderte: »Moltke trägt die Sachen stets mit der größten Klarheit, ja Nüchternheit vor, hat aber immer alles bedacht, berechnet und trifft stets den Nagel auf den Kopf; aber Roons Achselzucken und Spucken und Podbielskis olympische Sicherheit influieren oft auf den König.«

Die Einheit in der Führung war in Frage gestellt. Alte Gegensätze in der Führungsmannschaft brachen wieder auf. Als der Generalstabschef sein Manko an Truppen in allzu wendiger Anpassung an die Erfordernisse durch Anleihen bei der »Levée en masse« auszugleichen suchte, Aushebung von Landwehrsoldaten verlangte – da widersetzte sich Kriegsminister Roon: Der Geist der

Volksbewaffnung, den man eben in Preußen durch die Heeresreorganisation vertrieben hatte, dürfe nicht durch die Hintertüre wieder eingelassen werden.

Als Moltke nach zweimonatiger Umschließung von Paris sich immer noch der Hoffnung hingab, daß die Festung bald durch Hunger fallen werde, eine regelrechte Belagerung sich erübrige, geriet er mit Bismarck aneinander. Der Bundeskanzler und Außenminister wollte den Krieg beenden, bevor die nur noch bedingt neutralen Großmächte in ihn eingriffen. Der Zivilist glaubte das durch ein Bombardement von Paris erzwingen zu können.

Der Generalstabschef widersprach, aus sachlichen, kaum aus humanitären Gründen. Und weil er darauf bestand, daß der Krieg von Militärs und nicht von Politikern geführt, das Kriegsziel vom Militärstrategen und nicht vom Staatsmann erreicht und deshalb auch von ihm festgesetzt werden müßte.

DIE BESCHIESSUNG VON PARIS war am 1. Dezember 1870 das Thema der täglichen Lagebesprechung beim König in der Versailler Präfektur. Moltke begründete sein Nein: »Große Städte fallen durch sich selbst«, in der Ville lumière seien die Lichter ausgegangen, und im Eldorado des Genusses gehe der Hunger um.

Und er habe keine Belagerungsgeschütze zur Verfügung. Sie müßten erst aus Deutschland herangeschafft werden. Er könne den Transport organisieren, bot Roon an. Moltke lehnte ab. Mit einem Belagerungspark habe man einen Klotz am Bein, der die operativen Bewegungen behindere. Nach wie vor sei die feindliche Streitmacht und nicht die feindliche Hauptstadt das Hauptkriegsobjekt.

Der Kronprinz war, wie Moltke, für die Aushungerung, »da diese Maßregel, so grausam sie auch erscheint, doch mehr Menschenleben erspart, als eine regelrechte Belagerung und Erstürmung uns kosten würde«. Der Kriegsminister meinte, zur Hungerkur müßten Eisenpillen kommen. Bismarck hatte seine Auffassung schriftlich eingereicht: Wenn Paris, das Symbol des nationalen Widerstandes, falle, werde der Volkskrieg, der für die Deutschen immer bedrohlichere Ausmaße annehme, zu Ende und damit auch die Gefahr internationaler Weiterungen beseitigt sein. Damit Paris falle, müsse es so schnell und mit so schwerem Geschütz wie möglich beschossen werden.

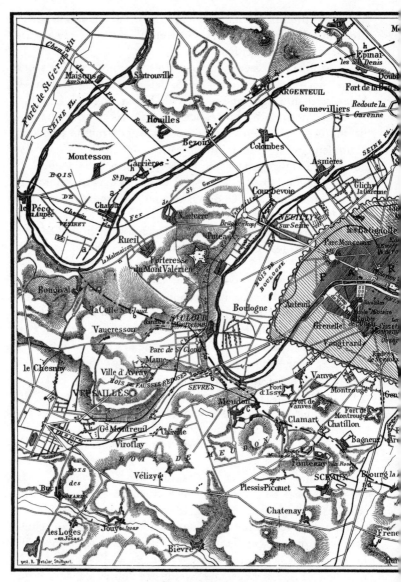

Zernierungslinie der deutschen Truppen.

a. Gardelandwehr. b. V. Korps. c. I. bayer. Korps. d. VI. Korps.
e. Württemberger. f. Sachsen. g. Preuß. Garde. h. N. Korps.

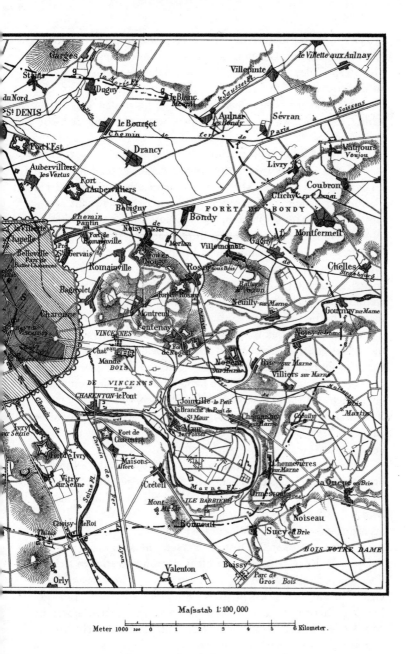

Maßstab 1:100,000

Meter 1000 500   0   1   2   3   4   5   6 Kilometer.

Die von den Deutschen belagerte Riesenfestung Paris

Der König war unentschlossen, und so wurde am 1. Dezember nichts beschlossen. Der norddeutsche Bundeskanzler, preußische Ministerpräsident und Außenminister nahm am Militärvortrag, an diesem wie an anderen, nicht teil. Der Termin, um 10 Uhr morgens, war ihm unpassend, weil er gerne in den Tag hinein schlief. Dennoch wäre er aufgestanden, wenn er eingeladen worden wäre.

Aber die Militärs wollten unter sich bleiben, und so hatte er zu klagen, daß »Leutnants und Johanniter besser unterrichtet seien als der Bundeskanzler«. Mitreden oder gar mitbestimmen bei den Planungen ließen sie ihn schon gar nicht. Das sei nicht seines Amtes, und davon verstehe er nichts, sagte der Generalstabschef zum Kronprinzen, der Moltke aufgebracht darüber fand, daß Bismarck von ihm verlange, über alle projektierten Operationen unterrichtet zu werden, bevor sie dem König zur Genehmigung vorgelegt wurden. »Das geht den Bundeskanzler nichts an, und wenn es mir nicht befohlen wird, so werde ich ihm auch ferner nichts mitteilen.«

Der Bundeskanzler informierte ja auch den Generalstabschef nicht, was politisch los war und diplomatisch gespielt wurde. Und wenn er einmal etwas erfuhr, dann hatte er seine Zweifel. Das Große Hauptquartier war Mitte September eben von Reims aufgebrochen, als ihm Generalintendant Stosch berichtete, daß ein französischer Unterhändler eingetroffen sei. »Woher haben Sie das?« – »Vom Grafen Bismarck selbst.« – »Eine höchst unzuverlässige Quelle.«

»Ihre innere Verschiedenheit hat sie auseinandergebracht«, bemerkte Stosch, »sie stehen sich scharf gegenüber, und nur mühevoll gelingt es, wenigstens die Geschäfte in Fluß zu halten. Moltke ist der Mann der vornehmen Ruhe, Bismarck der leidenschaftliche Politiker« – der Generalstabschef die Sache kühl erwägend, der Bundeskanzler fest die Person anfassend.

Diese Gegensätze zogen sich nicht an, sondern stießen sich ab. Die gegenseitige Abneigung versteifte sich. Moltke sei »durch Graf Bismarcks rücksichtsloses Alleinherrschertum tief gekränkt«, berichtete der Kronprinz. Im allgemeinen überging Moltke den Widerpart mit Schweigen. In seiner »Geschichte des deutsch-französischen Krieges von 1870/71« erwähnte er den Namen Bismarck nicht ein einziges Mal.

Dieser machte, wie immer, seinem Ärger Luft: über den »verknöcherten Generalstabsmenschen«, der »im Zivildienst ein ganz guter Bürokrat gewesen« wäre. Er sah ein »Raubvogelprofil« vor sich, »das immer raubvogelartiger wurde«. Daß Moltke meistens schwieg, kam ihm gelegen, aber es giftete ihn, daß er ihm, wenn man schon einmal zusammensaß, nicht zuhörte.

So sprach der Bundeskanzler in den Wind, als er dem Generalstabschef seine Absicht plausibel zu machen suchte, über den in Metz eingeschlossenen Marschall Bazaine mit der nach England geflohenen Kaiserin Eugenie zu einem Friedensschluß zu gelangen. Und das in einem Moment, da Léon Gambetta die Volksheere ins Feld schickte und Jules Favre, der Außenminister, erklärte, die Republik werde »weder einen Zoll von unserem Lande noch einen Stein von unseren Festungen abtreten«!

Andererseits war Moltke verstimmt, daß Bismarck im kritischen Augenblick, da der Bewegungskrieg ins Stocken geraten war, rechthaberisch daran erinnerte, daß er nach Sedan vorgeschlagen habe, stehenzubleiben und den Feind anlaufen zu lassen. Aber man sei wie unsinnig nach Paris gerannt, ohne zu wissen, warum und wozu, sagte er zu General Kraft zu Hohenlohe-Ingelfingen. Er, Bismarck, habe dagegen protestiert, aber der Generalstabschef habe keine Vernunft angenommen.

Bismarck bohrte in Moltkes Wunde. Dieser litt schon genug unter der Krise, in die seine Strategie geraten war. »Wir unternehmen ein Wagestück, über das die Welt je nach dem Ausgang urteilen wird«, hatte der Generalstabschef erklärt, als er den Befehl zum Marsch auf Paris gegeben hatte. Der Bundeskanzler verurteilte schon jetzt: »Den Stier bei den Hörnern fassen ist leichte Strategie. Die obere Leitung ist im Kriege überhaupt oft nicht viel wert – Strategie der Studierstube.«

Wenn man nun schon vor Paris stand – so Bismarck –, dann sollte der Stratege auch alles daran setzen, es einzunehmen, den Krieg mit dem Blitz- und Donnerschlag der Belagerungsartillerie zu beenden. Aber der Stratege hatte sie zu Hause gelassen und sperrte sich dagegen, sie schleunigst heranzuschaffen, weil er weiterhin operative Züge im Felde zu machen gedachte – zunächst gegen die bedrohlich zur Befreiung von Paris herangerückte Loire-Armee.

Anfang Dezember wurde die Loire-Armee durch die Zweite

Armee Friedrich Karls und die Armee-Abteilung des Großherzogs von Mecklenburg-Schwerin zerschlagen und zurückgedrängt, Orléans wieder von den Deutschen besetzt. Zugleich wurden die aus Paris vorgestoßenen, ein Stück weit nach Osten vorangekommenen Streitkräfte der Belagerten zurückgeworfen.

Würde Paris nun aufgeben, nachdem der Ausfall gescheitert und das Entsatzheer zersprengt war? Moltke hoffte es. Um nachzuhelfen, benachrichtigte er am 5. Dezember General Trochu, den Oberbefehlshaber in Paris, über die französische Niederlage bei Orléans.

Bismarck beschwerte sich beim König über den Eingriff in das Ressort des Außenministers. Damit so etwas nicht wieder vorkäme, verlangte er seine Heranziehung zu allen Militärvorträgen mit politischem Einschlag und seine Unterrichtung über militärische Planungen von politischer Bedeutung.

Die persönliche Differenz steigerte sich über die sachliche Kontroverse zum Grundsatzkonflikt. Es ging darum, wie im Kriegsfalle das Verhältnis zwischen militärischer und politischer Führung prinzipiell zu regeln sei. Und wer über Kriegsmaßnahmen im konkreten Falle zu bestimmen habe: der politische oder der militärische Stabschef des sie dazu ermächtigenden Monarchen.

Der Krieg sei die Fortsetzung der Politik mit anderen Mitteln, hatte Clausewitz festgestellt. Bismarck zog daraus die Folgerung, daß auch im Felde der Staatsmann die politische Richtung anzugeben habe. »Aufgabe der Heeresleitung ist die Vernichtung der feindlichen Streitkräfte; Zweck des Krieges die Erkämpfung des Friedens unter Bedingungen, die der von dem Staate verfolgten Politik entsprechen.« Nun ging Bismarck noch einen Schritt weiter: Er wollte, in der Frage der Beschießung von Paris, darüber befinden, wie die feindlichen Streitkräfte vernichtet werden sollten, unabhängig davon, ob es der vom verantwortlichen Militär verfolgten Strategie entsprach oder nicht.

Der Generalstabschef ging grundsätzlich von der sachgerechten Aufgabenverteilung zwischen den gleichrangigen und gleichberechtigten politischen und militärischen Instanzen aus: »Die Politik bedient sich des Krieges zur Erreichung ihrer Zwecke, sie wirkt entscheidend auf den Beginn und das Ende desselben ein, so zwar, daß sie sich vorbehält, in seinem Verlauf ihre Ansprüche zu steigern oder aber mit einem minderen Erfolg sich zu begnügen. Bei dieser Unbestimmtheit kann die Strategie ihr Streben stets nur auf das höchste Ziel richten, welches die gebotenen Mittel überhaupt erreichbar machen. Sie arbeitet so am besten der Politik in die Hand, nur für deren Zweck, aber im Handeln völlig unabhängig von ihr.«

Im kritischen Moment des Frankreichfeldzuges, da der Bundeskanzler den Primat der Politik beanspruchte, begann der Generalstabschef den Vorrang der Militärstrategie zu betonen. Bismarck hätte sich darüber nicht zu wundern brauchen – der preußische Ministerpräsident, der in dem über der Heeresreorganisation ausgebrochenen Verfassungskonflikt mit der Kommandogewalt des Soldatenkönigs auch die Planungsgewalt des Generalstabschefs gewährleistet hatte. Andererseits ließ sich Moltke, der kein unpolitischer und auch kein rechthaberischer Mensch war, in der Auseinandersetzung mit Bismarck dazu verleiten, einer zweckmäßigen Abstimmung der militärischen und politischen Vorhaben aus dem Wege zu gehen.

Im Grunde hätten sie zusammenwirken müssen, jeder an seinem Platz und für seinen Bereich, zum Nutzen des Ganzen. Aber der persönliche Gegensatz spitzte den sachlichen Widerstreit zu. Beide gingen zu weit: Bismarck, der in seiner Selbstherrlichkeit auch die Militärstrategie mitübernehmen wollte, und Moltke, der in der Befürchtung, einer Diskussion mit dem Redegewaltigen und Wortgewandten nicht gewachsen zu sein, zu Methoden griff, die eher einem Untergrundkampf als einer offenen Feldschlacht angemessen waren.

Weihe man Bismarck in Operationsabsichten ein, so laufe man bei dessen Mitteilsamkeit Gefahr, darüber bald in deutschen oder gar ausländischen Zeitungen zu lesen. Über das, was ausgeführt worden sei, könne er unterrichtet werden. Das, was geplant sei, dürfe er nicht erfahren. Die Geheimhaltung müsse gewahrt bleiben. Überdies gehe das den Bundeskanzler und Außenminister nichts an. Er wolle eben nur überall mitreden und alles anordnen, erklärte der Generalstabschef dem Kronprinzen, der zu vermitteln suchte.

Nun gab es außer den vielen Fronten gegen den Feind auch noch eine innere Front im deutschen Hauptquartier. »Selbst innerhalb des Generalstabes ist der Kampf entbrannt«, stellte Stosch fest,

»weil es Bismarck versteht, die Menschen zu bestechen und zu beherrschen. König und Kronprinz sind höchst unglücklich über diesen Konflikt, haben aber keine Mittel, ihn beizulegen.«

In der Frage der Beschießung von Paris lenkte Moltke ein. Weiterhin meinte er, daß Aushungern die zweckmäßigere Methode wäre, ein Bombardement kaum den erwünschten Erfolg verspräche und an eine Erstürmung nicht gedacht werden könnte. »Was es heißt, eine Festung anzugreifen, zu deren Verteidigung eine Armee bereitsteht, das hätte man doch aus Sebastopol lernen können.« Die Vorbereitungen der Eroberung der russischen Festung im Krimkrieg hätten zehn Monate gedauert, »der erste Sturm kostete 10 000, der zweite 13 000 Menschen.«

Dennoch trat Moltke beim Militärvortrag am 17. Dezember – Bismarck war wie immer nicht dabei – für die Vorbereitung eines Bombardements ein. »Die Fachmänner sprachen alle gegen die wahrscheinlich ganz resultatlose, fähnrichsmäßige Beschießung«, bemerkte Blumenthal, der in dieser Frage mit Moltke einer Meinung war. Aber der Generalstabschef war nun bedingt dafür, weil sich die Gesamtlage geändert hatte. Nach den Abwehrerfolgen gegen die Entsatzheere und die Ausfälle der Belagerten gedachte er die Ermattungsstrategie gegen die ersten mit einer Zermürbungstaktik gegen die zweiten zu kombinieren.

»Nur das militärisch Mögliche und Zweckmäßige« werde hier ins Auge gefaßt, erklärte Moltke. Den Blick darauf ließ er sich weder von Bismarck noch von der Presse verstellen, die – verwöhnt von den ersten Siegen – nach weiteren Erfolgen rief. Und dazu, bei allem Respekt, den Generalstabschef anfeuern zu müssen glaubte:

> »Guter Moltke, gehst so stumm
> Immer um das Ding herum,
> Bester Moltke, sei nicht dumm,
> Mach' doch endlich bum bum bum.«

Am 27. Dezember 1870 eröffnete die mühsam herangeschaffte Belagerungsartillerie das Feuer gegen den Mont Avron. Am 5. Januar 1871 wurde die Stadt unter Beschuß genommen. In drei Wochen verschossen die Deutschen 12 000 Granaten, von denen 5000 Paris erreichten, 1400 Gebäude beschädigten, 97 Menschen töteten und 278 verwundeten. Auf deutscher Seite fielen mehrere hundert Kanoniere im französischen Abwehrfeuer und durch Rohrkrepierer.

Die Bilanz des Bombardements war so, wie es Moltke befürchtet hatte. Es konnte militärisch nicht den Ausschlag geben und mußte politisch verheerend wirken. »Hassen wir einander auf ewig – soll es von nun an heißen«, tönte es aus dem beschossenen Paris zurück.

EINE GERMANIA in Silber, auf deren Sockel die Siegesnamen von 1870 eingraviert waren, erhielt Moltke von Wilhelm I. zu Weihnachten. Es war ein Hinweis darauf, daß die Siege des Generalstabschefs die Errichtung des Deutschen Reiches ermöglicht hatten.

Bismarck war im Begriff, den Reichsbau zu vollenden. Auch Moltke hielt es für an der Zeit, daß der König von Preußen Deutscher Kaiser und der norddeutsche Bundeskanzler deutscher Reichskanzler wurden. Deutscher Generalstabschef wollte er nicht werden – es genügte ihm, als preußischer die deutschen Armeen zu leiten.

Er hatte Norddeutsche wie Süddeutsche in den Krieg gegen den »Erbfeind« geführt, die deutsche Einheit bereits im Kampfverband hergestellt, das deutsche Einheitsbewußtsein durch die gemeinsamen Siege gestärkt. Moltke war dabei, die Franzosen wie alle Europäer zu lehren, »was das sagen will: ›Deutschland!‹«.

Hatte es aber Deutschland selber gelernt? »Augenblicklich sind hier die Vertreter der süddeutschen Fürsten versammelt, und man wird sehen, ob die große Zeit vermag, die kleinen Interessen zu überwiegen«, berichtete er im Oktober 1870. Sie waren zu Verhandlungen über den Eintritt der süddeutschen Staaten in den Norddeutschen Bund gekommen. Und mit dem Ziel, im neuen Fürstenbund, der Deutsches Reich genannt werden sollte, möglichst viele Sonderrechte zu erhalten.

Das paßte dem deutschen Patrioten nicht, der ein fest zusammengeschlossenes und straff von Preußen geführtes Deutschland wollte. Und der preußische Generalstabschef mußte aufpassen, daß die Einheitlichkeit des Bundesheeres durch eine möglichst uneingeschränkte Ausdehnung der norddeutschen Heeresverfassung auf die süddeutschen Bundesbrüder erhalten blieb.

Der Verhandlungsablauf gefiel ihm nicht. Bismarck, der vor

Paris den starken Mann spielte, neigte dazu, gegenüber München weich zu werden. Es sei besser, sagte Moltke zu dem sich willig in das preußische Glied einfügenden Großherzog Friedrich von Baden, mit den Bayern abzubrechen und auf ihren späteren, dann durch die Erfahrung erzwungenen Beitritt zu hoffen, als jetzt eine Vereinbarung mit ihnen zu treffen, durch welche man in Deutschland abermals einen unhaltbaren Zustand schaffe.

Mit dem Verhandlungsergebnis war er nicht zufrieden. Zwar wurde die Militärverfassung des Norddeutschen Bundes in die Reichsverfassung übernommen. Aber es gab Ausnahmen. Der König von Bayern blieb Oberkommandierender seiner Armee in Friedenszeiten, behielt seine Militärgesetzgebung, sein Heeresfinanzwesen und sein Kriegsministerium. So viel konnte der König von Württemberg nicht herausholen; immerhin gab es weiterhin ein württembergisches Armeekorps, dessen Offiziere er ernannte.

Einverstanden war Moltke damit, daß der Deutsche Reichstag nicht mehr Befugnisse als der Norddeutsche Reichstag bekam. In seiner Doppelfunktion als dessen Abgeordneter und als preußischer Generalstabschef hatte er anzutreten, als am 18. Dezember 1870 eine Parlamentarierdelegation aus Berlin nach Versailles kam. Sie brachte die Zustimmung zum Eintritt der süddeutschen Souveräne in den »ewigen Bund« deutscher Fürsten, zur Reichsverfassung mit – das Einverständnis mit der Degradierung des Hohen Hauses zu einem Nebengebäude des Reichsbaus.

Die »Reichsboten« hörten sich eine Predigt des Hofpastors Rogge über das Walten des Allmächtigen in der Geschichte der Hohenzollern an und traten anschließend vor den »Allerdurchlauchtigsten, großmächtigen König«. Reichstagspräsident Eduard Simson verlas die Adresse: »Dank den Siegen, zu denen Eure Majestät die Heere Deutschlands in treuer Waffengenossenschaft geführt hat, sieht die Nation der dauernden Einigung entgegen. Vereint mit den Fürsten Deutschlands naht der Norddeutsche Reichstag mit der Bitte, daß es Eurer Majestät gefallen möge, durch Annahme der Deutschen Kaiserkrone das Einigungswerk zu weihen.«

Derselbe Simson hatte 1849 als Präsident der Frankfurter Nationalversammlung dem König von Preußen die von der »verfassunggebenden deutschen Reichsversammlung« beschlossene Kaiserwürde angeboten. Friedrich Wilhelm IV. hatte diese Kaiserkrone, an welcher der »Ludergeruch der Revolution« klebe, nicht haben wollen. »Welch eine Wendung durch Gottes Führung«, war Wilhelm I. versucht zu wiederholen, wie nach dem Sieg über Napoleon III. so nun angesichts des Triumphs über die parlamentarische Demokratie. Doch er war mit Bismarck nicht zufrieden, der ihn zum Deutschen Kaiser machte, wo er doch lieber König von Preußen geblieben und, wenn schon, gerne »Kaiser von Deutschland« geworden wäre – ohne föderalistisches Wenn und Aber der Beherrscher eines Einheitsreiches preußischer Prägung.

Moltke, der als Parlamentarier lediglich eine Laienrolle spielte, hielt es für angemessen, daß das Parlament nur eine Nebenrolle bekam. Doch hatte er an der Reichsregie Bismarcks auszusetzen, daß er den süddeutschen Fürsten tragende Rollen belassen, das Stück nicht eindeutig auf die Majestät des Königs von Preußen zugeschnitten und nicht in einer einheitlichen Staatsaktion zusammengefaßt habe. Das eine hätte er sich als preußischer Konservativer gewünscht, das andere aus Neigung zum National-Liberalismus und aus Hang zum Unitarismus.

Für den Empfang der Reichstagskollegen hatte er sich nicht groß in Uniform geworfen. Gala, samt Ordensband vom Schwarzen Adler, legte er am 18. Januar 1871 zur Kaiserproklamation an, die vom Hofmarschallamt als »Ordensfest vom Schwarzen Adler« in der Spiegelgalerie des Schlosses von Versailles angekündigt worden war. Am Morgen machte er dem König von Preußen eine Freude, die größte, die man ihm machen konnte: Er meldete den Sieg des Generals von Werder in der Schlacht an der Lisaine.

Im Spiegelsaal stand Moltke unmittelbar vor Wilhelm I., als der König von Preußen, seine Fahnen hinter sich, seine Paladine vor sich, zum Deutschen Kaiser ausgerufen wurde – vom Großherzog von Baden im Namen der deutschen Fürsten, unter dem Hurra der Repräsentanten seiner Armee, des Volkes im Waffenrock.

An Bismarck, der ihn zum Kaiser gemacht hatte, schritt Wilhelm I. vorbei. Moltke, der ihn von Sieg zu Sieg geführt hatte, drückte er die Hand. Das »Heil Dir im Siegerkranz« war kaum verklungen, als der Streit zwischen dem frisch ernannten Reichskanzler und dem preußischen Generalstabschef wieder anhob. Noch am 18. Januar wandte sich Bismarck erneut an den Monarchen: Moltke solle ihn endlich umfassend unterrichten und es unterlassen, mit Mitgliedern der Pariser Regierung – der Trochu, Oberbefehlshaber der belagerten Stadt, angehörte – zu korrespondieren.

Der Konflikt zwischen Politiker und Militär war ins neue Jahr hinübergetragen worden. Am 13. Januar hatte der Kronprinz die Kontrahenten, die einander wochenlang aus dem Weg gegangen waren, an seinen Tisch gebeten. Moltke kam pünktlich, Bismarck eine halbe Stunde später und ergriff sofort das Wort: Wenn Paris, das nun endlich beschossen werde, in Bälde falle, müsse schleunigst Frieden geschlossen werden, den man schon früher hätte haben können, wenn man auf ihn gehört und nicht von Sedan auf Paris marschiert wäre.

Es war richtig, weiter zu marschieren, und es sei notwendig, daß der Krieg weitergehe, erwiderte Moltke. Von Bismarcks Tadel an seiner Operationsführung in Harnisch gebracht, redete er mehr, lauter und schärfer als sonst. Nicht die Hauptstadt, die Hauptstreitmacht müsse man bezwingen. Und man könne dies auch, wenn nach dem Fall von Paris die hier gebundenen deutschen Armeen gegen die französischen Feldheere zum Einsatz kämen.

Dann – und erst dann – wäre die Zeit für einen Friedensschluß gekommen. Einem zu Boden geworfenen Frankreich könnte man ihn diktieren. Mit einem Frankreich hingegen, das zwar ohne Hauptstadt, aber noch mit starken Streitkräften dastehe, müßte man verhandeln, Friedensbedingungen hinnehmen, die nicht das von ihm gesteckte Kriegsziel erreichten: Frankreich als Großmacht und damit eine Hauptgefahr für die Großmacht Deutschland auszuschalten.

Der Reichskanzler wußte, daß dies die anderen Großmächte nicht dulden würden. England, Rußland und Österreich sahen durch das neue Reich das europäische Gleichgewicht gestört, müßten es durch eine zu weitgehende Schwächung Frankreichs für zerstört halten. Für Bismarck war das Kriegsziel in dem Moment erreicht, in welchem Frankreich nicht mehr in der Lage war, die Reichsgründung militärisch zu verhindern oder durch Kompensationsforderungen zu erschweren. Und dieser Augenblick war mit dem Sturz Napoleons III. gekommen gewesen, weshalb er nach Sedan hatte stehenbleiben und Schluß machen wollen. Aber Moltke hatte ja partout Paris haben wollen. Nun könnte er es bald bekommen, und Bismarck böte sich eine neue, wenn auch späte Gelegenheit zum Friedensschluß. Die Einnahme der Hauptstadt würde seine Verhandlungsposition so stärken, daß er günstige Bedingungen erzielen könnte.

Moltke jedoch wollte auch jetzt noch einen »Exterminationskrieg« führen, einen »Kampf bis zum Äußersten«, nicht was die Mittel, sondern was das Ziel betraf: die französische Bedrohung ein für allemal beseitigen, »exterminer«, vertilgen, ausrotten.

Ob er nicht an die Opfer von Blut und Gut denke, die das kosten würde, hatte ihn der Kronprinz bereits am 8. Januar gefragt. Und ob er nicht bedenke, daß außenpolitische Schranken einem »Exterminationskrieg« entgegenstehen könnten. »Nein«, hatte der Generalstabschef entgegnet, »denn ich habe mich nur um die militärischen Dinge zu kümmern.«

Und diese militärischen Dinge, beharrte Moltke, seien im Krieg wichtiger als politische Überlegungen. Wenn man einmal einen angefangen habe, dürften »weder diplomatische Verhandlungen noch politische Rücksichtnahmen den weiteren Verlauf unterbrechen«. Wie es weitergehen sollte, habe der leitende Militär und nicht der leitende Politiker zu bestimmen. Bismarck dürfe ihm deshalb nicht in die Kriegführung hineinreden. Er aber, Moltke, müsse von ihm gefragt werden, ob überhaupt, und wenn, wann und worüber verhandelt werden sollte.

So weit war es gekommen: Nachdem Bismarck den deutschen Dualismus zugunsten der Militärmacht Preußen und den preußischen Dualismus zugunsten der Militärmonarchie gelöst hatte, wollte nun Moltke den Dualismus zwischen militärischer und politischer Führung zugunsten der ersten lösen. Für ihn war das eine logische Konsequenz aus der preußisch-deutschen Entwicklung, die Bismarck eingeleitet hatte, und er wunderte sich, warum ihr Urheber deren Folgen nicht zu tragen bereit war.

Kronprinz Friedrich Wilhelm, der die Wege und die Mittel Bismarcks nicht gutgeheißen hatte, mochte erst recht nicht die extreme Folgerung Moltkes akzeptieren. Es sei unerläßlich, sagte er dem Generalstabschef, »daß Sie sich stets in Verbindung mit den politischen Absichten und Unternehmungen der Regierung des Königs zu erhalten suchen, um Ihre Vorschläge damit in Übereinstimmung zu bringen«.

Am 13. Januar machte der Kronprinz den Versuch, die Auffassungen der beiden Widersacher auf einen königlich preußischen und kaiserlich-deutschen Nenner zu bringen. Dabei ging er davon aus, daß Moltke, der sich vom Wünschenswerten und Möglichen weiter entfernt hatte als Bismarck, diesem auch weiter entgegenkommen müßte. Doch Moltke beharrte auf seinem Standpunkt, den er nur, freilich wider besseres Wissen und Gewissen, verlassen werde, wenn der König es befehle.

Wilhelm I., der lange genug geschwankt hatte, nahm endlich Stellung. Mit der Leitung der Verhandlungen über die Kapitulation und einen allgemeinen Waffenstillstand beauftragte er nicht, wie noch bei Sedan, den Generalstabschef, sondern den Reichskanzler.

Fünf Tage nach der Kaiserproklamation, am 23. Januar, war Außenminister Favre als Unterhändler in Versailles erschienen. Die Pariser waren zermürbt, weniger durch das Bombardement als durch den Hunger und weil, nachdem die Deutschen die Entsatzheere zurückgeschlagen hatten, alle Hoffnung auf Befreiung geschwunden war.

Der Generalstabschef hatte militärisch recht gehabt und strategisch richtig gehandelt. Seine militärische Kompetenz blieb bei den Unterhandlungen gefragt. Aber Bismarck führte sie politisch in eine Richtung, die Moltke nicht paßte und die er dennoch nicht blockieren konnte: über die Aushandlung der Kapitulation und des Waffenstillstands zur Verhandlung über den Frieden, wie ihn der Staatsmann erstrebte.

Als Moltke sich selbst jetzt noch querzulegen suchte, erhielt er am 25. Januar 1871 vom König zwei »ungnädige« Kabinettsordres: Der Generalstabschef habe sich eigenmächtiger politischer Handlungen zu enthalten und den Reichskanzler für dessen Verhandlungen über die militärischen Vorgänge besser als bisher zu informieren.

Die »Halbgötter« des Generalstabes schäumten. »Wir waren alle empört«, berichtete Bronsart von Schellendorff, »daß der wohl längst vorbereitete Schlag gegen General Moltke jetzt in einem Moment geführt wird, in welchem man bei der voraussichtlichen Beendigung des Krieges das Talent des Chefs des Generalstabes entbehren zu können glaubt.« Und: »General Moltke, welchen die Nachwelt unter die größten Feldherren aller Zeiten rechnen wird, fällt vielleicht vor dem Ehrgeiz eines talentvollen, aber innerlich gemeinen Menschen, welcher nicht eher Ruhe hat, als bis er als moderner ›major domus‹ alle berechtigten Existenzen neben sich zertreten hat.«

Moltke selbst, tief verletzt, richtete am 29. Januar ein Immediatschreiben an den Monarchen: »Ich glaube, daß es gut sein würde, mein Verhältnis zum Bundeskanzler definitiv festzustellen. Bisher habe ich dasselbe dahin aufgefaßt, daß der Chef des Generalstabes und der Bundeskanzler besonders im Kriege zwei gleichberechtigte und von einander unabhängige Behörden unter E. K. Maj. direktem Befehl sind.«

Der Generalstabschef war in die Defensive gedrängt. Er griff nicht mehr offensiv nach dem Vorrang, sondern verteidigte lediglich seine Gleichrangigkeit neben dem Reichskanzler. Der Monarch antwortete nicht, und Moltke mochte darin eine stillschweigende, zumindest theoretische Billigung seiner Auffassung sehen. In der Praxis allerdings machte Bismarck, was er wollte, denn auch ihm gegenüber, der den Vorrang beanspruchte, äußerte sich Wilhelm I. nicht.

Mit den unter Bismarcks Führung ausgehandelten Bedingungen der Kapitulation von Paris und eines allgemeinen Waffenstillstands erklärte Moltke sich einverstanden. Die »Halbgötter« jedoch sahen darin eine Kapitulation ihres Generalstabschefs vor dem Reichskanzler, einen Waffenstillstand mit der Politik zu ungünstigen Bedingungen für das Militär.

Die »Konvention«, die Bismarck und Favre am 28. Januar 1871 unterzeichnet hatten, war für Deutschland zwar nicht hervorragend, aber auch nicht ungünstig: Übergabe der Forts von Paris, doch vorerst keine Besetzung der Stadt. Entwaffnung, aber keine Gefangennahme der Pariser Garnison. Allgemeiner Waffenstillstand, mit Ausnahme der Departements Doubs, Jura und Côte d'Or, für drei Wochen. In diesem Zeitraum hatten die Franzosen eine Nationalversammlung zu wählen, die endgültig über Krieg oder Frieden entscheiden sollte.

Was aber, wenn sie sich für Krieg entschied? »Ein Dutzend leidenschaftlicher Redner können die ganze Assemblée nationale zu den unberechenbarsten Entschlüssen fortreißen.« Für diesen Fall mußte militärisch vorgesorgt werden, und das war Sache des Generalstabschefs. Doch Bismarck verhandelte bereits über eine Verlängerung des Waffenstillstands, wovon er Moltke kein Wort sagte, ihn jedoch der Sabotage an seinen Friedensbemühungen beschuldigte, als dieser Truppen für eine Wiederaufnahme der Operationen bereitstellte.

Beim Militärvortrag am 8. Februar 1871 – diesmal hatte Wilhelm I. den Kanzler hinzugezogen – gerieten Bismarck und Moltke wieder aneinander. Der Politiker meinte, man dürfe die Franzosen nicht durch die Entsendung von zwei Armeekorps an die Loire provozieren; der Militär meinte, man dürfe den Franzosen politisch nicht so weit entgegenkommen. Der Monarch war erstaunt, den »sonst so ruhigen Moltke« so aufgebracht zu sehen, und genehmigte die Truppenverschiebung.

»Es war der erste und, wie ich annehme, der letzte Kriegsrat in diesem Feldzuge«, äußerte Moltke hinterher. »Der einzige Vorteil desselben bestand darin, daß wir zu einer Angelegenheit, die ich allein in zwei Minuten erledigt hätte, über eine Stunde gebraucht haben.« Bismarck brauchte vier Tage, um mit der von der gewählten Nationalversammlung gebildeten Regierung Thiers den Vorfriedensvertrag auszuhandeln, hielt sich aber nicht damit auf, Moltke auf dem laufenden zu halten. Was Einzelheiten betraf, war der Generalstabschef mit dem Ergebnis vom 26. Februar 1871 einverstanden, jedoch nicht im großen und ganzen: Dieser Friede bot für ihn keine Gewähr, daß Deutschland vor einem revanchelüsternen Frankreich künftig sicher war.

Das Elsaß und Deutsch-Lothringen hatte auch er haben wollen, weniger die 1,5 Millionen Einwohner, welche die deutsche Nationalbewegung als deutsche Brüder reklamierte, als die 14500 Quadratkilometer Land, die als Glacis vor Deutschland lagen, mit dem Vogesenwall und den Festungen Metz und Straßburg. Der Generalstabschef hätte gerne auch Belfort annektiert, aber Bismarck setzte dies nicht durch.

Genugtuung empfand der Generalstabschef, daß deutsche Truppen – wenn auch nur 30000 Mann in einen engbegrenzten Teil und in einer knapp bemessenen Zeit – in Paris einziehen durften. Doch es genügte, dort »acte de présence« gemacht zu haben, um den Franzosen kurz und schmerzhaft zu zeigen, daß die Deutschen die Stadt, die sich als das neue Rom verstand, bezwungen hatten und, falls notwendig, wiederum bezwingen könnten.

Der neue Hannibal, der nicht »ante portas« stehengeblieben war, begab sich in das gefallene Paris. Als ihn Franzosen von Angesicht zu Angesicht sahen, waren sie eher enttäuscht: »Mit

Arc de Triomphe:
Einzug deutscher Truppen in Paris
am 1. März 1871

seinem rasierten, leidenden und von einer Unmenge kleiner Falten durchfurchten Gesicht«, bemerkte Graf d'Hérisson, »sah Herr von Moltke nicht wie ein Mann vom Militär aus, wie wir uns einen solchen in Frankreich gern vorstellen; er glich vielmehr einem Benediktiner, einem Asketen oder einem alten Schauspieler.« Bismarck, der Zivilist in Kürassierstiefeln, entsprach eher ihrer Vorstellung von einem Barbaren, »in seine Uniform gezwängt, die Brust gewölbt, die Schultern breit, strotzend von Gesundheit und Kraft«.

Mit diesem Mann machte nun auch Moltke so etwas wie einen Vorfrieden. Er besuchte ihn in der Villa Jessé, dem Versailler Hauptquartier des Reichskanzlers. Als er in den Salon trat, spielte der Geheime Legationsrat Robert von Keudell auf dem Klavier den »Hohenfriedberger Marsch«. Bismarck zeigte sich großmütig: Es sei wohl leicht, auf einer solchen erreichten militärischen Grundlage Frieden zu machen, sagte er dem Generalstabschef, der seinerseits den Reichskanzler beglückwünschte.

»Sie haben immer recht gehabt«, sagte Wilhelm I. zu Moltke beim Siegesdiner in der Präfektur von Versailles, zu dem Bismarck nicht geladen war. Der Kaiser und König umarmte seinen Generalstabschef und küßte ihn »in so plötzlicher und überraschender Weise«, wie Roon bemerkte, »daß ich an ihm zum ersten Male ein völlig verdutztes Gesicht gesehen habe«.

Der Generalstabschef, der militärisch und – wie er meinte – auch politisch recht gehabt hatte, zog Bilanz: »Der mit Aufbietung gewaltiger Kräfte von beiden Seiten geführte Krieg war bei rastlos schnellem Verlauf in der kurzen Zeit von sieben Monaten beendet. Gleich in die ersten vier Wochen fallen acht Schlachten, unter welchen das französische Kaisertum zusammenbrach und die französische Armee aus dem Felde verschwand. Neue massenhafte, aber geringwertigere Heeresbildungen glichen die anfängliche numerische Überzahl der Deutschen aus, und es mußten noch zwölf neue Schlachten geschlagen werden, um die entscheidende Belagerung der feindlichen Hauptstadt zu sichern.«

In der offiziellen Bilanz, seiner »Geschichte des deutsch-französischen Krieges von 1870/71«, ließ er kein Wort über die Probleme verlauten, die ihn seit Sedan bedrückt hatten, fehlt ein Hinweis auf die Krise, in die seine Strategie geraten war, und wurde der Konflikt zwischen militärischer und politischer Führung verschwiegen, der von den Siegern im Frieden fortgesetzt werden sollte.

In einem Privatbrief aus Versailles schrieb er am 4. März 1871, es habe »viele, zum Teil sehr peinliche Verhandlungen« gegeben, bis zuletzt sei die ganze Situation eine »unsichere und spannende« gewesen. »Ich kann Gott nicht genug danken, daß ich das Ende dieses großen weltgeschichtlichen Kampfes noch erlebt habe. ›Der Herr ist stark in dem Schwachen‹, aber froh werde ich des Erfolges erst, wenn alles vorüber ist. Wie oft hat es schon so ausgesehen, als ob nun alles gut wäre (Metz, Sedan), und plötzlich trat eine Situation ein, die alles wieder in Frage stellte.«

Der deutsch-französische Krieg war zu Ende. Und mit ihm das große Spiel des Siegers von Königgrätz und Sedan. Im Zeitraum von 1866 bis 1871, zwischen seinem 66. und 71. Lebensjahr, war es zusammengedrängt. Eine weitere welthistorische Rolle bekam er nicht mehr – aber er sollte noch lange vor dem Vorhang stehen, den Beifall der Deutschen entgegennehmen und sich seines Erfolges erfreuen.

ELFTES KAPITEL

IM NEUEN REICH

DAS REICHSSCHWERT trug Moltke dem Kaiser voraus, als Wilhelm I. am 21. März 1871 zur Eröffnung des Deutschen Reichstags im Berliner Hohenzollernschloß schritt. Es gehörte zu den preußischen Insignien, die aus diesem Anlaß gezeigt wurden. Den Vertretern des deutschen Volkes sollte bedeutet werden, daß das neue Reich mit preußischen Waffen geschaffen worden war.

Die Waffen geführt hatte Helmuth von Moltke, Chef des Generalstabes der Armee. Wilhelm I., der immer noch mit »König« unterzeichnete, hatte ihm, »um Ihre hohen Verdienste nochmals öffentlich anzuerkennen«, das Großkreuz des Eisernen Kreuzes, einen preußischen Orden, verliehen. Der Wahlkreis Memel-Heydekrug hatte den General wiederum in den Reichstag entsandt. Bei dessen Eröffnung stand er nicht bei den Parlamentariern, sondern am Thron, einem aus Goslar herbeigeholten Steinsessel aus der sächsischen Kaiserzeit.

Nach dem Sieg bei Sedan hatte Moltke zum Abgeordneten Graf Frankenberg, der als Armeedelegierter der Freiwilligen Krankenpflege dabeigewesen war, gesagt: »Nun, mein Reichstagskollege, was heute geschehen ist, erledigt auf lange Zeit hinaus unsere Militärfrage.« Er rechnete damit, daß die Parlamentarier einem solchen Heer künftig nicht mehr am Zeuge flicken, sondern sich dafür ins Zeug legen würden.

An diesem 21. März 1871, zwei Monate nach der Kaiserproklamation und einen Monat nach dem Abschluß des Vorfriedensvertrages in Versailles, sah es so aus, als bekäme er recht. Die Parlamentarier stimmten begeistert zu, als Kaiser Wilhelm die von Bismarck aufgesetzte Thronrede verlas, die vom Reichskanzler dem Reichstag gesetzten Aufgaben bezeichnete: »Der ehrenvolle Beruf des Ersten Deutschen Reichstages wird es zunächst sein, die Wunden nach Möglichkeit zu heilen, welche der Krieg geschlagen hat, und den Dank des Vaterlandes denen zu bestätigen, welche den Sieg mit ihrem Blute und Leben bezahlt haben.« Der Sieg über Frankreich, der zur Errichtung des Reiches geführt hatte, kostete die Deutschen an Gefallenen 1871 Offiziere und 26 397 Mann, an Verwundeten 4184 Offiziere und 84 304 Mann. Unter den ersten Aufgaben für den Reichstag hatte der Kaiser ein Gesetz über die Pensionen der Offiziere und Soldaten genannt sowie die Verfügung über die Kriegsentschädigung von fünf Milliarden Francs, etwa vier Millionen Mark, die Frankreich binnen drei Jahren zu bezahlen hatte.

Entsprechend der Zahlung der festgesetzten Raten sollten die von deutschen Truppen besetzten Teile Frankreichs Zug um Zug geräumt werden. In Paris waren die Deutschen nur vom 1. bis zum 3. März 1871 gewesen. Kaum waren sie durch den Triumphbogen am Étoile abgezogen, begann der Aufstand der Kommune. Die französischen Revolutionäre von 1871, unterstützt von der Sozialistischen Internationale, verkündeten »das Ende der alten staatlichen und klerikalen Welt, des Militarismus, der Ausbeutung durch die Manipulation der Börse«.

»Die große Gefahr aller Länder liegt wohl jetzt im Sozialismus«, kommentierte Moltke. »Schon gehen die Leute an das Aufbauen«, hatte er am 4. März 1871 aus Versailles berichtet, »und es ist ein solcher Reichtum im Lande, daß auch die Kalamitäten dieses Krieges in wenigen Jahren wieder werden verwischt sein, wenn nur eine starke Regierung auftritt.« Das freilich war das in Versailles amtierende Kabinett des »kleinen Schwätzers« Adolphe Thiers mitnichten. »Wie überhaupt in Zukunft das Regieren, und namentlich in Frankreich, bei voller Preß- und Redefreiheit möglich, sehe ich nicht ein.«

Der Aufstand der Kommune richtete sich gegen die frei gewählte Nationalversammlung und Nationalregierung. »Für uns ist die Assemblée nationale das offizielle Frankreich«, erklärte der preußische Generalstabschef. Sie hatte den Frieden geschlossen, sich zur Zahlung der Kriegsentschädigung verpflichtet. Ihr Fortbestehen liege im deutschen Interesse; wenn es ernstlich gefährdet sei, müsse diese offizielle Regierung unterstützt werden, »soweit es die eigene Sicherheit irgend gestattet«. Noch standen genügend

Der Hohenzoller Wilhelm I., König von Preußen,
in Versailles zum Deutschen Kaiser proklamiert

deutsche Truppen im Lande; vorerst wurde ihr Abzug verlang-
samt.

»Für Frankreich kann die Sache nur durch einen Diktator zu
Ende geführt werden, und dieser kann immer nur mit einem
Blutbade in Paris anfangen. Findet sich kein solcher, so sind der
Bürgerkrieg und die Anarchie unvermeidlich.« Die noch bei Paris
stehenden Deutschen mußten nicht eingreifen, denn es fand sich
unter den Franzosen ein starker Mann, Marschall Mac-Mahon.
Gegen Moltke hatte er verloren, gegen die Kommunarden wollte
er gewinnen. Er belagerte und stürmte Paris, bezwang in acht
Tagen, vom 21. bis 28. Mai, die Barrikadenkämpfer. Das Tuile-
rienschloß und das Rathaus waren zerstört, doch Recht und
Ordnung der Dritten Republik wiederhergestellt – um den Preis

von 17 000 Toten, französischen Vorkämpfern des internationalen Proletariats.

»Was das auf sich hat, wenn die Regierung die Zügel der Herrschaft aus ihren Händen entschlüpfen läßt, wenn die Gewalt an die Massen übergeht, darüber belehrt uns die Geschichte der Kommune in Paris«, bilanzierte Moltke. »Da war die Gelegenheit geboten, wo die Demokratie ihre Ideen in die Wirklichkeit überführen konnte, wo sie, wenigstens eine Zeit lang, eine Regierung nach ihrem Ideal einrichten konnte. Aber geschaffen ist doch nichts, wohl aber Vieles zerstört.«

Gab es in Deutschland nicht auch Elemente, wie sie mit der Pariser Kommune an die Macht gekommen waren? Moltke erinnerte sich an »die sogenannten Bassermannschen Gestalten von 1848«, dachte an die »Professeurs de Barricades« in Paris. Und befürchtete: »Haben wir sie nicht, so wird man schon dafür sorgen, daß wir sie von außerhalb bekommen.« Proletarier anderer Länder standen zur Unterstützung der Proletarier in Deutschland bereit.

Der sozialistische Internationalismus war eine Gefahr – aber auch der deutsche Nationalismus, obwohl seine Bannerträger bis dato mehr großbürgerliche Liberale als linksliberale Demokraten gewesen waren. Schon vor Jahren hatte Moltke vorausgesagt, daß eine Einigung Deutschlands im Sinne der deutschen Nationalbewegung – auch wenn sie von Preußen mit seinen Mitteln geschaffen und mit seinen Methoden im Griff gehalten werde – Probleme für den Macht- und Obrigkeitsstaat mit sich bringen würde. Die einmal in Bewegung gekommene Masse müßte in richtige Bahnen gelenkt werden, und das dürfte »wohl eine ebenso schwierige Aktion wie der Krieg« werden.

Vorerst brauchte der preußische Generalstabschef und deutsche Reichstagsabgeordnete nicht in Aktion zu treten. Von den unter dem Eindruck des Sieges über Frankreich am 3. März 1871 gewählten 382 Abgeordneten trugen 40 Prozent Adelstitel, waren 27 Prozent Staatsbeamte und 21 Prozent Rittergutsbesitzer. Die linksliberale Fortschrittspartei hatte 45, die Sozialdemokratie nur 2 Reichstagsabgeordnete.

Das Gros des deutschen Bürgertums war auf die preußisch-deutsche Linie eingeschwenkt, begrüßte das Reich als Erfüllung seiner nationalen Hoffnungen. Und wollte in ihm reich werden, vor sozialem Umsturz gesichert bleiben. Die Mehrheit der Deutschen beugte sich der Macht, schätzte den Erfolg, verehrte jene, die sie verkörperten und denen man alles verdankte: das Militär, den Soldatenkönig, den »Eisernen Kanzler« und den militärischen Führer, den Generalstabschef.

Hatte er nicht das vorgelebt, was nun so viele Deutsche nachvollzogen? Er hatte als eine Art Weltbürger begonnen, war ein konservativer Liberaler gewesen, ein liberaler Konservativer geworden – und schließlich ein Machtpreuße, ein Nationaldeutscher, ein Militär durch und durch, Bezwinger Österreichs, das die alte, übernationale Reichstradition verkörperte, und des französischen Erbfeindes, der ein neues Nationalreich zu verhindern trachtete – nun Generalfeldmarschall Graf von Moltke.

Als Held wurde er gefeiert, als er am 16. Juni 1871 vor dem Kaiser und König und neben Bismarck und Roon an der Spitze der Truppen in die Reichshauptstadt einzog. Er hantierte mit dem Marschallstab, den ihm Wilhelm I. zu diesem großen Tag verliehen hatte, noch etwas ungewohnt, fast linkisch. Man sah ihm an, daß er die Öffentlichkeit scheute und Ovationen nicht ausstehen konnte.

Erschien er deshalb als der volkstümlichste des »Dreigestirns« Bismarck-Roon-Moltke? Spürte das Volk, daß dieser bescheiden auftretende Mann ihm näherstand als der hochgemute Bismarck und der hochfahrende Roon? Merkten die Bürger, daß dieser keineswegs martialische Militär unter der Uniform einiges von den Idealen bewahrte, die sie den Realitäten geopfert hatten?

Er selber mißtraute dem Hurra, dem preußisch-deutschen Hosianna. »Hätte ich nur *eine* Schlacht verloren, so würden sie jetzt sagen: Da fährt der alte Esel«, raunte er seinem Adjutanten zu.

Stand denn, auf die Nation gebaut, das Reich so kolossal da, wie es die für den Einzug der siegreichen Truppen in Berlin aufgestellten Monumente anzudeuten schienen? »Am Halleschen und Leipziger Tor stehen die Riesenstatuen der Germania und Alsatia, die in dem beständigen Regen wohl wieder zusammenklappen, wenn man ihnen nicht ein Riesenparaplui in die Hand gibt.« Sie waren aus Pappmaché, Gips, Kleister und Kaliko zusammengeschustert, gaben einen Vorgeschmack auf den Stil des Reiches und einen – unbeabsichtigten – Hinweis auf dessen Dauerhaftigkeit.

Reichskunst wurde am 17. Juni 1871 im Opernhaus geboten:

Einzug Wilhelms I. in die Reichshauptstadt: 16. Juni 1871

die Festdichtung »Barbarossa«. Der Staufer saß im Kyffhäuser und schaute zu, wie sein Reichstraum von den Hohenzollern erfüllt wurde, ohne daß er seinen Berg hätte verlassen müssen. Er sah Friedrich den Großen auf dem Schimmel, preußische und bayerische Soldaten, welche die Germania auf dem Schilde trugen, das Reiterdenkmal Wilhelms I. vor dem Hintergrund des bezwungenen Paris.

»Es war entsetzlich heiß«, erinnerte sich Baronin Spitzemberg, eine Württembergerin. In der Pause, als alle in den Gängen Erfrischung suchten, traf sie Moltke, dem sie zum Feldmarschall gratulierte, »was ihn sehr zu freuen schien«. Erfreute ihn auch die Reichsdichtung? Es blieb ihm nicht erspart, daß er als Reichsschmied von Verseschmieden gefeiert wurde, so von Julius Stettenheim, der an und für sich ein humoristischer Schriftsteller war, Erfinder der Figur des Kriegsberichterstatters Wippchen. In seiner satirischen Zeitschrift »Berliner Wespen« widmete er dem Sieger von Sedan ein Lobgedicht:

»Treu durch siebzig lange Jahre,
Jüngling Du im weißen Haare,
Rühmend preist die Welt Dich so:
Schlachten sinnend
Und gewinnend,
Wortverachtend, tatenfroh,
Laut, wie Sturm, in heißer Fehde,
Und am Tag des Sieges stumm,
Schufst Du nach der eig'nen Weise,
Ihm zum Heil und Dir zum Preise,
Mächt'gen Griffs ein Volk der Rede
In ein Volk der Taten um!«

Es ist kaum anzunehmen, daß Moltke, der die Dichtungen Goethes, Thomas Moores und Heinrich Heines schätzte, auf Derartiges besonderen Wert legte. Wie alle Post von Verehrern beantwortete er freilich auch in Versen Eingesandtes mit verbindlichen Worten. Die Formen beanstandete er nie, nur einmal den Inhalt. Fedor von Köppen hatte ihm eine Ballade über den »Kriegsrat« in Versailles gewidmet – wo es doch 1866 wie 1870 einen solchen nach seiner Auffassung nicht gegeben hatte, er der einzige Berater des Obersten Kriegsherrn gewesen war! Er stellte dies in seiner Antwort richtig sowie öffentlich in dem Aufsatz: »Über den angeblichen Kriegsrat in den Kriegen König Wilhelms I.«.

Die Reichsmusik machte Richard Wagner, den ein Zeitgenosse den »mächtigsten nationalen Faktor auf dem Gebiete der Kunst« nannte. Moltke mochte den Komponisten nicht, der eine Mischung aus Bohemien und Barde zu sein schien, und er schätzte nicht seine Kompositionen, die ihm zu pompös waren und zu laut. »Nein, da lobe ich mir den Reichstag, da kann man doch wenigstens Schluß beantragen«, flüsterte er seiner Schwester Auguste zu, der zuliebe er mit in eine Aufführung der »Meistersinger« gegangen war.

Nach wie vor liebte er Mozart, mehr die Ordnung als die Ornamente, mehr die Themen als die Variationen. »Mit seinem klaren Verstande«, bemerkte Moltkes Hausmusikus Friedrich August Dreßler, »und seinem scharfen Blick für das Wesentliche verlangte er auch von einem Musikstück Klarheit und Knappheit. War eine Komposition gekünstelt oder verworren, daß er den

336

Faden verlor, so mochte er sie nicht und ließ sich nicht dazu bekehren, und wenn man zwanzigmal versuchte, sie ihm, um anderer Schönheiten willen, näherzubringen.«

So fand er keinen Zugang zu Brahms und auch – mit Ausnahme des Trauermarschs – keinen zu Chopin. Er liebte Arien aus Mozarts Opern, Beethovens »In questa tomba«, den »Wanderer« von Schubert, Robert Schumanns »Abendlied«, das er »unseren musikalischen Zapfenstreich« nannte. Und den »Wildschütz« von Lortzing, den er sich mehrmals im Opernhaus anhörte, obwohl er für den Musikgenuß lieber zu Hause blieb. Abends saß er gerne in seiner Sofaecke, rechts dem Flügel gegenüber, und lauschte oft stundenlang dem Klavierspiel Dreßlers oder dem Geigenspiel Joseph Joachims oder auch den Künsten seiner Neffen: dem Bariton Henry Burts und dem Cello Helmuth von Moltkes.

Die Hausmusik erklang im Musiksalon seines Amts- und Wohnsitzes. Er hatte fünf Ecken, was dem Architekten die Nachrede eintrug, er habe ihn im Fünfvierteltakt komponiert – wo er sich doch alle Mühe gegeben hatte, das neue Generalstabsgebäude am Königsplatz im Marschtakt zu schaffen, als preußische Kantilene hinzustellen.

EINER KASERNE glich der Backsteinbau. Bismarck nannte ihn »die rote Bude«. Soldaten verglichen ihn mit einem Unteroffizierskragen: Die eintönigen unteren Geschosse bildeten den Kragenspiegel, das Obergeschoß mit seiner Pilasterstellung die Tressen. Ein Franzose meinte, es sei eine gerechte Strafe für den Besieger Frankreichs, daß er in diesem Musterhaus der Reichsarchitektur wohnen müsse.

Fühlte sich Moltke im neuen Generalstabsgebäude daheim? Er liebte sein schlichtes Schloß in Kreisau, das eigentlich nur ein geräumiges Landhaus war. Er schätzte die antiken Bauwerke Roms und die gotischen Dome in Köln, Wien und Mailand, die er nicht nur zu bewundern, sondern auch wunderbar zu beschreiben verstand. Und nun dieses preußisch-deutsche Kolosseum! Der Balkon sei sehr schön, fand er, »mit dem Blick in den Tiergarten, der grün ist wie niemals zuvor«.

Dorthin begab er sich, wenn das Wetter es erlaubte, jeden Tag. Wenn nicht, promenierte er auf dem langen Balkon, vermied aber die Nähe des Geländers, um von unten nicht gesehen zu werden.

Das neue Generalstabsgebäude am Königsplatz in Berlin,
in dem Moltke bis zu seinem Tode arbeitete und wohnte

Oder er ging in seinem riesigen Arbeitszimmer zwischen seinen
zwei Schreibtischen hin und her, spazierte durch die Flucht der
Zimmer seiner Dienstwohnung.

Warum wanderte er in ihr herum? Weil er sich noch nicht recht
seßhaft fühlte? Oder weil er es noch nicht fassen konnte, bis wohin
er es gebracht hatte? Jedenfalls war das Innere des Generalstabsgebäudes nicht so wuchtig und protzig und dabei so eintönig, wie es
die Fassade war. Aber auch im Interieur hatten sich, wenn auch
nicht so aufdringlich, Grundgesetze der Gründerzeitarchitektur
ausgewirkt: »Mehr scheinen als sein«, »Mehr angeben als können«, »Mehr nachahmen als neuschöpfen«, »Mehr Aufwand als
Zweckmäßigkeit«.

Das galt vornehmlich für die Repräsentationsräume. Im Konfe-
renzsaal standen hohe und viel zu steife Lehnstühle, auf die sich
niemand setzen wollte. Das Rauchzimmer war im orientalischen
Stil eingerichtet – eine Aufmerksamkeit Wilhelms I., der
wünschte, daß sich der Feldmarschall in Berlin so wohl fühle wie
einst der Hauptmann in Konstantinopel. Der Musiksalon war in
Rokoko gehalten, ganz in Weiß und Gold. Die großen teuren
Spiegel mit den musizierenden Engeln hatte er nicht haben wol-

338

len, sich statt dessen einen Bechstein-Flügel gewünscht. Er bekam beides. Und vom Kronprinzen Friedrich Wilhelm war veranlaßt worden, daß das Moltkesche Wappen auf den Parkettfußböden und an den Türgriffen angebracht wurde.

Im persönlichen Bereich konnte er sich so einfach einrichten, wie es ihm entsprach, und so schlicht leben, wie er es gewohnt war. Eine Zwischenzone zwischen Dienst und Privatem war das Arbeitszimmer, eine Mischung aus Chefbüro und Gelehrtenstube, mit Fresken, die allegorisch die Geschichte der Kriegskunst darstellten, und eichenen Bücherschränken, die nicht nur seine Fachbücher, sondern auch seine Lesebücher bargen.

Das kleine Schlafzimmer daneben glich der Zelle eines Mönchs, dessen Leben, wie er meinte, vieles gemeinsam mit dem eines Soldaten habe – »mit strenger Ordensregel, Ordenstracht, Zölibat und Gelübde, aber alles nur auf Zeit und ohne Klausur«. Für den Siebziger war die Dienstzeit noch lange nicht abgelaufen. Und er arbeitete und lebte am liebsten weitab von der Außenwelt.

An der Wand des hellgestrichenen Schlafzimmers hing nur ein Bild, das seiner verstorbenen Frau. Die Bibel, in der er vor dem Einschlafen las, stammte von seiner Mutter. Auf dem Feldbett lag nur eine dünne Wolldecke.

Moltke war Frühaufsteher. Am einfachen Waschtisch machte er Morgentoilette. Zu rasieren brauchte er sich schon lange nicht mehr: Mit den Kopfhaaren waren ihm die Barthaare ausgegangen. Seine Perücke wurde immer schäbiger. Unter dem Militärüberrock, den er zu Hause gerne aufknöpfte, trug er eine weiße Weste.

Der Vormittag gehörte der Generalstabsarbeit. Um 12 Uhr nahm er ein zweites Frühstück, meist eine kleine Fleischspeise. Dazu trank er ein Glas Wein, gerne Mosel, Rüdesheimer oder Würzburger Stein. Bier mochte er nicht. Der Gerstensaft, in bayerischer Brauart, war sozusagen zum Reichsgetränk geworden. Der »konservative Weißbierphilister«, so ein Berliner Journalist, sei dem »modernen liberalen und vorurteilslosen Bayerischbiertrinker« gewichen. Er solle es doch einmal versuchen, meinte Pschorr und schickte ihm eine Kostprobe. Moltke schenkte sich ein Teeglas – Biergläser hatte er nicht – halbvoll ein, nahm ein paar Schlückchen und sagte: »Es gibt Leute, die solch ein ganzes Glas davon trinken.«

Er trank und aß einfach und mäßig wie früher, verabscheute die Parvenüs der Gründerzeit, die den Bauch mit Bestem nicht voll genug kriegen konnten. Zum Mittagessen – um 15 Uhr, in späteren Jahren um 17 Uhr – wurden Suppe, Gemüse, Braten, Nachtisch serviert, Gutbürgerliches. Zu Beginn der Mahlzeit gab er ein wenig Salz auf das Tischtuch und tupfte es mit Brot auf. Wenn er sich einmal etwas gönnen wollte, schlemmte er ein paar Austern. Täglich rauchte er zwei bis drei mittelmäßige Zigarren, nie bei der Arbeit.

Er blieb bescheiden in den Gründerjahren, in denen man gerne zeigte, wie weit man es gebracht hatte. Er lebte anspruchslos unter Zeitgenossen, die alles haben wollten, nach dem Reich auch Reichtum, Ansehen und Wohlleben. Er galt als sparsam, ja geizig bei Mitbürgern, die das Geld, das sie verdient oder auch nur gepumpt hatten, mit vollen Händen ausgaben. In einer Zeit, in der fast alles übertrieben wurde, neigte er zum Understatement, was ein französischer Beobachter auf seine »halb dänische, halb englische Distinguiertheit« zurückführte. Ein Erfolgsdeutscher wurde er nicht. Er blieb ein Biedermeier unter Kraftmeiern, die den Ton und das Tempo im neuen Reich angaben.

Natürlich war ihm die Dienstwohnung im Generalstabsgebäude zu groß. Viele Räume benutzte er überhaupt nicht oder nur zu besonderen Anlässen. Im Silberzimmer, so genannt wegen seiner silberschimmernden Tapete und der silberverzierten Möbel, stand zu Weihnachten der mit Lametta behängte Christbaum. Unter ihm lag für alle, auch die Dienstboten, ein Teller mit Äpfeln, Nüssen, Pfefferkuchen und einem kleinen Marzipanherzen. Das seine war doppelt so groß.

Er war ein Patriarch, nicht nur als Grundherr in Kreisau, sondern auch als Hausherr in Berlin – ein Hausvater ohne Frau und Kinder. Das blieb bitter, auch wenn ihn General Manteuffel tolpatschig zu trösten suchte: »Eure Exzellenz haben, ein Epaminondas, zwei unsterbliche Töchter gezeugt: Königgrätz und Sedan.«

Seine Geschwister und deren Kinder, die weitere Familie mußte ihm die engere ersetzen. Schwester Auguste, verwitwete Burt, führte den Haushalt. Ihr Sohn Henry Burt, sein Adjutant, »führt meine Kasse und hält mich in Ordnung«; er las und sang ihm vor. Sein um ein Jahr älterer Bruder Friedrich war zu ihm gezogen, sein um vier Jahre jüngerer Bruder Adolf 1871 gestorben. Dessen Witwe bezog das »Berghäuschen« in Kreisau. Für ihre Söhne, »die vier Riesen«, sorgte er wie für eigene Kinder.

Im Familienkreis verbrachte er am liebsten den Abend. Zum Whist – den Point um einen halben Pfennig – wurden mitunter auch Bekannte eingeladen, ebenso zur Hausmusik. Ab und zu gab er ein Herrendiner und einmal im Jahr das Kaisergeburtstagsdiner für den Generalstab.

Dabei hatte der Chef den Trinkspruch auszubringen. Er begnügte sich zu sagen: »Auf das Wohl Seiner Majestät des Kaisers und Königs!« Er werde höchstens neun Wörter sprechen, wettete ein Offizier um ein Austernfrühstück – und verlor. Der Feldmarschall hatte dem Üblichen zwei Wörter hinzugefügt: »meine Herren«. Der Verlierer meinte: »Er wird alt – er fängt an, geschwätzig zu werden.«

Das Geizen mit Worten, das Lakonische, gehörte zum Image des preußischen Spartaners. Er konnte durchaus gesprächig werden, wenn ihm der Zuhörer, vor allem die Zuhörerin gefiel. Baronin Spitzemberg notierte in ihr Tagebuch: »Diner bei Oubril; zwischen Moltke und Tresckow gesessen; ersterer war weit gesprächiger, als ich mir nach seinem Rufe der Schweigsamkeit vorgestellt hatte.«

Nur selten allerdings fand er Gesprächspartnerinnen oder Gesprächspartner, bei denen es sich lohnte, den Mund aufzumachen. Daher blieb er lieber zu Haus, vermied Empfänge, das Allerweltsgeplauder und die nicht über jeden Zweifel erhabenen Komplimente, mit denen er überhäuft wurde.

Bei schlechtem Wetter ging er schon gar nicht gerne aus. Seine Pferde taten ihm leid und der Kutscher, der zu warten hatte. Er mußte eine Droschke nehmen, stets nur eine »zweiter Güte«, nie eine erster Klasse, eine Kutsche mit Gummirädern, die von den Berlinern »Deibel auf Socken« genannt wurde.

Manchen Einladungen konnte er sich nicht entziehen, des Hofes, des diplomatischen Korps, des Reichskanzlers, zu dem er sich ungern verfügte. Zu dessen Bankier, dem von Wilhelm I. widerwillig geadelten Gerson von Bleichröder, ging er überhaupt nicht. Diese Gründergröße war die Inkarnation der Bismarckschen Allianz von »Eisen und Gold«, führte ein Eisernes Kreuz auf schwarzweißrotem Grund im Wappen, hatte Roon das Rittergut

Gütergotz abgekauft und hätte Moltke zu gern auf seinen Soireen herumgereicht, bei denen mehr Delikatessen als Berühmtheiten geboten wurden. Denn »an der Börse galt er bedingungslos, in der Gesellschaft nur bedingungsweise«, wie Theodor Fontane bemerkte.

Höflich, wie Moltke war, lehnte er nicht schlankweg ab. Eines Tages meldete sich der Feldmarschall bei der Gräfin Oriola, der Tochter Bettina von Arnims, geborener von Brentano, die einen großen Salon führte. »Sie haben mich doch für den nächsten Mittwoch zum Diner befohlen?« Die Gräfin konnte sich nicht erinnern, ergriff jedoch die Gelegenheit: »Jedenfalls wird es für mich eine große Freude und Ehre sein, wenn Sie kommen wollten.« Moltke erklärte: »Ja, es muß sein. Ich habe nämlich soeben eine Einladung von Bleichröder abgelehnt, mit der Begründung, daß ich schon bei Ihnen zugesagt hätte.«

Er gab nicht jedem seine Hand, deren Feinheit Bildhauer und Maler rühmten, schon gar nicht einem jener Jobber, die im Berlin der Gründerzeit an der Börse reüssierten und gesellschaftlich à la hausse spekulierten.

Auf den Siegesrausch war der Gründertaumel gefolgt. Der wirtschaftliche Aufstieg erschien als Fortsetzung des soeben gewonnenen Feldzugs mit anderen Mitteln. Erfolg wollte und sollte man auch hier haben, im selben enormen Tempo und mit ebenso kolossalem Resultat. Eine Folge von Bismarcks Kompromiß mit dem Großbürgertum war die Liberalisierung der Wirtschaftsordnung gewesen. Aktiengesellschaften schossen aus dem Boden, der mit dem Kapitalzufluß der französischen Kriegsentschädigung, vier Milliarden Goldmark, gedüngt worden war.

Auch Moltke profitierte davon. Er erhielt wiederum eine Dotation in bar, 900 000 Mark. Jetzt war er nicht nur Feudalist, sondern auch Kapitalist, besaß das Rittergut Kreisau, ein respektables Konto und Aktien, die ihm Zins und Zinseszins eintrugen. Auch der preußische Generalfeldmarschall war eine Figur der Gründerzeit geworden. Mehr noch: Der Sieger von Sedan hatte sie mit ermöglicht, auch wenn ihm die wirtschaftlichen und gesellschaftlichen Folgen der militärischen und politischen Erfolge nicht behagen mochten.

Vor allem nicht die Konsequenzen für Anstand und Sitte. Der Krieg von 1866, hatte Moltke gesagt, sei »für ein ideales Gut – für

Machtstellung« geführt worden. Der Krieg von 1870/71 schien nicht nur, wie beabsichtigt, zur deutschen Reichsmacht, sondern auch, unbeabsichtigt, zum Gründermaterialismus geführt zu haben.

»Es kann einem jeden unter uns, auch dem Hoffnungsstärksten, die Seele erschüttern, zu sehen, wie in diesem jungen Geschlecht zunimmt die Gewinnsucht, der Materialismus, die Abwendung von allen ideellen Gütern des Lebens«, klagte Heinrich von Treitschke, der als Historiker und Publizist wie Helmuth von Moltke als General und Stratege das preußisch-deutsche Reich mit geschaffen hatte und nun wie dieser die Kehrseite des Erreichten bedauerte.

Als Generalstabschef jedoch war Moltke am Prozeß der Technisierung und Industrialisierung und der mit ihnen gekoppelten Mechanisierung und Materialisierung in amtlicher Eigenschaft beteiligt. Nicht von ungefähr erhielt 1872 eine Lokomotive seinen Namen. Das im Kriege abgenutzte Eisenbahnmaterial mußte erneuert, das Waffenarsenal aufgefüllt werden. Siemens & Halske machte ein Bombengeschäft mit dem Bau eines Netzes von unterirdischen Telegraphenleitungen, an welchem dem Generalstab gelegen war. Ludwig Loewe & Co., für Nähmaschinen bekannt, bekam den Auftrag zur Fertigung des Infanteriegewehrs M 71.

Und Krupp produzierte noch mehr und noch bessere Kanonen, zur Vervollkommnung der Artillerie, deren Feuerkraft – nach Meinung von Experten – neben dem Genie des Generalstabschefs die preußisch-deutsche Überlegenheit begründet hatte. »Wir leben jetzt in der Stahlzeit«, schrieb der Kanonenkönig Alfred Krupp an Kaiser Wilhelm I. »Das Eisenbahnwesen, Deutschlands Größe, Frankreichs Sturz fallen in die Stahlzeit; die Bronzezeit ist dahin; sie hat aufgehört, das Material des Krieges zu sein, sie hat fortan eine mildere Bestimmung, sie möge dienen, vom ersten Siegesdenkmal an, zu Monumenten großer Ereignisse, großer Taten und Männer.«

Moltke schrieb immer noch mit dem Gänsekiel, nicht »mit einer dieser abscheulichen Stahlfedern«. Bismarck fragte ihn: »Was wird nach solchen Erfolgen, nach gewaltigen großen Ereignissen jetzt uns noch wert erscheinen, es erleben zu dürfen – was kann uns noch zu einer Lebensfreude gereichen?« Moltke antwortete: »Einen Baum wachsen zu sehen.«

Von seinem Musiksalon im Generalstabsgebäude aus konnte er beobachten, wie die Siegessäule emporgetürmt wurde: auf einem Unterbau aus dunkelrotem Granit, der niemand an die Farbe geronnenen Blutes erinnerte, aus Sandstein, an dessen rasche Verwitterung niemand dachte, aus Bronze, dem Material, das Krupp nicht mehr für Kanonen, nur noch für Siegesdenkmäler für geeignet hielt.

Den Säulenschaft umgürteten drei Reihen vergoldeter dänischer, österreichischer und französischer Geschützrohre, die Jahresringe der Siege von 1864, 1866 und 1870/71. Auf dem von Adlern gebildeten Kapitell erhob sich die vergoldete Viktoria, die in der Rechten den Lorbeer, in der Linken ein Feldzeichen mit dem Eisernen Kreuz der Stadt, dem Reich und der Welt zeigte.

Das von Anton von Werner entworfene Mosaikgemälde, welches sich um den Säulensockel zog, verherrlichte die Niederwerfung Frankreichs und die Aufrichtung des Deutschen Reiches. Generalfeldmarschall Graf Moltke fand darauf den gebührenden Platz, nicht zu hoch oben, wie es seiner Bescheidenheit geziemte, dem Betrachter näher, der auf dem Heldenbild menschliche Züge gewahrte.

DEM GENERALSTAB stand er weiterhin vor, dem preußischen Generalstab, denn es gab keinen Reichsgeneralstab, so wie es kein Reichskriegsministerium und kein Reichsfeldherrnamt gab. Die preußische Armee unter dem Kommando Wilhelms I. und der Leitung Moltkes hatte Deutschland geeint und mußte es nun sichern.

»Ich hoffe, daß, wenn der Feldzug zu Ende ist, der König mir Ruhe nicht versagen wird«, hatte der Siebzigjährige im November 1870, während der Krise des deutsch-französischen Krieges, geschrieben. Nach dem glorreichen Sieg aber dachte er nicht mehr an Rücktritt. Er war so lange aktiv gewesen, daß für ihn Ruhestand den Stillstand, das Ende bedeutet hätte. Solange »des Dienstes immer gleichgestellte Uhr« ging, dauerte sein Dasein an.

Die Wohnung im Generalstabsgebäude war bequem, und in den Amtsräumen lief alles wie von selbst. Der Apparat, den er geschaffen hatte, arbeitete mit der Präzision einer Maschine, die er nur ab und zu ölen mußte und ständig zu überwachen hatte, daß sie die ihr gewiesene Richtung einhielt.

»Im Kriege ist meine Hand eisern, im Frieden ist sie zu weich«, sagte er, wohlwissend, daß er zuwenig eingriff. Schon wurde getuschelt, daß er alles laufenlasse, nur noch darüberschwebe. Aber von oben dreinzureden und von unten aufzumucken, getraute sich niemand. Sein Nimbus erhob ihn über jeden Einwand.

Doch wurde geraunt, er bevorzuge bestimmte Offiziere. Er hielt sich an jene, an die er sich gewöhnt hatte, und es kam ihm nicht in den Sinn, daß er damit einer Cliquenbildung Vorschub leistete. Es wurde gewitzelt, daß er von allen Generalstäblern nur seinen Adjutanten de Claer kenne, den jedoch Wright nenne, weil dessen Vorgänger so geheißen hatte. Das kam daher, daß er Namen so schwer behalten konnte, und weil er sich immer mehr Namen hätte merken müssen.

Mit der Armee war auch der Generalstab gewachsen. Allein der Große Generalstab in Berlin vergrößerte sich 1875 auf 37 Offiziersstellen im Hauptetat und 36 im Nebenetat. Mit den Offizieren bei den Truppenkommandos zählte im Jahre 1888 der Generalstab 155 Offiziere.

Er wurde umorganisiert. Unter dem Chef der Landesaufnahme, der dem Generalstabschef unterstellt war, wurden die trigonometrische, topographische und kartographische Sektion zusammengefaßt. Mit der für den Aufmarsch zuständigen 2. Abteilung arbeitete Hand in Hand die Eisenbahnabteilung, die für dessen Planung und Ausführung immer wichtiger wurde.

Auf die Ausbildung der Generalstabsoffiziere legte Moltke nach wie vor großen Wert. Die bisherigen Lehrmittel wurden beibehalten: taktische Aufgaben, Planaufgaben, Übungen und die alljährliche Generalstabsreise, die persönlich zu leiten der Chef sich nicht nehmen ließ, auch wenn ihm das Reiten immer schwerer fiel.

Die Lehrpläne wurden dem Zug der Zeit zur Spezialisierung angepaßt. Als 1872 dem Generalstabschef auch die Kriegsakademie unterstellt wurde, trat die Allgemeinbildung hinter die Fachbildung zurück. Zu weit gedachte Moltke dabei nicht zu gehen, der von der Universität Halle zum Ehrendoktor der Philosophie ernannt und von der Berliner Akademie der Wissenschaften zum Ritter des Ordens Pour le mérite für Wissenschaften und Künste gewählt worden war. Er widersprach, als bei der Aufnahmeprüfung in die Kriegsakademie die Leistungen in den militärischen

Disziplinen höher bewertet werden sollten als jene in den allgemeinen Fächern.

Der gebildete Feldmarschall wollte im Prinzip die Gleichrangigkeit des Studium generale mit der speziellen Generalstabsausbildung gewahrt wissen. In der Praxis trug er dazu bei, daß die »gründliche militärische Berufsbildung« den Vorrang erhielt. Das entsprach seiner eigenen Entwicklung, in welcher der alte Idealismus vom neuen Realismus, der sich bereits dem Positivismus näherte, zurückgedrängt worden war.

Hauptsächlich das, was zu wiegen und zu messen war, begann zu gelten, weniger das, was gedanklich zu wägen, rational zu erfassen und moralisch zu werten war. Eine Wissenschaft, die gleicherweise nach Erfahrung wie Erkenntnis strebte, war die Geschichte. Der Historie generell und der Kriegsgeschichte speziell galt weiterhin das besondere Interesse des Generalstabschefs.

Bis 1881 war er mit der Redaktion des Generalstabswerkes über den deutsch-französischen Krieg beschäftigt. Seine Richtlinie lautete: »Was in der Kriegsgeschichte publiziert wird, ist stets nach dem Erfolg appretiert, aber es ist eine Pflicht der Pietät und der Vaterlandsliebe, gewisse Prestigen nicht zu zerstören, welche die Siege unserer Armee an bestimmte Persönlichkeiten knüpfen.«

Er dachte dabei auch an das eigene Prestige. Seine Lehre vom Bewegungskrieg und der Umfassungsstrategie hatte sich zwar im ersten Teil des Krieges glänzend bewährt, war aber im zweiten Teil auf neue Gegebenheiten gestoßen und in Frage gestellt worden. Um sie zu erkennen, zu verstehen und ihnen ein andermal besser zu begegnen, war für ihn die historische Darlegung noch wichtiger geworden. »Die besten Lehren für die Zukunft ziehen wir aus der eigenen Erfahrung; da diese stets aber nur gering bemessen sein wird, so müssen wir uns durch das Studium der Kriegsgeschichte die Erfahrungen anderer nutzbar machen.«

Nach den gemachten Erfahrungen war er noch weniger als bisher bereit, eine systematische Lehre der Strategie zu verfassen. Dem ersten Teil des Generalstabswerkes über den deutsch-französischen Krieg waren vier Seiten »Über Strategie« beigefügt, eine Zusammenfassung bisheriger Einzellehren, keine starren Lehrsätze, denn auf die Möglichkeiten von Ausnahmen von der Regel war ausdrücklich hingewiesen.

»Wie kann man ein Buch über Strategie schreiben«, äußerte

Moltke im Jahre 1887, als ihm Prinz Kraft zu Hohenlohe-Ingelfingen seine »Strategischen Briefe« zuschickte. »Darüber läßt sich überhaupt nichts schreiben. Strategie ist nichts weiter als die Anwendung des gesunden Menschenverstandes, der läßt sich nicht lehren.«

Die Strategie war eben, wie er im Jahre 1878 bemerkte, nicht so beschaffen wie die exakten Wissenschaften. »Diese haben ihre feststehenden, bestimmten Wahrheiten, auf denen man weiter bauen, aus denen man weiter folgern kann. Das Quadrat der Hypotenuse ist stets gleich der Summe der Quadrate beider Katheten, das bleibt immer wahr, mag das rechtwinklige Dreieck groß oder klein, mag es seine Spitze nach Osten oder Westen kehren.« Die Strategie war keine exakte Wissenschaft, nicht *eine* Wissenschaft. »Ich kenne wohl eine Kriegskunst, aber nur eine Mehrheit von Kriegswissenschaften.«

In der Kriegslehre war er immer mehr Pragmatiker geworden, in der Generalstabspraxis begann er zum Systematisieren zu neigen. Seine Offiziere zog es dazu hin. So wurde die Umfassungsstrategie, die zwar bei Königgrätz und Sedan, aber schon nicht mehr im Kriege gegen die französische Republik zum Ziele geführt hatte, noch zu seinen Lebzeiten kanonisiert, während kaum Konsequenzen aus dem soeben erlebten Volkskrieg, den Anfängen des totalen Krieges gezogen wurden.

Dogmatisiert wurden auch Moltkes allgemeine Auffassungen über »Krieg und Frieden«, zu denen er im Laufe des 19. Jahrhunderts gelangt war, die aber in dessen letztem Drittel mehr und mehr Menschen als zeitwidrig erschienen.

Der ständige Fortschritt, an den man glaubte, sollte zum dauernden Frieden führen, den man erhoffte. Johann Kaspar Bluntschli, ein Schweizer Republikaner, der in Heidelberg Staatsrecht lehrte und sich Gedanken über ein internationales Rechtssystem machte, schickte Moltke am 19. November 1880 das Handbuch »Les Lois de la Guerre sur Terre«. Das Institut für Völkerrecht versuchte darin Anleitungen zu geben, »die Übungen und die Interessen der Heere mit den notwendigen Grundsätzen des Rechtes und den Bedürfnissen der zivilen Welt in Harmonie zu bringen«.

Wer sollte denn ein solches internationales Kriegsrecht garantieren? fragte Moltke in seiner Entgegnung vom 11. Dezember

1880. »Jedes Gesetz bedingt eine Autorität, welche dessen Ausführung überwacht und handhabt, und diese Gewalt eben fehlt für die Einhaltung internationaler Verabredungen.« Ein Erfolg bei der Milderung der Kriegsleiden sei nur »zu erwarten von der religiösen und sittlichen Erziehung der Einzelnen, von dem Ehrgefühl und dem Rechtssinn der Führer, welche sich selbst das Gesetz geben und danach handeln, soweit die abnormen Zustände des Kriegs es überhaupt möglich machen.«

»Die größte Wohltat im Kriege«, erklärte der Sieger von Königgrätz, »ist die schnelle Beendigung des Krieges.« Das sei nur möglich, wenn »alle, nicht geradezu verwerfliche, Mittel freistehen«. Deshalb könne er sich mit der »Déclaration de St. Pétersbourg« nicht einverstanden erklären, welche die Verwendung explosiver Geschosse aus Handfeuerwaffen für unzulässig erklärte und die Kriegführung auf »die Schwächung der feindlichen Streitmacht« beschränkt wissen wollte. »Nein, alle Hilfsquellen der feindlichen Regierung müssen in Anspruch genommen werden, ihre Finanzen, Eisenbahnen, Lebensmittel, selbst ihr Prestige.«

Der preußische Generalstabschef visierte den totalen Krieg des 20. Jahrhunderts an, vergaß das Weltbürgertum des 18. Jahrhunderts, dem er eine Zeitlang nahegestanden hatte, verwarf Kant, hielt es mit Hegel, bekannte sich zum römischen Kriegsgott Mars. »Der ewige Friede ist ein Traum, und nicht einmal ein schöner, und der Krieg ein Glied in Gottes Weltordnung. In ihm entfalten sich die edelsten Tugenden des Menschen, Mut und Entsagung, Pflichttreue und Opferwilligkeit mit Einsetzung des Lebens. Ohne den Krieg würde die Welt im Materialismus versumpfen.«

Dem russischen, an der französischen Riviera lebenden Schriftsteller Goubarew, der dies nicht fassen konnte, schrieb Moltke: »Sie erklären den Krieg bedingungslos für ein Verbrechen, wenn auch ein in Versen besungenes; ich halte ihn für ein letztes, aber vollkommen gerechtfertigtes Mittel, das Bestehen, die Unabhängigkeit und die Ehre eines Staates zu behaupten.« Er zitierte Schiller, mit dem Deutsche des 19. Jahrhunderts alles und jedes belegen zu können meinten: »Der Krieg ist schrecklich wie des Himmels Plagen, *Doch* er ist gut, ist ein *Geschick* wie sie.«

Friedrich Schiller, der deutsche Klassiker, dachte noch an einen Kampf um Ideale, der britische Naturforscher Charles Darwin an den »Kampf ums Dasein« durch »natürliche Auslese«. Moltke, der so lange lebte, daß er von allen Geistesströmungen des Jahrhunderts etwas aufsaugte, machte auch Anleihen beim Darwinismus: »Ist doch das Leben des Menschen, ja der ganzen Natur ein Kampf des Werdenden gegen das Bestehende, und nicht anders gestaltet sich das Leben der Völkereinheiten.«

Wie könnte denn der Friede bewahrt werden, und wer sollte ihn bewahren? »Gewiß ist es viel leichter, das Glück des Friedens zu preisen, als anzugeben, wie er gewahrt werden soll. Um die so vielfach sich kreuzenden Interessen der Nationen auszugleichen, ihre Streitigkeiten zu schlichten, somit die Kriege zu verhindern, wollen Sie an Stelle der Diplomatie eine dauernde Versammlung von Auserwählten der Völker. Mehr Vertrauen als zu diesem Areopag habe ich zu der Einsicht und der Macht der Regierungen selbst.«

Und dazu gehöre eine starke bewaffnete Macht, in der Erkennt-

Moltke im Vortragszimmer des Generalstabsgebäudes.
Zeitgenössische Originalzeichnung von O. Schulz

nis, daß zum Kriege gerüstet sein müsse, wer den Frieden wolle. Es gab auch Deutsche, die das nicht einsehen wollten.

Ein »Dorfbewohner bei Liebstadt«, der Moltke gebeten hatte, sich bei Wilhelm I. für eine Verminderung der Armee einzusetzen, erhielt 1879 die Antwort: »Wer teilte nicht den innigen Wunsch, die schweren Militärlasten erleichtert zu sehen, welche vermöge seiner Weltstellung in Mitte der mächtigsten Nachbarn zu tragen Deutschland genötigt ist. Nicht die Fürsten und die Regierungen verschließen sich ihm, aber glücklichere Verhältnisse können erst eintreten, wenn alle Völker zu der Erkenntnis gelangen, daß jeder Krieg, auch der siegreiche, ein nationales Unglück ist. Diese Überzeugung herbeizuführen, vermag auch die Macht unsres Kaisers nicht.«

Im Reichstag trat der Abgeordnete Moltke den Sozialisten, Katholiken und Linksliberalen entgegen, welche die Macht des Monarchen, bewaffnet den Frieden zu erhalten, zu schmälern suchten, die dazu erforderlichen Mittel nicht genehmigen wollten.

Die Deutschen dürften nicht vergessen, »daß nur das Schwert das Schwert in der Scheide hält, und daß unter solchen Umständen für uns Abrüstung Krieg ist«, erklärte er am 14. August 1874, fügte am 1. März 1880 hinzu, Deutschland müsse noch lange die schwere Rüstung tragen. Am 4. Dezember 1886 fragte er sich, ob die Waffen, von denen Europa starrte, nicht »in Naturnotwendigkeit« bald eingesetzt würden. »Wenn dieser Krieg zum Ausbruch kommt«, prophezeite er am 14. Mai 1890, »so ist seine Dauer und sein Ende nicht abzusehen.«

So schnell, wie er Kaiser Franz Joseph I. und Kaiser Napoleon III. besiegt hatte, könnten die europäischen Mächte von heute und morgen nicht mehr niedergeworfen werden, sagte der Neunzigjährige an der Schwelle des 20. Jahrhunderts voraus. Einen Volkskrieg »mit allen seinen unabsehbaren Folgen« hatte es bereits 1870 gegeben. Und der Weltfriede werde künftig weniger von den Regierungen als von den Völkern bedroht sein: durch »die Begehrlichkeit der vom Schicksal minder begünstigten Klassen und ihre zeitweisen Versuche, durch gewaltsame Maßregeln schnell eine Besserung ihrer Lage zu erreichen«. Und durch »gewisse Nationalitäts- und Rassenbestrebungen, überall die Unzufriedenheit mit dem Bestehenden«.

In Kriegen der Zukunft – Volkskriegen, Nationalkriegen, Rassenkriegen – könnte die Feindmacht nicht mehr »in einem oder in zwei Feldzügen so vollständig niedergeworfen werden, daß sie sich für überwunden erklärte, daß sie auf harte Bedingungen hin Frieden schließen müßte, daß sie sich nicht wieder aufrichten sollte, wenn auch erst nach Jahresfrist, um den Kampf zu erneuern«.

Der Sieger von Königgrätz und Sedan hatte erkannt, daß nicht mehr durch ein »Cannae« Kriege gewonnen und der Frieden erzwungen werden könnten. Aber er machte noch immer Kriegspläne, die auf eine solche Entscheidung zielten, als wenn auch er sie für ein Patentrezept hielte. Und er hinderte den Generalstab nicht daran, die überholte Lehre von der »Entscheidungsschlacht« zu verabsolutieren, als wenn er damit seinen Kriegsruhm verewigen wollte.

Der alte Moltke brachte Einsicht und Verhalten nicht mehr auf einen Nenner. »Wehe dem, der Europa in Brand steckt, der zuerst die Lunte in das Pulverfaß schleudert«, erklärte er. Und versuchte bereits vier Jahre nach dem Ende des deutsch-französischen Krieges einen neuen zu beginnen. Der Generalstabschef wollte nun nicht nur im Kriege führen, sondern ihn auch erklären. So stieß er erneut mit Bismarck zusammen, der die Politik des Reiches allein bestimmen und Europa den Frieden erhalten wollte.

Bismarck und Moltke erschienen den Deutschen wie Zwillingsbrüder des Reichserfolges. Vor der Öffentlichkeit scheute der Reichskanzler, wenn es in sein Konzept paßte, nicht davor zurück, den Generalstabchef als den Größeren der zwei Großen zu bezeichnen. So deutete er einmal im Reichstag, als über die Heeresstärke debattiert wurde, auf den Abgeordneten Moltke und sprach: »Da sitzt der Herr, dem wir die Einigkeit des Deutschen Reiches nächst Seiner Majestät dem Kaiser verdanken, nicht mir!« Als das »Bravo« verebbt war, fuhr er fort: »Ohne die Armee kein Deutschland: weder wäre es geworden, noch ist es zu halten.«

Dieser Feststellung mußte Moltke beipflichten. Die Person jedoch, die sie machte, konnte er immer weniger leiden. Bismarck war und blieb für ihn ein Machiavellist, der sich jeder Methode bediente, wenn sie ihm nur diente – seiner persönlichen Vormacht und dem sachlichen Vorrang der Politik vor dem Militär.

Mit dem deutsch-französischen Krieg war die Auseinandersetzung zwischen Reichskanzler und Generalstabschef nicht beendet. Bismarck schien sie mehr mitgenommen zu haben als Moltke, wie Rudolf von Bennigsen bei einem Siegesbankett im März 1871 bemerkte. »Bismarck, jetzt Fürst Bismarck, war aber doch recht angegriffen, weniger Moltke, welcher den Feldzug gut überstanden zu haben scheint.« Der nationalliberale Reichstagsabgeordnete fügte hinzu: »Leider ist das Verhältnis zwischen Bismarck und Moltke noch weit schlechter geworden, als es bereits Anfang November in Versailles war.«

Nun hatte der Staatsmann keinen Anlaß mehr, den Militärs ins Handwerk zu pfuschen, weil eben nicht mehr operiert und marschiert wurde. Aber der Generalstabschef übertrug den Anspruch, in der Politik zumindest mitzureden, aus der Kriegszeit in die Friedenszeit. »In letzter Instanz läßt sich das militärische Gebiet von dem politischen nicht mehr trennen«, erklärte er Wilhelm I. und ließ offen, ob er mit der »letzten Instanz« den Monarchen oder dessen militärischen Stabschef meinte.

Wenigstens wollte er gleichberechtigt neben dem politischen Stabschef stehen. Im Grunde strebte er nach Einfluß auf die Außenpolitik und wünschte, im Frieden nicht nur den Krieg ins Auge zu fassen, sondern auch den Ausschlag zu geben, gegen wen er wann zu beginnen hätte. Selbst wer ihm zubilligte, daß seine Persönlichkeit einen Mißbrauch dieser angestrebten Befugnis ausschloß, mußte befürchten, daß der Generalstab, wenn sein Chef nicht mehr Moltke hieße, von der angemaßten Kompetenz geradezu automatisch Gebrauch machen könnte.

Tür und Tor hierzu waren in Deutschland nicht verschlossen. Preußen sei kein Staat, der eine Armee besitze, sondern eine Armee, die einen Staat besitze, war bereits im 18. Jahrhundert pointiert worden. Im 19. Jahrhundert war die Befürchtung nicht von der Hand zu weisen, daß die preußische Armee, die in drei Einigungskriegen das Reich geschaffen hatte, versuchen würde, ihr Werk im Frieden zu beherrschen und in neuen Kriegen zu behaupten.

Der überwältigenden Mehrheit der Deutschen, auch Bürgern, selbst Arbeitern, galt der Soldat als der erste Mann im Staate. So war es kaum verwunderlich, daß es Soldaten gab, die dann auch die Ersten im Staate sein wollten. Woanders neigte das Militär dazu, einen Staat im Staate zu bilden. Im preußisch-deutschen Reich strebte es danach, den Staat in den Griff zu bekommen.

Das Parlament hatte hier nicht die Kompetenz, eine solche Entwicklung zu verhindern, und wenn die Volksvertretung sie gehabt hätte, wäre es fraglich gewesen, ob eine Mehrheit davon einschneidenden Gebrauch gemacht hätte. Noch herrschte Wilhelm I., der zwar ein Soldatenkönig, aber kein Militarist war. Und noch regierte Bismarck, der sich bemühte, auch das Militär am Zügel zu halten.

Was aber, wenn ein säbelrasselnder Kaiser und ein schwacher Kanzler folgten? Und der Generalstabschef ein Soldat war, der nicht wie Moltke zwei Seelen in seiner Brust trug, die der Humanität und die der Macht, sondern danach gierte, diese ohne die Hemmungen jener zu gebrauchen?

»Es ist natürlich«, räumte Bismarck ein, »daß in dem Generalstabe einer Armee nicht nur jüngere strebsame Offiziere, sondern auch erfahrene Strategen das Bedürfnis haben, die Tüchtigkeit der von ihnen geleiteten Truppen und die eigene Befähigung zu dieser Leitung zu verwerten und in der Geschichte zur Anschauung zu bringen.« Es wäre zu bedauern, »wenn diese Wirkung kriegerischen Geistes in der Armee nicht stattfände«.

Jedoch: »Die Aufgabe, das Ergebnis derselben in den Schranken zu halten, auf welche das Friedensbedürfnis der Völker berechtigten Anspruch hat, liegt den politischen, nicht den militärischen Spitzen des Staates ob.« Daß sich der Generalstab zur Gefährdung des Friedens verleiten lasse, »liegt in dem notwendigen Geiste der Institution, den ich nicht missen möchte, und wird gefährlich nur unter einem Monarchen, dessen Politik das Augenmaß und die Widerstandsfähigkeit gegen einseitige und verfassungsmäßig unberechtigte Einflüsse fehlt«.

Und unter einem Kanzler, der nicht wie er die Kraft hätte, Monarch wie Generalstabschef seinem Willen zu beugen und auf seinem politischen Kurs zu halten. Nachdem er erreicht hatte, was er erzielen wollte, steuerte Bismarck einen Friedenskurs. Er wollte keinen ans Ruder lassen, der ihm in die Speichen greifen, das Regierungsschiff auf Kriegskurs bringen könnte.

Bismarck argwöhnte, daß Moltke eben darauf lauere. Er hatte seine Erfahrungen mit ihm gemacht. Bereits 1867, in der Luxemburger Krise, wollte der Generalstabschef Krieg mit Frankreich

Der Schreibtischgeneral: Moltke in seinem Arbeitszimmer.
Fotografie von A. Beckmann. 14. Januar 1887

beginnen. Als diesen 1870 Napoleon III. erklärt hatte, war ihm
zwar Moltkes »Schlachtenfreudigkeit für die Durchführung der
von mir für notwendig erkannten Politik ein starker Beistand«,
doch hatte er Übergriffe in seinen Bereich abzuwehren gehabt,
und er ging davon aus, daß er das auch künftig zu tun haben
würde.

Denn Moltke hatte nicht nur die Feststellung von Clausewitz,
der Krieg sei die Fortsetzung der Politik mit anderen Mitteln, so

ausgelegt, daß derjenige, der den Krieg militärisch führe, auch zu bestimmen habe, wozu er geführt werden solle. Nun schien er das Wort von Clausewitz dahin zu drehen: Der Frieden sei die Fortsetzung des Krieges mit politischen und, wenn diese nicht hinreichten, mit militärischen Mitteln. Und über die Anwendung der ersteren habe er mitzubestimmen, und über den Einsatz der letzteren habe zu bestimmen, wer über die militärischen Mittel verfüge: der Generalstabschef.

Ein solcher Streitfall trat bereits vier Jahre nach Beendigung des deutsch-französischen Krieges ein. Er entzündete sich an der unterschiedlichen Auffassung Moltkes und Bismarcks, wie sich Deutschland gegenüber dem gedemütigten, racheschnaubenden Frankreich zu verhalten habe. Der Reichskanzler suchte einen Revanchekrieg mit den Mitteln der Bündnispolitik, durch eine Isolierung Frankreichs zu vermeiden. Der Generalstabschef meinte, man müsse Frankreich noch einmal schlagen, bevor es wieder bis an die Zähne gerüstet sei, es angreifen, bevor es angreifen könne, einem Revanchekrieg zuvorkommen – durch einen Präventivkrieg.

Bismarck hielt an seiner Auffassung fest, daß auch erfolgversprechende Kriege »nur dann, wenn sie aufgezwungen sind, verantwortet werden können und daß man der Vorsehung nicht so in die Karten sehen kann, um der geschichtlichen Entwicklung nach eigener Berechnung vorzugreifen«. Moltke glaubte das tun zu können und tun zu müssen. Am 30. April 1875 erklärte er dem belgischen Gesandten Nothomb in Berlin: »Ich behaupte, die Errichtung eines vierten Bataillons für jedes Regiment, wodurch die französische Armee um 144 000 Mann vermehrt wird, ist ein unumstößliches Anzeichen der Kriegsvorbereitung. Unter diesen Umständen dürfen wir nicht abwarten, bis Frankreich fertig ist, sondern unsere Pflicht ist, ihm zuvorzukommen.«

Von einer Kriegsrüstung Frankreichs könne nicht die Rede sein, die Aufstellung eines vierten Bataillons vermehre nicht die französische Armee, meldete der Militärattaché in Paris, Adolf von Bülow. Er wurde gerüffelt, weil man das in Berlin nicht hören wollte.

Es paßte dagegen ins Konzept, eine akute Bedrohung durch Frankreich anzunehmen, um – wie Moltke bereits 1872 schrieb – »endlich den Vulkan zu schließen, welcher seit einem Jahrhundert

Europa durch seine Kriege wie Revolutionen erschüttert«. Er wollte sich nicht einen wenn auch noch so fadenscheinigen Vorwand nehmen lassen, um vom Leder zu ziehen. Durch einen raschen Feldzug à la Sedan – als ob es inzwischen keinen Volkskrieg à la Gambetta gegeben hätte – sollte ein neuer Vulkanausbruch vermieden werden.

So drastisch wollte Bismarck nicht werden, wenn er es auch nicht für falsch hielt, die Revanchisten das Fürchten zu lehren. Das besorgte er nicht mit Kriegslärm, sondern durch Pressegetöse: Er veranlaßte in der Berliner »Post« den Artikel: »Ist Krieg in Sicht?« Es war ein Rohrkrepierer. Die Europäer erschreckte weniger die französische Rüstung als die deutsche Drohung. Frankreich wandte sich hilfesuchend an Rußland und England, die das Reich zum Frieden mahnten. Die Deutschen standen als Kriegstreiber da, die Franzosen waren nicht mehr isoliert.

Beides hatte der Reichskanzler vermeiden wollen. Nun ging er auf eindeutigen Friedenskurs, spielte die Präventivkriegs-Ideen des Generalstabschefs herunter. Gewissen Äußerungen Moltkes sei unbegründete Bedeutung beigelegt worden, sagte er dem russischen Reichskanzler Gortschakow. Man dürfe nicht vergessen, daß er stets nur die strategische Seite sehe, mathematische Berechnungen anstelle, von anderen Erörterungen absehe. Politisch sei der Generalstabschef ein »gamin«, ein »grüner Junge«. Und – wie er sich in der französischen Diplomatensprache wenig gewählt ausdrückte – ein »tête de bois«, ein »Holzkopf«.

Im Generalstab hatte man wieder einmal Anlaß zur Klage, daß die Feder verpatzt habe, was das Schwert hätte gewinnen können. Moltke ließ nicht von der Vorstellung eines Präventivkrieges, aber er bemühte sich, seine Kriegspläne den bündnispolitischen Kombinationen Bismarcks, den wechselnden Konstellationen in Europa anzupassen.

Der »Alpdruck der Koalitionen« bedrückte den Generalstabschef, der alle Streitkräfte ringsum zu addieren hatte, nicht minder als den Reichskanzler.

Moltke hatte auf die Einsicht der Nachbarn gehofft, »daß ein mächtiges Deutschland in der Mitte Europas die größte Bürgschaft für den Frieden unseres Erdteils ist«. Spätestens seit der »Krieg-in-Sicht-Krise« von 1875, die vornehmlich er heraufbeschworen hatte, mußte er erkennen, daß die Nachbarn das mit preußischen

Energien und deutschen Emotionen aufgeladene Nationalreich im Zentrum des Kontinents als eine ständige Bedrohung des Gleichgewichtes und damit dauernde Gefahr für den Frieden ansahen. Er mußte damit rechnen, daß sie eines Tages aus allen Himmelsrichtungen über Deutschland herfallen würden, um einem Ausbruch des deutschen Vulkans zuvorzukommen.

Schon hatte sich ein wenn auch nur diplomatisches Zusammengehen von Frankreich, Rußland und England gegen Deutschland abgezeichnet – die Koalition von 1914. Das Reich liege zwischen den Mühlsteinen der Großmächte und müsse, um widerstehen zu können, über seine Kräfte rüsten, sagte Moltke 1877. Die Mittellage war ein schweres Schicksal. Der Reichskanzler suchte es durch außenpolitische Koalitionen zu meistern. Der Generalstabschef – keineswegs so unpolitisch, wie Bismarck behauptete – meinte: »Die Koalition ist vortrefflich, solange alle Interessen jedes Mitgliedes dieselben sind.«

Zunächst schienen die Interessen Deutschlands, Rußlands und Österreichs identisch zu sein, der drei konservativen Großmächte, die das Bestehende weder durch Revolution noch durch Krieg verändert sehen wollten. Die Hohenzollern waren mit den Romanows familiär verbunden, das preußisch-deutsche Reich war auch dank der Rückendeckung durch Rußland möglich geworden. Der Habsburger durfte nicht allein gelassen werden, das 1866 besiegte Österreich, 1870 neutral geblieben, sollte mit dem Kaiserreich und dem Zarenreich den »Bund der drei schwarzen Adler« bilden.

Österreich, das er stets geschätzt, ungern bekämpft hatte, war Moltke willkommen. Gegen Rußland hegte er Bedenken. »Wir müssen in guten Beziehungen zu Rußland bleiben, die Russen zu Freunden, aber nicht zu aktiven Bundesgenossen haben«, hatte er 1867 erklärt. »Sie dürfen nie unser Land betreten, denn erstens kommen sie immer zu spät, und zweitens sind ihrer dann zu viele.« Ein furchteinflößender Koloß war Rußland immer gewesen; nun verlieh ihm der Panslawismus mehr Beweglichkeit und noch größere Gefährlichkeit.

Bismarck begrüßte das »Drei-Kaiser-Abkommen«, das 1873 als »Entente directe et personnelle«, als Konsultativpakt zustande kam. Der Reichskanzler und der Generalstabschef waren mit Wilhelm I. nach Sankt Petersburg gereist. Moltke unterzeichnete eine deutsch-russische Militärkonvention, in der sich beide Mächte verpflichteten, einander im Falle eines Angriffs mit mindestens 200 000 Mann zu Hilfe zu kommen.

»Bei allen Koalitionen gehen indes die Interessen der Verbündeten nur bis zu einem gewissen Punkte zusammen«, konstatierte Moltke. Dieser Punkt war die Übereinstimmung in konservativen Grundsätzen. Die machtpolitischen Interessen gingen auseinander, vor allem zwischen Rußland und Österreich. Die panslawistische Ideologie verlangte die slawischen Untertanen des Vielvölkerreichs, der russische Imperialismus drängte auf den Balkan, kam der Donaumonarchie ins Gehege.

Bald stimmten auch Rußland und Deutschland nicht mehr überein. Der Zar griff 1877 erneut die Türkei an, stand 1878 bereits vor Konstantinopel. England erhob Einspruch, Österreich verlangte Kompensation, und Bismarck glaubte auf dem Berliner Kongreß den »ehrlichen Makler« spielen zu sollen. Er mochte sich als Friedensrichter Europas fühlen, aber den Friedenspreis hatte doch das Reich zu bezahlen: Der russische Zar fühlte sich vom Deutschen Kaiser im Stich gelassen und näherte sich der französischen Republik an.

Mit einem Zweifrontenkrieg hatte der Generalstabschef von nun an zu rechnen – gegen Frankreich und Rußland. »Mit den Russen allein«, meinte Moltke 1879, »würden wir auch ohne Verbündete gut fertigwerden. Außerordentlich kompliziert wäre aber unsere Lage, wenn wir Frankreich als Gegner im Rücken hätten.« Er war sofort einverstanden, als Bismarck im Gegenzug zur russisch-französischen Annäherung den Zweibund zwischen dem Deutschen Reich und Österreich-Ungarn, ein geheimes Verteidigungsbündnis, dagegensetzte.

Der Generalstabschef sah darin einen militärischen Vorteil: Selbst wenn Österreich an der Seite Deutschlands nicht offensiv in einen Krieg eingreife, könnte es einen Teil der Armee Rußlands binden. Vom politischen Vorteil war er ohnehin überzeugt. Der deutsche Patriot, der Österreich schweren Herzens aus dem »engeren« Deutschen Bund ausgeschlossen hatte, ergriff die Gelegenheit, mit dem deutsch geführten Habsburgerreich einen »weiteren« Bund zu schließen. Der Mitteleuropäer, der er war und blieb, wollte mit dem Zentrum das Herz Europas vor dem russischen Imperialismus wie dem französischen Republikanismus bewahren.

So kam er der Bitte Bismarcks nach, Wilhelm I., der an Alexander II., seinem Neffen, hing, die Notwendigkeit und die Vorzüge eines Zweibundes mit Franz Joseph beizubringen. Der Generalstabschef sandte dem Kaiser eine Denkschrift und suchte ihn in Baden-Baden auf. »Die, welche mich zu diesem Schritt veranlaßt, mögen es dereinst oben verantworten«, sagte Wilhelm I., dem eine Frontstellung gegen Rußland, auch wenn es eine Abwehrstellung war, nicht behagte. Aber er stimmte zu, beeindruckt auch dadurch, daß Kanzler und Generalstabschef Seite an Seite dafür eintraten.

Auch sie hatten eine Koalition geschlossen, für welche galt, was Moltke im allgemeinen zu Koalitionen sagte: »Sobald es nämlich darauf ankommt, daß zur Erreichung des großen gemeinsamen Zweckes einer der Teilnehmer ein Opfer bringen soll, ist auf Wirkung der Koalition meist nicht zu rechnen.« Bismarck verzichtete nicht auf seinen Anspruch, alles zu leiten, Moltke nicht auf seine Forderung, außenpolitisch mitzubestimmen und militärisch zu bestimmen. Der Dualismus zwischen dem Staatsmann und dem Strategen blieb bestehen und wirkte fort.

Dennoch opferten beide das eine oder andere von ihren Auffassungen, um die gemeinsame Aufgabe, die politische und die militärische Sicherung des Reiches, zu erfüllen. Bismarck kümmerte sich darum, daß der militärische Geist, welcher der Neuschöpfung das Leben eingehaucht hatte, erhalten blieb. Er sorgte dafür, daß die Armee genug Soldaten bekam. Und er trug zur weiteren Aufwertung der »Halbgötter« bei: Im Jahre 1883 wurde auch formell die Unterordnung des Generalstabes unter das Kriegsministerium aufgehoben, er offiziell dem Obersten Kriegsherrn unterstellt; sein Chef erhielt das verbriefte Recht, auch in Friedenszeiten dem Monarchen unaufgefordert, unmittelbar und regelmäßig Vortrag zu halten.

Moltke seinerseits blieb darauf bedacht, Bismarcks außenpolitischen Balanceakten militärische Hilfestellung zu geben, ein Netz bereitzuhalten, falls das »Spiel mit den fünf Kugeln« des Diplomaten fallierte. Es glich immer mehr der Akrobatik eines Jongleurs. Dies hatte zur Folge, daß der Generalstabschef, um mitzuhalten, einen Plan nach dem anderen produzieren mußte, die Planmäßigkeit in Frage gestellt wurde.

Das lag weniger an den Akteuren als an der Situation. Das in die

Mitte Europas gesetzte potente Reich war potentiell von allen Seiten bedroht. Die vielfältigen Gefahren abzuwenden, verlangte vom Staatsmann wie vom Strategen eine Wendigkeit, die vom Reichskanzler, der in den achtziger Jahren auf die Siebzig, und vom Generalstabschef, der auf die Neunzig ging, nicht mehr lange erwartet werden konnte.

Bismarck mußte Frankreich isoliert halten und England fernhalten, durfte Italien nicht vernachlässigen, wollte sich mit Österreich eng verbinden und mit Rußland es nicht ganz verderben.

Sein Bündniskalender füllte sich: 1879 – geheimes Verteidigungsbündnis zwischen Deutschland und Österreich. 1881 – geheimes Neutralitätsabkommen zwischen Deutschland, Österreich und Rußland auf drei Jahre. 1882 – geheimes Verteidigungsbündnis zwischen Deutschland, Österreich und Italien. 1883 – Beitritt Deutschlands zum geheimen Verteidigungsbündnis zwischen Österreich und Rumänien. 1884 – Verlängerung des geheimen Neutralitätsabkommens zwischen Deutschland, Österreich und Rußland um drei Jahre. 1887 – Erneuerung des geheimen Verteidigungsbündnisses zwischen Deutschland, Österreich und Italien. 1887 – geheimes Neutralitätsabkommen zwischen Deutschland und Rußland auf drei Jahre.

Den »Rückversicherungsvertrag« hielt der Reichskanzler so geheim, daß vorerst nicht einmal der Generalstabschef davon erfuhr, der seine Operationspläne den Allianzverträgen anzupassen hatte. Moltke wurden laufend neue Überlegungen, Berechnungen und Entwürfe abverlangt – so viele, daß selbst bei ihm, der nichts lieber tat als das, Anzeichen von Ermüdung und Überdruß spürbar wurden und die Gefahr wuchs, daß dem großen Planer Fehlplanungen unterliefen.

Alles war viel komplizierter als 1866 und 1870 geworden. Nach wie vor ging er von einer schnellen Mobilmachung und einem schnellen Aufmarsch aus. Aber wie und wie weit sollte man vorgehen, wann und wo der entscheidende Schlag geführt werden? Und gegen welchen Gegner sollte man sich im Zweifrontenkrieg zuerst wenden? Eine Patentlösung à la Königgrätz und Sedan war nicht mehr möglich. Den differierenden Situationen mußte differenziert begegnet werden.

Zunächst, noch im Schwung, den ihm der Sieg von 1871 gegeben hatte, wollte Moltke Frankreich und Rußland gleichzeitig angreifen. Nüchterner geworden, hielt er es für ratsam, im Osten, wo sich bereits Napoleon I. totgelaufen hatte, defensiv zu bleiben und im Westen, wie gehabt, offensiv zu werden – wobei er, aus Erfahrung klug geworden, die französische Hauptstadt nicht mehr einschließen, die Entscheidung vor Paris erzwingen wollte.

Schließlich wollte er gegenüber Frankreich, das einem Angriff einen Wall aus Festungen entgegengesetzt hatte, in der Abwehr bleiben und statt dessen nach Rußland vorstoßen. Deutsche und Österreicher sollten, getrennt marschierend, die in Polen stehende russische Hauptmacht vereint schlagen. Dadurch sollten die Russen, die ihr riesiger Raum vor einer vollständigen Niederlage bewahrte, zumindest so geschwächt werden, daß sie nicht mehr offensiv werden könnten.

Noch herrschte Frieden. Aber Rußland rüstete und rüstete, zog Truppen in Polen zusammen, betrieb eine aggressive Außenpolitik gegenüber Österreich-Ungarn, von der dessen Verbündeter, das Deutsche Reich, mitbetroffen wurde. Mitte der achtziger Jahre rechnete Moltke mit einem baldigen Angriff der Russen auf die lange und ungeschützte Ostgrenze Deutschlands. Sollte man einem Überfall nicht durch einen Präventivkrieg zuvorkommen? Mitte der siebziger Jahre war ihm dieser Gedanke angesichts der französischen Kriegsrüstung gekommen. Mit der russischen Kriegsbereitschaft konfrontiert, griff er ihn wieder auf.

Interessengegensätze auf dem Balkan hatten die Spannung zwischen Rußland und Österreich so verschärft, daß das 1881 von den drei Kaisern geschlossene Abkommen nicht ein zweites Mal verlängert werden konnte. Es hatte vorgesehen, daß im Falle des Angriffs einer vierten Macht auf einen der drei Vertragspartner die beiden anderen zu wohlwollender Neutralität verpflichtet wären. Ein französischer Angriff auf Deutschland schien wieder in der Luft zu liegen, seitdem der neue Kriegsminister, General Boulanger, sich als »General Revanche« aufspielte. Und die Russen marschierten an der Grenze zu Österreich und Deutschland auf.

Moltkes zuletzt ausgearbeiteter, gültiger Operationsplan sah für einen Zweifrontenkrieg die Defensive im Westen und die Offensive im Osten vor. War es nicht höchste Zeit, sich für jene bereitzustellen und diese zu beginnen? Denn das Gelingen des konzentrischen Angriffs setzte das derzeitige Kräfteverhältnis voraus – eine Situation, die sich Tag für Tag zugunsten der Russen verschob.

Der Generalstab drängte zum Präventivkrieg, sein siebenundachtzigjähriger Chef hatte zunächst ein mehr altersbedingtes Trägheitsmoment als einen durch Altersklugheit gebotenen Widerstand zu überwinden, benahm sich schließlich wie ein altes Schlachtroß, das noch einmal gebraucht wird. Es sei »gegen Rußland angriffsweise vorzugehen«, eröffnete er am 30. November 1887 dem Reichskanzler.

Bismarck fiel ihm in den Zügel. Er hatte eben den geheimen Rückversicherungsvertrag mit Rußland geschlossen, worüber er Moltke jetzt erst in Kenntnis setzte. Der Reichskanzler verwies darauf, daß Rußland sich bei einem Angriff Frankreichs auf Deutschland zur Neutralität verpflichtet habe. Der Generalstabschef erwiderte, dadurch könne vielleicht im Augenblick die französische Gefahr verringert, nicht jedoch die wachsende russische Gefahr beseitigt werden.

Der Staatsmann und der Stratege traten zum letzten Gefecht an. Bismarck bremste die Besprechungen des preußischen und österreichischen Generalstabes, die auf die Vorbereitung eines gemeinsamen Präventivkrieges gegen Rußland hinausliefen, und sprach das entscheidende politische Nein. Für Moltke wurde es ein Rückzugsgefecht: Er schränkte zunächst den Präventivkriegs-Gedanken ein, schloß ihn dann aus, gab Bismarck nach.

Der verantwortliche Politiker wollte keinen Präventivkrieg, überhaupt keinen heißen Krieg. Und den kalten Krieg führte er selber, gegen die Russen mit wirtschaftspolitischen Waffen: dem gegen sie gerichteten Schutzzoll und ihrem Ausschluß vom deutschen Kapitalmarkt. Das aber war nun seine Fehlkalkulation. Moltkes Präventivkrieg gegen Rußland hätte Frankreich auf den Plan gerufen, Bismarcks Wirtschaftskrieg trieb die Russen den Franzosen in die Arme.

Die wachsenden Gefahren für das gemeinsam geschaffene und gemeinschaftlich zu erhaltende Werk führten – trotz aller persönlichen und sachlichen Gegensätze – den politischen und den militärischen Reichsgründer immer wieder zusammen.

Der Reichskanzler setzte ein neues Wehrgesetz durch, das dem Generalstabschef mehr Soldaten für seine Planungen bescherte. Bismarck veröffentlichte das Verteidigungsbündnis zwischen

Deutschland und Österreich, zeigte Europa, daß er am bewaffneten Frieden festhielt. Und erklärte am 6. Februar 1888 im Reichstag: »Wir Deutsche fürchten Gott, aber sonst nichts auf der Welt; und die Gottesfurcht ist es schon, die uns den Frieden lieben und pflegen läßt.«

Unter dem Beifall der konservativ-nationalliberalen Reichstagsmehrheit erhob sich der Abgeordnete Moltke und gab dem Reichskanzler die Hand.

ALS ALTERSPRÄSIDENT eröffnete Generalfeldmarschall Graf von Moltke am 3. März 1887 den neuen Reichstag. Der konservative Abgeordnete, der seit 1867 dem Norddeutschen und seit 1871 dem Deutschen Reichstag angehörte, verkörperte die parlamentarische Tradition des neuen Deutschlands beziehungsweise das, was Wilhelm I., Bismarck und auch er darunter verstanden: die Zustimmung der Volksvertretung zur Reichspolitik, die nicht vom Reichstag, sondern vom Kaiser, dem Reichskanzler und dem Generalstabschef bestimmt wurde.

Der Parlamentarier Moltke, der vom Parlamentarismus nichts hielt, doch dessen Formen wahrte, genoß auch bei Kollegen, die andere Inhalte vorgezogen hätten, gewissen Respekt. »Wenn mich vor Jahren«, erinnerte sich Ludwig Bamberger, »ehe ich abgehärtet war, manchmal die schöne Zeit jammerte, die man da im Reichstag versaß, so hatte ich immer Trost im Anblick des damals noch in voller amtlicher Funktion befindlichen Moltke, der so aufmerksam und pflichttreu dasaß und zuhörte, wie wenige. Und seine Zeit zu Hause war doch auch etwas wert!«

Das dachte Moltke auch, nur ließ er es sich im Plenum und in seiner Fraktion nicht anmerken, so daß ein konservativer Kollege lobte: Kein Abgeordneter habe die Sitzungen gewissenhafter wahrgenommen, keiner sei eifriger gewesen, »über die zur Verhandlung stehenden Fragen vollste Klarheit zu gewinnen«. Das war er dem Bilde schuldig, das sich die Wähler von ihm gemacht hatten, aber auch dem Auftrag, den er sich selber gegeben hatte: im Parlament darüber zu wachen, daß die Armee nicht zu kurz komme.

Er mußte ständig auf dem Posten sein, »in einer Zeit, wo von allen Seiten und selbst im Reichstag an den Institutionen unserer Armee gerüttelt wird, ohne welche ein Reichstag überhaupt nicht vorhanden wäre«. Dies den Kollegen zu bestätigen, die seiner Meinung waren, und den anderen beizubringen, die es nicht wußten oder wahrhaben wollten, hielt er für seine erste Parlamentarierpflicht.

Er hätte es für sinnvoll und zweckmäßig gehalten, wenn die Festlegung der Heeresstärke und die Aufstellung des Heereshaushalts parlamentarischen Debatten und Beschlüssen gänzlich entzogen gewesen wären. Doch völlig am Geist des Jahrhunderts vorbei, der nicht nur den Nationalstaat, sondern auch eine Nationalverfassung und ein Nationalparlament forderte, hatte das preußisch-deutsche Reich nicht geschaffen werden können. Der Reichstag verlangte Mitbestimmung auch und gerade im Kernbereich der Regierungsmacht, der Armee.

Das hatten die Machthaber nicht zu verhindern vermocht, aber sie versuchten, den Einfluß des Parlaments möglichst gering zu halten. Dazu gehörte, daß nicht jedes Haushaltsjahr erneut über das Heeresbudget debattiert, sondern daß es auf möglichst lange Zeit festgelegt wurde.

Am liebsten hätte Moltke das Parlament in dieser Frage ganz ausgeschaltet, eine automatische Anpassung der Heeresstärke an das Bevölkerungswachstum eingeführt. Die zweitbeste Lösung wäre ein »Aeternat« gewesen, eine dauernde Festsetzung der Heeresstärke, ohne die Möglichkeit auszuschließen, sie der Bevölkerungszahl anzugleichen. Nur die drittbeste Lösung aber war zu verwirklichen: die Festlegung zunächst – 1867 – auf fünf Jahre, ein »Quinquennat«, dann – nach der Zwischenphase von 1871 bis 1874 – auf sieben Jahre, ein »Septennat«. 1874 wurde, mit Moltkes Stimme, die Präsenzstärke bis zum 31. Dezember 1881 auf 401 659 Mann festgelegt, was 1 Prozent der Bevölkerung von 1867 entsprach.

Damit wurden noch lange nicht alle Dienstfähigen aufgeboten, wie es im Sinne der allgemeinen Wehrpflicht gelegen hätte. Manchen Politikern waren es aber jetzt schon zu viele, beispielsweise dem Sozialdemokraten Wilhelm Hasenclever, der erklärte: »Stehende Heere sind der Fluch der Nationen.« Weniger radikale Politiker, wie der linksliberale Reichstagsabgeordnete Eugen Richter, störten sich an der ständigen Präsenz und der großen Zahl nicht so sehr wie an dem »Vorbehalt des Absolutismus gegen das parlamentarische System in militärischen Angelegenheiten«.

Wer gegen das Militärgesetz stimme, sei ein Vaterlandsverräter, erklärte Moltke 1874 dem britischen Botschafter Odo Russel. Das Septennat bot wenigstens ein gewisses Maß jener Beständigkeit im Heerwesen, mit der er rechnen mußte. Der Monarch behielt die Kommandogewalt und der Generalstabschef die Planungskompetenz. Das Parlament wurde zwar nicht ganz, aber doch weitgehend aus einem Bereich herausgehalten, in dem es, wie Moltke fand, nichts zu suchen habe, wo es mit der militärischen Schlagkraft die außenpolitische Standfestigkeit und die innenpolitische Stabilität des Reiches gefährden könnte.

Als Reichstagsabgeordneter griff der Generalstabschef ein, wenn an der Säule des Staates und der Gesellschaft gerüttelt wurde. Nicht die Schulmeister und schon gar nicht die Parlamentarier hätten die Nation »zu körperlicher Rüstigkeit und geistiger Frische, zu Ordnung und Pünktlichkeit, zu Treue und Gehorsam, zu Vaterlandsliebe und Mannhaftigkeit« herangebildet, behauptete er 1874, sondern der eigentliche »Erzieher«, das Militär. »Meine Herren, Sie können die Armee, und zwar in ihrer vollen Stärke, schon im Innern nicht entbehren für die Erziehung der Nation.«

Und erst recht nicht nach außen. Was Deutschland in einem halben Jahre mit den Waffen errungen habe, müsse es ein halbes Jahrhundert mit den Waffen schützen – durch die Armee, die das nur vermöchte, wenn sie unangefochten durch Parteienhader und unbeeinträchtigt durch Reichstagsbeschlüsse das bliebe, was sie zur Zeit ihrer großen Siege gewesen war: ein königlich preußisches, kaiserlich deutsches Heer, kein Parlamentsheer.

Der Abgeordnete Moltke trat 1880 an das Rednerpult, als ein neues Septennats-Gesetz debattiert, schließlich auf der Grundlage von 1 Prozent der Bevölkerung von 1875, mit einer Anhebung der Friedensstärke um 25 000 Mann beschlossen wurde – nicht genug für den Generalstabschef, der mit einem Zweifrontenkrieg rechnete. An der Jahreswende 1886/87 ging er noch einmal an die parlamentarische Front, als das neue Septennat, auf der Grundlage von 1 Prozent der Bevölkerung von 1885, eine Vermehrung um 41 000 Mann bringen sollte – zu wenig für einen Generalstabschef, der an einen Präventivkrieg dachte.

Doch Liberale und Katholiken setzten zum Angriff gegen die Sonderstellung der Armee an, widersetzten sich einer weiteren langfristigen Bewilligung des Heereshaushalts. Moltke verteidigte sie. »Die Armee ist die vornehmste aller Institutionen in jedem Lande; denn sie allein ermöglicht das Bestehen aller übrigen Einrichtungen: Alle politische und bürgerliche Freiheit, alle Schöpfungen der Kultur, die Finanzen, der Staat stehen und fallen mit dem Heere.« Jedoch: »Die Grundlage jeder tüchtigen militärischen Organisation beruht auf Dauer und Stabilität« – im allgemeinen und im besonderen in einer Situation, in welcher der französische Revanchismus und der russische Panslawismus das Reich akut bedrohten. Also: »Wenn wir diese Vorlage ablehnen, so involviert das eine sehr ernste Verantwortlichkeit, vielleicht für das Elend einer feindlichen Invasion.«

Der verdienstvolle Militär sei ein verbohrter Militarist geworden, hallte es zurück. Die Autorität des Siegers von Königgrätz und Sedan reichte nicht mehr hin, eine Parlamentsschlacht zu gewinnen. Die Septennats-Vorlage wurde am 14. Januar 1887 abgelehnt. Bismarck löste den Reichstag auf, setzte Neuwahlen an, führte – ganz im Sinne Moltkes – den Wahlkampf unter der Parole: »Das Vaterland ist in Gefahr!« Sie mobilisierte 77,5 Prozent der Stimmberechtigten, brachte eine Mehrheit, die wußte, was sie König und Armee schuldig war. Der neue Reichstag, den der Abgeordnete Moltke am 3. März 1887 als Alterspräsident eröffnete, nahm die Septennats-Vorlage der Regierung in unveränderter Form an.

So weit war die Militarisierung des Reichsvolkes fortgeschritten, zu der Moltke nicht unbeträchtlich beigetragen hatte. Im Reichstag gab er sich persönlich nicht so martialisch wie Bismarck, der auch in Zivil wie mit Kürassierstiefeln auftrat. Der Reichskanzler bedauerte es längst, daß er dem Reichsparlament eine gewisse, wenn auch beschränkte Stellung in der Reichsverfassung eingeräumt hatte, daß er den Reichstag auf demokratische Weise wählen ließ. Moltke hatte das nie recht verstanden. Er hätte einen Reichstag vorgezogen, der nicht durch allgemeine, gleiche und direkte Wahlen bestimmt, sondern mit Delegierten der Landtage der Bundesstaaten beschickt worden wäre. Dadurch hätte er »einen mehr konservativen, ruhigeren Charakter« erhalten. In Preußen galt weiterhin das Dreiklassenwahlrecht, das Abgeordnetenhaus hatte als Gegengewicht das Herrenhaus, in welches Moltke 1872 vom König berufen worden war.

Im Reichstag führte die demokratische Methode seines Zustandekommens immer mehr zu einer Demokratisierung in Zusammensetzung und Zielsetzung. Zentrums-Katholiken und Sozialdemokraten nahmen zu. Das waren nicht nur, wie Bismarck sagte, »Reichsfeinde«, für die auch Internationales, nicht nur Nationales Geltung hatte. Es waren Volksparteien, die auf Parlamentarisierung und Demokratisierung der Reichsverfassung drängten.

Der Reichstag hatte der Reichsführung zu dienen, die über den Parteien und dem Parlament stand. Zu dieser Auffassung war Moltke gelangt, der nicht ohne Verständnis für die Rolle einer Volksvertretung gewesen war. Allerdings hatte er sie von Anfang an im Kontext der konstitutionellen Monarchie gesehen, bei der Monarchie das Hauptwort und Konstitution das Beiwort war. Die Volksvertreter hatten das Staatsvolk zu vertreten, und schon die Zusammensetzung des Wortes drückte aus, daß der Staat der Erste und das Volk das Zweite war.

Von seiner Wertschätzung der preußischen Reformzeit war er dadurch nicht allzu weit abgekommen. Denn Scharnhorst und Gneisenau, Stein und Hardenberg waren königlich preußische Reformer gewesen, die das Volk an den Staat hatten heranführen, dessen geistige und materielle Kräfte ihm nutzbar machen wollten – zur Befreiung vom französischen Imperialismus und in der Abwehr der französischen Revolution.

Nicht von ungefähr erhielt Moltke den Vorsitz im Ausschuß für die Errichtung eines Stein-Denkmals in Berlin. Und nicht ganz zu Unrecht schrieb ihm sein »treuer und dankbar ergebener König Wilhelm« zu seinem 75. Geburtstag am 26. Oktober 1875, der mit der Enthüllung des Stein-Denkmals zusammenfiel: »So wie Sie Mir denkend und ratend in den letzten Kriegen zur Seite standen, so stand der Freiherr vom Stein Meinem in Gott ruhenden Könige und Vater zur Seite, als es galt, das niedergeworfene Preußen auf neuen, zeitgemäßen Grundfesten wieder aufzurichten.«

Einen Unterschied überging Wilhelm I. Der Staatsminister vom Stein war von Friedrich Wilhelm III. zweimal entlassen worden: Das erste Mal aus freien Stücken, weil er »als widerspenstiger, trotziger, hartnäckiger und ungehorsamer Staatsdiener« die Allgewalt des Monarchen herausgefordert hatte. Das zweite Mal auf Druck Napoleons I., dem er jedoch nicht ungern nachgab. Wilhelm I. aber wollte noch nicht einmal den siebenundachtzigjährigen Generalstabschef in Pension gehen lassen, was er schon dem Einundachtzigjährigen verwehrt hatte, in der Überzeugung, »daß Ihre Verdienste um die Armee viel zu groß sind, um jemals – solange Sie leben – an Ihr Scheiden aus derselben denken zu können, und daß Mir Ihr Rat und Ihre Unterstützung viel zu wertvoll sind, um Mich in das Entbehren derselben finden zu können«.

Der fünfundsiebzigjährige Vorsitzende des Ausschusses für das Stein-Denkmal hatte das Großkomtur-Kreuz des Hohenzollern-Ordens mit dem Stern und Schwertern erhalten. Die spät genug errichtete Bronzestatue des Freiherrn vom Stein bekam ihren Platz nicht Unter den Linden, der Triumphstraße Preußens, wo bereits seit 1822 Scharnhorst und seit 1855 Gneisenau standen, sondern an etwas abseitiger Stelle, auf dem Dönhoffplatz – in gebührendem Abstand vom Zentrum königlich preußischer Macht, beim ehemaligen Palais des Staatskanzlers Hardenberg, in dem das preußische Abgeordnetenhaus tagte und sich der Erste Deutsche Reichstag konstituiert hatte.

Bereits im Herbst 1871 war der Reichstag in die ehemalige Porzellanmanufaktur in der Leipziger Straße umgezogen, wo er – wie Moltke fand – Porzellan zu zerschlagen begann. Schon gab es 58 Reichstagsabgeordnete des Zentrums, 18 der bayerischen Schwesterpartei. Bismarck hielt sie für die Vorhut einer Bewegung gegen den nationalen Macht- und Obrigkeitsstaat, Liberale aller Schattierungen sahen in ihnen die Nachhut der Gegenreformation.

Im »Kulturkampf«, der gegen sie geführt wurde, stand Moltke auf seiten des Staates, wohin er als Soldat gehörte. Er war nicht so konservativ wie Wilhelm I., der im Kampf gegen eine Konfession eine Gefahr für alle Konfessionen, die Religion im ganzen und damit eine Bedrohung des Bundes von »Thron und Altar« erblickte. Moltke war nicht so liberal geworden, daß er auf die Religion als staatserhaltendes Element hätte verzichten wollen. Aber er war so liberal geblieben, daß er vom Konfessionalismus und Klerikalismus eine Beeinträchtigung der Einheitlichkeit des modernen Staates und eine Beschneidung der Vielfalt der modernen Kultur befürchtete.

Ein Protestant, der den Dreißigjährigen Krieg weiterführen zu müssen glaubte, war er nicht. Luther sei in seiner Reformation vielfach zu weit gegangen, habe sich vom Katholischen zu weit entfernt, hatte er 1857 Theodor von Bernhardi erklärt. An der katholischen Kirche schätzte der Romliebhaber die »Einwirkung auf Phantasie und Gemüt«, der Monarchist, daß sie ein Oberhaupt habe, der Soldat, »daß eine unanfechtbare höchste Autorität da ist, die alles entscheidet und jeden Zweifel niederschlägt«.

In Kreisau lebte er in katholischer Umgebung. Er freute sich, wenn ihn die frommen Leute mit »Gelobt sei Jesus Christus«

Attentat auf Kaiser Wilhelm I. am 11. Mai 1878 in Berlin.
Die zwei Revolverschüsse Max Hödels verfehlten ihr Ziel

grüßten, und hielt es nicht für unangebracht, daß seine Frau in der katholischen Dorfkirche beigesetzt wurde, bis das Mausoleum auf dem Steinberg fertiggestellt war.

Die in London gegründete »Evangelische Allianz«, die ein Vordringen der katholischen Kirche verhindern wollte, war ihm zu militant und zu dogmatisch. Dem »Evangelischen Bund«, der in Deutschland für die Allianzziele eintrat, wollte er 1878 nicht beitreten: »Die Zahl derer ist groß, welche die Wahrheit redlich suchen, aber nicht zu der Erkenntnis gelangt sind, welche die Statuten als die ausschließlich richtige bezeichnen, und die für einen evangelischen Geistlichen gewiß der korrekte Standpunkt ist. Es sind nicht Leugner und Zweifler, die, wenn sie ehrlich gegen sich selbst sein wollen, nicht behaupten können, daß jene

Punkte ihre wahre Überzeugung bilden. Ich selbst gehöre zu diesen.«

Ein orthodoxer Protestant war er nicht. In der außerordentlichen evangelischen Landessynode, die sich 1875 mit der vom preußischen Kultusminister vorgelegten preußischen Synodalordnung zu befassen hatte, befürwortete er eine vermehrte Heranziehung der Laien, eine gewisse Beteiligung der Gemeindemitglieder an der Kirchenleitung.

Autorität billigte er immer mehr dem Staat und immer weniger der Kirche zu, seiner eigenen wie der römisch-katholischen, die davon mehr besaß und auch mehr abzutreten hatte. Als er 1876 noch einmal, zum letzten Mal, nach Rom kam, befriedigte es ihn, daß aus der Hauptstadt des Kirchenstaates die Hauptstadt des italienischen Nationalstaates geworden war. »Ihre Zukunft scheint sich jetzt vom Grabe des Apostelfürsten dem Quirinalischen Palast zuzuwenden. Dort lebt in freiwilliger Gefangenschaft das alternde Papsttum sein zähes Leben aus, hier entsteht aus dem geeinigten Italien der Herrschersitz eines reichbegabten Volkes und eine neue Stadt mit geraden Straßen, riesigen Ministerialgebäuden und Kasernen.«

Hegels Weltgeist, die »sittliche Idee des Staates«, hatte auch im katholischen Italien gesiegt, sollte in dem vom protestantisch geprägten Preußen geschaffenen Deutschen Reich gegen alle Anfechtungen des Katholizismus gefeit werden. Das Papsttum erwies sich als nicht so sterbenskrank, wie Moltke zunächst angenommen hatte: Keine äußere Gewalt vermöge es zu zerstören, »es hat schon ärgere Krisen überdauert.« Die römisch-katholische Kirche »hat für sich die Frauen in allen katholischen, zuweilen selbst in protestantischen Ländern; das Gemüt, die Phantasie und die Beschränktheit, das sind mächtige Faktoren.« Und im Deutschen Reichstag wie im preußischen Abgeordnetenhaus saßen katholische Volksvertreter, welche die Allmacht des Staates in Frage stellten.

Gegen diese agitierten auch Sozialdemokraten, allerdings nur gegen die Macht des preußisch-deutschen Staates, den sie durch einen anderen Staat zu ersetzen trachteten, der noch viel mehr Macht haben sollte. In deren Besitz wollten sie sich durch die Enteignung der Besitzenden bringen. Der durch soziale Revolution geschaffene sozialistische Staat – vermutete Moltke – würde

Machtausübung auch in Lebensbereichen beanspruchen, auf die selbst die absolute Monarchie und erst recht die konstitutionelle Monarchie nicht übergegriffen hatten.

Die Pariser Kommune war ihm ein abschreckendes Beispiel. Im Reich garantierte die Armee die Sicherheit gegen äußere und die Ordnung gegen innere Feinde. Doch 1877 saßen bereits zwölf Sozialdemokraten im Reichstag, und wenn es nicht das Mehrheitswahlrecht gegeben hätte, wären es noch mehr gewesen. Zunehmen würden sie auf jeden Fall. Denn die Industrialisierung hatte gesellschaftliche Ungerechtigkeiten und soziale Not mit sich gebracht.

Moltke sah sie durchaus, suchte sie in christlicher Caritas und mit gutsherrlichem Patriarchalismus zu mildern. Während der Wirtschaftskrise von 1875, die auf den Gründerboom gefolgt war, verschenkte er entbehrliche Kleidungsstücke – »Stiefel habe ich selbst nur zwei Paar« – in Berlin, »wo ja die Not sehr viel größer auftritt als auf dem Land«. In Kreisau sorgte er für seine Gutsangehörigen »nach Kräften durch allgemeine, Allen zugute kommende Einrichtungen«.

Denn: »Kleine Handreichungen an Einzelne laufen zumeist Gefahr, an den Unrechten zu kommen und ihnen die von Gott auferlegte Pflicht abzunehmen, durch vermehrte Arbeit und größere Sparsamkeit für die Ihrigen selbst zu sorgen. Not und Elend sind unentbehrliche Elemente in der Weltordnung; was wäre aus der menschlichen Gesellschaft geworden, wenn dieser harte Zwang nicht zum Denken und Handeln triebe.«

Die Sozialisten, meinte Moltke, vermöchten dieses Faktum nicht aus der Welt zu schaffen, sie würden diese nur noch schlechter machen. Sie versprächen zwar, wenn sie an der Macht wären, die Güter, die sie den Begüterten nähmen, an alle gerecht zu verteilen. Moltke bezweifelte, ob sie dies tun könnten, selbst wenn sie es wollten. Um an die Macht zu kommen, schien ihnen jedenfalls jedes Mittel recht zu sein – selbst ein Anschlag auf den alten Kaiser.

Wie der Reichskanzler machte auch der Reichstagsabgeordnete Moltke die Sozialisten für die beiden Attentate auf Wilhelm I. im Jahre 1878 verantwortlich. Bismarck löste den Reichstag auf, der sich gegen ein Gesetz zur Abwehr der »sozialistischen Ausschreitungen« gesperrt hatte. Der neue Reichstag, der mehr Mandate für die Konservativen und weniger für Liberale und Sozialdemokraten brachte, nahm am 19. Oktober 1878 das »Reichsgesetz gegen die gemeingefährlichen Bestrebungen der Sozialdemokratie« an. Versuche zum »Umsturz der bestehenden Staats- und Gesellschaftsordnung« sollten mit Polizeimaßnahmen unterdrückt werden: Verbot aller sozialistischen Vereinigungen, Versammlungen und Druckschriften, Ausweisung von Funktionären und Agitatoren.

Eigentlich hatte sich der achtundsiebzigjährige Moltke aus dem Parlamentsgeschäft zurückziehen wollen. Aber nun legte er sich erneut in die Sielen. Er ließ sich wieder aufstellen und zog in den neuen Reichstag ein, »wo wir den Demokraten zu Leibe gehen wollen«.

Bereits im alten Reichstag war er für Bismarcks Sozialistengesetz-Entwurf eingetreten, das erste und einzige Mal, daß er zu einer ausgesprochen innenpolitischen Frage sprach: Eine Entwicklung müsse aufgehalten werden, wenn sie nicht dorthin führen sollte, wo sie die liberalen Gegner des Gesetzentwurfs und selbst die umsichtigen Führer der Sozialdemokratie nicht haben wollten: »Hinter dem gemäßigt Liberalen steht gleich Jemand, der viel weiter gehen will wie er. Das ist überhaupt der Irrtum so Vieler gewesen, daß sie glauben, ungefährdet nivellieren zu können bis auf ihr Niveau, dann solle die Bewegung stillstehen; als ob ein in voller Fahrt heranbrausender Eisenbahnzug plötzlich Halt machen könnte – wobei ja auch die den Hals brechen würden, welche darin sind.«

Der alte Reichstag hörte nicht auf ihn, lehnte den Sozialistengesetz-Entwurf ab. Der neue, nach rechts gerückte Reichstag aber nahm ihn an, ohne daß Moltke noch einmal das Wort hätte ergreifen müssen. Nun hatte, wie er es wünschte, die Regierung die Macht, nicht nur die soziale Revolution zu unterbinden, sondern auch eine soziale Reform einzuleiten. Denn nicht durch einen plötzlichen Umsturz könne den »leidenden Klassen unserer Mitbürger« geholfen werden, »sondern nur allein auf dem zwar langsamen Wege der Gesetzgebung, der sittlichen Erziehung und der eigenen Arbeit«.

Moltke stimmte für die Sozialgesetzgebung Bismarcks, mit der dieser soziale Probleme entschärfen, die Arbeiterschaft an den Staat heranführen wollte – durch die Gesetze zur Krankenversicherung, Unfallversicherung, Alters- und Invalidenversicherung. »Das weitere Fortschreiten dieser staatlichen Fürsorge kann nur gehemmt oder doch verzögert werden durch den Unverstand derer, für welche sie wirkt.«

Was Moltke befürchtete, schien einzutreten. Die Sozialisten erwiderten, sie wollten keine Almosen, sondern die Güterverteilung. Trotz des Sozialistengesetzes stieg die Anzahl der sozialdemokratischen Reichstagsmandate von 12 im Jahre 1881 auf 24 im Jahre 1884. Im Jahre 1890 vermerkte er: »Ist es zu glauben, daß in Berlin, wo mehr als eine Million Menschen wohnen, die viel zu verlieren haben, *nur* Demokraten gewählt sind und ebenso in Danzig, Königsberg und Breslau?« Kein Wunder, daß in diesem Jahre das Sozialistengesetz nicht mehr verlängert wurde.

Die Fahrt ins Rote schien unaufhaltsam zu sein. Die Rechtsliberalen waren von den Linksliberalen überholt worden, und eines Tages würden die Sozialisten vorne sein. Das hatte er bereits 1869 als Neunundsechzigjähriger vorausgesagt und sich Glück gewünscht, so betagt zu sein, daß er die nächsten Jahrzehnte und damit den Siegeszug des Sozialismus nicht mehr erleben werde. Nun war er Neunzig, hatte das Glück gehabt, ihn nicht mitansehen zu müssen, wollte aber nicht mehr dasein, wenn er bald tatsächlich begänne.

ZWÖLFTES KAPITEL

DER ALTE VON KREISAU

NOCH EINMAL, zum letzten Mal, führte er beim Kaisermanöver 1879 sein Pommersches Grenadierregiment Wilhelm I. vor, hoch zu Roß, was dem Neunundsiebzigjährigen sehr zusetzte. »Es kommt nämlich darauf an, unter all den Trommeln, Musik und flatternden Fahnen im ruhigen Schritt an Seiner Majestät vorüber, dann aber in einem flotten Rechtsgalopp ihm zur Seite zu reiten.« Noch mehr als die Manöver nahmen ihn die Festlichkeiten mit. »Denn *ein* Diner kann man wohl vertragen, aber einundzwanzig hintereinander, da muß man sich in acht nehmen, besonders mit den vielen Weinsorten.«

Der Magen wurde immer empfindlicher, Asthma machte ihm zu schaffen, im Vorjahr hatte ihn eine Gesichtsrose befallen. Nach dem Herbstmanöver 1879 besichtigte er mit dem Kaiser bei Metz die Schlachtfelder von 1870 und leitete anschließend die Generalstabsreise im Elsaß. »Es ist wohl ohne Zweifel die letzte der Art. Ich trete nun bald das achtzigste Jahr an, und meine Kräfte reichen nicht mehr für solche Leistungen aus.«

Zwei Jahre später bat der Einundachtzigjährige um seinen Abschied, den der vierundachtzigjährige Wilhelm I. nicht genehmigte. Er könne weder jetzt noch überhaupt jemals – »solange uns Gottes Wille beisammen läßt« – auf seinen Generalstabschef verzichten, »aber ich bin mit Freuden bereit, Sie in Ihren umfangreichen Dienstgeschäften nach aller Möglichkeit zu erleichtern, und habe daher auch gern Ihrem Wunsche um Zuweisung eines Generalquartiermeisters . . . entsprochen.«

Dieser Generalquartiermeister war eine Art Koadjutor, ein Gehilfe im Amt, der zum Nachfolger bestimmt war. Er mußte deshalb sorgfältig ausgesucht werden. Die Wahl fiel auf den neunundvierzigjährigen Grafen Alfred Waldersee, Chef des Generalstabes des X. Armeekorps in Hannover.

Er gehörte zu der Generation, die nicht durch den deutschen Idealismus hindurchgegangen, sofort in den preußisch-deutschen Realismus eingestiegen war, die Reichsmacht mit allen Mitteln zu wahren trachtete. Moltke ahnte, daß dieser geschäftige Militär, der einem Bourgeois in Uniform, einem Unternehmer im Stechschritt glich, seinen Generalstab schneidig in jene Richtung führen würde, die er zwar eingeschlagen, prinzipiell angestrebt, aber

Der Gutsherr: der 86jährige Moltke in Kreisau

375

persönlich eher gescheut hatte – zum Monopol des Militärs in Staat und Gesellschaft.

Bereits der Adlatus war dem alten Chef stets um Längen in der Forderung voraus, politische Entscheidungen nach militärischen Erfordernissen zu treffen, beispielsweise in der 1887 aufgeworfenen Frage des Präventivkrieges gegen Rußland. Moltke betrachtete Waldersee nicht ohne Mißtrauen, aber er war zu müde geworden, um die Zügel noch straff zu führen, und so alt, daß er selbst eine Entlastung, die ihn belastete, hinnahm.

Es fiel ihm schwer, sich an neue Gesichter zu gewöhnen und in neue Verhältnisse zu finden. Waldersee brachte neue Leute mit. Moltke verlor seinen Adjutanten, Otto de Claer, der nach Magdeburg versetzt wurde, und seinen Neffen Henry Burt, der in eine Heilanstalt kam.

Nicht nur in den Amtsstuben, auch in den Privaträumen des Generalstabsgebäudes gab es Veränderungen. 1888 starb Moltkes Schwester Auguste, die ihm seit dem Tode seiner Frau den Haushalt geführt hatte. 1874 hatte er seinen Bruder Friedrich verloren, der bei ihm ständiger Gast gewesen war. Sein Neffe Helmuth von Moltke, Sohn des bereits 1871 verstorbenen Bruders Adolf, wurde sein Adjutant und Hausgenosse. Dessen Gattin Eliza, aus der dänischen, in Schweden lebenden Linie Moltke-Hvitfeld stammend, übernahm die Rolle der Hausfrau. Nun gab es auch vier Kinder – die Helmuths und Elizas – im Generalstabsgebäude, und der Generalstabschef konnte auf seine alten Tage noch den Großvater spielen.

Öfter und länger als bisher zog er sich nach Kreisau zurück. Seitdem er im Generalquartiermeister einen Geschäftsführer hatte, leistete er sich das, was er sich schon lange hätte gönnen können. In seiner Position und bei seinen Verdiensten standen ihm längere Ferien zu. Auch Bismarck ging häufig nach Friedrichsruh, kam oft monatelang nicht aus seinem Sachsenwald hervor.

Kreisau war inzwischen eine Art Walhalla geworden. Den Schloßeingang flankierten zwei eroberte französische Geschütze. Im Treppenhaus stand, auf einem Granitsockel, eine bronzene Reiterstatue Wilhelms I. Die Gesellschaftszimmer glichen einem Moltke-Museum: Andenken und Geschenke, Diplome und Ehrenbürgerbriefe, Meißner Porzellan, das ihm der König von Sach-

Der Neffe: Helmuth von Moltke der Jüngere,
Chef des Generalstabes von 1906 bis 1914

sen gestiftet, und die Marmorbüste des Königs von Italien, die ihm
der Dargestellte, Viktor Emanuel II., zugeeignet hatte.

Schon pilgerten Patrioten zu diesem Wallfahrtsort. Prominente
Besucher führte der Verehrte persönlich durch sein Anwesen, und
auch solche, die über ihn schreiben wollten – weniger um sie zu
einer Hagiographie anzuhalten, als sie davon abzubringen.

Doch die Bescheidenheit des Gutsherrn von Kreisau galt als
Kontrapunkt zur Entschlossenheit des Feldherrn, gab den Lobes-
hymnen Klangfülle und Resonanz.

Der Schriftsteller Hermann Müller-Bohn, der »Sr. Exzellenz
dem General-Feldmarschall Grafen von Moltke« eine populäre
Biographie widmete, war und blieb von der Begegnung mit seinem
Helden in Kreisau beeindruckt: »Nur so viel weiß ich, daß sich
meine Brust jedesmal von neuem voll Stolz und Freude hebt,

wenn ich jenes Augenblickes gedenke, der mich von neuem gelehrt hat, daß die phänomenale Größe dieses Mannes mit einer Einfachheit und Anspruchslosigkeit in die Erscheinung trat, die das Gefühl der Befangenheit, welches der gewöhnliche Sterbliche in der Nähe großer Menschen empfindet, von selbst verbannte.«

Die Eisenbahn, die ihm solche Besucher ins Haus brachte und ihn daran erinnerte, daß er wieder zurück nach Berlin mußte, ließ er durch eine Tannenpflanzung verdecken. Hinter diesem grünen Paravent wollte er sein Landleben führen, den Altersfrieden genießen. Krieg führte er nur noch gegen die Fliegen, die er mit der stets griffbereiten Fliegenklappe zu erlegen suchte, wobei viel Geschirr und manche Fensterscheibe zu Bruch ging. Wild jagte er weniger leidenschaftlich. Als er einmal ein Reh traf, »auf einundsechzig Schritt in voller Flucht«, bemerkte er: »Ich glaube, das arme Tier muß prädestiniert gewesen sein.«

Am liebsten ging er durch den Park, den er selbst gepflanzt hatte und der noch nicht so weit gediehen war, daß er ihn sich selbst hätte überlassen dürfen. »Hier muß noch viel geschehen. Ich bin noch lange nicht fertig.« Er besichtigte die Anlage, beschnitt Bäume, räumte abgebrochene Äste beiseite, rückte Bänke, die nicht mehr genau an dem Platz standen, auf den er sie gestellt hatte, wieder zurecht. Und pflückte Blumen am Wege, die er zum Mausoleum trug, in dem die Särge seiner Frau und seiner Schwester standen. Der Platz dazwischen war für ihn reserviert.

Tag an Tag reihte sich in jener Regelmäßigkeit, die durch die ständige Wiederkehr des Gleichen und Gewohnten deren Dauer zu gewähren schien, zur Kette eines schier endlosen Daseins. Das Leben, hatte er schon vor Jahrzehnten erkannt, bestehe »nur aus wenig und selten Wichtigem. Die kleinen Beziehungen des Tages hingegen reihen sich zu Stunden, Wochen und Monaten und machen am Ende das Leben mit seinem Glück und Unglück aus.«

Es gab auch in Kreisau Wichtiges, Hervorzuhebendes: die Vollendung des Treibhauses für Ananas, das erste Plätschern des Springbrunnens vor der Veranda, eine Geburtstagsfeier mit der Regimentsmusik aus Schweidnitz und dem Chor der Kreisauer Schulkinder, eine Jagdtafel, an der selbst der »große Schweiger« gesprächig wurde, Geschichten aus seinem langen Leben erzählte, dabei sich, seinen Beruf und seine Leistung nicht allzu ernst nehmend. »Wer war der erste Generalstabschef?« fragte er und gab die Antwort: »Moses. Denn er hat es fertiggebracht, die Juden vierzig Jahre lang in einer ziemlich kleinen Wüste in die Irre zu führen.«

Die wichtigste und liebste Abwechslung war und blieb für ihn das Reisen. Wenn er privat unterwegs war, trug er Zivil, einen dunklen Überzieher und einen kleinen runden Hut, nahm nie einen Koffer, nur eine Handtasche mit. Stundenlang, einen ganzen Tag lang konnte er in einem Abteil zweiter Klasse sitzen, durchs Fenster schauen, die vorüberziehenden Bilder in sich aufnehmen und darüber alles andere vergessen, schon gar das Essen und Trinken.

Er reiste ins Bad, nach Ragaz in der Schweiz oder ins nahe Kudowa in der Grafschaft Glatz. Er wagte Neues und Beschwerliches, so noch mit Achtundachtzig eine Fahrt in das unwirtliche Tatra-Gebirge. Traumziel blieb stets der Süden, das Mittelmeer, Italien.

Noch einmal war er in Rom, wo sich seit seinem Aufenthalt in den vierziger Jahren viel verändert hatte, doch das Wesentliche gleichgeblieben war: der Kapitolinische Hügel, auf dem er im Palazzo Caffarelli, der Deutschen Botschaft, wohnte und die Ewige Stadt überblickte – das antike Rom mit Kolosseum, Konstantinsbogen und Forum, das inzwischen ausgegraben war; »schön ist es nicht, aber sehr interessant.« Und das barocke Rom »mit all seinen zahllosen Kirchen und Kuppeln, Palästen und Türmen, bis zum gewaltigen Bau des Vatikans, der Engelsburg und St. Peter«.

Noch einmal sah er Neapel, den Vesuv, »der sich hoch über den zahllosen flachen Dächern und Kuppeln der Stadt erhebt, aber nur eine weiße Dampfwolke, sonst nichts Außergewöhnliches zum besten gibt«. Er fuhr mit dem Dampfschiff über den Golf, wagte sich bei hoher See im Nachen in die Blaue Grotte von Capri. »Man legte sich flach auf den Boden der Nußschale nieder, und die darauf geübten Führer paßten genau den Moment zwischen einer aus der Höhle zurückfließenden und einer von außen heranstürmenden Woge ab. ›Coraggio per voi, Maccaroni per voi!‹ riefen sie, und – wupps – waren wir unter der niedrigen Höhlung fort, jedoch nicht ohne daß mein Hut sich in einen Chapeau claque verwandelte.«

Die letzte Italienreise führte den Vierundachtzigjährigen zur Stillung seiner Südsehnsucht und zur Heilung seines Asthmas an

Der im Dom zu Berlin aufgebahrte Kaiser und
König Wilhelm I. 12. bis 16. März 1888

die Riviera. In San Remo fror er – im März – im Zimmer, doch
draußen war es sonnig und schön, die Mandelbäume und schon die
Kirschbäume blühten, »Orangen und Zitronen hingen voller
Früchte«. Am schönsten war es, auf der Promenade »spazieren zu
sitzen und dem Rauschen der Wellen zu horchen, den ruhigen
Atemzügen des schlummernden Meeres«. In Nervi – im April –
war es wärmer, die Promenade windgeschützter, die Vegetation
weiter fortgeschritten.

»Dennoch freue ich mich auf ein deutsches Frühjahr, welches,
wenn es endlich eintritt, dort weit schöner ist als hier. Alle diese
grauen Oliven und Steineichen sind nicht zu vergleichen mit einer
grünen Wiese und dem ersten Laub eines Buchenwaldes.« Er
machte sich auf den Weg nach Hause. »Ich betrachte es als eine

besondere Gnade Gottes, wenn ich daheim noch ein fünfundachtzigstes Mal das Erwachen der Natur erleben soll.«

Er durfte das noch mehrmals erleben. »Wenn man das salomonische Alter überschritten, kann man nur bitten, daß der Herr einen gnädig zu sich nimmt, ohne zu viel Schmerzen und Altersbeschwerden. Zwar ist ›nie der Tod ein ganz willkommener Gast‹, aber das nächste Jahr möchte ich nicht mehr erleben, es steht Deutschland eine schwere Zeit bevor«, schrieb der Siebenundachtzigjährige am 24. Mai 1888. »Ich werde vielleicht noch dem fünften König von Preußen den Eid der Treue zu leisten haben.«

DER ALTE KÖNIG UND KAISER war am 9. März 1888 gestorben, der neue war todkrank, und dessen Sohn wäre – nach Friedrich Wilhelm III., Friedrich Wilhelm IV., Wilhelm I. und Friedrich III. – als Wilhelm II. der fünfte König von Preußen und der dritte Deutsche Kaiser gewesen, dem er zu dienen gehabt hätte. »Leider kann ich mich nicht in verborgene Stille zurückziehen.«

Er hatte am Sterbebett des über neunzigjährigen Wilhelms I. gestanden, der ihn nicht gehen lassen wollte und nun vor ihm dahingehen mußte. Der dreiundsiebzigjährige Bismarck war noch da. Roon war bereits 1879 mit Sechsundsiebzig gestorben. Zwei Paladine des ersten Deutschen Kaisers waren übriggeblieben. Die Gerontokratie, die Greisenherrschaft der Gründer neigte sich dem Ende zu.

»Wir haben ihn noch!« hieß die Kantate, die Moltkes Hausmusikus Friedrich August Dreßler nach einem Gedicht von Ernst von Wildenbruch komponiert hatte. Doch dreizehn Tage vor seinem 91. Geburtstag, zu dem sie von 150 Sängern des Berliner Lehrervereins, 250 Sängerinnen »aus allen Kreisen der Gesellschaft« und den Philharmonikern aufgeführt werden sollte, starb Wilhelm I.

Nun hatte Moltke seinen alten König und Kaiser nicht mehr. An das, was von ihnen gemeinsam geschaffen worden war, Preußens Größe und Deutschlands Macht, hatte der Monarch seinen »lieben General-Feldmarschall« immer wieder mit sinnigen Geschenken erinnert, zum Beispiel Reproduktionen des Denkmals Friedrichs des Großen und der Siegessäule. Dem Sieger von Königgrätz und Sedan hatte er Orden, zuletzt »den einzigen, den ich noch erhalten konnte, das Großkreuz des Hohenzollern in Brillanten«, verliehen.

Wilhelm I. hatte Bismarck einen an Furcht grenzenden Respekt gezollt, Moltke aber war ihm sympathisch gewesen. Dessen schlichtes Wesen entsprach dem seinen, mit diesem zurückhaltenden Mann konnte er umgehen, ohne darauf gefaßt sein zu müssen, daß das Geniale – wie bei Bismarck – sich unter Blitz und Donner entlud.

Moltke verehrte nicht nur die Majestät, sondern schätzte auch den Menschen, der wie er einfach lebte, von eingegangenen Briefen die leeren zweiten Blätter abtrennte und für Notizen verwendete. Und sich von Gewohntem nicht zu trennen vermochte, von Kleidungsstücken wie von vertrauten Personen. Auf dem Sterbebett, im Palais Unter den Linden, dankte Wilhelm I. ein letztes Mal seinem Generalstabschef, gab ihm seinen letzten Willen kund: Man müsse den Frieden wollen, ihn sichern, aber den Krieg führen, der einem aufgezwungen werde.

Im Schloß Charlottenburg meldete sich Generalfeldmarschall Moltke beim neuen König und Kaiser Friedrich III. An Kehlkopfkrebs unheilbar erkrankt, war der Sechsundfünfzigjährige aus San Remo nach Berlin gekommen, um die Herrschaft zu übernehmen und sich darauf vorzubereiten, sie bald wieder abzugeben.

Moltke erschrak beim Anblick des um drei Jahrzehnte Jüngeren. »Es ist unfaßlich, daß eine Krankheit das Äußere eines Menschen so sehr verändern kann – es ist ja ein anderer Mensch.« Was war aus dem strahlenden Prinzen geworden, den er als Adjutant nach England, Rußland und Frankreich begleitet hatte, dem Heerführer von 1866 und 1870/71, der wie Wotan im Waffenrock erschienen war! »Es ist ein wahrhaft tragisches Schicksal, mit einem Fuß auf dem Thron, mit dem andern im Grabe.«

Friedrich III., der nicht mehr sprechen konnte, schrieb für Moltke auf einen Zettel: »Bleiben Sie mir, was Sie meinem Vater gewesen sind, ein Freund, ein Vertrauter, der heldenmütige Berater zum Wohle des Heeres.« Der Generalstabschef blieb an seiner Seite. Am 15. Juni 1888, nach 99tägiger Herrschaft, starb der Sohn Wilhelms I. Der neunundzwanzigjährige Enkel bestieg den Thron.

Wilhelm II. präsentierte sich bei der Reichstagseröffnung am 28. Juni 1888 als neuer König und Kaiser, umgeben von deutschen Fürsten, Bismarck vor sich und Moltke hinter sich. »Meine Kräfte gehören der Welt, dem Vaterlande. Wahlspruch Wilhelms des Großen und auch der Meinige.« Doch dieser Hohenzoller verkörperte eine neue Welt, die größer und mächtiger sein wollte als die alte, und ein Vaterland, das sich mit dem Erreichten nicht zufriedengab.

Eine Generation war übersprungen. Moltke, der noch der vorvorigen angehörte, bat am 3. August 1888 um seinen Abschied: »Allerdurchlauchtigster, Großmächtigster Kaiser und König, Allergnädigster Kaiser, König und Herr. Euer K. K. Majestät bin ich anzuzeigen verpflichtet, daß ich bei meinem hohen Alter nicht mehr ein Pferd zu besteigen vermag. Euer Majestät brauchen jüngere Kräfte und ist mit einem nicht mehr felddienstfähigen Chef des Generalstabes nicht gedient. Ich werde es als eine Gnade erkennen, wenn Euer Majestät mich dieser Stellung entheben und mir huldreich gestatten wollen, den kurzen Rest meiner Tage in ländlicher Zurückgezogenheit zu verleben.«

Sechs Tage später, am 9. August 1888, genehmigte Wilhelm II. das Abschiedsgesuch des fast Achtundachtzigjährigen mit einem Handschreiben: »Mein lieber Feldmarschall. Obwohl ich mich den in Ihrem Briefe an mich aufgeführten Gründen nicht zu verschließen vermag, so hat mich doch derselbe mit Schmerz bewegt. Es ist ein Gedanke, an welchen ich mich so wenig wie die Armee, deren Sein so unendlich viel Ihrer Person verdankt, gewöhnen können, Sie nicht mehr an dem Posten sehn zu sollen, auf welchem Sie das Heer zu den wunderbarsten Siegen führten, die je die Kämpfe eines Heeres krönten. Doch will ich unter keinen Umständen, daß Sie Ihre uns teure Gesundheit überanstrengen; darum werde ich, wenn auch schweren Herzens, Ihrem Wunsch willfahren.«

Das war die neue Sprache eines neuen Herrn. Ein »wohlaffectionirter König« blieb er seinem »lieben Feldmarschall«. Wilhelm II. ernannte den Generalstabschef a. D. zum Präses des Landesverteidigungskomitees, das mit Gutachten zu Fragen des Befestigungswesens und der Küstenverteidigung betraut war.

»In treuester Dankbarkeit und Anhänglichkeit« überhäufte der junge Monarch den »Heldengreis« mit Aufmerksamkeiten. Er ließ ihn im Generalstabsgebäude wohnen, kam schon mal zum abendlichen Whist, lud ihn mit den Kindern seines Neffen zum Ostereiersuchen im Bellevue-Garten ein. Wilhelm II. besuchte

Moltke in Kreisau, nahm ihn auf Reisen an die deutsche Küste mit, auch auf das Wasser, wo der Kaiser die Zukunft Deutschlands liegen sah. Er schenkte ihm einen mit Edelsteinen verzierten Säbel und eine goldene Schnupftabaksdose.

Sie war dem starken Schnupfer willkommen, der »Majestät alleruntertänigster Diener« bediente sich fortan aus ihr, allerdings mehr aus Pflicht denn aus Neigung. »Es ist verdrießlich, sie ist zu groß«, sagte er zu seiner Nichte, die ihn beobachtete, wie er die neue goldene Dose in die Westentasche zwängte, in die seine alte silberne so gut gepaßt hatte. »Siehst du, sie wird mir noch die Westentasche aufreißen.«

Es war ihm nun vieles zu neu, zu groß, zu anspruchsvoll. Es wurde zu viel renommiert. Verwöhnte ihn Wilhelm II. deshalb, weil er sich wenigstens mit einem der Paladine seines Großvaters großtun wollte? Roon war dahingegangen, und Bismarck konnte er nicht ausstehen. So blieb Moltke, der unproblematisch war und fügsam schien.

Bismarck hingegen »verweigert mir die Heeresfolge«, behauptete Wilhelm II. am 18. März 1890 vor versammelter Generalität. Der Reichskanzler »will also nicht Ordre parieren! Er muß also fort!« Auch Minister müßten ihm gehorchen. Die Generäle duckten sich vor dem neuen, scharfen Wind. Moltke sagte beim Hinuntergehen auf der Treppe: »Das ist ein bedauerlicher Vorgang. Der junge Herr wird uns noch manches zu raten aufgeben.«

In früheren Jahren hätte er eine Entlassung, zumindest eine Maßregelung Bismarcks vielleicht nicht ungern gesehen. Jetzt konnte er über den Sturz seines alten Rivalen, der auch ein alter Gefährte war, keine Genugtuung empfinden. Nun hatte nicht der Feldherr über den Staatsmann obsiegt, sondern ein Monarch, der glaubte, alles besser zu wissen und das Ganze führen zu können, über den Sachverstand und den Erfahrungsschatz, die Kompetenzen der Politiker wie der Militärs.

Wohin ging die Fahrt? Ein Jahr nach der Entlassung des Reichskanzlers hielt Moltke, am 16. März 1891, seine letzte Rede im Reichstag, zum Thema »Einheitszeit«. Das war keine Erinnerung an die Erringung der deutschen Einheit, an der Bismarck und er beteiligt gewesen waren, sondern eine Aufforderung, sie in einem Bereich herzustellen, in dem sie immer noch nicht bestand – in der Zeitrechnung.

»Wir rechnen in Norddeutschland, einschließlich Sachsen, mit Berliner Zeit, in Bayern mit Münchener, in Württemberg mit Stuttgarter, in Baden mit Karlsruher und in der Rheinpfalz mit Ludwigshafener Zeit.« Es sei höchste Zeit, eine »deutsche Einheitszeit« einzuführen, aus allgemeinen nationalen und eine »Eisenbahneinheitszeit« aus besonderen militärischen Gründen.

»Die vornehmsten Reisenden, meine Herren, sind die Truppen, die zur Verteidigung des Landes an die Grenze geschafft werden müssen.« Dies werde durch die verschiedenen Eisenbahnzeiten erschwert. Für Mobilmachung und Antransport müßten die Pläne mehrmals umgeändert werden, und »diese wiederholte Umarbeitung wird leicht eine Fehlerquelle – Fehler, die in ihren Folgen von sehr großer Tragweite sein können.«

In den dreißig Jahren, in denen er Generalstabschef gewesen war, hatte er sich stets um einen schnellen und reibungslosen Aufmarsch der Truppen gekümmert. Seine Auffassung, daß dies kriegsentscheidend sein könnte, war 1866 und 1870 bestätigt worden. Nun fragte er sich, ob seine Nachfolger darauf ebenso bedacht sein würden.

Bedenken hatte er bereits bei Waldersee. Sein Stellvertreter, der nun Chef geworden war, schien spontane Einfälle reiflicher Überlegung vorzuziehen. Nicht von ungefähr hatte er das Vertrauen des wesensverwandten Wilhelm II. erworben, der zum willkürlichen Herrschen und zum unwillkürlichen Handeln neigte. Aber einen ihm so Ähnlichen wollte der Kaiser bald nicht mehr als Generalstabschef haben. Bereits im Frühjahr 1891 wurde Waldersee als Kommandierender General nach Altona versetzt.

Ihm folgte als Chef des Generalstabes der Armee der bisherige Oberquartiermeister Alfred Graf Schlieffen. Von ihm hatte sich Moltke kein Bild mehr machen können. Sein Nachnachfolger, sozusagen der Enkel im Amt, schaute zu ihm als Vorbild auf. Dabei neigte er einerseits zur Dogmatisierung der Kriegslehre Moltkes, andererseits zum freizügigen Umgang mit Moltkes Kriegsplänen. Sofort ging er an eine Neubearbeitung des Aufmarschplanes gegen Rußland. Später drehte er die Intention Moltkes um, gegen Rußland offensiv zu werden und gegen Frankreich defensiv zu bleiben. Der Schlieffenplan erstrebte ein zweites und gewaltigeres Sedan in Frankreich: durch einen Flankenangriff via Belgien.

Nun wurde der Generalstab für eine Maschine gehalten, die Generalstäbler wie Maschinisten zu bedienen hätten und der Chef mit einem Knopfdruck in Bewegung setzen könnte. Wohin würde sie laufen, wenn sie nicht mehr ein Generalstabschef steuerte, der bei aller Zielstrebigkeit gewisse moralische Hemmungen hatte, zumindest Augenmaß? Wenn kein starker Reichskanzler ihn aufhielt und ein martialischer Monarch ihn antrieb?

Wohin könnte es führen, wenn – wie Moltke befürchtete – der Entschluß zum Krieg nicht mehr von einem Regenten, der sich vielleicht noch einem Höheren verantwortlich fühlte, oder von einer Regierung, die das Für und Wider erwog, gefaßt würde, sondern vom Volk, das sich von Leidenschaften hinreißen, von Demagogen verführen ließe?

»Alle Regierungen, jede in ihrem Lande, stehen Aufgaben von der höchsten sozialen Wichtigkeit gegenüber, Lebensfragen, welche der Krieg hinausschieben, aber niemals lösen kann«, erklärte Moltke am 14. Mai 1890 im Reichstag. »Ich glaube, daß alle Regierungen aufrichtig bemüht sind, den Frieden zu halten – es fragt sich nur, ob sie stark genug sein werden, um es zu können. Ich glaube, daß in allen Ländern die bei weitem überwiegende Masse der Bevölkerung den Frieden will, nur daß nicht sie, sondern die Parteien die Entscheidung haben, welche sie an ihre Spitze gestellt haben.«

Glaubte nun auch der Generalstabschef außer Dienst an den Fortschritt zum Frieden? Das Jahrhundert, mit dem er ins Leben getreten war, hatte mit Krieg begonnen. Friedrich Schiller hatte befürchtet, daß es unter dem Zeichen des Mars stehen würde, Friedrich Hölderlin gehofft: »Versöhnung ist mitten im Streit, und alles Getrennte findet sich wieder.« Am Ende des 19. Jahrhunderts wurde eine Welt ohne Waffen gefordert, wie am Ende des 18. Jahrhunderts an den »Ewigen Frieden« gedacht.

War aber für das 20. Jahrhundert nicht noch mehr Krieg und noch weniger Frieden zu erwarten? Staaten wie Klassen würden miteinander kämpfen, nicht nur wie bisher um Macht und Ehre, sondern auch für nationales Prestige, wirtschaftlichen Gewinn, gesellschaftlichen Umsturz, ideologischen Triumph. Und mit größerem Menschenaufgebot und gewaltigerem Materialeinsatz, mit immer moderneren und immer schrecklicheren Waffen. Stand nicht ein Jahrhundert der Bürgerkriege, der Nationalkriege, der

Weltkriege bevor – eine Epoche des totalen Krieges und des totalen Unfriedens?

Schon war Europa bis an die Zähne bewaffnet. In Deutschland war Moltke für eine starke Rüstung eingetreten, um durch ein Gleichgewicht der Kräfte den Frieden zu erhalten. Was aber, wenn die Rüstungsmaschinerie nicht mehr von Menschen wie ihm unter Kontrolle gehalten wurde? Oder sich mit der Automatik, die in ihrer Konstruktion liegen mochte, von selber in Bewegung setzte?

Die Sachzwänge hatten selbst ihn zum Militaristen gemacht. Den Wandlungen seines Jahrhunderts vermochte sich der mit ihm Wandelnde nicht zu entziehen. Er begann seinen Lebensweg im Zeichen weltbürgerlicher Humanität. Der preußische Offizier tat seine Pflicht im Sinne von Kants kategorischem Imperativ, diente einem Staat, der sich nach Hegel als »wirklicher Gott« zu begreifen begann. In preußischem Ethos, mit den Mitteln und zur Machterweiterung Preußens half er den deutschen Nationalstaat schaffen, der eine Dynamik entwickelte, die auch den auf Disziplin bedachten Moltke ein Stück weit mitriß.

Der alte Moltke nahm es hin, nicht aus Fatalismus, sondern aus Historismus, zu dem er als Mensch des 19. Jahrhunderts neigte: Jeder Einzelne wie das ganze Volk und die gesamte Menschheit seien den Gesetzen ihrer Geschichte unterworfen, wüchsen und veränderten sich mit ihr. Er akzeptierte das, nicht ohne zu bedauern, daß er nicht den Weg, den er sich vorgestellt hatte, gehen durfte. Und nicht ohne zu befürchten, daß zwar nicht mehr ihm, der an der Schwelle des Todes stand, aber den Überlebenden und Nachfahren ein schweres Schicksal bevorstand.

Er hätte sich lieber mit archäologischen und historischen Studien befaßt, wäre gerne Professor der Geschichte geworden, erklärte der greise Feldmarschall. Und: »Wenn der Glaube der Inder an eine Seelenwanderung wahr sein sollte, so möchte ich wenigstens nicht wieder als Mensch geboren werden; denn eigentlich besteht das menschliche Leben nur aus Enttäuschungen.«

AN SEINEM 90. GEBURTSTAG wurde er als ein großer Deutscher gefeiert. Am Vortage war er in allen Schulen als leuchtendes Vorbild hingestellt worden. Am Vorabend des 26. Oktober 1890 wurde ihm ein Fackelzug dargebracht.

Der Jubilar stand vor dem Generalstabsgebäude, gegenüber der elektrisch beleuchteten Viktoria auf der Siegessäule. Tausende und Abertausende zogen an ihm vorbei: Studenten in vollem Wichs, Schützen, Radfahrer und Ruderer, die Innungen und Arbeiter von Siemens & Halske, der Gärtnerverein »Deutsche Eiche«, die Hauskapelle von Bolles Meierei und der Märkische Central-Sängerbund. Sie sangen die »Wacht am Rhein«, »Das ist der Tag des Herrn« und »Gott erhalte unsern Moltke«.

Germanen in Bärenfellen, mittelalterliche Herolde und Grenadiere des Alten Fritz marschierten vor dem Huldigungswagen: Die Gestalt der »Kriegswissenschaft«, in der Rechten ein Schwert, in der Linken ein Buch, stützte sich auf einen Löwen. Die Figur der »Kunst« meißelte an einer Büste Moltkes. Inmitten thronte Fräulein Wegener in goldenem Schuppenpanzer als Germania. Vor dem Jubilar erhob sie sich und deklamierte ein Gedicht von Ernst von Wildenbruch:

> »Denker Du in Wort und Rat,
> Lenker der erwog'nen Tat,
> Du im Frieden und im Feld
> Vaterlandes Sohn und Held!
>
> Sieh, es drängt sich Dir zu Füßen
> Alt' und junger Krieger Schar,
> Denn *ganz* Deutschland will Dich grüßen,
> Das da ist und das da war.
>
> Daß ein Bild Dir sei gegeben
> Greifbar, wie's die Kunst verleiht,
> Es gehört Dein großes Leben
> *Aller* Zeit, nicht *einer* Zeit.«

Am Mittag des 26. Oktober erschien der Kaiser und König, Wilhelm II., im Generalstabsgebäude. Er brachte, unter den Klängen des »Pariser Einzugsmarsches«, die Fahnen und Standarten des Gardekorps sowie des Kolbergschen Grenadierregiments mit – eine besondere Ehrung für den »preußischen Führer, der unserer Armee den Ruhm der Unüberwindlichkeit geschaffen hat«, den »Mitbegründer und Mitschmieder« des Deutschen Reiches: »Es liegt eine hohe Geschichte in den Bändern und zerschossenen Fetzen, die hier vor Ihnen stehen, eine Geschichte, die zum

Kaiser Wilhelm II. gratuliert Moltke zum 90. Geburtstag
am 26. Oktober 1890. Nach einer Farbenskizze von A. v. Werner

größten Teil von Ihnen geschrieben worden ist.« Es war eine
Geschichte, die mit viel Blut geschrieben worden war.

»Das Gewissen ist der unbestechliche und unfehlbare Richter,
welcher sein Urteil in jedem Augenblick spricht, wo wir ihn hören
wollen, und dessen Stimme endlich auch den erreicht, der sich ihr
verschließt, wie sehr er sich dagegen sträubt« – das hatte Moltke
vor seinem 90. Geburtstag niedergeschrieben, in seinen »Trostge-
danken über das irdische und Zuversicht auf das ewige Leben«.

Er wollte mit sich ins reine kommen, ehe er vor den göttlichen
Richter trat. Daß er dies tun müsse, daran hatte er nie gezweifelt.
An ein jenseitiges Leben, das vom Verhalten im diesseitigen Leben
abhing, hatte er stets geglaubt.

»Unmöglich kann dies Erdenleben ein letzter Zweck sein. Wir
haben ja nicht um dasselbe gebeten, es ward uns gegeben, aufer-
legt. Eine höhere Bestimmung müssen wir haben, als etwa den
Kreislauf dieses traurigen Daseins immer wieder zu erneuern.«
Wie aber könne der Mensch sich dieser höheren Bestimmung
würdig erweisen? »Körper und Vernunft dienen der herrschenden
Seele, aber sie stellen auch ihre selbständigen Forderungen, sie
sind mitbestimmend, und so wird das Leben des Menschen ein

steter Kampf mit sich selbst. Wenn dabei nicht immer die Stimme des Gewissens die Entschließung der so vielfach von äußerem und innerem Widerstreit bedrängten Seele entscheidet, so müssen wir hoffen, daß der Herr, welcher uns unvollkommen schuf, nicht das Vollkommene von uns fordern wird.«

Wie vieles stürme bei seinem Handeln auf den Menschen ein! Wie verschieden seien seine Naturanlagen, seine Lebensumstände, seine Lebensaufgaben! »Dies alles muß bei Abwägung von Schuld und Unschuld vor dem Weltgericht schwer in die Waagschale fallen, und hier wird Gnade zur Gerechtigkeit; zwei Begriffe, die sich sonst ausschließen.«

Moltke, der Christ, hatte Glaube und Hoffnung, und setzte auf die Liebe. »Wenn, wie der Apostel Paulus schreibt, einst der Glaube in die Erkenntnis, die Hoffnung in die Erfüllung aufgeht, so dürfen wir hoffen, auch der Liebe eines milden Richters zu begegnen.«

Der Tod konnte ihn nicht mehr schrecken. »Und auch bei der tiefsten Finsternis / Bin ich Deiner Gnade und Liebe gewiß / Und harre getrost in der dunkelsten Nacht, / Daß ein Strahl Deines leuchtenden Morgens erwacht« – so hatte er ein Gedicht von Thomas Moore übersetzt. Nur eines fürchtete er: ein langes Siechtum. Es blieb ihm erspart.

Am 24. April 1891 fuhr er in das Herrenhaus, wo die Abstimmung über die Gewerbeordnung auf der Tagesordnung stand. Gegen 15 Uhr kam er zu Fuß zurück, setzte sich um 17 Uhr zu Tisch, las anschließend in seinem Zimmer die Zeitungen. Um 20 Uhr nahm er im Silberzimmer den Tee, aß zwei Butterbrötchen und ein Stück Kuchen, trank ein Glas Mosel.

Dann steckte er sich eine Zigarre an und spielte Whist mit seiner Nichte Eliza, seinem Neffen Helmuth und Herrn Marcher, einem schwedischen Bekannten. Der Neunzigjährige gewann den letzten Robber, trommelte mit den Fingern auf die Tischplatte und lachte: »Wat seggt hei nu tau sine Süpers!« Das hatten Dragoner dem Alten Fritz zugerufen, als sie nach der Schlacht bei Roßbach mit eroberten Standarten am König vorbeiritten, der vorher gesagt hatte, das Regiment tauge nichts, die Kerle seien alle Säufer.

Wohl war ihm nicht; er hatte das Kartenspiel kurz unterbrechen müssen, weil ihm, was in letzter Zeit häufiger vorkam, sein

Asthma zu schaffen machte. Musik wollte er noch hören. Er ging in den Saal, wo der Flügel stand, setzte sich daneben, den Militärüberrock aufgeknöpft, das rotseidene Schnupftuch in der Hand. Dreßler spielte eine eigene Komposition, eine schwermütige Weise.

Plötzlich stand Moltke auf, ging mit leisen Schritten, um den Pianisten nicht zu stören, in das Nebenzimmer. Sein Neffe ging ihm nach, fand ihn zusammengesunken auf einem Stuhl. Auf die besorgte Frage, ob ihm etwas fehle, ließ er ein schwaches »Wie?« hören, sein letztes Wort. Er hatte die Besinnung verloren, als sie ihn in das Schlafzimmer trugen. Der Arzt konnte nur noch den Tod feststellen.

Wie er seine Abende ausklingen ließ, so endete sein Leben. Gegen 21 Uhr 35 war er vom Whisttisch aufgestanden, er hatte Musik gehört, entschlief um 21 Uhr 45 am 24. April 1891.

Wilhelm II., der in Wasungen jagte, telegraphierte: »Bin wie betäubt! Eile sofort zurück. Habe eine Armee verloren und kann es nicht fassen.« Baronin Spitzemberg fand seinen leichten Tod beneidenswert und Deutschland, das ihn verloren hatte, beklagenswert: »Wie wird des alten Moltke ehrwürdige und charakteristische Gestalt den Zeitgenossen fehlen, und wie ernst macht die Empfindung, daß mit seinem Scheiden abermals einer von jenen mächtigen Türmen gesunken ist, die unser Deutschland gegen Haß und Neid von außen schützten.«

Bismarck in Friedrichsruh blickte auf ihre Auseinandersetzungen und auf ihre Errungenschaften zurück, faßte zusammen: »Des Dienstes ewig gleichgestellte Uhr war ganz für ihn maßgebend. In vielem waren wir verschieden; er war, wie es im Goetheschen ›Fischer‹ heißt, stets ›kühl bis ans Herz hinan‹. Ein Durchgänger war er nie. Moltke war immer zu haben, und immer, Tag oder Nacht, erschien er mit militärischer Pünktlichkeit, stramm, sauber, sogar die zwei Stiefel waren gewichst, wenn es nachts um zwei oder drei war.«

Bismarck erschien zur Trauerfeier für Moltke nicht, an der alles teilnahm, was im Reiche Rang und Namen hatte. Im Generalstabsgebäude war der langjährige Hausherr aufgebahrt. Paul von Hindenburg, Abteilungschef im Kriegsministerium, sah ihn »ohne die übliche Perücke, so daß die wundervolle Form seines Kopfes voll zur Geltung kam. Es fehlte nur ein Lorbeerkranz um die

Schläfe, um das Bild eines idealen Cäsarenkopfes zu vervollständigen. «

Der tote Moltke verließ Berlin über die Moltkebrücke, die mit dem Leichenzug eingeweiht wurde, und den Lehrter Bahnhof. Er kehrte für immer nach Kreisau heim, an den Platz im Mausoleum, zwischen seiner Frau und seiner Schwester, den er sich freigehalten hatte.

In Nachrufen wurden Moltkes eigene Worte zitiert: »Nicht der Glanz des Erfolges, sondern die Lauterkeit des Strebens und das treue Beharren in der Pflicht, auch da, wo das Ergebnis kaum in die äußere Erscheinung trat, wird den Wert eines Menschenlebens entscheiden.« Theodor Fontane, der preußische Dichter, hatte ihn 1879 charakterisiert: »Voll echter Seelengröße, dient er, wie nicht leicht ein zweiter, der Sache allein.«

An den alten Moltke dachte Fontane, als er in seinem Roman »Der Stechlin« schrieb: »Dienst ist alles, und Schneidigkeit ist nur Renommisterei . . . Die wirklich Vornehmen, die gehorchen nicht einem Machthaber, sondern dem Gefühl ihrer Pflicht.« Als das Buch 1898, im Todesjahr Bismarcks, erschien, avancierten im Zeichen des Wilhelminismus Forsche und Prahler, wurde vornehmlich um zu verdienen gedient.

Im Generalstabsgebäude saß auf dem Stuhl des alten Moltke der Epigone Schlieffen, der alles auf die Karte der Umfassungsstrategie setzen wollte. Und – ab 1906 – der Neffe Helmuth von Moltke, der Adjutant, der sich vorsagte, daß er an das Vorbild des Onkels nicht heranreichen, einen Weltkrieg nicht gewinnen könne – und 1914 in Frankreich prompt versagte.

Wilhelm II. verlor 1918 den Krieg und seinen Thron. In der Weimarer Republik lebte vieles vom Wilhelminischen und manches vom Moltkeschen Geiste fort, beispielsweise in General Hans von Seeckt, dem letzten Chef des Großen Generalstabes und Chef der neuen Heeresleitung. Der Schöpfer der Reichswehr zitierte Moltkes Wort über den kaiserlich französischen Marschall Bazaine, der nach der Kapitulation Napoleons III. bei Sedan in Metz in dessen Namen ausgeharrt hatte: »Ein gefangener Kaiser, dem der Feldherr die Treue geschworen, und eine illegale Regierung aus eigener Machtvollkommenheit. Es blieb nur das Vaterland, aber in wem war es personifiziert?«

Dachte Seeckt dabei an den in Holland internierten Kaiser

Wilhelm II., an die demokratische Regierung der Weimarer Republik? Jedenfalls blieb auch für ihn nur das Vaterland – das freilich bald von Adolf Hitler personifiziert wurde.

Im Zweiten Weltkrieg wurde in Kreisau des 50. Todestages Moltkes gedacht, ohne Partei und Hakenkreuz, worauf die Familie Wert legte. Die Nationalsozialisten wollten das schlichte neoromanische Mausoleum durch ein großartiges in ihrem Stil ersetzen. Das widerspreche dem Stil des Feldmarschalls, entgegnete Helmuth James von Moltke, der Urgroßneffe.

Im Jahre 1890, beim 90. Geburtstag des Feldmarschalls, hatte ein Familienangehöriger gelobt, daß alle Moltkes zu jeglicher Zeit mit gleicher Treue und Hingebung zu Kaiser und Reich stehen würden, wie der alte Moltke es in seinem langen Leben getan habe. Zum Führer Adolf Hitler und zum nationalsozialistischen Reich wollte der Urgroßneffe nicht stehen. Der »Kreisauer Kreis« wurde zu einer Keimzelle des Widerstandes. Helmuth James von Moltke, 1907 geboren, wurde 1945 hingerichtet.

Er hatte noch Bäume bewundert, die vom Feldmarschall in Kreisau gepflanzt worden waren. »In hundert Jahren wird es hier hübsch sein«, hatte der alte Moltke gesagt, »und meine Nachkommen werden ihre Freude an den Eichen haben.«

Im Jahre 1945, als das »Dritte Reich« zusammenbrach, mußten die Moltkes aus Kreisau fort. Als die Russen kamen, fanden sie im Schloß das Zimmer des Feldmarschalls so vor, wie er es verlassen, mit dem, was er zurückgelassen hatte – Maltesermantel und Filzpantoffeln, Perückenständer und Federbuschhelm.

BIBLIOGRAPHIE

Moltke: Werke

Gesammelte Schriften und Denkwürdigkeiten. 8 Bde., Berlin 1891–1893. – Militärische Werke. Hrsg. vom Großen Generalstabe, Kriegsgeschichtliche Abteilung I. 13 Text- und 4 Kartenbde., Berlin 1892–1912. Briefe. Hrsg. von Willy Andreas. 2 Bde., Leipzig 1922. – Briefe an die Braut und Frau. 2 Bde., Leipzig 1894. – Briefe aus Rußland. Berlin 1877. – Wanderbuch. Handschriftliche Aufzeichnungen aus dem Reisetagebuch. Berlin 1879. Gespräche. Hrsg. von Eberhard Kessel. Hamburg 1940. – Graf Moltke als Redner. Hrsg. von Gustav Karpeles. (Collection Spemann, Bd. 282). Stuttgart 1887. – Erzählungen. Hrsg. von Willy Krogmann. Schwerin 1938. Die deutschen Aufmarschpläne 1871–1890. Hrsg. von Ferdinand von Schmerfeld. (Forschungen und Darstellungen aus dem Reichsarchiv, Heft 7). Berlin 1929. Darstellung des türkisch-ägyptischen Feldzugs im Sommer 1839. Hrsg. von Eberhard Kessel. (Kriegsgeschichtliche Bücherei, Bd. 4). Berlin 1935. – Der russisch-türkische Feldzug in der europäischen Türkei 1828 und 1829. Berlin 1845. Ausgewählte Werke. Hrsg. von Ferdinand von Schmerfeld. 4 Bde., Berlin 1925. – Strategie und Politik. Eine Auswahl aus Moltkes Schriften. Hrsg. von Eberhard Kessel. (Deutsche Schriften, Bd. 7). Potsdam 1936. – Kriegslehre. Eine Auswahl aus Moltkes militärischen Schriften. Hrsg. von Hermann Gackenholz. (Kriegsgeschichtliche Bücherei, Bd. 37). Berlin 1938.

Moltke: Biographisches

Kessel, Eberhard: Moltke. Stuttgart 1957. – Stadelmann, Rudolf: Moltke und der Staat. Krefeld 1950. Jähns, Max: Feldmarschall Moltke. 3 Bde., Berlin 1894–1900. – Müller-Bohn, Hermann: Graf Moltke. Ein Bild seines Lebens und seiner Zeit. Berlin 1889. – Bigge, Wilhelm: Feldmarschall Graf Moltke. Ein militärisches Lebensbild. 2 Bde., München 1901. – Blume, Wilhelm von: Moltke. (Erzieher des preußischen Heeres, Bd. 10). Berlin 1907. – Landmann, Karl von: Moltke. (Weltgeschichte in Charakterbildern). Mainz 1912.

Delbrück, Hans: Moltke. In: Erinnerungen, Aufsätze und Reden. Berlin 1903. – Schlieffen, Alfred Graf: Reden auf Moltke vom 25. November 1900 und 26. Oktober 1905. In: Gesammelte Schriften, Bd. 2. Berlin 1913. – Rassow, Peter: Helmuth von Moltke. In: Die Großen Deutschen. Berlin 1966. – Fontane, Theodor: Moltke. In: Politik und Geschichte. (Sämtliche Werke). München 1969.

MOLTKE: MONOGRAPHISCHES

Stadelmann, Rudolf: Moltke und das 19. Jahrhundert. In: Historische Zeitschrift 166, 1942. – Dahms, Hellmut Günther: Das geschichtliche Denken Helmuth von Moltkes. Diss. Tübingen 1944. – Stern, Alfred: Moltke als Historiker. In: Reden, Vorträge und Abhandlungen. Stuttgart 1914. – Kessel, Eberhard: Moltke und die Kriegsgeschichte. In: Militärwiss. Rundschau 1941. – Kowalewski, Arnold: Moltke als Philosoph. Bonn 1905. – Wieser, Max (Hrsg.): Moltkes philosophisches Vermächtnis. Darmstadt 1927. – Mutschke, Fritz: Moltke als Geograph. Freiburg 1935. – Fischer, Norbert: Moltke als Topograph. Eine Auswahl aus seinen handgezeichneten Karten und Kartenskizzen. Berlin 1944. – Schiff, Otto: Moltke als politischer Denker. In: Preußische Jbb., 181, 1920. – Peschke, Rudolf: Moltke als Politiker. In: Preußische Jbb., 158, 1914.

Matthias, Theodor: Moltke in der Sprache seiner Briefe. (Wissenschaftliche Beihefte zur Zeitschrift des Allg. deutschen Sprachvereins, 4. Reihe, Heft 28). Berlin 1906. – Kohut, Adolph: Moltke und die Frauen. Berlin 1900.

ALLGEMEINE GESCHICHTE

Schnabel, Franz: Deutsche Geschichte im 19. Jahrhundert. 4 Bde., Freiburg 1929–1936. – Nipperdey, Thomas: Deutsche Geschichte 1800–1866. Bürgerwelt und starker Staat. München 1983. – Craig, Gordon A.: Deutsche Geschichte 1866–1945. Vom Norddeutschen Bund bis zum Ende des Dritten Reiches. München 1980. – Stürmer, Michael: Das ruhelose Reich. Deutschland 1866–1918. (Die Deutschen und ihre Nation, Bd. 3). Berlin 1983.

Berner, Ernst: Geschichte des Preußischen Staates. 2 Bde., München 1891. – Hintze, Otto: Die Hohenzollern und ihr Werk. Berlin 1915. –

Heinrich, Gerd: Geschichte Preußens. Staat und Dynastie. Frankfurt 1981. – Moderne Preußische Geschichte 1648–1947. Eine Anthologie. Hrsg. von Otto Büsch und Wolfgang Neugebauer. (Veröffentlichungen der Historischen Kommission zu Berlin, Bd. 52). 3 Bde., Berlin 1981. Huber, Ernst Rudolf: Deutsche Verfassungsgeschichte seit 1789. Bd. 1: 1789–1830. Bd. 2: 1830–1850. Bd. 3: Bismarck und das Reich. Bd. 4: Struktur und Krisen des Kaiserreichs. Stuttgart 1957–1969.

MILITÄRGESCHICHTE

Handbuch zur deutschen Militärgeschichte 1648–1939. Hrsg. vom Militärgeschichtlichen Forschungsamt. 6 Bde., München 1964–1979. Taschenbuchausgabe 1983. Abschnitt IV (Bd. 2): Militärgeschichte im 19. Jahrhundert, von Manfred Messerschmidt, Wolfgang Petter und Edgar Graf von Matuschka. – Abschnitt IX (Bd. 6): Grundzüge der Landkriegführung zur Zeit des Absolutismus und im 19. Jahrhundert, von Volkmar Regling.

Ritter, Gerhard: Staatskunst und Kriegshandwerk. Das Problem des »Militarismus« in Deutschland. 4 Bde., München 1954–1968. Bd. 1: Die altpreußische Tradition 1740–1890. München 3/1965. – Craig, Gordon A.: The Politics of the Prussian Army 1640–1945. Oxford 1955. Dt. Die preußisch-deutsche Armee 1640–1945. Düsseldorf 1960.

Jany, Curt: Geschichte der Königlich Preußischen Armee. 4 Bde., Berlin 1928–1933. – Ortenburg, Georg: Mit Gott für König und Vaterland. Das preußische Heer 1807–1914. München 1979.

Demeter, Karl: Das deutsche Offizierskorps in seinen historisch-soziologischen Grundlagen. Berlin 1930. – Messerschmidt, Manfred: Werden und Prägung des preußischen Offizierskorps. Einführung zu: Offiziere im Bild von Dokumenten aus drei Jahrhunderten. (Beiträge zur Militär- und Kriegsgeschichte, 6). Stuttgart 1964. – Martin, Günther: Die bürgerlichen Exzellenzen. Zur Sozialgeschichte der preußischen Generalität 1812–1918. Düsseldorf 1979.

Huber, Ernst Rudolf: Heer und Staat in der deutschen Geschichte. Hamburg 1938. – Obermann, Emil: Soldaten-Bürger-Militaristen. Militär und Demokratie in Deutschland. Stuttgart 1958. – Sauer, Wolfgang: Die politische Geschichte der deutschen Armee und das Problem des Militarismus. In: Politische Vierteljahresschrift 6, 1965. – Berghahn, Volker R. (Hrsg.): Militarismus. (Neue Wissenschaftliche Bibliothek, 83, Geschichte). Köln 1975.

Delbrück, Hans: Geschichte der Kriegskunst im Rahmen der politischen Geschichte. Fortgesetzt von Emil Daniels. 7 Bde., Berlin 1920–1936. – Gersdorff, Ursula von (Hrsg.): Geschichte und Militärgeschichte. Wege der Forschung. Frankfurt 1974.

396

Gebhardt, Peter von: Zu Moltkes Ahnentafel. In: Deutsches Adelsblatt 56, 1938. – Wentscher, Erich: Aus Moltkes Ahnentafel. In: Familiengeschichtliche Blätter 15, 1917. – Brockdorff, Friedrich von: Marie von Moltke. Ein Lebens- und Charakterbild. Leipzig 1893.

Meinecke, Friedrich: Das Leben des Generalfeldmarschalls Hermann von Boyen. 2 Bde., Stuttgart 1896–1899. – Herre, Franz: Freiherr vom Stein. Köln 1973. – Herre, Franz: Metternich. Köln 1983.

Poten, Bernhard: Geschichte des Militär-Erziehungs- und -Bildungswesens in den Ländern deutscher Zunge. Bd. 4: Preußen. (Monumenta Germaniae Paedagogica, Bd. 17). Berlin 1896. – Scharfenort, von: Die Königlich-Preußische Kriegsakademie 1810–1910. Berlin 1910. – Schwertfeger, Bernhard: Die großen Erzieher des deutschen Heeres. Aus der Geschichte der Kriegsakademie. Potsdam 1936.

Wagner, Reinhold: Moltke und Mühlbach zusammen unter dem Halbmond. Berlin 1893. – Kessel, Eberhard: Moltkes erster Feldzug. Anlage und Durchführung des türkisch-ägyptischen Feldzugs. Berlin 1939. – Ders.: Moltke in der Schlacht bei Nisib. In: Wissen und Wehr 20, 1939. – Hasenclever, Adolf: Die orientalische Frage 1838–1841. Leipzig 1914. – Jorga, Nicolaus: Geschichte des Osmanischen Reiches. 5 Bde., Gotha 1908–1913.

Granier, Hermann: Moltkes Berufung nach Rom. In: Forschungen zur brandenburgischen und preußischen Geschichte 33, 1921. – Reumont, Alfred von: Geschichte der Stadt Rom. Bd. 3, 2. Abtlg. Berlin 1870. – Smidt, H. (Hrsg.): Ein Jahrhundert römischen Lebens. Berichte deutscher Augenzeugen. Leipzig 1904.

Rapp, Alfred: Moltkes politische Einstellung bis zum Jahr 1857. Diss. Freiburg 1925. – Peschke, Rudolf: Moltkes Stellung zur Politik bis zum Jahre 1857. Diss. Berlin 1912.

Valentin, Veit: Geschichte der deutschen Revolution von 1848–1849. 2 Bde. Berlin 1930–1931. (Köln 1970). – Meinecke, Friedrich: Radowitz und die deutsche Revolution. Berlin 1913.

Höhn, Reinhard: Verfassungskampf und Heereseid. Der Kampf des Bürgertums um das Heer 1815–1850. Leipzig 1938. – Ders.: Die Armee als Erziehungsschule der Nation. Das Ende einer Idee. Bad Harzburg 1963.

Hoffmann, Georg: Preußen und die norddeutsche Heeresgleichschaltung nach der achtundvierziger Revolution. (Münchner Historische Abhandlungen, 2. Reihe, Kriegs- und Heeresgeschichte, Heft 8). München 1935. – Borries, Kurt: Preußen im Krimkrieg 1853–1856. Stuttgart 1930.

Görlitz, Walter: Der deutsche Generalstab. Geschichte und Gestalt 1657–1945. Frankfurt 1950. – Ders.: Kleine Geschichte des deutschen Generalstabes. Berlin 1967. – Cochenhausen, Friedrich von (Hrsg.): Von Scharnhorst zu Schlieffen 1806–1906. 100 Jahre preußisch-deutscher Generalstab. Berlin 1933. – Schmidt-Richberg, Wiegand: Die Generalstäbe in Deutschland 1871–1945. Stuttgart 1962.

Bronsart von Schellendorff, Paul: Der Dienst des Generalstabes. Teil 1–2. Berlin 1875–1876. – Wohlers, Günther: Die staatsrechtliche Stellung des Generalstabes in Preußen und im Deutschen Reich. Bonn 1921. – Meisner, Heinrich Otto: Der Kriegsminister 1814–1914. Ein Beitrag zur militärischen Verfassungsgeschichte. Berlin 1940. – Schmidt-Bückeburg, Rudolf: Das Militärkabinett der preußischen Könige und deutschen Kaiser. Seine geschichtliche Entwicklung und staatsrechtliche Stellung 1787–1918. Berlin 1933.

Höhn, Reinhard: Scharnhorsts Vermächtnis. Frankfurt 1972. – Müffling, Karl Friedrich von: Aus meinem Leben. Teil 1–2. Berlin 1851. – Der General der Infanterie von Krauseneck. Ein Lebensabriß. (Beihefte zum MilWBl.). Berlin 1852. – Ollech, Karl Rudolf von: Carl Friedrich Wilhelm von Reyher. 4 Bde. (Beihefte zum MilBWl.). Berlin 1861–1879. – Fircks, A. von: Feldmarschall Graf Moltke und der preußische Generalstab. Kottbus 2/1887. – Borissow: Die Tätigkeit Moltkes als Chef des Generalstabes. In: Jbb. für die deutsche Armee und Marine, Bde. 111 und 112, 1899.

Caemmerer, Rudolf von: Die Entwicklung der strategischen Wissenschaft im 19. Jahrhundert. (Bibl. für Politik und Volkswirtschaft, Nr. 15). Berlin 1904.

Clausewitz, Carl von: Vom Kriege. Hrsg. von Werner Hahlweg. Bonn 18/1972. – Schramm, Wilhelm von: Clausewitz. Leben und Werk. Esslingen 1976. – Aron, Raymond: Clausewitz. Den Krieg denken. Frankfurt 1980. – Marwedel, Ulrich: Carl von Clausewitz. Persönlichkeit und Wirkungsgeschichte seines Werkes. (Wehrwissenschaftliche Forschungen, Abtl. Militärgeschichtliche Studien, Bd. 25). Boppard 1978.

DIE EINIGUNG DEUTSCHLANDS

Marcks, Erich: Der Aufstieg des Reiches 1807–1871/78. 2 Bde., Stuttgart 1936. – Srbik, Heinrich von: Deutsche Einheit. Idee und Wirklichkeit vom Heiligen Reich bis Königgrätz. 4 Bde., München 1935–1942. – Böhme, Helmut: Deutschlands Weg zur Großmacht. Studien zum Verhältnis von Wirtschaft und Staat während der Reichsgründungszeit 1848–1881. Köln 1966. – Ders. (Hrsg.): Probleme der Reichsgründungszeit 1848–1879. (Neue Wissenschaftliche Bibliothek, 26, Geschichte). Köln 1968. – Herre, Franz: Nation ohne Staat. Die Entstehung der deutschen Frage. Köln 1967.

Stadelmann, Rudolf: Moltke und die deutsche Frage 1861. In: Stufen und Wandlungen der deutschen Einheit. Festschrift für K. A. von Müller. Stuttgart 1943. – Mittelstädt, A.: Der Krieg von 1859. Bismarck und die öffentliche Meinung in Deutschland. Stuttgart 1904.

Bismarck, Otto von: Werke in Auswahl. Hrsg. von Gustav Adolf Rein, Wilhelm Schüßler, Alfred Milatz, Rudolf Buchner, Eberhard Scheler, Georg Engel. 8 Bde., Stuttgart 1962–1983. – Gall, Lothar: Bismarck. Der weiße Revolutionär. Frankfurt 1980. – Hillgruber, Andreas: Bismarcks Außenpolitik. Freiburg 1972.

Wilhelm I.: Militärische Schriften 1821–1865. Hrsg. vom Königlich Preußischen Kriegsministerium. 2 Bde., Berlin 1897. – Marcks, Erich: Kaiser Wilhelm I. Leipzig 1897. – Herre, Franz: Kaiser Wilhelm I. Köln 1980.

Roon, Albrecht von: Denkwürdigkeiten. 2 Bde., Breslau 1892. – Friedrich III.: Tagebücher 1848–1866. Hrsg. von Heinrich Otto Meisner. Leipzig 1929. – Ders.: Kriegstagebuch 1870/71. Hrsg. von Heinrich Otto Meisner. Leipzig 1926. – Friedrich Karl, Prinz: Denkwürdigkeiten aus seinem Leben. Hrsg. von Wolfgang Foerster. 2 Bde., Stuttgart 1910. – Bernhardi, Theodor von: Aus dem Leben Th. von B. 9 Bde., Leipzig 1893–1901. – Blumenthal, Leonhard von: Tagebücher aus den Jahren 1866 und 1870/71. Stuttgart 1902. – Bronsart von Schellendorff, Paul: Geheimes Kriegstagebuch 1870/71. Hrsg. von Peter Rassow. (Deutsche Geschichtsquellen des 19. und 20. Jahrhunderts). Bonn 1954. – Hohenlohe-Ingelfingen, Prinz Kraft zu: Aus meinem Leben. 4 Bde., Berlin 1897–1907. – Stosch, Albrecht von: Denkwürdigkeiten. Stuttgart 1904. – Verdy du Vernois, Julius von: Im Großen Hauptquartier 1870/71. Persönliche Erinnerungen. Berlin 1895.

Messerschmidt, Manfred: Militär und Politik in der Bismarckzeit und im Wilhelminischen Deutschland. (Erträge der Forschung, Bd. 43). Darmstadt 1975. – Messerschmidt, Manfred: Die Armee in Staat und Gesellschaft – Die Bismarckzeit. In: Das Kaiserliche Deutschland. Hrsg. von Michael Stürmer. Düsseldorf 1970. – Albertini, Rudolf von: Politik und Kriegführung in der deutschen Kriegstheorie von Clausewitz bis Ludendorff. In: Schweiz. Monatsschrift für Offiziere aller Waffen 59, 1947. – Klein-Wuttig, Anneliese: Politik und Kriegführung in den deutschen Einigungskriegen 1864, 1866 und 1870/71. (Abhandlungen zur Mittleren und Neueren Geschichte, Heft 75). Berlin 1934. – Bethcke, Ernst: Politische Generale. Kreise und Krisen um Bismarck. Berlin 1930. – Oncken, Hermann: Politik und Kriegführung. (Münchner Universitätsreden, Heft 12). München 1928.

Blume, Wilhelm von: Politik und Strategie. Bismarck und Moltke 1866 und 1870/71. In: Preußische Jbb., 111, 1903. – Haeften, Hans von: Bismarck und Moltke. In: Preußische Jbb., 177, 1919. – Kessel, Eberhard: Bismarck und die Halbgötter. Zu dem Tagebuch von Paul Bronsart von Schellendorff. In: Historische Zeitschrift 181, 1956.

Der Deutsch-Dänische Krieg 1864. Hrsg. vom Großen Generalstab. 2 Bde., Berlin 1886–1887. – Scharff, Alexander: Schleswig-Holstein in der deutschen und nordeuropäischen Geschichte. Gesammelte Aufsätze. (Kieler Historische Studien, Bd. 6). Stuttgart 1969.

Wienhöfer, Elmar: Das Militärwesen des Deutschen Bundes und das Ringen zwischen Österreich und Preußen um die Vorherrschaft in Deutschland 1815–1866. Osnabrück 1973. – Helmert, Heinz: Militärsystem und Streitkräfte im Deutschen Bund am Vorabend des preußisch-österreichischen Krieges von 1866. Berlin (Ost) 1964.

Der Feldzug von 1866 in Deutschland. Hrsg. vom Großen Generalstab. Berlin 1867. – Lettow-Vorbeck, Oscar von: Geschichte des Krieges von 1866 in Deutschland. 3 Bde., Berlin 1896–1902. – Entscheidung 1866. Der Krieg zwischen Österreich und Preußen. Hrsg. vom Militärgeschichtlichen Forschungsamt durch Wolfgang von Groote und Ursula von Gersdorff. Stuttgart 1966. – Craig, Gordon A.: Königgrätz. Hamburg 1966. – Regele, Oskar: Feldzeugmeister Benedek. Der Weg nach Königgrätz. München 1956. – Irmler, Joseph: Moltke und Prinz Friedrich Karl bei Königgrätz. (Historische Studien, Heft 167). Berlin 1926.

Herre, Franz: Kaiser Franz Joseph von Österreich. Köln 1978. – Wandruszka, Adam: Schicksalsjahr 1866. Graz 1966. – Faber, Karl-Georg: Realpolitik als Ideologie. Die Bedeutung des Jahres 1866 für das politische Denken in Deutschland. In: Historische Zeitschrift 203, 1966.

Reichsgründung 1870/71. Hrsg. von Theodor Schieder und Ernst Deuerlein. Stuttgart 1970. – Deuerlein, Ernst (Hrsg.): Die Gründung des Deutschen Reiches 1870/71 in Augenzeugenberichten. Düsseldorf 1970. – Herre, Franz: Anno 70/71. Köln 1970. – Herre, Franz: Deutsche und Franzosen. Bergisch Gladbach 1983.

Oncken, Hermann: Die Rheinpolitik Kaiser Napoleons III. von 1863–1870 und der Ursprung des Krieges von 1870/71. 3 Bde., Berlin 1926. – Kolb, Eberhard: Der Kriegsausbruch 1870. Göttingen 1970. – Becker, Josef: Zum Problem der Bismarckschen Politik in der spanischen Thronfolgefrage 1870. In: Historische Zeitschrift 212, 1971.

Der Deutsch-Französische Krieg 1870/71. Hrsg. vom Großen Generalstab. 5 Bde., Berlin 1872–1881. – Entscheidung 1870. Der deutsch-französische Krieg. Hrsg. vom Militärgeschichtlichen Forschungsamt durch Wolfgang von Groote und Ursula von Gersdorff. Stuttgart 1970. – Howard, Michael: The Franco-Prussian War. The Invasion of France 1870/71. New York 1961. – Regensberg, Friedrich: 1870/71. Der deutsch-französische Krieg. 3 Bde., Stuttgart 1907. – Hoenig, Fritz: Der Volkskrieg an der Loire. 6 Bde., Berlin 1893–1897.

Hoenig, Fritz: 24 Stunden Moltkescher Strategie. Entwickelt und erläutert an den Schlachten von Gravelotte und St. Privat. Berlin 1891. – Schmerfeld, Ferdinand von: Die Strategie Moltkes im August 1870 in französischer Beleuchtung. In: Vjh. für Truppenführung und Heereskunde 9, 1912. – König Wilhelm I. auf seinem Kriegszug in Frankreich 1870. Hrsg. vom Großen Generalstab. (Kriegsgeschichtliche Einzelschriften, Heft 19). Berlin 1897.

Blume, Wilhelm von: Die Beschießung von Paris 1870/71 und die Ursachen ihrer Verzögerung. Leipzig 1899. – Moltke in Versailles. In: MilWBl., 87, 1902. – Busch, Wilhelm: Das Deutsche Große Hauptquartier und die Bekämpfung von Paris im Feldzuge 1870–71. Tübingen 1905. – Daniels, Emil: Moltke und Roon vor Paris. In: Preußische Jbb., 121, 1905. – Meyer, Arnold Oskar: Bismarck und Moltke vor dem Fall von Paris und beim Friedensschluß. In: Stufen und Wandlungen der deutschen Einheit. Festschrift für K. A. von Müller. Stuttgart 1943.

Das Kaiserreich

Ziekursch, Johannes: Politische Geschichte des neuen Deutschen Kaiserreichs 1871–1918. 3 Bde., Frankfurt 1925–1930. – Buchheim, Karl: Das Deutsche Kaiserreich 1871–1918. München 1969. – Wehler, Hans-Ulrich: Das Deutsche Kaiserreich 1871–1918. (Deutsche Geschichte. Hrsg. von Joachim Leuschner, Band 9). Göttingen 1973.

Schieder, Theodor: Das deutsche Kaiserreich von 1871 als Nationalstaat. Köln 1961. – Wehler, Hans-Ulrich: Krisenherde des Kaiserreichs 1871–1918. Studien zur deutschen Sozial- und Verfassungsgeschichte. Göttingen 1970. – Hillgruber, Andreas: Deutsche Großmacht- und Weltpolitik im 19. und 20. Jahrhundert. Düsseldorf 1977. – Ders.: Die gescheiterte Großmacht. Eine Skizze des Deutschen Reiches 1871–1945. Düsseldorf 1980. – Stürmer, Michael (Hrsg.): Das kaiserliche Deutschland. Politik und Gesellschaft 1870–1918. Düsseldorf 1970. – Ders. (Hrsg.): Bismarck und die preußisch-deutsche Politik 1871–1890. (dtv-Dokumente, 692). München 1970.

Dreßler, Friedrich August: Moltke in seiner Häuslichkeit. Berlin 1904. – Spitzemberg, Hildegard von: Das Tagebuch der Baronin S. Hrsg. von Rudolf Vierhaus. (Deutsche Geschichtsquellen des 19. und 20. Jahrhunderts, Bd. 43). Göttingen 1960. – Maxe von Arnim. Tochter Bettinas, Gräfin von Oriola 1818–1894. Hrsg. von Johannes Werner. Leipzig 1937. – Werner, Anton von: Erlebnisse und Eindrücke 1870–1890. Berlin 1913.

Sagave, Pierre-Paul: 1871, Berlin–Paris. Frankfurt 1971. – Masur, Gerhard: Das Kaiserliche Berlin. München 1971. – Lange, Annemarie:

Berlin zur Zeit Bebels und Bismarcks. Zwischen Reichsgründung und Jahrhundertwende. Berlin (Ost) 1972. – Laforgue, Jules: Berlin. Der Hof und die Stadt 1887. Frankfurt 1970. – Höfele, Karl Heinrich (Hrsg.): Geist und Gesellschaft der Bismarckzeit 1870–1890. (Quellensammlung zur Kulturgeschichte, Bd. 18). Göttingen 1967. – Hamann, Richard und Jost Hermand: Gründerzeit. (Epochen deutscher Kultur von 1870 bis zur Gegenwart, Bd. 1). München 1971.

Winckler, Martin B.: Bismarcks Bündnispolitik und das europäische Gleichgewicht. Stuttgart 1964. – Windelband, Wolfgang: Bismarck und die europäischen Großmächte 1879–1885. Essen 1940. – Rassow, Peter: Die Stellung Deutschlands im Kreise der großen Mächte 1887–1890. Mainz 1959. – Hallmann, Hans (Hrsg.): Zur Geschichte und Problematik des deutsch-russischen Rückversicherungsvertrages von 1887. Darmstadt 1968.

Rassow, Peter: Der Plan des Feldmarschalls Grafen Moltke für den Zweifrontenkrieg 1871/1890. (Breslauer Historische Forschungen, Heft 1). Breslau 1936. – Jeismann, K. E.: Das Problem des Präventivkriegs im europäischen Staatensystem mit besonderem Blick auf die Bismarckzeit. Freiburg 1957.

Craig, Gordon A.: Beziehungen zwischen politischen und militärischen Ämtern im Zweiten Deutschen Reich. Kanzler und Chef des Stabes 1871–1918. In: Krieg, Politik und Diplomatie. Hamburg 1968. – Stürmer, Michael: Militärkonflikt und Bismarckstaat. Zur Bedeutung der Reichsmilitärgesetze 1874 bis 1890. In: Gesellschaft, Parlament, Regierung. Zur Geschichte des Parlamentarismus in Deutschland. Hrsg. von Gerhard A. Ritter. Düsseldorf 1974. – Höhn, Reinhard: Sozialismus und Heer. Bd. 2: Die Auseinandersetzung der Sozialdemokratie mit dem Moltkeschen Heer. Bad Homburg 1961. Bd. 3: Der Kampf des Heeres gegen die Sozialdemokratie. Bad Harzburg 1969.

Waldersee, Alfred Graf: Denkwürdigkeiten. Hrsg. von Heinrich Otto Meisner. 3 Bde., Stuttgart 1922–1923. – Aus dem Briefwechsel des Generalfeldmarschalls Alfred Grafen von Waldersee 1886–1891. Hrsg. von Heinrich Otto Meisner. Berlin 1928. – Blau, Erich Günther: Der ältere Moltke und Schlieffen. In: Wissen und Wehr 15, 1934. – Buchfinck, Ernst: Moltke und Schlieffen. In: Historische Zeitschrift 158, 1938. – Moltke, Helmuth von (der Jüngere): Erinnerungen, Briefe und Dokumente 1877–1916. Hrsg. von Eliza von Moltke. Stuttgart 1922. – Seeckt, Hans von: Moltke. Ein Vorbild. Berlin 1931.

Moltke, Freya von, Michael Balfour und Julian Frisby: Helmuth James von Moltke 1907–1945. Stuttgart 1975.

PERSONENREGISTER

Die Bibliographie ist nicht berücksichtigt.
Kursive Ziffern weisen auf Abbildungen hin.

405

BILDQUELLENNACHWEIS

Archiv des Autors: S. 312/13 und hinterer Vorsatz
Bildarchiv Preußischer Kulturbesitz, Berlin: S. 38/39, 122, 130, 146, 198, 302
F. Bruckmann Bildarchiv, München: S. 2, 47, 237, 288
G. A. Craig: Königgrätz. © Paul Zsolnay Verlag GmbH, Wien/Hamburg 1966: S. 221, 238
Helmuth von Moltke: Gesammelte Schriften und Denkwürdigkeiten. Berlin 1891: S. 20/
 21, 31, 77, 79, 86, 96, 112
W. Müller, Illustrirte Geschichte des deutsch-französischen Krieges 1870/71. Stuttgart
 1873: S. 296
H. Müller-Bohn: Graf Moltke. Berlin o. J., IV. Aufl.: S. 22, 23, 25, 250/51, 338, 349
Rheinisches Bildarchiv Köln: S. 295
Th. Schade: Atlas zur Geschichte des preußischen Staates. Glogau 1876: vorderer Vorsatz
Ullstein Bilderdienst: S. 11, 33, 36, 66, 73, 103, 104, 125, 139, 151, 158/59, 164, 175, 191,
 209, 299, 332, 335, 354, 369, 375, 377, 380
Verlagsarchiv DVA: Über Land und Meer, Jg. 1866: S. 230, 247, 265, 327
 Vom Kriegsschauplatz. Stuttgart 1871: S. 327
A. von Werner: Erlebnisse und Eindrücke. Berlin 1913: S. 389

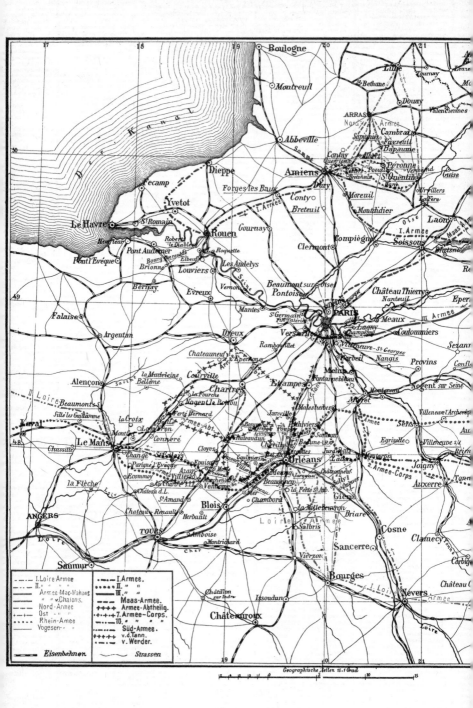